D0324333

L'ÉCHO DES CŒURS LOINTAINS

Le Prix de l'indépendance

*

Diana Gabaldon

L'ÉCHO DES CŒURS LOINTAINS

Le Prix de l'indépendance

*

Roman

Traduit de l'anglais (Etats-Unis)
par Philippe Safavi

www.quebecloisirs.com

UNE ÉDITION DU CLUB QUÉBEC LOISIRS INC.

Dépôt légal — Bibliothèque et Archives nationales du Québec, 2011
ISBN Q.L. 978-2-89666-077-3
Publié précédemment sous ISBN 978-2-258-08325-7

Imprimé au Canada

A tous mes chiens :
Penny Louise
Tipper John
John
Flip
Archie et Ed
Tippy
Spots
Emily
Ajax
Molly
Gus
Homer et JJ

Prologue

Le corps est incroyablement malléable. L'esprit, plus encore. Pourtant il y a des lieux dont on ne revient pas.

Tu le crois vraiment, *a nighean* ? C'est vrai que le corps peut facilement être mutilé, et l'esprit dénaturé… mais il y a une part en l'homme qui ne peut jamais être détruite.

PREMIÈRE PARTIE

Des remous dans l'eau

1

Parfois, ils sont bel et bien morts

Wilmington, colonie de Caroline du Nord, juillet 1776

William ne voyait plus la tête du pirate. Non loin sur le quai, un groupe de badauds en discutaient justement, se demandant si elle réapparaîtrait. L'un d'eux, un métis en haillons, déclara avec conviction :

— Cette fois, il est parti pour de bon. Si un alligator lui fait pas son affaire, la mer s'en chargera.

Son voisin, un rustre probablement venu de l'arrière-pays, cessa de mâchouiller sa chique un instant et cracha dans l'eau.

— Non… tiendra bien encore un jour. Même deux, qui sait ? C'est la faute à tous ces tendons qui retiennent la tête. En se desséchant au soleil, ils deviennent durs comme fer. J'ai vu ça souvent sur les carcasses de chevreuils.

William vit Mme MacKenzie lancer un regard bref vers le port puis détourner les yeux. Devant son extrême pâleur, il se déplaça discrètement de quelques centimètres afin de lui cacher la vue des hommes et de l'eau brunâtre derrière eux. La marée étant haute, il était normal que l'homme ligoté au pieu ne soit plus visible, mais le pieu lui-même l'était toujours, sinistre rappel du prix à payer pour une vie de crimes. Condamné à mort, le pirate avait été attaché au milieu de la laisse de mer quelques jours plus tôt pour y être noyé par la marée. Depuis, toute la ville ne parlait plus que du temps que mettrait son cadavre en décomposition à être emporté par le courant.

— Jem !

M. MacKenzie se précipita devant William à la poursuite de son fils. Aussi roux que sa mère, le garçonnet s'était rapproché des curieux pour écouter leur bavardage. Se retenant d'une main à une bitte d'amarrage, il était à présent penché en équilibre précaire au-dessus de l'eau pour tenter d'apercevoir les restes du supplicié.

M. MacKenzie attrapa son fils par le col et le prit dans ses bras. L'enfant se débattit, tordant le cou vers les eaux boueuses du port.

— Je veux voir le walligateur manger le pirate, papa !

Les hommes s'esclaffèrent. MacKenzie lui-même esquissa un sourire qui s'effaça dès qu'il aperçut la mine défaite de sa femme. Celle-ci paraissait de plus en plus mal en point. Il la rejoignit et, après avoir calé son fils sur sa hanche, glissa une main sous son bras.

— Nous ferions mieux de vous laisser, lieutenant Ransom... Pardon, je voulais dire lord Ellesmere... Vous avez sûrement à faire.

William devait retrouver son père pour le dîner, mais ce dernier lui avait donné rendez-vous à la taverne juste en face du quai. Il ne pouvait pas le rater. Il s'empressa de le leur expliquer et insista pour qu'ils s'attardent encore un peu. Il trouvait leur compagnie fort agréable, celle de Mme MacKenzie en particulier. La jeune femme avait retrouvé un semblant de couleurs. Elle sourit d'un air navré et tapota le bonnet du nourrisson dans ses bras.

— Je suis désolée, nous devons vraiment rentrer.

Elle regarda son fils qui gigotait toujours dans l'espoir d'être reposé à terre, et ne put s'empêcher de lancer un dernier coup d'œil vers le port et le pieu macabre. Puis elle se tourna à nouveau vers William.

— La petite se réveille. Elle va avoir faim. J'ai été ravie de vous rencontrer. Je regrette que nous n'ayons pas eu le temps de bavarder plus longuement.

Elle semblait sincère et effleura son bras, ce qui procura à William une agréable sensation au creux du ventre.

Les badauds, dont aucun ne paraissait pourtant avoir un sou en poche, pariaient à présent sur la réapparition éventuelle du pirate.

— Deux contre un qu'il est toujours là quand la mer se retire.

— Cinq contre un qu'il est là mais sans la tête. Me fiche de tes tendons, Lem ; sa tête tenait plus qu'à un fil à la dernière marée. La prochaine l'emportera à coup sûr.

S'efforçant de couvrir leurs voix, William se lança dans des salutations alambiquées et, dans un élan de galanterie, alla jusqu'à baiser la main de Mme MacKenzie. Dans la foulée, il baisa également celle du bébé, provoquant l'hilarité générale. M. MacKenzie le regarda bizarrement mais ne sembla pas en prendre ombrage. Il lui serra la main avec une vigueur toute républicaine puis, histoire de montrer qu'il avait lui aussi le sens de l'humour, enjoignit à son fils de tendre la sienne à son tour. Intrigué par l'épée d'apparat de l'officier, l'enfant lui demanda :

— T'as déjà trucidé quelqu'un ?

— Non, pas encore, répondit William avec un sourire.

— Mon grand-père, lui, il a zigouillé une vingtaine d'hommes !

— Jemmy !

Ses parents s'étaient écriés d'une seule voix. Le garçonnet haussa les épaules.

— Ben quoi ? C'est vrai !

William s'efforça de garder son sérieux :

— Je suis sûr que ton grand-père est très courageux et sanguinaire. Ce sont des hommes comme lui dont le roi a besoin.

— Mon grand-père dit que le roi, il peut aller se faire voir chez les Grecs.

— JEMMY !

M. MacKenzie plaqua une main sur la bouche de son fils tandis que sa mère tançait le petit effronté :

— Tu sais très bien que ton grand-père ne dirait jamais une chose pareille !

L'enfant hocha la tête et son père retira sa main.

— Non, c'est grand-mère qui l'a dit.

— C'est déjà plus probable, marmonna MacKenzie.

Il avait du mal à garder son sérieux.

— Quoi qu'il en soit, on ne parle pas comme ça devant un militaire. Les soldats sont au service de Sa Majesté.

— Ah, fit Jemmy qui se désintéressait déjà de la question et étirait à nouveau le cou vers le port. C'est quand qu'elle descend, la marée ?

— Pas avant des heures, répondit fermement MacKenzie. Tu seras couché depuis longtemps.

Mme MacKenzie adressa à William un sourire contrit, l'embarras faisant rosir ses joues d'une manière charmante, puis la famille prit congé un peu précipitamment, laissant William partagé entre l'envie de rire et le regret de les voir partir.

— Hé, Ransom !

Pivotant sur ses talons, il découvrit Harry Dobson et Colin Osborn, deux seconds lieutenants de son régiment. Ils avaient dû faire le mur dans le but de tester les lupanars de Wilmington... ou ce qui passait pour tel.

Dobson indiqua du menton le petit groupe qui s'éloignait.

— Qui c'était ?

— M. et Mme MacKenzie, des amis de mon père.

— Ah ! Elle est mariée !

Dobson lorgna la jeune femme en pinçant les lèvres.

— Voilà qui corse l'affaire mais, après tout, l'enjeu n'en est que plus intéressant.

— L'enjeu ?

William lui lança un regard torve.

— Je ne sais pas si tu l'as remarqué, mais son mari est trois fois plus grand que toi.

Osborn éclata de rire.

— Et elle, elle fait deux fois sa taille ! Tu ne fais pas le poids, Dobby. Elle t'écraserait !

Dobson se drapa dans sa dignité.

— Qui vous dit que j'ai l'intention d'être dessous ?

Osborn riait tant qu'il en était rouge brique. Les trois hommes observaient toujours la petite famille qui avait presque disparu au bout de la rue.

— Mais qu'est-ce que cette obsession pour les géantes ? demanda William. Cette femme est presque aussi grande que moi !

— C'est ça, enfonce le clou ! s'indigna Osborn.

Même s'il dépassait le mètre cinquante de Dobson, Osborn mesurait une tête de moins que William. Il voulut décocher un coup de pied dans le tibia de ce dernier, qui l'esquiva et répliqua par une calotte. Osborn l'évita de justesse et poussa William contre Dobson.

— Messsssieurs !

Le ton sifflant du sergent Cutter les arrêta net. Ils avaient beau être tous les trois plus gradés que lui, aucun ne se serait hasardé à le lui faire remarquer. Le bataillon tout entier était terrorisé par ce petit bout d'homme vieux comme le monde. Il ne mesurait guère plus que Dobson, mais son corps compact semblait contenir toute la furie d'un volcan au bord de l'éruption.

— Sergent !

Le lieutenant William Ransom, comte d'Ellesmere et le plus âgé des trois, se redressa, le dos raide et le menton plaqué contre sa cravate. Osborn et Dobson l'imitèrent aussitôt, tremblant dans leurs bottes.

Cutter se mit à aller et venir devant eux à la manière d'un guépard. On l'imaginait aisément en train de se lécher les babines, sa queue cinglant l'air. Attendre son attaque était presque pire que de le sentir enfoncer ses crocs dans votre postérieur.

— Et où sont vos troupes, hein, messssieurs ?

Osborn et Dobson se lancèrent dans des explications confuses. Quant au lieutenant Ransom, pour une fois il était en règle.

— Mes hommes sont de garde devant le palais du gouverneur, sergent. Ils sont sous les ordres du lieutenant Colson. J'ai obtenu une permission pour dîner avec mon père.

Il ajouta nonchalamment :

— Elle m'a été accordée par sir Peter.

Cutter fut arrêté net dans son élan vengeur. Sir Peter Packer était un nom qui en imposait mais, à la surprise de William, ce n'était pas lui qui avait provoqué cet effet. Cutter le dévisagea en plissant les yeux.

— Votre père ? C'est bien lord John Grey, n'est-ce pas ?

— Euh... en effet, répondit William sur ses gardes. Vous... le connaissez ?

A cet instant, la porte d'une taverne voisine s'ouvrit et le père de William en sortit. Ce dernier sourit béatement devant cette apparition tombant à point nommé, mais se ressaisit dès qu'il croisa le regard d'acier du sergent.

— C'est quoi, cette grimace de primate que vous me faites ? gronda Cutter.

Il fut interrompu par la main de lord John se posant sur son épaule, familiarité qu'aucun des trois jeunes lieutenants n'aurait osée pour tout l'or du monde.

— Cutter ! s'exclama chaleureusement lord John. Dès que j'ai entendu cette voix suave, je me suis dit : Diable ! Ce ne peut être que le sergent Aloysius Cutter ! Personne d'autre sur terre ne parle comme un bouledogue qui aurait avalé un chat !

Aloysius ? Les trois jeunes officiers échangèrent un coup d'œil narquois. William contint son rire en constatant que son père s'était tourné vers lui.

— William ! Toujours aussi ponctuel ! Pardonne mon retard ; j'ai été retenu.

Avant que William ait pu répondre ou lui présenter ses camarades, lord John entraîna le sergent Cutter dans une longue évocation du bon vieux temps passé ensemble dans les plaines d'Abraham sous le commandement du général Wolfe.

Les trois jeunes gens en profitèrent pour se détendre légèrement, ce qui, dans le cas de Dobson, se traduisit par un retour au fil interrompu de ses pensées :

— Tu as bien dit que la poupée rousse était une amie de ton père ? chuchota-t-il à l'adresse de William. Tu ne pourrais pas lui soutirer l'endroit où elle loge ?

— Crétin ! siffla Osborn entre ses dents. Elle n'est même pas jolie. Elle a le nez aussi long que... Willie !

— J'ai pas levé les yeux jusqu'à son visage. J'avais ses nichons sous le nez, ça me suffisait amplement...

— Andouille !

— Chut !

Osborn écrasa le pied de Dobson pour le faire taire car lord John se tournait à nouveau vers eux.

— Tu ne me présentes pas tes amis, William ?

William s'exécuta, les joues en feu parce qu'il était bien placé pour savoir que son père, en dépit d'un ancien accident d'artillerie, avait l'ouïe fine. Intimidés, Dobson et Osborn s'inclinèrent respectueusement. Jusque-là, ils ne s'étaient pas rendu compte que leur camarade était le fils d'un personnage aussi important. William en fut à la fois fier et inquiet. Avant le lendemain soir, tout le bataillon serait au courant. Naturellement, sir Peter le savait déjà mais quand même...

Il rassembla ses esprits en constatant que lord John prenait congé en leurs deux noms. Il retourna son salut au sergent Cutter et hâta le pas pour rattraper son père, abandonnant Dobby et Osborn à leur triste sort.

— Je t'ai aperçu en train de discuter avec M. et Mme MacKenzie, déclara lord John. Ils vont bien, j'espère ?

— Apparemment, oui.

Willie n'avait aucunement l'intention de lui demander où ils logeaient, mais il était encore sous le charme de la jeune femme. Il n'aurait su dire si elle était jolie ou non. Il avait surtout été frappé par ses yeux, d'un merveilleux bleu nuit et bordés de longs cils auburn. Ils s'étaient fixés sur lui avec une intensité flatteuse qui lui avait réchauffé le cœur. Certes, elle était d'une taille absurde mais... Hé, à quoi pensait-il donc ? Une femme mariée... mère de famille ! Rousse, de surcroît !

Sachant à quel point sa propre famille nourrissait des sentiments politiques étonnamment pervers et contradictoires, il demanda prudemment :

— Tu... euh... tu les connais depuis longtemps ?

— Un certain temps. Elle est la fille de l'un de mes plus vieux amis, M. James Fraser. Tu te souviens peut-être de lui ?

William fouilla sa mémoire. Son père avait des milliers d'amis, comment pouvait-il... ?

— Ah ! fit-il soudain. Je cherchais parmi tes amis en Angleterre. Ne serait-ce pas ce M. Fraser auquel nous avons rendu visite dans les montagnes il y a bien longtemps ? La fois où tu avais contracté... la rougeole ?

L'expérience avait été traumatisante pour l'enfant qu'il était alors. Il avait effectué le voyage dans les montagnes plongé dans un état de profond abattement, ayant perdu sa mère un mois plus tôt. Quand lord John était tombé malade, il s'était convaincu qu'il allait l'abandonner à son tour, le laissant livré à lui-même au milieu des étendues sauvages. La peur, l'angoisse et le chagrin avaient accaparé son esprit au point qu'il ne conservait que quelques souvenirs confus de leur visite. Il se rappelait vaguement que M. Fraser l'avait emmené pêcher et l'avait traité avec bienveillance.

Lord John esquissa un petit sourire sarcastique.

— C'est bien lui. Je suis touché, Willie. J'aurais cru que ta mésaventure lors de ce séjour t'aurait davantage marqué que mes petits ennuis de santé.

— Ma mésaven… ?

La scène remonta soudain à la surface, accompagnée d'une bouffée de chaleur plus étouffante que l'air moite de l'été.

— Merci, père. J'étais parvenu à effacer cet épisode humiliant de ma mémoire, jusqu'à cet instant !

Lord John pleurait de rire. Il sortit un mouchoir et s'essuya le coin des yeux.

— Navré, Willie. C'est plus fort que moi. Ce fut… ce fut… Mon Dieu ! Je n'oublierai jamais ta tête quand on t'a repêché des latrines !

William se raidit.

— C'était un accident !

Au moins la fille de Fraser n'avait-elle pas assisté à son humiliation.

— Oui, je sais bien, mais…

Son père pressa son mouchoir contre ses lèvres, les épaules agitées de soubresauts.

— Préviens-moi quand tu auras fini de ricaner à mes dépens, rétorqua William. Au fait, puis-je savoir où l'on va ?

Ils étaient arrivés au bout du quai et lord John, toujours hilare, les conduisait vers une petite rue tranquille bordée d'arbres, loin des tavernes et des auberges du port. Faisant un effort visible pour reprendre contenance, il annonça :

— Nous dînons avec le capitaine Richardson.

Il toussa, se moucha puis rangea son mouchoir avant de préciser :

— Chez un certain M. Bell.

M. Bell habitait dans une maison proprette blanchie à la chaux, cossue mais sans ostentation. Le capitaine Richardson lui fit à peu près la même impression : d'âge moyen, soigné, portant un costume bien taillé sans suivre une mode particulière, avec un visage qu'il n'aurait pas reconnu dans la rue deux minutes après l'avoir vu.

En revanche, il fut nettement plus impressionné par les deux demoiselles Bell, notamment la plus jeune, Miriam, dont les boucles couleur miel pointaient sous son bonnet et dont les grands yeux ronds ne le quittèrent pas tout au long du repas. Elle était assise trop loin de lui pour qu'ils puissent engager la conversation, mais le langage de ce regard était suffisamment éloquent pour lui faire comprendre que l'intérêt était réciproque. Pouvait-il espérer que, si l'occasion d'un entretien plus intime se présentait... ? Un léger sourire, un modeste battement de paupières suivi d'un coup d'œil discret vers la porte entrouverte donnant sur la véranda... Plus tard, quand elle irait prendre l'air. Il lui retourna son sourire.

— Tu le crois vraiment, William ? lui demanda son père.

A son ton insistant, il était clair que ce n'était pas la première fois qu'il posait la question.

— Euh... oui, absolument.

Puis, se disant qu'après tout il s'agissait de son père et non de son commandant, il osa demander :

— Si je crois quoi ?

Lord John se retint de lever les yeux au ciel et répéta patiemment :

— M. Bell demandait si sir Peter avait l'intention de rester longtemps à Wilmington.

M. Bell, qui présidait le dîner, inclina poliment la tête non sans avoir d'abord lancé un regard soupçonneux à Miriam. William en déduisit qu'il ferait mieux de revenir le lendemain, une fois le maître de maison occupé à ses affaires. Il répondit avec amabilité :

— Non, monsieur, je pencherais plutôt pour le contraire. J'ai cru comprendre que le gros des troubles se produisait dans l'arrière-pays. Je suppose que l'on va nous y envoyer mater les rebelles au plus tôt.

M. Bell parut satisfait. Du coin de l'œil, William vit Miriam faire une charmante moue boudeuse en apprenant son départ imminent.

— Bien, bien ! déclara M. Bell, jovial. Des centaines de loyalistes se presseront certainement pour rejoindre vos rangs.

— Sans aucun doute, monsieur.

Il était peu probable que M. Bell serait parmi eux. William l'imaginait mal marchant au pas. En outre, l'assistance de hordes de provinciaux sans entraînement et armés de pelles serait plus un fardeau qu'un renfort, ce qu'il se garda de dire.

Alors qu'il essayait de voir Miriam sans la regarder directement, il surprit un bref échange de coups d'œil entre son père et le capitaine Richardson qui l'intrigua. Quand son père lui avait annoncé qu'ils dînaient avec le capitaine, il en avait naturellement déduit que le but de la soirée était de s'entretenir avec ce dernier. Pourquoi ?

Puis son regard croisa celui de Mlle Lillian Bell, assise juste en face de lui à côté de lord John, et il cessa aussitôt de penser à Richardson. Plus grande que sa sœur, avec une taille plus fine et des yeux noirs... Elle était vraiment jolie, comment ne l'avait-il pas encore remarquée ?

Lorsque Mme Bell et ses filles se levèrent de table et que les hommes se retirèrent sur la véranda, il ne fut pas surpris d'être entraîné à l'écart par le capitaine Richardson pendant que son père occupait M. Bell avec une discussion animée sur le prix du goudron. Son père pouvait parler de n'importe quoi avec n'importe qui.

Une fois échangées les amabilités d'usage, le capitaine Richardson annonça :

— J'ai une proposition à vous faire, lieutenant.

— Je vous écoute, mon capitaine.

Sa curiosité était piquée. Richardson était capitaine de cavalerie légère mais, comme il l'avait expliqué au cours du dîner, il était actuellement détaché de son régiment. Détaché pour faire quoi ?

— J'ignore ce que vous a dit au juste votre père de ma mission ?

— Absolument rien, mon capitaine.

— Ah ! Je suis chargé de collecter des renseignements dans le Département du Sud. Naturellement, ce n'est pas moi qui dirige ces opérations... précisa-t-il avec un sourire modeste. Juste une petite partie.

William devina qu'il allait devoir faire preuve de diplomatie.

— Je... euh... je me rends bien compte de la grande utilité de ces activités, mon capitaine. Mais... pour ma part, je... comment dirais-je... ?

— L'espionnage ne vous intéresse pas, suggéra Richardson. Non, naturellement. La plupart de ceux qui se considèrent comme des soldats jugent cette tâche indigne d'eux.

Son ton acerbe en disait long.

— Je ne voulais pas vous offenser, mon capitaine.

— Je ne le prends pas mal. Cela dit, je ne cherche pas à vous recruter comme espion, c'est un métier délicat qui n'est pas sans danger, mais plutôt comme messager. Si, en chemin, vous aviez l'occasion de glaner quelques informations utiles, ce serait une contribution bienvenue... et fort appréciée.

William sentit le feu lui monter aux joues. Cet homme insinuait-il qu'il n'était capable ni de délicatesse ni de courage ? Maîtrisant son agacement, il répondit simplement :

— Vraiment ?

Le capitaine lui expliqua qu'ayant déjà rassemblé des renseignements importants sur la situation dans les Carolines il souhaitait les faire parvenir au commandant du Département du Nord, le général Howe, qui se trouvait actuellement à Halifax.

— Naturellement, j'enverrai plus d'un messager, précisa-t-il. L'acheminement par voie de mer sera plus rapide, mais je souhaite qu'au moins l'un de mes hommes voyage par la route, tant par mesure de sécurité que pour effectuer des observations en chemin. Votre père m'a longuement vanté vos compétences...

Y avait-il une pointe de sarcasme dans cette voix aussi râpeuse que du papier de verre ?

— ... J'ai également cru comprendre que vous connaissiez fort bien la Caroline du Nord et la Virginie. Voilà qui nous serait très précieux. Je ne voudrais pas que mon homme disparaisse à jamais dans le fameux Dismal Swamp !

— Ha, ha ! s'esclaffa poliment William en comprenant qu'il s'agissait d'une plaisanterie.

De toute évidence, le capitaine Richardson n'avait jamais mis les pieds près du Great Dismal, contrairement à William qui n'imaginait pas un homme sain d'esprit s'aventurer dans cet immense et dangereux marécage hormis pour chasser.

Il nourrissait de sérieux doutes quant à la proposition de Richardson mais, tout en se répétant que quitter ses hommes et son régiment était inenvisageable, il se voyait déjà en héros solitaire, parcourant de vastes étendues sauvages, bravant le danger et les tempêtes pour acheminer des informations capitales.

Cependant, le plus important était de savoir ce qui l'attendrait au bout du voyage.

Richardson anticipa sa question :

— Une fois dans le Nord, vous pourriez éventuellement rejoindre l'état-major du général Howe.

Ah ! Telle était la carotte ! Elle était belle et bien croquante. William était conscient que Richardson entendait par là : « Si le général Howe veut bien de vous. » Néanmoins, il avait foi en ses capacités et ne doutait pas de pouvoir se rendre utile.

Il n'était en Caroline du Nord que depuis quelques jours, mais cela lui suffisait pour évaluer assez précisément les différentes possibilités d'avancement qu'offraient les Départements du Nord et du Sud. L'ensemble de l'armée continentale se trouvait avec Washington dans le Nord. La rébellion dans le Sud semblait n'être constituée que de quelques poches séditieuses de pionniers et de milices improvisées… rien de bien méchant. Quant aux statuts de commandants de sir Peter et du général Howe…

Espérant que sa voix ne trahissait pas trop son enthousiasme, il déclara :

— J'aimerais réfléchir à votre proposition, mon capitaine. Puis-je vous donner ma réponse demain ?

— Mais certainement. Je suppose que vous voudrez en discuter avec votre père. Ne vous gênez pas.

Puis le capitaine changea de sujet. Quelques instants plus tard, lord John et M. Bell les rejoignirent et la conversation prit un tour général.

William ne les écoutait que d'une oreille distraite, son attention étant accaparée par deux silhouettes blanches et élancées qui flottaient tels des spectres entre les buissons de l'autre côté du jardin. Deux têtes coiffées de bonnets qui se rapprochaient puis s'écartaient. De temps à autre, l'une d'elles se tournait brièvement vers la véranda, semblant le guetter.

— C'est vrai qu'il s'habille en dépit du bon sens, murmura son père d'un air consterné.

— Pardon ?

— Peu importe, répondit lord John avec un sourire.

Il se tourna vers le capitaine Richardson qui venait de faire une observation sur le climat.

Des lucioles scintillaient dans le jardin, minuscules étincelles vertes voletant dans les feuillages luisants d'humidité. William était ravi d'en voir à nouveau. En Angleterre, elles lui avaient manqué, tout comme cette singulière moiteur de l'air qui moulait sa chemise en lin sur son torse et faisait battre son sang jusqu'au bout de ses doigts. L'espace d'un instant, le chant des grillons étouffa tous les bruits hormis celui de son pouls.

— Messieurs, le café est servi.

La voix chaude de l'esclave des Bell creva sa petite bulle et il suivit les hommes à l'intérieur après un dernier bref regard vers le jardin. Les silhouettes blanches avaient disparu, mais l'air chaud et fragrant semblait toujours chargé de promesses.

Une heure plus tard, il rentrait à pied à son cantonnement, l'esprit agréablement embrouillé, son père marchant en silence à ses côtés.

A la fin de la soirée, Mlle Lillian Bell lui avait accordé un baiser parmi les lucioles, chaste et fugace mais sur les lèvres. En dépit des odeurs tenaces provenant du port, il flottait autour de lui des effluves de café et de fraises mûres.

Lord John lança sur un ton léger :

— Le capitaine Richardson m'a parlé de sa proposition. Es-tu intéressé ?

— Je ne sais pas, répondit William avec le même détachement. Mes hommes me manqueraient, bien sûr, mais...

Mme Bell l'avait invité à venir prendre le thé un peu plus tard dans la semaine.

— La vie militaire n'est pas pour les sédentaires, poursuivit son père. Je t'avais prévenu.

William acquiesça vaguement.

Lord John ajouta comme si de rien n'était :

— Cela pourrait t'ouvrir des portes, assurément, bien que cette mission ne soit pas sans danger.

William eut un petit rire moqueur.

— Que pourrait-il bien m'arriver entre Wilmington et New York, où m'attendra un bateau ? Il y a une route presque de bout en bout !

— Empruntée par un nombre considérable de continentaux, souligna lord John. Si les nouvelles sont exactes, pratiquement toute l'armée du général Washington se trouve de ce côté-ci de Philadelphie.

William haussa les épaules.

— Richardson m'a choisi parce que je connais la région. Je peux très bien m'orienter en coupant à travers champs.

— En es-tu sûr ? Cela fait près de quatre ans que tu n'as pas mis les pieds en Virginie.

Son scepticisme agaça William.

— Quoi ? Tu me crois incapable de trouver mon chemin ?

— Loin de là. Je dis simplement que cette offre présente certains risques et pas des moindres. Je ne voudrais pas que tu t'engages sans avoir mûrement réfléchi.

— J'y ai déjà réfléchi, rétorqua William, piqué au vif. Je vais accepter.

Lord John avança de quelques pas en hochant la tête puis déclara doucement :

— C'est ton choix, Willie. Mais je te serais reconnaissant d'être très prudent.

L'irritation de William s'envola aussitôt.

— Bien sûr, marmonna-t-il.

Ils cheminèrent en silence sous l'épaisse frondaison des érables et des pacaniers, si près l'un de l'autre que leurs épaules se frôlaient parfois.

William abandonna son père devant l'auberge mais ne rejoignit pas directement ses quartiers. Trop énervé pour dormir, il se promena le long du quai.

La mer se retirait. L'odeur d'algues et de poissons morts s'était accentuée bien que la laisse fût encore recouverte d'une nappe d'eau lisse que faisait miroiter la lune en son quartier.

Il lui fallut un certain temps pour repérer le pieu. Il crut d'abord qu'il avait disparu, mais non... il était toujours là, mince ligne sombre se détachant sur le scintillement de l'eau. Nu. Il n'était plus droit mais penchait dangereusement, comme sur le point de tomber. Un bout de corde y était encore attaché, son extrémité flottant tel un nœud de pendu sur la marée descendante. William ressentit un trouble viscéral. La marée à elle seule n'avait pu emporter tout le corps. Certains affirmaient qu'il y avait des crocodiles ou des alligators dans les parages, bien qu'il n'en ait jamais vu lui-même. Il baissa malgré lui les yeux comme si l'un de ces sauriens allait soudain surgir de l'eau en contrebas, et réprima un léger frisson.

Il chassa ces pensées sinistres et tourna les talons, prenant la direction de son cantonnement. Il ne partirait pas avant un ou deux jours. Peut-être aurait-il l'occasion de revoir les yeux bleus de Mme MacKenzie avant son départ.

Lord John s'attarda un moment sous le porche de l'auberge, observant son fils jusqu'à ce qu'il soit englouti par les ténèbres. Il était inquiet. L'affaire avait été conclue un peu trop rapidement à son goût, mais il avait confiance dans les capacités de William. En outre, si la mission comportait certains risques, ces derniers étaient inhérents à la vie de soldat. Néanmoins, certaines situations étaient plus aventureuses que d'autres.

Il hésita, écoutant le brouhaha de conversations dans la salle de la taverne. Il avait eu son lot de compagnie pour la soirée. Sa chambre basse de plafond avait emprisonné la chaleur de la journée et l'idée de se retourner dans ses draps trempés de sueur le convainquit de marcher jusqu'à ce que l'épuisement physique lui garantisse un sommeil profond.

Il prit la direction opposée à celle qu'avait suivie William. La chaleur n'était pas la seule cause de son énervement. Il se connaissait suffisamment pour savoir que la réussite apparente de son plan n'apaiserait pas son esprit. Il continuerait à en chercher les points faibles, à réfléchir à des manières de l'améliorer. Après tout, William ne partirait pas sur-le-champ. Il lui restait un peu de temps pour le peaufiner, y apporter si nécessaire des modifications.

Le général Howe, par exemple. Etait-il vraiment le meilleur choix ? Peut-être que Clinton... Non. Henry Clinton était une vieille peau tatillonne, incapable de lever le petit doigt sans avoir reçu des ordres en trois exemplaires.

Les frères Howe, l'un général, l'autre amiral, étaient notoirement frustes, ayant tous deux l'allure, les manières et l'odeur de sangliers en rut. Cependant, ils n'étaient pas stupides et encore moins timorés. Willie était parfaitement capable de survivre à un comportement grossier et à un langage ordurier. Un commandant qui crachait par terre (il avait même craché sur lord John un jour, bien que ce fût purement accidentel, le vent ayant tourné à un moment inopportun) était sans doute plus facile à supporter pour un jeune subalterne que les excentricités d'autres hauts gradés de sa connaissance.

Cela étant, même le membre le plus farfelu de la confrérie de l'épée était préférable à un diplomate. Il se demanda quel terme de vénerie appliquer à un groupe de diplomates. Si les écrivains formaient la confrérie de la plume et qu'on appelait une harpaille une troupe de biches et de jeunes cerfs... une saignée de diplomates, peut-être ? Les frères du stylet ? Non, c'était bien trop direct. Un dormitif de diplomates, c'était déjà plus exact. La confrérie de l'ennui ? Cependant, ceux qui n'étaient pas ennuyeux pouvaient parfois se montrer dangereux.

Sir George Germain appartenait à cette dernière catégorie : fastidieux *et* redoutable à la fois.

Grey erra dans les rues un bon moment encore dans l'espoir de s'épuiser avant de remonter dans sa chambre exiguë et oppressante. Le ciel était bas et lourd, des éclairs de chaleur illuminaient l'horizon. Il aurait dû déjà être à Albany, tout aussi humide et infestée d'insectes mais où il faisait un peu plus frais, notamment grâce à la proximité des forêts profondes des Adirondacks.

Néanmoins, il ne regrettait pas son détour précipité par Wilmington. Le cas de Willie était réglé, ce qui était le principal. Quant à sa sœur, Brianna… Il s'arrêta net et ferma les yeux, revivant ce déchirant moment de transcendance quand, plus tôt dans l'après-midi, il les avait vus ensemble. Ce devait être leur seule et unique rencontre. Le souffle court, il avait observé les deux grands jeunes gens, leurs beaux traits hardis si semblables… et si semblables à ceux de l'homme qui se tenait immobile à ses côtés mais qui, contrairement à lui, inspirait à pleins poumons comme s'il craignait de ne plus jamais pouvoir respirer.

Grey massa distraitement son annulaire gauche, ne s'étant pas encore habitué à le trouver nu. Jamie Fraser et lui avaient fait leur possible pour assurer la sécurité de ceux qu'ils aimaient et, en dépit de sa mélancolie, qu'ils soient unis par ce même sens des responsabilités était réconfortant.

Reverrait-il un jour Brianna Fraser MacKenzie ? Elle l'avait assuré du contraire et en avait paru autant attristée que lui.

— Que Dieu te protège, mon enfant, murmura-t-il.

Il se tourna à nouveau vers le port. Elle lui manquerait beaucoup mais, comme dans le cas de Willie, le soulagement de la savoir bientôt loin de Wilmington et hors de danger supplantait son chagrin.

En avançant sur le quai, il jeta malgré lui un regard vers la mer et poussa un soupir d'aise en apercevant le pieu penché et nu. Il n'avait pas compris les raisons du geste de Brianna mais il connaissait son frère et son père depuis suffisamment longtemps pour ne pas se méprendre sur l'entêtement qu'il avait lu dans ses yeux félins. Il lui avait donc procuré la barque qu'elle avait demandée et était resté sur la jetée, la gorge nouée, prêt à créer une diversion si besoin pendant que son mari ramait vers le pirate supplicié.

Il avait vu une multitude d'hommes mourir, généralement contre leur volonté, parfois avec résignation. Il n'en avait jamais vu un partir avec une telle gratitude dans le regard. Grey connaissait à peine Roger MacKenzie mais il le soupçonnait d'être un homme remarquable. Non content d'avoir survécu à son union avec une créature aussi fabuleuse et dangereuse, il lui avait même fait des enfants.

Il reprit lentement le chemin de l'auberge. Il pouvait en toute tranquillité attendre deux semaines avant de répondre à la lettre de Germain, habilement subtilisée au courrier diplomatique après avoir lu le nom de William sur l'enveloppe. Il n'aurait plus alors qu'à lui annoncer sans mentir que, hélas, lord Ellesmere se trouvait quelque part entre la Caroline du Nord et New York et ne pouvait être informé qu'il avait été rappelé en Angleterre, même s'il était lui-même convaincu que son fils regretterait profondément d'avoir manqué cette occasion de rejoindre l'état-major de sir George... lorsqu'il apprendrait la nouvelle d'ici quelques mois. Quel dommage !

Il se mit à siffloter *Lillibullero* et mit le cap vers l'auberge d'un pas plus guilleret.

Il fit une halte dans la salle pour demander qu'on lui monte une bouteille de vin. La serveuse lui répondit que le « monsieur » en avait déjà monté une.

— Avec deux verres, ajouta-t-elle avec un grand sourire. C'est donc qu'il n'a pas l'intention de la boire tout seul.

Grey eut l'impression qu'un mille-pattes lui grimpait le long de la colonne vertébrale.

— Je vous demande pardon ? Vous voulez dire qu'il y a quelqu'un dans ma chambre ?

— Oui, milord. Il a dit qu'il était un de vos vieux amis... Attendez voir... il m'a bien donné son nom...

Elle plissa le front un instant.

— Bow-Shaw ou quelque chose comme ça. Ça sonnait français. D'ailleurs, lui-même avait l'air plutôt français. Voulez-vous que je vous monte également de quoi manger ?

— Non, merci.

Il monta les marches quatre à quatre en se demandant s'il n'avait rien laissé de compromettant dans sa chambre.

Un Français, nommé Bow-Shaw... *Beauchamp*. Le nom retentit dans sa tête comme un coup de tonnerre. Il s'arrêta un instant au milieu de l'escalier, puis il reprit son ascension, plus lentement.

Ce ne pouvait être... Mais qui d'autre ? Après avoir quitté le service actif il y avait de cela des années, il avait entamé une carrière diplomatique au sein de la Chambre noire d'Angleterre, cette organisation trouble d'agents chargés d'intercepter et de décoder les courriers diplomatiques (ainsi que des messages à caractère privé) échangés entre les gouvernements d'Europe. Toutes les nations possédaient leur « chambre noire » et il n'était pas inhabituel que les membres de l'une connaissent leurs confrères étrangers sans les avoir jamais rencontrés mais par leur signature, leurs initiales, leurs annotations en marge des missives.

Beauchamp avait été l'un des agents français les plus actifs. Grey avait croisé sa piste à plusieurs reprises au fil des ans même s'il avait quitté la Chambre noire depuis longtemps. S'il connaissait Beauchamp de nom, il était fort probable que la réciproque soit vraie... mais leur association invisible remontait à des années. Ils ne s'étaient jamais vus et que cette rencontre se produise *ici*... Il palpa la poche secrète de sa veste et sentit le bruissement rassurant du papier.

Une fois sur le palier, il hésita. Toutefois, il était absurde de se montrer discret dans la mesure où il était attendu. Il longea le couloir d'un pas assuré et tourna la poignée de sa porte, la porcelaine lisse et fraîche dans sa paume.

Une bouffée de chaleur lui monta au visage et il retint son souffle malgré lui. Ce qui l'empêcha fort opportunément de proférer le juron qui lui était venu aux lèvres.

Le gentleman assis dans l'unique fauteuil de la chambre avait effectivement « l'air français », vêtu d'un costume impeccablement taillé, rehaussé de cascades de dentelles d'un blanc neigeux au col et aux manchettes ; ses chaussures ornées de boucles en argent assorties à ses tempes grises.

Grey referma lentement la porte derrière lui.

— Monsieur Beauchamp ?

Sa chemise moite adhérait à sa peau et il sentait son pouls battre dans ses tempes.

— Je crains que vous ne me preniez au dépourvu.

Perseverance Wainwright esquissa un sourire.

— Je suis content de te voir, John.

Grey se mordit la langue pour éviter toute parole regrettable... ce qui excluait à peu près tout ce qu'il pouvait dire, à l'exception de : « Bonsoir ».

Il arqua un sourcil intrigué.

— Monsieur *Beauchamp* ?

Percy fit mine de se lever, mais Grey l'arrêta d'un geste et se retourna afin d'approcher un tabouret, espérant gagner ainsi les quelques secondes qu'il lui fallait pour se ressaisir. N'y parvenant pas, il s'accorda quelques instants supplémentaires en allant ouvrir la fenêtre et en prenant quelques goulées d'air chaud. Puis il se tourna enfin vers son hôte et demanda avec une nonchalance feinte :

— Comment est-ce arrivé ? Je veux dire « Beauchamp ». Ou est-ce simplement un *nom de guerre* [1] ?

Percy extirpa un mouchoir en dentelle de sa manche et se tamponna délicatement le front. Grey remarqua qu'il commençait à se dégarnir.

— Pas du tout. J'ai épousé l'une des sœurs du baron Amandine. Beauchamp est leur patronyme. Je l'ai adopté. Il m'a ouvert certaines portes dans les milieux politiques. De là...

Il esquissa un geste gracieux qui englobait sa carrière dans les renseignements... et sans nul doute ailleurs.

— Mes félicitations pour ton mariage, dit Grey sans chercher à cacher son ironie. Avec qui dors-tu, le baron ou sa sœur ?

Percy parut amusé.

— Les deux, parfois.

— En même temps ?

Le sourire s'élargit. Il avait encore de bonnes dents quoique légèrement tachées par le vin.

— Cela arrive. Ceci dit, Cécile, mon épouse, préfère les attentions de sa cousine Lucienne, et moi celles de notre sous-jardinier. Un charmant garçon du nom d'Emile. Il me fait penser à toi dans ta jeunesse. Mince, blond, musclé et brutal.

A sa consternation, Grey manqua éclater de rire.

— Tout cela me paraît très français, dit-il d'un ton sec. Tu dois t'y sentir comme un poisson dans l'eau. Que me veux-tu ?

---

1. En français dans le texte. *(N.d.T.)*

— Il s'agit plutôt de ce que toi tu voudras.

Percy n'avait pas encore entamé la bouteille de vin. Il versa lentement le liquide rouge sombre en poursuivant :

— Ou plutôt… de ce que voudra l'Angleterre.

Il tendit son verre à Grey avec un sourire.

— Car on peut difficilement séparer ses propres intérêts de ceux de son pays, n'est-ce pas ? D'ailleurs, je dois t'avouer qu'à mes yeux tu as toujours personnifié l'Angleterre, John.

Grey aurait aimé lui interdire de l'appeler par son prénom mais cela n'aurait fait que raviver le souvenir de leur intimité d'autrefois, ce que cherchait Percy. Préférant se taire, il but une gorgée de vin. Il était bon. Il se demanda qui le payait et, si c'était lui, quel en serait le véritable prix.

— Ce que veut l'Angleterre ? répéta-t-il. Et à ton avis, que veut-elle ?

Percy but une gorgée et la garda quelques instants en bouche, la savourant.

— Ce n'est pas vraiment un secret, mon cher, n'est-ce pas ?

Grey soupira en le dévisageant fixement.

— Tu as lu cette « Déclaration d'indépendance » publiée par le prétendu Congrès continental ? demanda Percy.

Il se retourna et, ouvrant une sacoche en cuir, en extirpa une liasse de papiers pliés qu'il tendit à Grey.

Grey n'avait pas encore lu le document en question bien qu'il en ait beaucoup entendu parler. Il n'avait été imprimé que deux semaines plus tôt à Philadelphie mais des copies s'étaient déjà répandues comme du chiendent à travers les colonies.

Il déplia les papiers et lut le premier en diagonale.

— « Le roi est un tyran » ? dit-il en s'esclaffant devant l'outrance de certains des sentiments les plus extrêmes exprimés dans la déclaration.

Il replia les feuilles et les jeta sur la table.

— Si je suis l'Angleterre, je présume que tu incarnes la France, du moins dans cette conversation ?

— Disons que je représente certains de ses intérêts, ainsi que ceux du Canada.

Une sonnette d'alarme retentit dans la tête de Grey. Il s'était battu au Canada sous les ordres du général Wolfe. Au cours de cette guerre, la France avait perdu une bonne partie de ses territoires nord-américains mais elle restait férocement accrochée aux régions du Nord, de la vallée de l'Ohio au Québec. Suffisamment proche pour créer des problèmes à présent ? Il en doutait mais il la croyait capable de tout. Tout comme Percy.

Ce dernier agita ses longs doigts vers les papiers.

— De toute évidence, l'Angleterre souhaite mettre rapidement un terme à ces inepties. L'armée continentale, comme ils l'appellent, est une association bancale d'hommes divisés et sans expérience. Que dirais-tu si je te fournissais des informations susceptibles de… saper l'allégeance de l'un des officiers les plus haut gradés de Washington ?

Grey fit une moue sceptique.

— Quand bien même ce serait le cas, en quoi cela favoriserait-il la France… ou tes propres intérêts ? Car je suppose qu'ils ne sont pas tout à fait les mêmes ?

— Je vois que le temps n'a pas émoussé ton cynisme naturel, John. Je ne sais pas si je te l'ai déjà dit, mais cela a toujours été ton trait de caractère le moins attirant.

Le regard de Grey se durcit et Percy soupira.

— Soit. Des terres. Le Territoire Nord-Ouest ; nous voulons le récupérer.

Grey eut un petit rire.

— Et quoi encore !

Le territoire en question, une vaste étendue au nord-ouest de la vallée de l'Ohio, avait été cédé à l'Angleterre par la France à l'issue de la guerre franco-indienne. Les Britanniques ne l'avaient toutefois pas occupé en raison de la résistance armée des indigènes et des négociations en cours pour établir des traités avec ces derniers. Les colons n'étaient pas ravis de cette situation. Grey, qui avait rencontré certains des indigènes en question, estimait la position du gouvernement britannique à la fois raisonnable et honorable.

— Les négociants français entretiennent de nombreux liens avec les aborigènes de cette région, ce qui n'est pas votre cas.

— Les marchands de fourrures constituant certains des… intérêts… que tu représentes ?

Percy sourit.

— Ce ne sont pas les intérêts majeurs mais ils en font partie.

Grey ne se donna pas la peine de lui demander pour quelle raison il s'adressait à lui, un ancien diplomate sans influence particulière. Percy connaissait la puissance de sa famille et de ses relations et « monsieur Beauchamp » en savait davantage encore sur ses liens actuels grâce au réseau d'informations qui alimentait les différentes chambres noires d'Europe. Naturellement, Grey ne pouvait prendre la moindre décision sur la question mais il avait la possibilité de soumettre discrètement l'offre à ceux qui en avaient le pouvoir.

Chaque poil de son corps était hérissé telle une antenne d'insecte… guettant le danger.

— Bien entendu, il nous faudrait plus qu'une suggestion, dit-il avec détachement. Le nom de l'officier en question, par exemple.

— Je ne suis pas autorisé à le divulguer pour le moment. Mais une fois ouvertes des négociations sincères…

Grey se demandait déjà à qui transmettre cette offre. Certainement pas à sir George Germain. Au bureau de lord North ? Toutefois, cela pouvait attendre.

— Et toi, quel profit en tireras-tu ? demanda-t-il d'un ton acide.

Il connaissait suffisamment Percy Wainwright pour savoir qu'un aspect de l'affaire lui rapporterait quelque chose.

— Ah, ça…

Percy but une petite gorgée puis abaissa son verre et fixa Grey d'un regard limpide.

— C'est très simple, en fait. On m'a chargé de retrouver un homme. Tu ne connaîtrais pas un Ecossais du nom de James Fraser ?

Grey sentit le pied de sa coupe se briser. Il ne la lâcha pas pour autant et but avec lenteur, remerciant le ciel, d'une part, de n'avoir jamais mentionné devant Percy le nom de Jamie Fraser, de l'autre, que ce dernier ait quitté Wilmington l'après-midi même.

— Non, répondit-il avec calme. Que lui veux-tu, à ce M. Fraser ?

Percy haussa les épaules puis sourit.

— Juste lui poser une question ou deux.

La paume entaillée de Grey saignait. Tenant précautionneusement son verre, il but le reste de son vin. Percy était silencieux, buvant avec lui.

— Mes condoléances pour la disparition de ta femme, dit-il doucement. Je sais qu'elle...

— Tu ne sais rien, gronda Grey.

Il déposa la coupc brisée sur la table. Elle roula d'un côté puis de l'autre, la lie s'étalant sur le verre.

— Rien du tout, insista-t-il. Ni sur elle ni sur moi.

Percy haussa les épaules avec une indifférence toute française, l'air de dire « comme tu voudras ». Pourtant ses yeux (ils étaient toujours aussi beaux, maudit soit-il ; sombres et doux) le dévisageaient avec une compassion qui paraissait sincère.

Grey soupira. Elle l'était sans doute. Il ne pourrait plus jamais faire confiance à Percy mais s'il lui avait causé du mal autrefois, cela avait été par faiblesse, non par malice, ni même par froideur d'âme.

— Que veux-tu ? répéta-t-il.

— Ton fils... commença Percy.

Il n'eut pas le temps d'en dire plus. Grey avait bondi sur lui et lui agrippait l'épaule, suffisamment fort pour le faire gémir et se raidir. Grey se pencha sur lui, le regardant dans le blanc des yeux, si près que le souffle de Wainwright, pardon, de Beauchamp, balayait sa joue et qu'il sentait son eau de Cologne. Il tachait de sang la veste de Percy. Il déclara très lentement :

— La dernière fois que je t'ai vu, j'ai été à deux doigts de te mettre une balle dans le crâne. Ne me donne pas de raisons de regretter ma retenue.

Il le lâcha et se redressa.

— Ne t'approche pas de mon fils. Ne t'approche pas de moi. Et si tu veux un conseil, retourne en France et vite !

Tournant les talons, il sortit en claquant la porte derrière lui. Ce ne fut qu'une fois dans la rue qu'il se souvint qu'il avait laissé Percy dans sa propre chambre.

— Qu'il aille au diable ! marmonna-t-il.

Il partit d'un pas ferme voir le sergent Cutter afin de lui quémander un cantonnement pour la nuit. Le lendemain matin, il s'assurerait que les Fraser et William étaient bien tous hors de Wilmington et hors de danger.

2

Et parfois, ils ne le sont pas

Lallybroch, Inverness-shire, Ecosse, septembre 1980

— « Nous sommes en vie », répéta Brianna MacKenzie d'une voix tremblante.

Elle releva les yeux vers Roger en pressant la feuille de papier contre son cœur. Ses joues ruisselaient de larmes mais une lueur radieuse illuminait ses yeux bleus.

— En vie !

— Laisse-moi voir.

Le cœur de Roger battait si fort qu'il s'entendit à peine parler. Il tendit la main et elle lui remit le feuillet à contrecœur, venant aussitôt se coller contre lui, s'accrochant à son bras, incapable de quitter le vieux papier du regard.

Roger se rendit compte que ses mains tremblaient, rendant encore plus difficile la lecture de l'écriture chaotique dont l'encre était passée.

31 décembre 1776

Ma chère fille,

Comme tu pourras le constater si jamais tu lis cette lettre un jour, nous sommes en vie…

Sa vue se brouilla et il s'essuya les yeux du revers de la main. Il savait que cela n'avait pas d'importance car ils étaient morts à présent, Jamie Fraser et sa femme Claire. Néanmoins, ces mots sur le papier lui procuraient une telle joie qu'ils auraient pu se tenir tous les deux devant lui, tout sourire.

Ils étaient bien présents tous les deux. La lettre avait été commencée par Jamie mais la seconde page portait l'écriture nette et inclinée de Claire.

La main de ton père n'en supportera pas davantage. C'est une sacrée longue histoire. Il a coupé du bois toute la journée et peut à peine déplier les doigts... mais il tenait à t'écrire lui-même que nous n'avons pas (pas encore...) été réduits en cendres. Cela dit, cela peut nous arriver d'un moment à l'autre : nous sommes entassés à quatorze dans la vieille cabane et je t'écris ceci recroquevillée sur le bord de la cheminée, la vieille Grannie MacLeod ronflant sur une paillasse à mes pieds afin que, si elle menaçait soudain de passer l'arme à gauche, je puisse lui verser d'urgence du whisky dans le gosier.

— Mon Dieu, soupira-t-il. Je peux pratiquement l'entendre parler !

— Moi aussi.

Elle chassa ses larmes, riant et reniflant.

— Lis encore. Que font-ils dans notre cabane ? Qu'est-il arrivé à la Grande Maison ?

Roger parcourut la page du bout du doigt jusqu'à trouver le bon passage puis reprit sa lecture à voix haute :

— « Tu te souviens de ce crétin de Donner ? »

Ce nom lui donna aussitôt la chair de poule. Donner était un voyageur dans le temps et l'un des individus les plus ineptes qu'il ait jamais rencontrés, ce qui ne le rendait pas moins dangereux.

Eh bien, il s'est surpassé en rassemblant une bande de voyous à Brownsville pour nous dévaliser après les avoir convaincus que nous cachions un trésor en pierres précieuses. Sauf que nous n'en avions plus, naturellement.

Et pour cause, puisque Brianna, Jemmy, Amanda et lui avaient pris les dernières gemmes afin de traverser les pierres.

Ils nous ont pris en otages et ont saccagé la maison, les chiens ! Ils ont cassé, entre autres, la bonbonne d'éther dans mon infirmerie. Les vapeurs ont bien failli tous nous tuer sur le coup…

Il parcourut rapidement le reste de la lettre, Brianna lisant par-dessus son épaule en poussant de petits cris d'alarme et de consternation. Quant il eut fini, il reposa la feuille et lui fit face, tout retourné.

— C'était donc toi !

Il savait qu'il aurait mieux fait de se taire mais c'était plus fort que lui. Il s'étranglait de rire.

Les traits de Brianna oscillaient entre l'horreur, l'indignation et, oui, une hilarité nerveuse aussi incontrôlable que la sienne.

— Comment ça ? Pas du tout. C'était l'éther de maman. N'importe quelle étincelle aurait provoqué l'explosion.

— Sauf que ce n'était pas n'importe quelle étincelle. Ton cousin Ian a craqué une de tes allumettes.

— Alors dans ce cas, c'était la faute de Ian !

— Non, c'était la tienne et celle de ta mère. Vous, les femmes de science… Le XVIIIe siècle a de la chance d'avoir survécu à vos expériences.

Elle se braqua légèrement.

— En tout cas, rien de tout cela ne serait arrivé sans cet idiot de Donner !

— En effet, concéda Roger. Mais lui aussi, c'était un perturbateur venu du futur, non ? Même s'il n'était ni femme ni très scientifique.

— Hmph.

Elle reprit la lettre, la manipulant avec une grande délicatesse mais ne pouvant se retenir de la lisser entre ses doigts.

— Quoi qu'il en soit, lui, il n'a pas survécu au XVIIIe siècle, n'est-ce pas ?

Roger la dévisagea, incrédule.

— Ne me dis pas que tu as de la peine pour lui !

— Non… pas vraiment pour lui. Mais quand même… c'est l'idée de mourir comme ça. Seul. Si loin de chez soi.

Ce n'était pas à Donner qu'elle pensait. Il glissa un bras autour de sa taille et appuya sa tête contre la sienne. Elle sentait le shampooing Prell et le chou frisé. Elle revenait du potager. Les lettres sur la page s'estompaient ou s'accentuaient au rythme des plongeons de la plume dans l'encrier mais elles étaient nettes et bien formées ; c'était une écriture de médecin.

— Elle n'est pas seule, murmura-t-il.

Du bout de l'index, il décrivit un cercle autour du post-scriptum rajouté par Jamie.

— Ils ne le sont ni l'un ni l'autre. Et qu'ils aient un toit au-dessus de leur tête ou pas, ils sont chez eux.

Je reposai ma lettre, décidant de la terminer plus tard. Je la rédigeais par petits bouts depuis quelques jours. Après tout, ce n'était pas comme s'il fallait se presser pour qu'elle parte avec le prochain courrier. Cette idée me fit sourire. Je repliai soigneusement la feuille de papier et la plaçai dans ma nouvelle sacoche de travail. J'essuyai ma plume, la rangeai puis massai mes doigts endoloris, savourant encore quelques instants l'agréable sensation de proximité qu'écrire me procurait. Manier une plume m'était beaucoup plus facile que pour Jamie mais la chair et le sang avaient leurs limites. La journée avait été très longue.

Régulièrement, je jetais un œil à la paillasse de l'autre côté de la cheminée. Elle n'avait toujours pas bougé. J'entendais son souffle, un gargouillement sifflant entre des intervalles si longs que, chaque fois, je la croyais morte. Mais non, elle était toujours avec nous et, selon mes estimations, le resterait encore un moment. J'espérais seulement qu'elle partirait avant que ma petite réserve de laudanum soit épuisée.

J'ignorais son âge. Elle paraissait avoir cent ans mais était peut-être plus jeune que moi. Ses deux petits-fils, des adolescents, l'avaient déposée deux jours plus tôt. Ils étaient descendus des hauteurs avec l'intention de conduire leur grand-mère chez des parents à Cross Creek avant de se rendre à Wilmington pour rejoindre une milice. En chemin, la vieille femme s'était sentie « pas du tout du tout dans son assiette », pour reprendre leurs termes. Ayant entendu dire qu'une sorcière vivait non loin à Fraser's Ridge, ils me l'avaient amenée.

Grannie MacLeod (les garçons n'avaient pas pensé à me donner son prénom et elle n'était pas en état de se présenter) se trouvait en phase terminale d'un cancer quelconque. Je le voyais à son teint cendreux. Elle était décharnée, ses traits tordus dans une grimace de douleur même quand elle dormait.

Le feu était en train de s'éteindre. Il était temps de l'attiser et d'ajouter une autre bûche. Toutefois, la tête de Jamie reposait sur mon genou. Pouvais-je atteindre la pile de bois sans le réveiller ? Je posai doucement une main sur son épaule pour ne pas perdre l'équilibre et tendis l'autre, parvenant tout juste à saisir une bûchette de pin du bout des doigts. Je la délogeai en me mordant la lèvre inférieure, puis, en me penchant, réussis à la pousser dans l'âtre, écrasant les charbons ardents et soulevant une pluie d'étincelles.

Jamie remua et marmonna quelques paroles inintelligibles mais, dès que je me fus redressée, il soupira, se recala contre moi et se rendormit aussitôt.

Je lançai un regard vers la porte, tendant l'oreille. Je ne percevais rien hormis le bruissement du vent dans les arbres. D'un autre côté, je ne devais pas m'attendre à entendre quoi que ce soit puisque c'était Petit Ian que je guettais.

Jamie et lui se relayaient pour monter la garde, cachés parmi les arbres au-dessus des ruines calcinées de la Grande Maison. Ian y était depuis plus de deux heures. Il était temps pour lui de rentrer manger et se réchauffer devant le feu.

Trois jours plus tôt, au petit déjeuner, il avait annoncé, perplexe :

— Quelqu'un a essayé de tuer la truie blanche.

— Quoi ?

Je lui tendis un bol de porridge couronné d'une noix de beurre fondant et d'un filet de miel. Fort heureusement, mes tonnelets et mes rayons de miel avaient été entreposés dans la resserre avant l'incendie.

— Tu en es sûr ?

Il acquiesça, humant son bol d'un air béat.

— Oui, ma tante. Elle a une entaille au flanc.

Croyant sans doute que je prenais à cœur le bien-être de la truie autant que celui de tout habitant de Fraser's Ridge, il ajouta sur un ton rassurant :

— Elle n'est pas profonde et est en train de cicatriser.

— Ah ? Tant mieux.

Dans le cas contraire, je n'aurais pas pu faire grand-chose. Il m'était déjà arrivé de soigner des chevaux, des vaches, des chèvres, des hermines, même une poule refusant de pondre, mais je ne me serais approchée de cette truie pour rien au monde.

A l'évocation de ce monstre, Amy Higgins se signa.

— C'était probablement un ours, déclara-t-elle. Aucune autre créature n'oserait s'en prendre à elle. Aidan, écoute bien ce que dit M. Ian ! Ne t'éloigne pas de la cabane et ne quitte pas ton petit frère des yeux quand vous êtes dehors.

Aidan répondit d'un air absent :

— Les ours dorment en hiver, maman.

Son attention était entièrement concentrée sur la toupie en bois que lui avait confectionnée Bobby, son nouveau beau-père. Il ne parvenait pas à la faire tourner correctement. Il la fixa d'un regard torve, la posa délicatement sur la table, saisit une extrémité de la ficelle, retint son souffle puis tira d'un coup sec. La toupie fusa à travers la table, percuta la cruche à miel avec un « crac » puis ricocha en direction du pot de lait.

Ian la rattrapa au vol in extremis. Sans cesser de mastiquer son morceau de toast, il fit signe à Aidan de lui donner la ficelle, l'enroula autour de la tige et, d'un mouvement expert du poignet, envoya la toupie virevolter au milieu de la table. Aidan l'observa bouche bée avant de plonger pour la récupérer avant qu'elle ne tombe.

Ian parvint non sans mal à avaler sa bouchée puis reprit :

— Ce n'était pas un animal. L'entaille était nette. Quelqu'un l'a attaquée avec un couteau ou une épée.

Jamie releva les yeux du toast calciné qu'il examinait.

— Tu as retrouvé le cadavre de l'agresseur ?

Ian sourit.

— Non, si elle l'a tué, elle l'a dévoré. Je n'ai trouvé aucun reste.

— Les porcs mangent comme des cochons, c'est bien connu, observa Jamie.

Il goûta du bout des lèvres un coin de toast, fit la grimace, le mangea quand même.

— Vous pensez que c'est un Indien ? demanda Bobby.

Le petit Orrie gesticulait pour descendre de ses genoux. Bobby le déposa à son endroit favori sous la table.

Jamie et Ian échangèrent un regard qui déclencha en moi une petite alarme.

— Non, répondit Ian. Les Cherokees qui vivent dans la région la connaissent et aucun ne s'aventurerait dans ses parages. Ils croient que c'est un démon.

— Et les Indiens nomades descendant du Nord chassent avec des flèches et des tomahawks, acheva Jamie.

Amy paraissait sceptique.

— Vous êtes sûrs que ce n'était pas une panthère ? Elles chassent en hiver.

— C'est vrai, répondit Jamie. Hier, j'ai vu des empreintes près de Green Spring.

Il se pencha et lança sous la table à l'attention des deux garçons qui s'y trouvaient :

— Vous m'avez entendu ? Faites très attention !

Se redressant, il poursuivit :

— Non. Je crois qu'on peut faire confiance à Ian pour distinguer des coups de griffes d'une entaille laissée par une lame.

Il sourit à son neveu qui, par respect, se retint de lever les yeux au ciel. Il se contenta de hocher la tête en fixant d'un air dubitatif la panière remplie de toasts brûlés.

Personne ne suggéra qu'un des habitants de Fraser's Ridge ou de Brownsville ait pu pourchasser la truie. Les presbytériens du coin ne partageaient aucune des convictions des Cherokees sauf une : la nature démoniaque de la truie.

Personnellement, je n'étais pas loin de leur donner raison. La créature avait survécu à l'incendie de la Grande Maison sans une égratignure, émergeant de sa tanière sous les fondations à travers une avalanche de décombres suivie de sa dernière portée de porcelets.

Je méditais sur cette vision tandis que j'attendais le retour de Ian. Prise d'une soudaine inspiration, je m'exclamai :

— Moby Dick !

Rollo se redressa avec un aboiement surpris, me lança un regard jaune puis reposa la tête entre ses pattes avec un soupir.

Jamie s'étira en grognant, se frotta le visage et me regarda en clignant des yeux.

— Dick qui ?

— Non, je viens juste de comprendre à qui cette truie blanche me faisait penser. C'est une longue histoire qui parle d'une baleine. Je te la raconterai demain.

— Si je survis jusque-là.

Il bâilla à s'en décrocher la mâchoire avant de demander :

— Où est le whisky ? A moins que tu n'en aies besoin pour cette pauvre femme ?

Il pointa le menton vers Grannie MacLeod enroulée dans sa couverture.

— Pas encore. Tiens !

Je fouillai dans le panier sous ma chaise, en extirpai une bouteille. Il la déboucha et but au goulot, ses joues retrouvant progressivement un peu de couleurs. Entre ses journées passées à chasser ou couper du bois et ses gardes nocturnes dans la forêt glacée, sa vitalité légendaire commençait à s'émousser.

— Combien de temps cela va-t-il encore durer ? murmurai-je.

Je ne voulais pas réveiller les Higgins qui dormaient dans la petite chambre. Outre Bobby, Amy et les deux petits garçons, nous hébergions les deux belles-sœurs d'Amy de son premier mariage. Elles étaient venues pour ses noces qui s'étaient tenues quelques jours plus tôt, accompagnées de cinq enfants de moins de dix ans. Le départ des garçons MacLeod avait légèrement soulagé la congestion de la petite cabane mais avec Jamie, Ian et son chien Rollo, la vieille MacLeod et moi, sans parler des biens que nous avions pu sauver de l'incendie empilés contre les murs, je commençais à sentir monter la crise de claustrophobie. Il n'y avait rien d'étonnant à ce que Jamie et Ian patrouillent la nuit dans les bois. C'était autant pour respirer que par conviction qu'il y avait un rôdeur.

— Plus longtemps, m'assura-t-il. Si nous ne voyons rien cette nuit, nous…

Il s'interrompit en tournant brusquement la tête vers la porte.

Je n'avais rien entendu mais je vis le loquet se lever et, un instant plus tard, une bourrasque s'engouffra dans la pièce, glissant ses doigts glacés sous mes jupes et soulevant un nuage d'étincelles hors du foyer.

Je m'emparai rapidement d'un chiffon et les étouffai avant qu'elles n'enflamment la chevelure ou la paillasse de Grannie MacLeod. Le temps que j'aie repris le contrôle de la situation, Jamie avait glissé son pistolet, sa giberne et sa corne de poudre sous sa ceinture et parlait à voix basse avec Ian près de la porte. Ce dernier avait les joues rougies par le froid et l'excitation. Rollo s'était relevé lui aussi. Il flairait les jambes de son maître en agitant la queue, paré pour une nouvelle aventure. Ian lui gratta le sommet du crâne.

— Toi, tu restes ici, *a cù. Sheas.*

Rollo eut un grondement dépité et tenta de se frayer un passage vers la porte, mais Ian lui barra la route d'un genou. Jamie enfila son manteau, se pencha vers moi et m'embrassa rapidement.

— Verrouille la porte, *a nighean*, me glissa-t-il. Ne laisse entrer personne à part Ian et moi.

— Mais que… commençai-je.

Ils étaient déjà partis.

La nuit était froide et pure. Jamie inspira profondément et sentit l'air glacé le pénétrer et le dépouiller de la chaleur de son épouse, de la fumée et de l'odeur de l'âtre. Il huma l'air d'un côté puis de l'autre, tel un loup. Des cristaux de glace s'incrustèrent dans ses poumons, lui piquant le sang. Il y avait peu de vent mais il soufflait de l'est, portant les effluves âcres des cendres de la Grande Maison… ainsi qu'un vague relent qu'il crut identifier comme celui du sang.

Il interrogea son neveu d'une inclinaison de la tête. Ian acquiesça, son profil se détachant sur le ciel lavande.

— Il y a un porc mort de l'autre côté du potager de tante Claire, chuchota-t-il.

— Ah. Mais ce n'est pas la truie blanche, n'est-ce pas ?

Cette pensée le perturba un instant. Il se demanda s'il aurait de la peine pour la créature ou s'il danserait sur son cadavre.

— Non, ce n'est pas cette vieille futée. Un jeune, peut-être de la portée de l'année dernière. Quelqu'un l'a abattu et dépecé mais n'a emporté qu'une partie de la hanche. Il l'a ensuite découpée en morceaux qu'il a éparpillés tout le long du sentier.

Jamie tressaillit.

— Quoi ?

— Ce n'est pas tout, mon oncle. Le porc a été tué et découpé avec une hache.

Le sang de Jamie se glaça.

— Seigneur, murmura-t-il.

Ce n'était pas tant le choc que la résignation devant une situation qu'il pressentait depuis longtemps.

— C'est donc lui.

— Oui.

Ils s'en étaient doutés tous les deux bien qu'ils n'en aient jamais parlé. Sans se consulter, ils s'éloignèrent de la cabane et s'enfoncèrent entre les arbres.

Jamie inspira profondément puis poussa un long soupir qui se condensa dans l'obscurité. Il avait espéré sans trop y croire que ce vieux têtu prendrait son or et sa femme puis quitterait Fraser's Ridge. Mais Arch Bug était un Grant par le sang et le clan Grant avait l'esprit vengeur.

Une cinquantaine d'années plus tôt, les Fraser de Glenhelm avaient surpris Arch Bug sur leurs terres. Ils lui avaient laissé le choix : perdre un œil ou l'auriculaire et l'annulaire de sa main droite. Il s'était habitué à ses doigts amputés, abandonnant l'arc et les flèches qu'il ne pouvait plus tirer pour la hache qu'il maniait avec une adresse égale à celle d'un Mohawk en dépit de son âge.

En revanche, ce qu'il n'avait jamais digéré, c'était la perte de la cause Stuart et la disparition de l'or jacobite, envoyé trop tard de France, récupéré (ou volé selon le point de vue) par Hector Cameron. Ce dernier en avait apporté un tiers en

Caroline du Nord où il avait à nouveau été volé (ou repris) à la veuve de Cameron par Arch Bug.

Il n'avait jamais pu se faire à Jamie Fraser non plus.

— Tu penses qu'il est dangereux ? demanda Ian.

Cachés par les arbres, ils contournaient la clairière où s'était dressée la Grande Maison. Il n'en restait que la cheminée et un vaste pan de mur dont la masse noire se découpait de façon sinistre sur la neige sale.

— Je ne crois pas. S'il nous avait voulu du mal, pourquoi aurait-il attendu jusqu'à maintenant ?

Néanmoins, il remercia intérieurement le ciel que sa fille et ses petits-enfants soient en sécurité au loin. Il y avait des menaces plus graves qu'un cochon mort et il savait Arch Bug capable de bien pire.

Ian suggéra :

— Il était peut-être parti installer sa femme en lieu sûr et n'est revenu qu'à présent ?

C'était concevable. S'il existait un être au monde qu'Arch aimait plus que tout, c'était son épouse Murdina, sa compagne et amie depuis plus de cinquante ans.

— Peut-être, répondit Jamie.

Cependant... au cours des semaines qui s'étaient écoulées depuis le départ des Bug, il s'était senti observé plus d'une fois. Il avait parfois entendu dans la forêt un silence qui n'était pas celui des arbres et des rochers.

Il était inutile de demander à Ian s'il avait cherché des traces du tueur à la hache. S'il y en avait, il les aurait trouvées. Il n'était pas tombé de neige depuis une semaine et les plaques au sol portaient la trace d'innombrables pieds. Il leva les yeux vers le ciel. Il neigerait à nouveau sous peu.

Il se fraya un passage vers un petit rocher dominant la clairière, avançant précautionneusement sur la glace. La neige fondait durant la journée mais gelait la nuit, formant des stalactites scintillantes sous les avant-toits de la cabane et sur les branches des arbres, illuminant la forêt d'une lueur bleutée à l'aube, gouttant en larmes d'or et de diamant au lever du soleil. Pour le moment, elles étaient incolores, tintant comme du verre quand sa manche effleurait les brindilles d'un buisson. Il s'arrêta au sommet du rocher et s'accroupit, scrutant la clairière.

La certitude qu'Arch Bug rôdait dans les parages avait déclenché dans son esprit un enchaînement de déductions à demi conscientes dont la conclusion lui apparaissait à présent avec netteté. Il se tourna vers Ian.

— Je ne vois que deux raisons pour lesquelles il serait revenu : pour me nuire ou pour chercher l'or. Dans sa totalité.

Après avoir découvert la traîtrise des Bug, il leur avait donné un peu d'or et les avait chassés. Un demi-lingot de l'or français, assez pour permettre à un couple âgé de vivre modestement mais confortablement jusqu'à la fin de ses jours. Mais Arch Bug n'était pas un homme modeste. Il avait autrefois été le sellier des Grant de Grant et, s'il était parvenu à ravaler sa fierté pendant un temps, il n'était pas dans la nature de la fierté de demeurer enfouie.

— La totalité... répéta Ian, intrigué. Cela signifierait qu'il l'a dissimulé par ici... mais dans un endroit où il lui était difficile de le récupérer quand tu l'as forcé à partir.

En bas, dans la clairière, Jamie pouvait voir le sentier escarpé qui partait derrière ce qui avait été la Grande Maison et menait au potager de sa femme. Des palissades qui avaient autrefois protégé ce dernier de l'appétit des chevreuils il ne restait que quelques planches se détachant sur les plaques de neige. Un jour, si Dieu le permettait, il aménagerait à Claire un nouveau jardin.

— Si son intention n'avait été que de faire du mal, il aurait déjà saisi sa chance.

Il distinguait la dépouille du porc, une forme sombre sur le sentier au centre d'une mare de sang.

Il repoussa la vision soudaine de Malva Christie et se força à réfléchir. Il répéta avec plus d'assurance :

— Oui, il l'a caché ici. S'il avait tout le trésor, il aurait déguerpi depuis longtemps. Il est resté là, attendant de pouvoir remettre la main dessus discrètement. Comme il a échoué, il essaie autre chose.

— Oui, mais quoi ?

Ian fit un signe du menton vers la bête sur le sentier avant de poursuivre :

— J'ai pensé qu'il s'agissait peut-être d'un piège mais ce n'en est pas un. J'ai vérifié.

— Un leurre, peut-être ?

S'il pouvait sentir le sang, il en allait de même de n'importe quel prédateur. Au moment même où cette idée lui traversait l'esprit, il aperçut un mouvement près du porc et posa une main sur le bras de Ian.

Il y eut un autre mouvement bref et hésitant, puis une petite forme sinueuse s'approcha furtivement de la dépouille et se tapit derrière elle.

— Un renard, dirent-ils en chœur.

Ils se mirent à rire en silence puis Ian reprit sur un ton dubitatif :

— Il y a bien cette panthère dans la forêt, près de Green Spring. J'ai vu ses traces hier. Cherche-t-il à l'attirer dans la clairière avec le cochon, en espérant qu'on sortira pour la chasser et profiter du fait qu'on soit occupés pour atteindre l'or ?

Jamie fit une moue sceptique et regarda vers la cabane. Certes, une panthère attirerait les hommes au-dehors, mais pas les femmes ni les enfants. Et où aurait-il caché l'or dans un espace aussi bondé ? Son regard s'arrêta sur le bâtiment long et bas qui abritait le four de Brianna. Il était relativement éloigné de la cabane et personne ne l'avait utilisé depuis qu'elle était partie. Cela aurait été... mais non. Arch avait volé l'or chez Jocasta Cameron un lingot après l'autre, le transportant en secret à Fraser's Ridge, et il avait commencé longtemps avant le départ de Brianna. Mais peut-être que...

Ian se raidit et Jamie tourna brusquement la tête pour voir ce qu'il avait aperçu. Il ne distinguait rien mais entendit le bruit qui avait attiré l'attention de son neveu. Un grognement profond, un bruissement, un craquement. Quelque chose remua parmi les poutres noircies de la maison et, soudain, il comprit !

Jamie agrippa le bras de son neveu avec une telle force que celui-ci gémit.

— Bon Dieu ! Il l'a caché sous la Grande Maison !

La truie blanche émergea de sa tanière sous les ruines, énorme tache crémeuse dans la nuit. Elle s'arrêta, pointa le groin d'un côté, de l'autre, huma l'air, puis se remit en marche d'un pas décidé, imposante menace gravissant la colline.

Jamie eut envie de rire devant l'ingéniosité d'Arch Bug.

Il avait déposé son or sous les fondations de la Grande Maison, y ajoutant de nouveaux lingots chaque fois que la truie sortait vaquer à ses occupations. Personne n'aurait songé à fureter dans le repaire du monstre. Elle était la gardienne idéale. Probablement avait-il eu l'intention de récupérer le magot de la même manière. Peu à peu, lingot par lingot.

Mais la maison avait brûlé et la charpente s'était effondrée. L'or n'avait plus été accessible qu'au prix de gros travaux, ce qui ne pouvait manquer d'attirer l'attention. Il avait donc patiemment attendu que les hommes aient déblayé la plus grande partie des décombres, et par là même semé de la suie et du charbon dans toute la clairière, pour enfin tenter d'atteindre ce qu'il avait caché dessous sans se faire repérer.

Toutefois, on était en hiver. Si elle n'hibernait pas comme les ours, la truie restait calfeutrée dans son nid douillet… à moins qu'il n'y ait de quoi manger dans les parages.

Ian lâcha une exclamation de dégoût en entendant les craquements d'os et les grognements s'élevant du sentier.

— Les porcs ne sont pas de fins gourmets, murmura Jamie. Si c'est mort, ça se mange.

— Oui, mais c'est probablement un de ses petits !

— S'il lui arrive de dévorer ses petits quand ils sont vivants, elle ne va pas cracher dessus quand ils sont morts.

— Chut !

Il se tut aussitôt et se tourna vers la masse noire qui avait été autrefois la plus belle maison du comté. Une silhouette venait d'apparaître de derrière la resserre, avançant prudemment sur le sentier glissant. La truie, tout occupée à son festin macabre, ne lui prêta pas attention. L'intrus semblait drapé dans une houppelande sombre et porter une sorte de sac.

Je ne verrouillai pas la porte tout de suite mais sortis prendre l'air, enfermant Rollo derrière moi. Jamie et Ian avaient disparu entre les arbres en quelques secondes. Je jetai un regard inquiet autour de moi et scrutai la lisière de troncs noirâtres qui bordaient la clairière mais ne vis rien d'inhabituel. Pas le moindre mouvement ; la nuit était silencieuse. Qu'avait trouvé Ian ? Des empreintes suspectes ? Cela aurait expliqué sa précipitation. Il ne tarderait pas à neiger.

La lune était cachée. Le ciel était d'un gris-rose profond. Le sol, bien que piétiné et boueux, était encore couvert de vieille neige. Elle irradiait une étrange lueur laiteuse dans laquelle les objets semblaient flotter comme s'ils étaient peints sur du verre, immatériels et imprécis. Les vestiges calcinés de la Grande Maison se dressaient à l'autre bout de la clairière. De là où je me tenais, ils ne formaient qu'une tache floue, comme si un géant avait pressé à cet endroit son pouce couvert de suie. L'air était chargé de neige, j'entendais sa chute imminente dans le murmure étouffé des pins.

A leur arrivée avec leur grand-mère, les garçons MacLeod nous avaient raconté avoir eu beaucoup de mal à franchir les cols. La prochaine grosse tempête nous isolerait du reste du monde jusqu'en mars, voire avril.

Cela me rappela ma patiente. Je lançai un dernier regard à la ronde puis posai la main sur le loquet. Rollo grattait à la porte en gémissant. Je dus l'écarter rudement du genou pour entrer.

— Assis, le chien ! Ne sois pas si inquiet, ils ne tarderont pas à revenir.

Il eut un couinement anxieux, me poussant les jambes de la truffe, cherchant à sortir.

— Non !

Je le repoussai pour verrouiller la porte. La clenche retomba avec un bruit lourd rassurant et je me tournai vers la cheminée en me frottant les mains. Rollo renversa la tête en arrière, poussa un long hurlement grave et lugubre qui hérissa les poils de ma nuque.

— Que se passe-t-il ? Vas-tu te taire ?

Le bruit avait réveillé un des enfants dans la chambre. Je l'entendis pleurer, puis il y eut des bruissements de draps et les murmures d'une mère à moitié endormie. Je m'agenouillai rapidement et fermai le museau de Rollo avant qu'il ne hurle à nouveau.

— Chuuuuut !

Je me retournai pour voir s'il avait également réveillé Grannie MacLeod. Elle était immobile, le teint cireux et les yeux fermés. J'attendis, comptant machinalement les secondes jusqu'à son prochain souffle.

... *six... sept...*

— Et merde !

Je me signai hâtivement et m'approchai d'elle toujours à genoux. Un examen plus attentif ne m'apprit rien que je ne sache déjà. Discrète jusqu'au bout, elle avait profité d'un moment d'inattention de ma part pour mourir en douce.

Rollo ne tenait pas en place. Il s'était tu mais était nerveux. Je posai une main sur la poitrine décharnée de la vieille femme. Il ne s'agissait plus d'établir un diagnostic ni n'apporter un réconfort. Juste... la nécessaire acceptation du décès d'une femme dont je ne connaissais même pas le prénom.

— Dieu te bénisse, dis-je à voix basse.

Je me redressai sur les talons et réfléchis à ce qu'il convenait de faire.

Le protocole des Highlands exigeait qu'une porte soit ouverte dès qu'une mort survenait afin que l'âme du défunt puisse sortir. Je me passai le dos de la main sur les lèvres. L'âme avait-elle eu le temps de filer quand j'avais ouvert la porte en entrant ? Probablement pas.

On aurait pu croire que dans un climat aussi inhospitalier que celui de l'Ecosse, une certaine marge de manœuvre météorologique était autorisée mais je savais que ce n'était pas le cas. Qu'il pleuve, qu'il neige, qu'il grêle ou qu'il vente, les Highlanders laissaient *toujours* une porte ouverte des heures durant, autant pour libérer l'âme que par peur que l'esprit, ne trouvant pas la sortie, décide de s'installer définitivement dans la maison pour la hanter. La plupart des fermes étaient trop petites pour rendre une telle cohabitation supportable.

Le petit Orrie s'était réveillé à son tour. Je l'entendais fredonner joyeusement une chanson composée du prénom de son beau-père.

— Booooo-bi. Booooo-bi. BOOOOO-biiiii.

Il y eut un rire étouffé puis la voix de Bobby.

— Qu'est-ce qu'il y a, mon petiot ? Tu as besoin d'aller sur le pot, *acooshla* ?

Je souris en entendant ce terme d'affection gaélique – *a chuisle* (« le sang de mon cœur ») – déformé par l'accent du Dorset de Bobby. Les gémissements nerveux de Rollo me rappelèrent à l'ordre. Je devais agir.

Si, quand ils se lèveraient dans quelques heures, les Higgins découvraient un cadavre étendu sur le plancher, ils seraient profondément affectés, offensés par cette entorse aux convenances et angoissés à l'idée d'être hantés par le fantôme d'une parfaite inconnue. C'était de très mauvais augure pour les jeunes mariés et la nouvelle année. Parallèlement, la présence de la morte agitait Rollo et la crainte qu'il les extirpe de leur lit d'un moment à l'autre m'agitait moi.

— Bon ! Toi, le chien, viens ici.

Il y avait toujours des pièces de harnais à réparer suspendues à une patère près de la porte. Je démêlai un morceau de rêne suffisamment long et en confectionnai un lasso que je passai autour du cou du chien. Il était ravi de sortir, tirant sur sa laisse tandis que j'ouvrais la porte. Il déchanta toutefois quand je le traînai dans l'appentis qui nous servait de garde-manger, où j'attachai sa laisse improvisée à une étagère avant de retourner dans la cabane chercher Grannie MacLeod.

Avant de sortir à nouveau, je regardai soigneusement à l'extérieur, me remémorant la mise en garde de Jamie. La nuit était aussi paisible qu'une église. Même les arbres se taisaient.

La pauvre femme ne devait pas peser quarante kilos. Ses clavicules saillaient sous sa peau et ses doigts paraissaient aussi friables que des brindilles sèches. Même ainsi, soulever quarante kilos de poids mort, littéralement, était au-dessus de mes forces. Je dépliai la couverture dans laquelle elle était enveloppée et la tirai à l'extérieur comme sur un traîneau tout en murmurant des excuses et des prières confuses.

En dépit du froid, j'étais hors d'haleine et en nage lorsque j'entrai dans le garde-manger. Je marmonnai :

— Au moins, ton âme a eu tout le temps nécessaire pour décamper.

Je m'agenouillai à ses côtés pour remettre de l'ordre dans son linceul de fortune.

— ... Et puis tu ne vas quand même pas hanter un garde-manger, hein ?

Ses paupières n'étaient pas complètement fermées. Elles laissaient entrevoir une fine ligne de blanc, comme si elle avait tenté d'ouvrir les yeux pour voir une dernière fois le monde avant de mourir… ou peut-être en quête d'un visage familier.

— Que Dieu te garde… dis-je doucement en lui fermant les yeux.

Je me demandai si, un jour, un inconnu en ferait autant pour moi. Ce serait probablement le cas. A moins que…

Jamie m'avait annoncé qu'il voulait rentrer en Ecosse, récupérer sa presse puis revenir pour se battre. Une petite voix trouillarde dans ma tête disait : *Et si… si nous ne revenions pas ? Si nous allions à Lallybroch et y restions ?*

Tout en songeant à cette perspective, avec ses visions idylliques de nous deux entourés d'une famille, vivant en paix, vieillissant tranquillement sans la peur constante de perturbations, de famine et de violence… je savais que cela n'arriverait jamais.

J'ignorais si Thomas Wolfe avait vu juste quand, dans *L'Ange banni*, il parlait de l'impossibilité du retour au bercail (mais d'un autre côté, pensai-je avec une pointe d'amertume, je n'avais pas de « bercail » auquel revenir)… Cependant, je connaissais Jamie. Idéologie mise à part, et il n'en était pas dépourvu même si la sienne était d'une nature très pragmatique, c'était avant tout un homme décent à qui il fallait un travail décent. Pas juste une activité ; pas juste de quoi gagner sa vie. Un vrai métier. Je savais faire la différence.

En outre, si je ne doutais pas que la famille de Jamie le recevrait à bras ouverts, j'étais moins sûre du type d'accueil qu'on me réserverait. Certes, ils n'iraient pas jusqu'à faire venir un prêtre pour m'exorciser… Le fait était que Jamie n'était plus le laird de Lallybroch et ne le serait plus jamais.

Tout en faisant la toilette de la morte avec un linge humide, je citai dans un murmure :

— « Il ne revient pas habiter sa maison et sa demeure ne le connaît plus. »

Je nettoyai son intimité, étonnamment peu flétrie ; peut-être m'étais-je trompée sur son âge ? Elle n'avait rien avalé depuis des jours ; même le relâchement musculaire de la mort n'avait pu effacer son air crispé... mais tout le monde méritait d'être couché propre dans sa tombe.

Je m'interrompis. Pourrions-nous l'enterrer ? Ou devions-nous la laisser reposer paisiblement sous les bocaux de confiture de myrtille et les sacs de haricots secs jusqu'au printemps ?

Je remis de l'ordre dans ses vêtements, soufflant fort par la bouche afin d'évaluer la température à la buée qui se formait. Nous n'avions eu jusque-là qu'une seule grosse chute de neige et les grandes gelées ne se produisaient généralement que vers la seconde quinzaine de janvier. Si le sol n'était pas encore trop dur, nous pourrions peut-être l'ensevelir... à condition que les hommes acceptent de déblayer la neige.

Rollo s'était couché, résigné, et m'observait travailler. Soudain, il redressa la tête, les oreilles pointées.

— Quoi ? dis-je, surprise.

Je me retournai sur les genoux vers la porte ouverte de l'appentis.

— Que se passe-t-il ?

— On l'arrête tout de suite ? murmura Ian.

D'un coup d'épaule il délogea l'arc qu'il portait en bandoulière et le fit glisser en silence dans sa main.

— Non. Attendons d'abord qu'il l'ait trouvé.

Jamie parlait lentement, réfléchissant à ce qu'il convenait de faire de cet homme réapparu dans sa vie sans crier gare.

Le tuer ? Non. Par leur traîtrise, sa femme et lui avaient causé beaucoup de torts mais ils ne s'en étaient jamais pris à sa famille, du moins pas au début. Arch Bug était-il vraiment un voleur ? Après tout, sa tante Jocasta n'avait pas plus de droits sur l'or que lui, peut-être même en avait-elle moins.

Il posa la main sur sa ceinture avec un soupir, effleurant son coutelas et son pistolet. Il ne pouvait laisser Bug filer avec le trésor. Ni se contenter de le chasser en sachant qu'il reviendrait tôt ou tard à la charge. Mais que diable faire de lui une fois qu'ils l'auraient coincé ? Ce serait comme d'enfermer un serpent dans un sac. Pourtant, il n'y avait pas d'autre solution que de le capturer. Il serait toujours temps plus tard de décider que faire du sac. Peut-être parviendraient-ils à un accord...

La silhouette avait rejoint les ruines sombres et escaladait tant bien que mal les gravats et les poutres calcinées. Le vent gonflait sa cape noire.

La neige se mit à tomber en silence, les gros flocons semblant subitement se matérialiser, virevoltant dans l'air. Ils effleuraient son visage et s'accrochaient à ses cils. Jamie les essuya et fit signe à Ian.

— Passe par-derrière, chuchota-t-il. S'il s'enfuit, envoie-lui une flèche sous le nez pour l'arrêter. Et ne t'en approche pas, compris ?

Ian chuchota en retour :

— C'est toi qui ferais bien de garder tes distances, mon oncle. Si tu l'as à portée de pistolet, c'est qu'il peut te fendre le crâne avec sa hache. Et je ne tiens pas à être celui qui l'annoncera à tante Claire.

Jamie se mit à rire et lui donna une bourrade. Il chargea et amorça son arme puis marcha d'un pas ferme vers les décombres de sa maison.

Il avait vu Arch décapiter une dinde du tranchant de sa hache lancée à six mètres et il était exact que la plupart des pistolets manquaient de précision à une distance moindre. Mais, après tout, il n'avait pas l'intention de lui tirer dessus. Il avança en tenant son arme bien en évidence devant lui.

— Arch !

La silhouette lui tournait le dos, penchée sur les gravats qu'elle fouillait. En l'entendant, elle se raidit sans pour autant se redresser.

— Arch Bug ! cria encore Jamie. Approche ! Il faut qu'on parle !

La silhouette se redressa brusquement, pivota et une flamme illumina la nuit. Au même instant, une douleur vive traversa la cuisse de Jamie et il chancela.

Il était surtout surpris. Il n'avait encore jamais vu Arch Bug utiliser une arme à feu et était impressionné qu'il vise si bien de la main gauche…

Il tomba un genou dans la neige mais, alors même qu'il pointait son arme, deux détails le frappèrent : la silhouette noire braquait un second pistolet sur lui… mais pas de la main gauche. Ce qui signifiait…

3

Une vie pour une vie

Je conduisis Jamie dans l'appentis. Il faisait sombre et froid, en particulier pour un homme sans culotte, mais je ne voulais pas risquer de réveiller la tribu Higgins. Surtout pas maintenant. Ils jailliraient de leur tanière telle une volée de cailles prises de panique et je paniquais moi-même à l'idée de devoir les calmer. Il serait déjà suffisamment pénible de leur expliquer ce qui s'était passé une fois le jour levé.

Faute d'une meilleure idée, Jamie et Ian avaient étendu Mme Bug dans le garde-manger aux côtés de Grannie MacLeod. Elle était couchée sous la première étagère, sa cape rabattue sur le visage. Je voyais dépasser ses bottes usées et ses bas à rayures. J'eus une soudaine vision de la méchante sorcière de l'Ouest dans *Le Magicien d'Oz* et dus plaquer une main sur ma bouche pour retenir un fou rire hystérique.

Jamie tourna la tête vers moi mais son regard était ailleurs. La lueur de la chandelle qu'il tenait à la main creusait ses traits hagards.

— Hein ?

— Non, rien, répondis-je d'une voix chevrotante. Rien du tout. Assieds-toi.

Je posai ma trousse médicale à côté du tabouret, lui pris la chandelle et le broc d'eau chaude des mains et me mis au travail, faisant de mon mieux pour ne penser à rien hormis la tâche qui m'attendait. Pas aux pieds de Murdina. Et surtout pas à Arch Bug.

— Bon sang ! Ian…

Trop tard. Ian l'avait vu tomber et avait lui aussi aperçu le second pistolet. Jamie n'entendit pas la flèche fendre l'air. Elle apparut comme par magie, transperça l'intrus. Celui-ci sursauta, se raidit et s'écroula d'un bloc. Avant même qu'il n'ait touché terre, Jamie courait vers lui en boitant, sa jambe se dérobant à chaque pas.

— Mon Dieu, non ! Mon Dieu, non !

Sa voix semblait appartenir à un autre.

Un cri désemparé s'éleva dans la nuit. Puis Rollo passa en trombe devant lui. Qui l'avait laissé sortir ? Un coup de feu retentit dans la forêt. Ian hurla, quelque part non loin, rappelant son chien, mais Jamie n'avait pas le temps de les chercher du regard. Il glissait sur la neige fraîche, trébuchait contre les pierres noircies. Sa jambe était glacée et brûlante à la fois mais peu importait. *Mon Dieu, non, faites que…*

Il rejoignit la forme étendue et se laissa tomber à ses côtés. Il savait déjà. Il l'avait compris dès l'instant où il s'était rendu compte que le pistolet était tenu de la main droite. Avec ses doigts amputés, Arch n'aurait jamais pu tirer. Mais non, Seigneur, non…

Il la retourna, le petit corps rondelet aussi mou et lourd que la dépouille d'une biche fraîchement abattue. Il écarta les pans de la houppelande et passa doucement une main impuissante sur le visage rond et lisse de Murdina Bug. Elle semblait respirer… peut-être. Ses doigts touchèrent la pointe de la flèche. Elle lui avait traversé la gorge, ce qui expliquait le gargouillis de sa respiration. Sa main était trempée d'un liquide chaud.

Elle articula d'une voix rauque :

— Arch ? Je veux Arch.

Puis elle mourut.

Jamie avait drapé une couverture autour de ses épaules mais ses jambes étaient nues. Je sentis ses poils se hérisser quand j'approchai ma main. Le bas de sa chemise était maculé de sang à demi séché et adhérait à ses cuisses ; il n'émit aucun son quand je décollai le tissu et écartai ses genoux.

Jusque-là, il s'était mû tel un homme dans un mauvais rêve mais, en sentant la flamme approcher de ses bourses, il tressaillit et plaça une main protectrice devant son sexe.

— Fais attention avec cette bougie, *Sassenach*, veux-tu ?

Constatant qu'il n'avait pas tort, je lui rendis la chandelle et, après l'avoir brièvement mis en garde contre les coulées de cire chaude, repris mon examen.

La plaie saignait toujours mais semblait bénigne. J'imbibai un linge d'eau chaude et me mis à l'œuvre. Sa peau était glacée et le froid ambiant atténuait jusqu'aux relents les plus âcres du garde-manger mais je pouvais quand même sentir son odeur musquée habituelle mêlée à celle du sang et de la sueur froide.

L'entaille profonde dans le haut de sa cuisse faisait une dizaine de centimètres mais elle était propre.

Je m'efforçai d'adopter un ton léger.

— Un spécial John Wayne !

Jamie, qui fixait la flamme de la chandelle, baissa les yeux vers moi.

— Pardon ?

— Non, ce n'est rien de grave. Une égratignure. Tu auras sans doute du mal à marcher pendant quelques jours mais notre héros survivra pour mener demain un nouveau combat.

En fait, la balle lui était passée entre les jambes, creusant un profond sillon dans l'intérieur de sa cuisse près de l'artère fémorale et des testicules. Deux centimètres plus à droite, il était mort ; deux centimètres plus haut…

— Tu ne m'es pas d'un grand réconfort, *Sassenach.*

Toutefois, un soupçon de sourire traversa son regard.

— Non, convins-je. Mais un petit peu quand même ?

— Un petit peu, concéda-t-il.

Il effleura mon visage d'une main froide et tremblante. De la cire chaude coula sur les phalanges de son autre main mais il ne parut pas le remarquer. Je lui repris doucement le bougeoir et le déposai sur une étagère.

Le chagrin et la culpabilité qui émanaient de lui me parvenaient par vagues et je m'appliquai à les repousser. Je ne l'aurais pas aidé en cédant à mon tour à l'énormité de la situation. De fait, je ne savais pas quoi faire pour le réconforter.

Il déclara d'une voix si faible que je l'entendis à peine :

— Seigneur, pourquoi ne l'ai-je pas laissée prendre l'or ? Qu'est-ce que cela pouvait faire, après tout ?

Il frappa son genou du poing.

— Mais bon sang ! Pourquoi ne l'ai-je pas laissée faire ?

Je posai une main sur son épaule.

— Tu ne savais ni qui ils étaient ni ce qu'ils voulaient faire, répondis-je doucement. C'était un accident.

Ses muscles étaient tendus, crispés par l'angoisse. Les miens aussi. Ma gorge était nouée par le déni. *Non, ce ne peut pas être vrai, ce n'est pas arrivé...* Mais j'avais un travail à faire. J'affronterais l'inévitable plus tard.

Une main devant son visage, Jamie balançait lentement la tête d'avant en arrière. Nous n'échangeâmes plus un mot jusqu'à ce que j'eusse fini de nettoyer et de bander sa plaie. Puis il me demanda :

— Tu peux faire quelque chose pour Ian ?

Je me relevai. Il ôta sa main et me dévisagea, les traits tirés par la fatigue et le chagrin mais à nouveau calmes.

— Il...

Il déglutit et regarda la porte ouverte.

— Il le prend très mal, *Sassenach*.

Je lançai un coup d'œil vers la bouteille de whisky que j'avais apportée. Elle était aux trois quarts vide. Il suivit la direction de mon regard.

— Ça ne lui suffira pas.

— Alors bois-le.

Il fit non de la tête mais je lui mis la bouteille dans la main et repliai ses doigts autour d'elle.

— C'est un ordre. Tu es en état de choc.

Il résista mais je tins bon, ma main fermement serrée autour de la sienne.

— Jamie... Je sais. *Je sais.* Mais tu ne peux pas te laisser aller, pas maintenant.

Il me dévisagea un moment, puis acquiesça et les muscles de son bras se relâchèrent. Il n'avait pas le choix. Mes doigts étaient raides, engourdis par l'eau et l'air glacés, mais néanmoins plus chauds que les siens. Je pris sa main libre dans les miennes et la pressai. Je fis de mon mieux pour sourire bien que mon expression me paraisse figée et forcée.

— Tu sais, il y a une raison pour laquelle le héros ne meurt jamais. Dans la pire des situations, il faut bien que quelqu'un garde la tête froide pour prendre les décisions. Rentre te réchauffer dans la cabane.

Je regardai le ciel où la neige tourbillonnait de plus belle.

— Je vais... aller chercher Ian.

Où pouvait-il être ? Avec ce temps, il n'avait pas pu aller bien loin. Compte tenu de son état d'esprit quand Jamie et lui étaient revenus avec le cadavre de Mme Bug, il aurait fort bien pu s'enfoncer dans la forêt sans se soucier d'où il allait ni de ce qui pourrait lui arriver... mais Rollo était avec lui. Jamais il n'entraînerait son chien dans un tel blizzard.

Car c'était bien un blizzard qui s'annonçait. Je remontai péniblement la colline vers les dépendances en abritant ma lanterne sous un pan de ma cape. Je me demandai soudain si Arch Bug ne s'était pas réfugié dans la beurrerie ou le fumoir. Et... Oh, Seigneur ! Etait-il au courant ? Je m'arrêtai net, laissant les épais flocons se poser tel un voile sur ma tête et mes épaules.

Encore sous le choc, je ne m'étais même pas demandé si Arch savait que sa femme était morte. Dès qu'il avait compris leur méprise, Jamie l'avait appelé, criant son nom sans obtenir de réponse. Peut-être Arch avait-il craint un piège ? A moins qu'il n'ait simplement pris la fuite en voyant Jamie et Ian, présumant qu'ils ne feraient aucun mal à sa femme. Auquel cas...

Je jurai entre mes dents. Je ne pouvais rien pour lui mais peut-être pourrais-je aider Ian. J'essuyai mon visage sur ma manche et repris ma route, lentement, la lueur de ma lanterne engloutie par les tourbillons de neige. Si je tombais sur Arch... ? Mes doigts se crispèrent sur la poignée de la lanterne.

Je serais obligée de le lui dire, de le conduire à la cabane pour qu'il la voie. Oh, Seigneur ! Si je revenais avec Arch, Jamie et Ian parviendraient-ils à le retenir assez longtemps pour que je sorte Mme Bug du garde-manger et la rende plus présentable ? Je n'avais pas eu le temps d'extraire la flèche ni de lui faire un brin de toilette. Je plantai mes ongles dans ma paume, essayant de me ressaisir.

— Pitié ! Faites que je ne tombe pas sur lui ! marmonnai-je. Faites que je ne tombe pas sur lui !

La beurrerie, le fumoir et le séchoir à maïs étaient déserts – Dieu merci ! Personne n'aurait pu se cacher dans le poulailler sans que les poules fassent un esclandre. Or elles étaient silencieuses, attendant en dormant que passe la tempête. Le poulailler me fit penser à Mme Bug. Je la revis lançant à la volée les grains de maïs retenus dans son tablier, parlant aux stupides volatiles d'une voix chantante. Elle leur avait donné à toutes un prénom. Je me fichais de savoir si nous dînions d'Isobeaìl ou d'Alasdair mais, l'espace d'un instant, le fait que plus personne ne saurait les distinguer les unes des autres ni ne se réjouirait de ce qu'Elspeth ait eu dix poussins me fendit le cœur.

Je trouvai enfin Ian dans la grange, une forme sombre recroquevillée sur la paille aux pieds de Clarence, notre mule dont les oreilles se dressèrent en m'apercevant. Ravie de voir la compagnie s'agrandir, elle se mit à braire de joie tandis que les chèvres bêlaient de panique en me prenant pour un loup. Surpris, les chevaux hennirent et s'ébrouèrent. Rollo, roulé en boule près de son maître, manifesta son mécontentement devant un tel raffut par un aboiement sec.

Je secouai ma cape et accrochai la lanterne à un clou près de la porte.

— Mais c'est une vraie arche de Noé, ici ! observai-je. Il ne manque plus qu'un couple d'éléphants. Tais-toi, Clarence !

Ian se tourna vers moi mais je pouvais voir à son regard vide qu'il ne m'avait pas entendue.

Je m'accroupis près de lui et posai une main sur sa joue. Elle était froide et hérissée d'une jeune barbe.

— Ce n'était pas de ta faute, lui dis-je avec douceur.

— Je sais.

Il marqua un temps d'arrêt avant d'ajouter :

— Mais je ne vois pas comment continuer à vivre après ça.

Il n'avait pas parlé sur un ton tragique et paraissait simplement perplexe. Rollo lui lécha la main et il enfonça les doigts dans la fourrure épaisse de son cou comme pour y puiser du réconfort.

Il me regarda, désemparé.

— Que puis-je faire, ma tante ? Rien, n'est-ce pas ? Je ne peux défaire ce que j'ai fait, ni remonter dans le temps. Pourtant, je n'arrête pas de chercher un moyen... un moyen de réparer les choses. Mais il n'y a... rien.

Je m'assis à ses côtés, passai un bras autour de ses épaules et attirai sa tête contre moi. Il se laissa faire à contrecœur. Je sentais son corps parcouru de frissons d'épuisement et de chagrin.

— Je l'aimais, dit-il d'une voix à peine audible. Elle était comme une grand-mère pour moi. Et je...

— Elle t'aimait aussi, chuchotai-je. Elle aurait compris.

J'avais refoulé désespérément mes émotions afin de pouvoir accomplir mon travail. Mais à présent... Ian avait raison, il n'y avait rien à faire. Par pur désespoir, les larmes commencèrent à couler sur mon visage. La douleur et le choc étaient trop violents, je ne pouvais plus les contenir.

Peut-être fut-ce parce qu'il sentit mes larmes sur sa peau ou le tremblement de mes épaules, mais Ian se lâcha à son tour et se mit à sangloter dans mes bras.

J'aurais voulu de tout mon cœur qu'il ne soit encore qu'un enfant, que ce torrent de larmes emporte son sentiment de culpabilité en le laissant purifié, pacifié. Mais il était bien au-delà de réactions aussi simples. Je ne pouvais que le serrer contre moi, lui caresser le dos et lui murmurer d'impuissantes paroles de consolation. Clarence lui manifesta son soutien à son tour, lui soufflant sur le sommet du crâne et mâchouillant d'un air concentré une mèche de cheveux. Ian s'écarta brusquement et donna une tape sur le chanfrein de la mule.

— Hé, toi ! Laisse-moi tranquille !

Il s'étrangla, se mit à rire malgré lui, pleura encore un peu puis se redressa et se moucha dans sa manche. Il resta immobile quelques instants, rassemblant ses esprits. Je me tus et attendis.

Puis il commença, d'une voix rauque mais maîtrisée :

— Quand j'ai tué cet homme, à Edimbourg… Oncle Jamie m'a emmené me confesser, ensuite il m'a appris la prière qu'on récite quand on a provoqué la mort de quelqu'un. C'est pour recommander l'âme du défunt à Dieu. Vous voulez bien la dire avec moi, tante Claire ?

Cela faisait une éternité que je n'avais entendu « Guide cette âme », et plus encore que je ne l'avais récitée. Je marmonnai maladroitement les paroles tandis que Ian, lui, les débitait sans l'ombre d'une hésitation, au point que je me demandai combien de fois il les avait dites au cours des dernières années.

Les mots paraissaient faibles et dérisoires, se perdant dans les bruissements de la paille et les mastications des bêtes. Néanmoins, de les prononcer me procura un léger réconfort. Peut-être que le fait d'en appeler à un être supérieur vous donne la sensation que cet être supérieur existe réellement… et il faut bien qu'il y en ait un quand vous n'êtes pas à la hauteur de la situation. Je ne l'étais certainement pas.

Ian resta assis un moment les yeux fermés. Enfin, il les rouvrit et me dévisagea d'un regard chargé d'un sombre savoir. Son visage était très pâle sous le chaume de ses joues. Il déclara doucement :

— Et puis, oncle Jamie m'a dit : « Il te faudra vivre avec. »

Il se passa une main sur le visage avant d'ajouter :

— Mais je ne crois pas pouvoir y arriver.

Cette simple déclaration me fit froid dans le dos. Je n'avais plus de larmes. J'avais l'impression de regarder dans un gouffre noir et sans fond, et ne pouvais détourner les yeux.

Je pris une profonde inspiration, cherchant quelque chose à dire. Je sortis un mouchoir de ma poche et le lui donnai.

— Tu respires, Ian ?

— Oui, enfin je crois.

— Alors c'est tout ce que tu as à faire pour le moment.

Je me relevai, secouai mes jupes et lui tendis la main.

— Viens. Rentrons à la cabane avant d'être coincés ici par la neige.

Celle-ci tombait encore plus dru. Et une rafale souffla la chandelle de ma lanterne. Peu importait. J'aurais pu retrouver mon chemin les yeux fermés. Ian passa devant moi sans un mot, ouvrant un chemin dans le tapis poudreux, la tête baissée pour se protéger de la tempête, les épaules voûtées.

J'espérais que la prière l'avait soulagé, du moins un peu, et me demandai si les Iroquois avaient des moyens plus efficaces que l'Eglise catholique pour surmonter une mort injuste.

Puis je me rendis compte que je savais exactement ce que feraient les Iroquois dans une telle situation. Ian aussi ; il l'avait fait. Je serrai ma cape un peu plus autour de mon cou, avec l'impression d'avoir avalé un gros glaçon.

4

Pas demain la veille

Après de longues discussions, les deux corps furent sortis et déposés délicatement sur la véranda en bois. Il n'y avait tout simplement pas de place à l'intérieur pour les garder et, compte tenu des circonstances…

Jamie avait mis un terme au débat en déclarant :

— On ne peut pas laisser le vieil Arch dans le doute plus longtemps. Si le corps est bien en vue, il viendra peut-être, ou peut-être pas, mais au moins il saura que sa femme est morte.

Bobby avait lancé un regard inquiet vers la forêt.

— En effet, il saura. Et que pensez-vous qu'il fera ?

Jamie avait réfléchi un instant.

— Il la pleurera. Demain matin, nous verrons ce qu'il convient de faire.

Ce ne fut pas une veillée très orthodoxe, mais nous y apportâmes tout le décorum que nos humbles moyens permettaient. Amy donna à Mme Bug son propre linceul qu'elle avait confectionné après son premier mariage ; quant à Grannie MacLeod, elle fut enveloppée dans ma chemise de rechange et quelques tabliers hâtivement cousus ensemble dans un semblant de respectabilité. Elles étaient étendues chacune d'un côté du porche, pieds contre pieds, avec une petite soucoupe remplie de sel et une tranche de pain sur la poitrine bien qu'il n'y eût aucun « mangeur de péchés » dans le coin. J'avais rempli un petit pot en terre cuite de charbons ardents et l'avais déposé près des corps. Nous convînmes de les veiller toute la nuit à tour de rôle, le porche ne pouvant abriter plus de deux ou trois personnes à la fois.

— « La lune qui jouait sur la neige récente donnait à chaque objet le lustre de midi... » récitai-je dans un murmure.

Effectivement, la tempête était passée et la lune aux trois quarts pleine répandait une lueur pure et froide dans laquelle chaque arbre ployant sous la neige se détachait, austère et délicat, comme sur une estampe japonaise. Au loin, les poutres noires de la Grande Maison formaient un jeu de jonchets cachant ce qu'il pouvait y avoir sous les ruines.

Jamie et moi prîmes le premier tour de garde. Jamie l'avait annoncé d'emblée sans que cela ne soulève la moindre objection. Même si personne n'en parlait, l'image d'Arch Bug rôdant seul dans la forêt était dans tous les esprits.

Je demandai à Jamie à voix basse :

— Tu crois qu'il est là ?

J'indiquai les arbres sombres, paisibles dans leurs linceuls.

— Si c'était toi étendue ici, *a nighean*, je serais à tes côtés, mort ou vivant. Viens t'asseoir.

Je m'assis à ses côtés, le pot de charbons près de nos jambes. Après quelques minutes de silence, je soupirai :

— Les pauvres. On est si loin de l'Ecosse !

— C'est vrai, dit-il en prenant ma main.

Ses doigts étaient aussi glacés que les miens mais leur taille et leur force étaient réconfortantes.

— Elles ne seront pas enterrées avec ceux de leur sang mais elles ne reposeront quand même pas parmi des étrangers.

— En effet.

Si les petits-fils de Grannie MacLeod revenaient un jour, ils trouveraient au moins sa tombe et sauraient qu'elle avait été traitée avec tendresse. Mme Bug n'ayant pas de parents à part Arch, personne ne viendrait se recueillir sur la sienne mais elle serait entourée de gens qui l'avaient connue et aimée. Et Arch ? S'il avait encore de la famille en Ecosse, il n'en avait jamais parlé. Son épouse avait été tout pour lui, et réciproquement.

— Tu... euh... tu ne crois pas que, une fois au courant, Arch tentera de mettre fin à ses jours ?

— Non, répondit fermement Jamie. Ce n'est pas dans sa nature.

D'un côté, j'étais soulagée. Mais une autre partie en moi, moins noble et compatissante, ne pouvait s'empêcher de se demander comment réagirait un homme au tempérament aussi impétueux après avoir reçu ce coup mortel, privé de la femme qui avait été son ancre et son havre durant toutes ces années.

Se laisserait-il porter par les vents jusqu'à se fracasser sur un écueil et couler ? Ou nouerait-il sa vie à l'ancre illusoire de la rage et ferait-il de la vengeance son nouveau compas ? J'avais vu le poids de la culpabilité dans le regard de Jamie et de Ian. Celle d'Arch n'était-elle pas plus lourde encore ? Un homme pouvait-il supporter un tel fardeau ? Ou la retournerait-il contre les autres pour une simple question de survie ?

Jamie ne m'avait pas dit ce qu'il en pensait mais je remarquai qu'il avait glissé son coutelas et son pistolet sous sa ceinture, ce dernier chargé et amorcé. Je sentais une odeur de poudre noire sous le parfum résineux des épinettes et des pins. Naturellement, ce pouvait être à cause des loups et des renards.

Nous restâmes assis en silence un long moment, observant le rougeoiement des charbons et leur reflet sur les plis des linceuls.

— Tu penses qu'on devrait prier ? chuchotai-je.

— Je n'ai pas cessé de prier depuis que c'est arrivé, *Sassenach.*

— Je comprends ce que tu veux dire.

La prière fébrile que l'irréparable ne soit pas survenu, puis la prière désespérée appelant à l'aide ; le besoin d'agir quand, en fait, il n'y a plus rien à faire. Et, naturellement, la prière pour le repos des défunts. Au moins Grannie MacLeod avait-elle su que son heure était venue et s'y était préparée. Mme Bug, elle, avait dû être terriblement surprise de se trouver subitement morte. L'espace d'un instant déconcertant, je l'imaginai se tenant dans la neige devant le porche, les poings sur ses larges hanches, les lèvres plissées en une moue agacée d'avoir été si grossièrement désincarnée.

— Ce fut un choc pour nous tous, m'excusai-je auprès de son ombre.

— Ça, tu peux le dire !

Jamie glissa une main sous sa cape et en extirpa sa flasque. Il la déboucha, se pencha en avant et versa délicatement quelques gouttes de whisky sur la tête des deux mortes. Puis il la leva et leur porta à chacune un toast, d'abord à Grannie MacLeod, puis à Mme Bug.

— Murdina, épouse d'Archibald, vous fûtes une excellente cuisinière. Toute ma vie, je me souviendrai de vos biscuits et je penserai à vous chaque matin en mangeant mon porridge.

Partagée entre le rire et les larmes, je déclarai d'une voix tremblante :

— Amen !

J'acceptai la flasque et bus une gorgée. Le whisky brûla ma gorge serrée, me faisant tousser.

— Je connais la recette de ses pickles. Je vais la transcrire par écrit, il ne faut pas la perdre.

L'idée d'écrire me rappela soudain la lettre inachevée dans mon panier à ouvrage. Jamie perçut mon sursaut et se tourna vers moi d'un air interrogateur. Je m'éclaircis la voix.

— Je pensais simplement à cette lettre que je suis en train d'écrire à Bree et Roger. Ils savent que la maison a brûlé mais il faudrait les prévenir que nous sommes en vie… en supposant qu'ils la reçoivent un jour.

Conscients des conditions précaires de l'époque et du peu de fiabilité de la préservation des documents historiques, Jamie et Roger avaient mis au point différents stratagèmes pour se transmettre des informations, allant de la publication de messages codés dans divers journaux à un plan plus sophistiqué impliquant l'Eglise écossaise et la Banque d'Angleterre. Tout ceci dépendait naturellement de l'arrivée saine et sauve, plus ou moins à la bonne date, de la famille MacKenzie de l'autre côté des pierres. Pour la paix de mon esprit, j'étais obligée de présumer que c'était le cas.

— Je ne veux pas la terminer en leur racontant… ça.

J'indiquai les deux corps à nos pieds.

— Ils aimaient beaucoup Mme Bug et Bree se ferait un sang d'encre pour Ian.

— Oui, tu as raison, répondit Jamie, songeur. En outre, je suis sûr que Roger Mac aurait tôt fait de lire entre les lignes et de comprendre notre problème avec Arch. Savoir et ne rien pouvoir faire… Oui, ils seraient très inquiets. Jusqu'à ce qu'ils trouvent une autre lettre leur annonçant que tout est rentré dans l'ordre… et Dieu seul sait combien de temps s'écoulera avant que ça arrive !

— Et s'ils ne trouvent pas la prochaine lettre…

Ou si nous ne survivons pas assez longtemps pour l'écrire, ajoutai-je en pensée.

— Oui, il vaut mieux ne pas le leur dire. Pas pour le moment.

Je me rapprochai de lui, posai la tête sur son épaule et il glissa un bras autour de ma taille. Nous demeurâmes silencieux un moment, notre trouble et notre chagrin atténués par des images de Bree, de Roger et des enfants.

J'entendais des bruits derrière moi dans la cabane. Après le premier choc qui avait réduit tout le monde au silence, la vie reprenait ses droits. On ne pouvait faire taire les enfants bien longtemps, excités comme ils l'étaient d'être debout à une heure si tardive. Je les entendais réclamer à manger, leurs voix haut perchées s'élevant au-dessus des bruits de cuisine. Il y aurait des gâteaux à l'orge et des pâtés en croûte pour la prochaine garde. Mme Bug aurait été contente. Une soudaine volute d'étincelles s'échappa de la cheminée et retomba autour du porche en une pluie d'étoiles filantes, scintillantes contre la nuit noire et la neige fraîche.

Jamie poussa un soupir d'aise devant le spectacle et me serra un peu plus fort contre lui.

— Ce que tu disais tout à l'heure, *Sassenach*… au sujet de la lune jouant sur la neige récente… c'est un poème, n'est-ce pas ?

— Oui. Ce n'était sans doute pas très approprié vu les circonstances. C'est un poème de Noël comique intitulé « Une visite de saint Nicolas ».

Cela le fit sourire.

— Je ne sais pas s'il existe un texte « approprié » pour une veillée mortuaire, *Sassenach*. Donne à ceux qui veillent le mort suffisamment à boire et ils te chanteront « Chevaliers de la

Table ronde » pendant que les petits danseront la ronde dans la cour au clair de lune.

Je n'imaginais que trop clairement la scène. Pour ce qui était de la boisson, nous n'étions pas en reste. Il y avait un baquet de bière fraîchement brassée dans le garde-manger et Bobby était allé chercher notre fût de whisky de secours caché dans la grange. Je soulevai la main de Jamie et déposai un baiser sur ses doigts froids. L'hébétude provoquée par le drame commençait à s'estomper, peu à peu dissipée par les pulsations vitales derrière nous. La cabane était un îlot vibrant de vie flottant dans la nuit noir et blanc.

Jamie sembla avoir lu dans mes pensées.

— « Aucun homme n'est une île, un tout complet en soi », récita-t-il doucement.

— Oui, c'est déjà nettement plus approprié, dis-je un peu cyniquement. Un peu trop, même.

— Que veux-tu dire ?

— « N'envoie jamais demander pour qui sonne le glas : c'est pour toi qu'il sonne. » Je ne peux pas entendre « Aucun homme n'est une île » sans penser à la fin de la citation.

— Mmphm. Tu connais le texte dans son intégralité ?

Sans attendre ma réponse, il se pencha en avant, remua les braises avec une brindille et poursuivit :

— Ce n'est pas vraiment un poème. En tout cas, son auteur ne l'entendait pas comme ça.

— Ah bon ? Qu'a-t-il voulu écrire, alors ?

— C'est une méditation... à mi-chemin entre un sermon et une prière. John Donne l'a écrite dans ses *Méditations en temps de crise*. On peut difficilement faire plus à propos, n'est-ce pas ?

— En effet, pour ce qui est de la crise, nous nageons en plein dedans. Que dit-il d'autre dans sa méditation ?

— Hmm...

Il me serra contre lui et posa sa tête contre la mienne.

— Laisse-moi essayer de me souvenir. Je ne me rappelle pas de tout mais certains passages m'ont marqué.

Je l'entendais respirer lentement, se concentrer.

— « Toute l'humanité n'est que d'un seul auteur et tient en un volume. Lorsqu'un homme meurt, on n'arrache pas un chapitre du livre mais on le traduit dans un langage meilleur ;

et tous les chapitres doivent être ainsi traduits. » Viennent ensuite des passages dont je ne me souviens plus mais il y en a un que j'aime particulièrement : « Le glas sonne pour celui qui l'entend ainsi… et bien qu'il ne retentisse que par intermittence, dès cette minute où il a sonné pour lui, il est uni à Dieu. »

Je m'accordai quelques instants de réflexion avant de conclure :

— Hmm… effectivement, c'est moins poétique mais plus… chargé d'espoir ?

Je le sentis sourire.

— Oui, je l'ai toujours pensé ainsi.

— D'où le tiens-tu ?

— John Grey m'avait prêté un recueil d'écrits de Donne quand j'étais prisonnier à Helwater. Ce texte y figurait.

— C'est un homme si cultivé.

Je ressentais toujours une pointe de dépit au souvenir de cette partie, non négligeable, de la vie de Jamie que John Grey avait partagée et pas moi. Mais, malgré tout, j'étais heureuse qu'il ait eu un ami durant ces épreuves. Je me demandai soudain combien de fois il avait entendu le glas sonner ?

Je pris la flasque et avalai une gorgée de whisky pour me dénouer la gorge. Des odeurs d'oignons frits et de viande en train de mijoter se glissaient sous la porte et un gargouillis inconvenant s'échappa de mon estomac. Jamie ne parut pas le remarquer. Il fixait un point au loin vers l'ouest où la masse de la montagne était cachée par les nuages.

— Les petits MacLeod ont dit qu'en descendant, ils avaient de la neige jusqu'aux hanches. S'il est tombé une trentaine de centimètres de neige fraîche ici, cela signifie qu'il en est tombé près d'un mètre dans les hauts cols. Nous n'irons nulle part avant le dégel de printemps, *Sassenach*.

Il baissa les yeux vers les deux cadavres en ajoutant :

— Cela nous laisse amplement le temps de leur graver des stèles décentes.

— Tu as donc toujours l'intention de rentrer en Ecosse ?

Il me l'avait annoncé juste après l'incendie de la Grande Maison mais n'en avait pas reparlé depuis. J'ignorais s'il s'agissait d'un projet mûrement réfléchi ou d'une réaction spontanée à ce que nous venions de vivre.

— Oui. On ne peut pas rester ici, répondit-il avec une note de regret dans la voix. Dès le retour des beaux jours, l'arrière-pays sera de nouveau en ébullition. Nous avons déjà senti l'odeur de roussi de trop près, *Sassenach*. Je ne tiens pas à finir rôti comme un cochon.

Il avait raison. Nous pouvions construire une autre maison mais il était peu probable que nous puissions y vivre en paix. Jamie était, ou avait été, colonel de milice. C'était une charge dont il ne pouvait se défaire, à moins d'être absent ou physiquement incapable de la remplir. La rébellion était loin de faire l'unanimité dans les montagnes. Je connaissais un certain nombre de gens qui avaient été battus, harcelés, chassés dans la forêt ou les marécages, voire purement et simplement assassinés pour avoir exprimé de façon peu avisée leurs sentiments politiques.

L'hiver nous empêchait de partir mais il mettait également un frein aux activités des milices... ou des bandes de brigands, les deux se rejoignant parfois. Cette pensée me fit frissonner.

— Tu as froid, tu ne veux pas rentrer, *a nighean* ? Je peux très bien monter la garde tout seul.

— C'est ça. Et quand on viendra t'apporter des biscuits et du miel on te trouvera étendu à côté de ces deux vieilles femmes, une hache plantée dans le crâne ! Merci, je vais très bien.

Je bus une autre gorgée de whisky et lui tendis la flasque, reprenant :

— Nous ne sommes pas obligés de retourner en Ecosse. Nous pourrions aller à New Bern. Tu t'associerais avec Fergus et travaillerais dans l'imprimerie.

Il m'avait expliqué qu'il voulait rentrer à Edimbourg pour y chercher son ancienne presse, puis revenir participer à la lutte armé de plomb sous forme de caractères d'imprimerie plutôt que de balles de mousquet. Restait à savoir laquelle de ces deux méthodes était la moins dangereuse.

Jamie me sourit, ses yeux en amande formant deux triangles.

— Tu crois vraiment que ta présence empêcherait Arch Bug de me couper en deux si c'est ce qu'il a en tête ? Non, Fergus a le droit de s'exposer au danger si tel est son désir. Mais je n'ai pas celui de l'entraîner, lui et sa famille, dans mes déboires.

— Ce qui me dit tout ce que j'ai besoin de savoir sur le genre de textes que tu comptes imprimer. Et ma présence n'empêchera peut-être pas Arch de t'attaquer mais, au moins, je pourrai te prévenir si je le vois s'approcher subrepticement par-derrière.

— Je prie pour t'avoir toujours à mes côtés pour surveiller mes arrières, *Sassenach*, m'assura-t-il avec gravité. Tu sais sans doute déjà quel est mon projet ?

— Oui, soupirai-je. Parfois, j'ai le vain espoir de me tromper à ton sujet... mais ce n'est jamais le cas.

Il éclata de rire.

— Effectivement. Pourtant, tu es toujours ici, non ?

Il me porta un toast puis but une gorgée.

— Il est bon de savoir que quelqu'un me regrettera quand je serai tombé.

— Ne crois pas que le fait que tu aies utilisé le futur plutôt que le conditionnel m'ait échappé, rétorquai-je.

— Cela a toujours été « quand », *Sassenach*, dit-il doucement. « *Tous les chapitres doivent être ainsi traduits* », pas vrai ?

Je pris une profonde inspiration et observai mon souffle se condenser en une volute blanche.

— J'espère sincèrement n'avoir jamais à le faire mais, si cela arrive un jour... voudrais-tu être enterré ici ? Ou ramené en Ecosse ?

Je songeai à la sépulture conjugale en granit dans le cimetière de l'église Saint Kilda, avec son nom sur la stèle... et le mien. J'avais failli faire un arrêt cardiaque en la voyant et je n'étais pas sûre d'avoir pardonné à Frank pour ce coup-là, même s'il avait produit l'effet escompté.

— J'aurai de la chance si je suis enterré un jour, *Sassenach*. Je finirai plus probablement noyé, brûlé ou abandonné sur un champ de bataille. Ne t'inquiète pas pour ça. Si tu dois un jour disposer de ma dépouille, laisse-moi pourrir sur place, mangé par les corbeaux.

— J'en prends note.

— Dis-moi, *Sassenach*, cela t'ennuie-t-il de retourner en Ecosse ?

J'hésitai. Tout en sachant qu'il ne finirait pas sous cette stèle particulière, je ne pouvais me défaire de l'impression qu'il mourrait un jour sur sa terre natale.

— Non, les montagnes me manqueront et, oui, cela m'ennuiera de te voir virer au vert et rendre tripes et boyaux sur le bateau, sans parler de tout ce qui pourrait nous arriver en route vers ledit bateau mais... mis à part Edimbourg et ta presse, tu comptes te rendre à Lallybroch, n'est-ce pas ?

Il acquiesça en fixant les charbons rougeoyants. Ces derniers projetaient une lueur chaude sur l'arc roux de ses sourcils et une ligne d'or sur l'arête de son long nez droit.

— J'ai promis, répondit-il simplement. J'ai dit que je ramènerais le petit Ian à sa mère. Après ce qui vient de se passer... il vaut mieux qu'il parte.

Je hochai la tête en silence. Cinq mille kilomètres d'océan ne suffiraient peut-être pas à Ian pour échapper à ses souvenirs mais cela ne pourrait lui faire du mal. Peut-être la joie de retrouver ses parents, ses frères, ses sœurs, les Highlands... l'aiderait-elle à panser ses plaies.

Jamie toussa puis se frotta les lèvres du dos de la main.

— Il y a encore une chose, reprit-il d'une voix timide. Une autre promesse, si l'on peut dire.

— Laquelle ?

Il se tourna vers moi et me dévisagea gravement.

— Je me suis juré de ne jamais me retrouver devant mon fils avec un fusil entre nous.

Je pris une profonde inspiration et me plongeai dans la contemplation des femmes dans leur linceul. Au bout de quelques minutes, cherchant à alléger l'atmosphère, je demandai en plaisantant à moitié :

— Et moi, tu ne demandes pas ce que je veux que tu fasses de mon corps ?

Ses doigts se crispèrent si fort autour des miens que je laissai échapper un petit cri. Il ne me regarda pas et répondit à voix basse, les yeux rivés sur l'étendue blanche devant nous :

— Non. Et je ne te le demanderai jamais. Je ne peux pas t'imaginer morte, Claire. Tout ce que tu voudras mais pas ça. Je ne peux pas.

Il se leva brusquement. Un craquement de bois, le vacarme d'un plat en étain s'écrasant sur le plancher et des exclamations consternées à l'intérieur de la cabane m'épargnèrent de répondre. Il me tendit la main pour m'aider à me mettre debout au moment où la porte s'ouvrait, nous inondant de lumière.

Quand l'aube se leva, claire et limpide, le tapis de neige fraîche n'avait guère plus d'une trentaine de centimètres d'épaisseur. A midi, les stalactites sous les avant-toits commencèrent à perdre prise, tombant telles des dagues dans un cliquetis étouffé. Jamie et Ian étaient montés jusqu'à notre petit cimetière plus haut dans la montagne avec des pelles afin de vérifier si la terre était encore suffisamment molle pour creuser deux tombes convenables. Au petit déjeuner, je leur avais demandé :

« Vous ne voulez pas emmener Aidan et un ou deux autres petits avec vous ? Cela leur éviterait d'être dans nos pattes. »

Jamie avait accepté d'un hochement de tête non sans m'avoir jeté un regard noir. Il avait fort bien compris ma vraie motivation. Si Arch ne savait pas encore que sa femme était morte, il ne tarderait pas à le comprendre en voyant une nouvelle tombe.

Profitant du raffut que faisaient les garçons en se préparant, leurs mères en emballant le repas à emporter et les plus petits qui jouaient dans la chambre à l'arrière, Jamie m'avait glissé :

« Le mieux serait qu'il sorte de sa tanière et vienne me parler.

— Certes, et la présence des garçons ne l'empêchera pas de le faire. En revanche, s'il a décidé de ne *pas* discuter... »

Ian m'avait raconté avoir entendu une détonation la veille. Arch Bug n'était pas un bon tireur et hésiterait sans doute à ouvrir le feu sur un groupe comprenant de jeunes enfants.

Jamie avait acquiescé puis avait ordonné à Aidan d'aller chercher ses deux cousins plus âgés.

Bobby et la mule Clarence étaient partis avec les fossoyeurs. Un peu plus haut dans la montagne, sur le site où Jamie avait déclaré que se dresserait un jour notre nouvelle maison, il y avait une réserve de planches en pin fraîchement sciées. Si des tombes pouvaient être creusées, Bobby en rapporterait quelques-unes pour confectionner des cercueils.

Du porche, j'aperçus Clarence lourdement chargée descendant le versant avec la grâce d'une ballerine, ses longues oreilles pointant de chaque côté comme un balancier. Bobby marchait à ses côtés, rattrapant de temps à autre une planche menaçant de tomber. Même de loin, on distinguait le « M » marqué au fer sur sa joue, cicatrice blême sur son teint rougi par le froid. Il m'aperçut et agita une main en souriant.

Je lui retournai son salut et rentrai dans la maison annoncer aux femmes que les funérailles auraient bien lieu.

Le lendemain matin, nous grimpâmes le sentier sinueux qui menait au petit cimetière. Les deux vieilles dames, compagnes improbables dans la mort, étaient couchées dans leurs cercueils sur un traîneau tiré par Clarence et Puddin', une des mules des femmes McCallum.

Nous n'étions pas vraiment sur notre trente et un. Personne n'avait d'habits du dimanche, à l'exception d'Amy McCallum Higgins qui portait son fichu de mariage en dentelle en signe de respect. Toutefois, nous étions presque propres. Les adultes arboraient une mine grave et attentive. Très attentive.

En observant le traîneau qui avançait lentement en grinçant devant nous, Aidan demanda à sa mère :

— Qui sera la nouvelle gardienne, maman ? Laquelle est morte la première ?

Prise de court, Amy répondit :

— Ma foi… je ne sais pas.

Elle fronça les sourcils, puis se tourna vers moi.

— Vous le savez, vous, madame Fraser ?

Sa question m'atteignit comme un caillou dans le ventre et je clignai des yeux. Je savais, bien sûr, mais… Je me retins non sans effort de lancer un regard vers les arbres qui bordaient le sentier. J'ignorais où était Arch Bug mais j'étais quasi certaine qu'il rôdait dans les parages. S'il se trouvait assez près pour entendre cette conversation…

Dans les Highlands, la légende veut que la dernière personne enterrée dans un cimetière en devienne le gardien, protégeant les autres morts du mal jusqu'à ce qu'un nouveau défunt prenne la relève et la libère. Seulement alors peut-elle monter au ciel. Je ne pensais pas qu'Arch serait ravi de savoir son épouse coincée sur terre pour garder les tombes de presbytériens et de pécheresses comme Malva Christie.

J'eus un pincement au cœur au souvenir de Malva qui devait être, maintenant que j'y pensais, l'actuelle gardienne du cimetière. « Devait être » car, si d'autres habitants de Fraser's Ridge étaient morts après elle, elle était la dernière à avoir été enterrée dans le cimetière. Son frère Allan reposait non loin, légèrement en retrait dans la forêt, dans une tombe anonyme. Quant à son père...

Je toussotai dans mon poing fermé, m'éclaircis la gorge puis répondis :

— Oh, ce doit être Mme MacLeod. Elle était décédée quand nous sommes revenus avec Mme Bug.

Ce qui était techniquement vrai. Il me sembla préférable d'omettre le fait qu'elle était déjà morte quand j'avais quitté la cabane.

J'avais parlé en regardant Amy. Quand je me tournai à nouveau vers le sentier, il était là, juste devant moi. Arch Bug, avec sa vieille cape noire, sa tête blanche nue et penchée en avant, suivant à pas lents le traîneau dans la neige tel un corbeau marchant dans un champ.

Il se tourna vers moi et demanda d'une voix posée et courtoise :

— Voulez-vous bien chanter, madame Fraser ? J'aimerais qu'elle soit accompagnée dans sa dernière demeure comme il se doit.

— Je... euh... oui, bien sûr.

Prise de panique, je cherchai désespérément quelque chose d'approprié. Je me sentais incapable de composer un vrai *caithris*, une lamentation funèbre, sans parler de pousser les gémissements qui auraient ponctué un enterrement de première classe dans les Highlands.

J'optai en hâte pour un psaume en gaélique que m'avait appris Roger, « *Is e Dia fèin a's buachaill dhomh* ». C'était un chant à antienne où chaque vers énoncé par le premier chantre était repris par la congrégation. Il était simple et, en dépit de ma voix qui se perdait dans l'immensité des montagnes, les autres parvinrent à me suivre. Le temps d'arriver au cimetière, nous avions atteint un volume et une ferveur respectables.

Le traîneau s'arrêta à la lisière de la clairière bordée de pins. Les quelques croix en bois et cairns en pierre, à moitié enfouis sous la neige, contrastaient violemment avec les deux fosses brunes creusées au centre. En les apercevant, tous cessèrent de chanter abruptement comme sous l'effet d'une douche froide.

Un soleil pâle brillait entre les arbres. Une bande de grimpereaux conversait avec une gaieté incongrue. Jamie, qui avait guidé les mules, ne s'était pas encore retourné vers Arch. Quand il le fit, il indiqua un des cercueils et demanda à voix basse :

— Veux-tu voir ton épouse une dernière fois ?

Ce ne fut que lorsque Arch hocha la tête et s'approcha du traîneau que je me rendis compte que les hommes avaient cloué le cercueil de Mme MacLeod mais pas celui de Mme Bug. Bobby et Ian soulevèrent le couvercle de ce dernier, les yeux baissés vers le sol.

Arch avait dénoué sa natte en signe de deuil. Je n'avais encore jamais vu ses cheveux libres. Fins et d'un blanc pur, ils oscillèrent devant son visage tel un rideau de fumée quand il se pencha et écarta délicatement le linceul du visage de Murdina.

Je retins mon souffle. J'avais extrait la flèche (une tâche peu ragoûtante) et soigneusement bandé son cou avant de la coiffer. Elle était présentable mais paraissait quelqu'un d'autre. Je ne l'avais jamais vue sans son bonnet et le bandage propre qui lui couvrait la gorge lui donnait l'allure austère et guindée d'un pasteur presbytérien. Je vis Arch tiquer et sa pomme d'Adam tressauter. Il se ressaisit presque aussitôt mais les sillons qui couraient de ses narines à son menton étaient creusés telles des rigoles dans de la terre glaise. Il ouvrait et fermait les mains, encore et encore, comme s'il cherchait à agripper quelque chose qui n'était pas là.

Il contempla l'intérieur du cercueil un long moment puis ouvrit son *sporran* et en sortit un petit objet brillant. Quand il écarta sa cape, je remarquai que sa ceinture était vide. Il était venu sans armes.

Il se pencha et tenta maladroitement d'accrocher l'objet en question au linceul avec sa main handicapée. En vain. Il marmonna en gaélique dans sa barbe puis, s'étant redressé, me lança un regard proche de la panique. Je m'approchai aussitôt pour l'aider.

C'était une broche, un ravissant bijou en forme d'hirondelle en vol. Elle était en or et semblait flambant neuve. J'écartai le linceul et l'agrafai au fichu de Mme Bug. Je ne l'avais encore jamais vue, ni sur elle ni ailleurs, et il me vint soudain à l'esprit qu'Arch avait dû la réaliser avec l'or volé à Jocasta Cameron ; peut-être quand il avait commencé à subtiliser les lingots, peut-être plus tard. Une promesse faite à sa femme pour l'assurer que leurs années de privations et de dépendance étaient derrière eux. C'était effectivement le cas. Je me tournai vers Arch et attendis qu'il me fasse signe. Puis je rabattis doucement le linceul sur le visage froid de sa femme.

Je tendis machinalement la main vers Arch mais il s'écarta et recula d'un pas, observant sans ciller Bobby qui clouait le couvercle du cercueil. Il releva ensuite les yeux et son regard passa lentement sur Jamie, puis sur Ian.

Mes mâchoires se crispèrent. En revenant me placer à côté de Jamie, j'aperçus ses traits décomposés par le poids de la culpabilité. Il n'était pas le seul, Arch portait le même fardeau. Ne se rendaient-ils pas compte, l'un comme l'autre, que Murdina Bug avait sa part de responsabilité ? Si elle n'avait pas tiré sur Jamie… Mais nous n'avons pas toujours des réactions sensées, ou justes, et le fait qu'une personne ait contribué directement à sa propre perte atténuait-il la tragédie ?

Je vis la grosse pierre qui marquait la tombe de Malva et de son fils. On n'en apercevait que la pointe perçant la neige ; ronde, humide et sombre tel le sommet du crâne d'un bébé en train de naître.

Sentant se relâcher légèrement la tension qui m'oppressait depuis deux jours, je déclarai en moi-même :

Repose en paix. Tu es libre de partir à présent.

Grannie MacLeod étant morte la première, le poste de gardienne échoyait à Mme Bug. Compte tenu de sa personnalité, elle serait sans doute ravie de prendre le commandement des opérations, caquetant avec les âmes résidantes et veillant sur elles comme sur ses chères poules, chassant les mauvais esprits avec sa langue acérée et à coups de saucisse.

Ces images me permirent de supporter la lecture d'un bref passage de la Bible, les prières, les larmes (de femmes et d'enfants dont la plupart ne savaient pas pourquoi ils pleuraient), la descente des cercueils du traîneau et la récitation plutôt cacophonique du Notre Père. Roger me manquait. Il savait diriger les obsèques avec calme et une sincère compassion. Il aurait su quoi dire en prononçant l'oraison funèbre de Murdina Bug. En l'occurrence, personne ne prit la parole après la prière, chacun se balançant d'un pied sur l'autre dans un silence gêné. Nous nous tenions dans la neige et les jupes des femmes étaient mouillées jusqu'aux genoux.

Je vis Jamie remuer les épaules comme si sa veste était trop étriquée. Il lança un regard vers le traîneau où deux pelles attendaient sous une couverture mais, avant qu'il ait pu donner l'ordre à Bobby et Ian de procéder à la mise en terre, son neveu prit une profonde inspiration et s'avança d'un pas.

Il se plaça près du cercueil de Mme Bug, face à son veuf, et hésita, visiblement avec l'intention de parler. Pendant un long moment, Arch garda les yeux baissés vers le fond de la fosse sans lui prêter attention, puis il releva un visage impassible, dans l'expectative.

Ian déglutit péniblement.

— C'est... c'est par ma main que cette femme exceptionnelle a trouvé la mort. Je ne l'ai pas fait par malice, ni intentionnellement. Cela m'afflige profondément mais je n'en suis pas moins responsable.

Percevant le désarroi de son maître, Rollo se mit à gémir mais Ian posa une main sur sa tête, ce qui le calma aussitôt. Il décrocha ensuite son coutelas de sa ceinture et le déposa sur le cercueil devant Arch Bug. Puis il se redressa et le regarda dans le blanc des yeux.

— Un jour où l'on vous avait fait un grand tort, vous avez prêté allégeance à mon oncle et offert une vie pour une vie afin de sauver cette femme. Je vous fais aujourd'hui la même promesse.

Il pinça les lèvres, le regard sombre et grave, et ajouta :

— Peut-être n'étiez-vous pas sincère alors, mais je le suis.

Je me rendis compte que je retenais ma respiration. J'inspirai profondément. Etait-ce une idée de Jamie ? Apparemment, Ian pensait ce qu'il disait. Il y avait peu de chances qu'Arch le prenne au mot et lui tranche la gorge devant une dizaine de témoins, si assoiffé de vengeance soit-il. En outre, s'il déclinait publiquement son offre, cela ouvrait la voie à un accord moins formel et sanglant, ce qui soulagerait Ian d'une partie de son fardeau. Maudits Highlanders, pensai-je en regardant Jamie non sans admiration.

Je sentais des décharges électriques le parcourir, chacune réfrénée. Il n'interviendrait pas dans la tentative de rédemption de son neveu mais il ne pouvait non plus le laisser se sacrifier si Arch optait pour le sang. Apparemment, il l'en considérait capable. En jetant un coup d'œil à Arch, je fus plutôt de son avis.

Le vieillard dévisagea longuement Ian, ses épais sourcils hérissés de longs poils gris et frisés. Ses yeux étaient tout aussi gris, et froids comme l'acier.

— C'est trop facile, mon garçon, déclara-t-il d'une voix grinçante.

Il baissa les yeux sur Rollo debout près de son maître, les oreilles dressées et le regard méfiant.

— Me donneras-tu la vie de ton chien ?

Le masque de Ian se fissura l'espace d'un instant, le choc et l'horreur le faisant soudain paraître très jeune. Il reprit contenance rapidement, mais ce fut d'une voix brisée qu'il répondit :

— Non. Il n'a rien fait. C'est… c'est mon crime, pas le sien.

Arch sourit, à peine un mouvement des lèvres qui ne se refléta pas dans son regard.

— Tu vois… De toute façon, ce n'est qu'une bête infestée de puces. Pas une épouse.

Il avait à peine murmuré le mot « épouse ». Il s'éclaircit la gorge et regarda fixement Ian, puis Jamie, puis moi.

Mon sang déjà glacé se figea.

— Pas une épouse, répéta-t-il.

Lentement, il dévisagea à nouveau chaque homme, Jamie, Ian. Il s'arrêta sur ce dernier un instant qui parut durer une éternité. Puis il déclara calmement :

— Le jour où tu auras quelque chose qui vaudra la peine d'être pris, mon garçon, on se reverra.

Il tourna les talons et marcha en direction des arbres.

5

Petit guide moral à l'attention des voyageurs dans le temps

Il y avait une lampe sur son bureau mais, le soir venu, Roger préférait écrire à la chandelle. Il sortit une allumette de sa boîte et la gratta doucement. Après avoir lu la lettre de Claire, il ne pourrait probablement plus jamais en tenir une entre les doigts sans penser à l'incendie de la Grande Maison. Comme il aurait voulu être présent ce jour-là !

La flamme se rétracta quand il l'approcha de la mèche et la cire translucide de la bougie refléta, l'espace d'un instant, une légère lueur bleutée. Il jeta un regard vers Mandy assise sur le canapé, occupée à chanter une chanson à ses peluches. Elle avait pris son bain et il était chargé de la surveiller pendant que Jem prenait le sien. L'observant du coin de l'œil, Roger s'assit derrière son bureau et ouvrit son cahier.

Il l'avait commencé en partie comme une plaisanterie… et en partie parce qu'il n'avait rien trouvé d'autre pour lutter contre cette peur qui le paralysait.

Brianna lui avait déclaré :

« Si tu peux apprendre à un enfant à ne pas traverser seul la rue, tu peux sûrement lui apprendre à rester à l'écart de tout ce qui ressemble à des menhirs. »

Même s'il en avait convenu, il nourrissait en son for intérieur de profondes réserves. Pour ce qui était des enfants en bas âge, peut-être ; on pouvait les conditionner de sorte qu'ils n'enfoncent pas des fourchettes dans des prises électriques. Mais à mesure qu'ils approchaient de l'adolescence, qu'ils développaient un appétit insatiable pour la découverte de soi et de toute chose inconnue ? Il ne se rappelait que trop bien sa propre adolescence. Dites à un garçon de douze ans de ne pas enfoncer de fourchette dans une prise et il ira fouiller dans le tiroir à argenterie dès que vous aurez le dos tourné. Les filles étaient peut-être différentes, mais il en doutait.

Sur le canapé, Amanda s'était couchée sur le dos, jambes en l'air, un gros nounours miteux en équilibre sur ses pieds auquel elle chantait *Frère Jacques*. Elle avait été trop jeune lors de sa traversée pour s'en souvenir. Ce n'était pas le cas de Jem. Il lui arrivait de se réveiller en sursaut au milieu de la nuit, les yeux écarquillés fixant le vide, incapable de décrire son cauchemar. Dieu merci, ce n'était pas fréquent.

Lui-même ne pouvait se remémorer leur dernière traversée sans en avoir froid dans le dos. Il avait serré Jemmy contre lui et s'était élancé dans… Il n'y avait pas de mot pour le décrire car l'humanité dans son ensemble ne l'avait jamais vécu, et encore heureux ! Il ne voyait rien à quoi il aurait pu le comparer.

Aucun des sens ne répondait plus… Parallèlement, ils étaient tous si éveillés que cet état d'hypersensibilité aurait été fatal s'il avait duré une seconde de plus. C'était un néant assourdissant dont le son vous déchirait, s'insinuait dans votre sang, cherchait à séparer chacune de vos cellules. Une cécité absolue, ou plutôt un aveuglement, comme lorsqu'on regardait droit vers le soleil. Et l'impact de… corps ? De fantômes ? D'êtres invisibles vous effleurant comme des ailes de phalènes ou vous percutant, vous traversant dans un enchevêtrement d'os. Et cette impression constante de hurler.

Y avait-il une odeur ? Il réfléchit, essayant de se rappeler. Mais oui, bien sûr… En outre, étrangement, c'était une odeur qu'il pouvait décrire : celle de l'air brûlé par la foudre… de l'ozone.

Incroyablement soulagé de détenir enfin une petite référence au monde normal, il écrivit :

On sent une puissante odeur d'ozone.

Son soulagement disparut presque aussitôt quand il se replongea dans les souvenirs.

Il avait eu l'impression que seule sa volonté les avait empêchés d'être arrachés l'un à l'autre, que seule une détermination aveugle à survivre lui avait évité d'être mis en pièces. D'avoir su à quoi s'attendre ne lui avait été d'aucun secours. Ce dernier passage avait été différent des précédents… et bien pire.

Il savait qu'il ne fallait pas les regarder… ces fantômes, si c'était bien de cela qu'il s'agissait. « Regarder » n'était pas le mot juste… leur prêter attention ? Là encore, il n'existait pas de terme approprié. Il poussa un soupir exaspéré.

— *Sonnez les matines, sonnez les matines…*

Il chanta doucement avec Mandy :

— *Ding, ding, dong. Ding, ding, dong…*

Il tapota le bout de sa plume contre le papier, songeur. Puis il se pencha à nouveau sur le cahier et tenta d'expliquer sa première tentative, la fois où il avait presque… à quelques instants près ? à quelques millimètres près ? à un degré de séparation infiniment petit près… rencontré son père et sa propre annihilation.

Il écrivit lentement : *Je ne pense pas que l'on puisse croiser sa propre ligne de vie.* Bree et Claire, deux femmes à l'esprit scientifique, lui avaient assuré que deux objets ne pouvaient exister dans un même espace, qu'il s'agisse de particules subatomiques ou d'éléphants. Cela expliquait sans doute pourquoi l'on ne pouvait exister deux fois dans un même temps.

Sans doute était-ce ce phénomène qui avait failli lui coûter la vie lors de sa première tentative. En s'avançant entre les menhirs, il avait pensé à son père. Il l'avait visualisé tel qu'il s'en souvenait, et donc tel qu'il était quand lui-même était déjà de ce monde.

Il tapota à nouveau la plume contre le papier, incapable de se résoudre à décrire cette rencontre. Capitulant, il revint à la première page du cahier où il avait esquissé un semblant de plan.

Guide pratique pour les voyageurs dans le temps

I. Phénomènes physiques

A. Sites connus. (Courants telluriques ? Lignes Ley ?)

B. Patrimoine génétique

C. Mortalité
D. Influence et propriété des gemmes
E. Sang ?

Il avait rayé cette dernière tête de chapitre mais hésita. Etait-il obligé de dire tout ce qu'il savait, croyait ou soupçonnait ? Selon Claire, l'idée qu'un sacrifice soit nécessaire ou utile était absurde, une superstition païenne sans fondement. Elle avait peut-être raison ; après tout, c'était elle la scientifique. Mais il se souvenait encore avec un certain malaise de la nuit où Geillis Duncan avait traversé les pierres.

La longue chevelure blonde tournoyant dans le vent, le feu de joie projetant son ombre dansante sur un menhir. L'odeur écœurante d'essence se mêlant à celle de la chair grillée, et le tronc d'arbre qui n'en était pas un gisant calciné au centre du cercle de pierres. Geillis Duncan était allée trop loin.

Claire lui avait fait observer :

« Dans les vieux contes de fées, il est toujours question de "deux cents ans". »

Les vrais contes de fées, ceux racontant l'histoire de gens enlevés par des fées, « entraînés à travers les pierres sur des collines aux fées ». Ces histoires commençaient souvent par « *C'était il y a deux cents ans...* ». Ou alors des gens se retrouvaient au même endroit mais deux siècles plus tard. Deux siècles...

Chaque fois que Claire, Bree et lui-même avaient franchi le cercle de pierres, ils avaient parcouru la même distance : deux cent deux ans. Ce qui correspondait plus ou moins aux deux siècles des contes anciens. Mais Geillis Duncan était allée trop loin.

Avec une extrême réticence, il réécrivit lentement *Sang* et ajouta entre parenthèses : *(Feu ?)*. Toutefois, il n'ajouta rien en dessous. Pas tout de suite. Plus tard.

Pour se rassurer, il lança un coup d'œil vers l'étagère où se trouvait la lettre, coincée sous le petit serpent en cerisier. *Nous sommes en vie...*

Il eut soudain envie d'aller chercher le coffret en bois qui renfermait les autres, et de les lire. Par curiosité, certes, mais il y avait autre chose... le besoin de les toucher, de les presser contre son cœur et son visage, d'effacer l'espace et le temps qui le séparaient de Claire et de Jamie.

Il repoussa cette impulsion. Ils avaient décidé... enfin, Brianna avait décidé... Après tout, il s'agissait de ses parents. Parcourant le contenu du coffret de ses longs doigts fins, elle avait déclaré :

« Je ne veux pas les lire toutes d'un coup. Après avoir terminé, ce serait comme si... comme s'ils étaient définitivement partis. »

Il comprenait. Tant qu'il restait au moins une lettre à lire, ils étaient vivants. En dépit de sa curiosité d'historien, il partageait son sentiment. En outre...

Les parents de Brianna n'avaient pas écrit ces lettres comme on tient un journal destiné à une postérité imaginaire. Elles s'adressaient spécifiquement à Brianna et à lui. Elles pouvaient donc contenir des informations troublantes ; ses beaux-parents avaient un don pour ce genre de révélations.

Malgré lui, il se leva, alla chercher la lettre et la déplia. Il voulait lire à nouveau le post-scriptum pour s'assurer qu'il n'avait pas rêvé.

Il avait bien lu. Le mot « sang » résonnant encore à ses oreilles, il se cala contre le dossier de sa chaise. *Un gentilhomme italien*... Il ne pouvait s'agir que de Charles-Edouard Stuart. Après avoir fixé le vide devant lui quelques instants, il se rendit compte que Mandy avait entre-temps attaqué *Vive le vent*. Il s'extirpa de sa torpeur méditative, tourna quelques pages et se remit à écrire :

II. Moralité
A. Meurtre et mort injustifiée
Naturellement, nous considérons que donner la mort pour toute autre raison que la légitime défense, l'assistance à autrui ou le recours légitime à la force en temps de guerre est totalement inadmissible.

Il se relut plusieurs fois, marmonna « Quelle pédanterie ! », arracha la page et la froissa en boule.

Abandonnant un instant Mandy qui gazouillait « *Viiiii le vent ! Viiii le vent d'hiiiiver !* », il traversa le couloir avec son cahier et entra dans le bureau de Brianna.

— De quel droit pomperais-je l'air des gens avec ma morale ?

Elle releva le nez d'une planche montrant les différents éléments d'une turbine hydroélectrique mais, à son regard vide, il était clair qu'elle était encore trop absorbée pour comprendre qui lui parlait et ce qu'on lui disait. Il y était habitué et attendit avec une pointe d'impatience que son esprit se détache de la turbine et se concentre sur lui.

— ... pomper qui ? dit-elle en plissant le front. A qui veux-tu faire la morale ?

— Eh bien... fit-il en lui désignant le cahier : Aux enfants, je suppose.

— Il est parfaitement normal d'apprendre la morale à ses enfants. Tu es leur père, c'est ton boulot.

— Ah... fit-il, légèrement décontenancé. Oui mais... J'ai fait un bon nombre de choses que je leur dis de ne pas faire.

Le sang. Effectivement, c'était peut-être une forme de protection. Ou peut-être pas.

Elle arqua un épais sourcil roux.

— Tu n'as jamais entendu parler d'une hypocrisie salutaire ? Je croyais qu'ils vous apprenaient ça au séminaire. Après tout, l'enseignement de la morale ne relève-t-il pas aussi des fonctions du pasteur ?

Devant son regard bleu et attentif il inspira profondément. On pouvait toujours faire confiance à Bree pour mettre les pieds dans le plat. Après leur retour, elle n'avait pas dit un mot au sujet de sa quasi-ordination ; elle ne lui avait pas demandé ce qu'il comptait faire de sa vocation. Pas la moindre allusion durant toute l'année qu'ils avaient passée aux Etats-Unis, pendant l'opération de Mandy, pendant les mois de travaux pour restaurer Lallybroch une fois qu'ils l'avaient racheté. Elle avait attendu qu'il lui ouvre la porte. Après ça, bien sûr, elle était entrée au pas de charge, l'avait terrassé et avait planté un pied sur sa poitrine.

— Oui, répondit-il. En effet.

Elle lui sourit.

— Parfait, alors où est le problème ?

Il sentit sa gorge se nouer.

— Bree… Si je le savais, je te le dirais.

Elle se leva et posa une main sur son bras mais, avant que l'un ou l'autre ait pu en dire plus, des petits pieds nus coururent dans le couloir et la voix de Jemmy retentit dans le bureau de Roger :

— Papa ?

— Ici, mon grand !

Brianna se dirigeait déjà vers la porte. Il lui emboîta le pas pour découvrir son fils vêtu de son pyjama Superman, ses cheveux mouillés hérissés sur le crâne, se tenant devant son bureau et examinant la lettre d'un air intrigué.

— Qu'est-ce que c'est ? demanda-t-il.

Mandy se précipita et escalada la chaise pour mieux voir en répétant :

— Quessesset ?

Brianna répondit du tac au tac :

— Une lettre de votre grand-père.

Elle posa une main sur la lettre, cachant une grande partie du post-scriptum, et pointa l'index vers un paragraphe.

— Il vous embrasse. C'est écrit là, vous voyez ?

Un sourire radieux illumina le visage de Jem.

— Il avait bien dit qu'il n'oublierait pas, dit-il, ravi.

— Bisou, bisou, grand-papa ! s'exclama Mandy.

Elle se pencha en avant en faisant retomber la masse de ses boucles noires sur son visage et plaqua un « smack » sonore sur le papier.

Partagée entre l'horreur et le rire, Brianna saisit rapidement le feuillet et essuya la bave. Heureusement, bien qu'ancien, le papier était solide. Elle le tendit à Roger et déclara comme si de rien n'était :

— Bien ! Quelle histoire va-t-on lire, ce soir ?

— Des zistoires avec des zaminaux ! s'écria Mandy.

— Des a-ni-maux, la corrigea son frère.

— D'accord ! répondit-elle sans s'offusquer. Moi d'abord !

Elle s'élança dans le couloir tel un bolide, talonnée de près par son frère. Brianna prit trois secondes pour attraper Roger par les deux oreilles et lui planter un baiser sur la bouche avant de le lâcher et de suivre sa progéniture.

Rasséréné, il se rassit, écoutant le rituel du brossage de dents. Avec un soupir, il rangea son cahier dans un tiroir. Il n'y avait rien d'urgent, après tout. Il s'écoulerait des années avant qu'il soit utile. Des années et des années.

Il replia soigneusement la lettre et, dressé sur la pointe des pieds, la déposa sur la plus haute étagère de la bibliothèque. Il replaça le petit serpent par-dessus. Il moucha ensuite la bougie et sortit rejoindre sa famille.

P.-S. : Je vois qu'on me laisse le dernier mot, un privilège rare pour un homme qui cohabite dans une maison avec huit femmes (la dernière fois que je les ai comptées). Nous projetons de quitter les montagnes dès que le climat nous le permettra. Nous partirons pour l'Ecosse afin d'y chercher ma presse d'imprimerie que nous rapporterons avec nous. Voyager ces temps-ci est particulièrement difficile et j'ignore quand ou même si j'aurai l'occasion de vous écrire à nouveau (je ne sais pas non plus si vous lirez un jour cette lettre mais je préfère partir du principe que ce sera le cas).

Je voulais vous parler de la disposition d'un bien autrefois confié aux Cameron au nom d'un gentilhomme italien. Il me paraît peu sage de l'emporter avec nous et je l'ai donc placé en lieu sûr. Jem connaît l'endroit. S'il vous arrivait d'en avoir besoin, dites-lui que l'Espagnol le protège. Dans l'éventualité où vous le récupéreriez, assurez-vous de le faire bénir par un prêtre. Il a été souillé de sang.

Il m'arrive parfois de souhaiter pouvoir connaître l'avenir ; mais, le plus souvent, je remercie le ciel d'en être incapable. Néanmoins, je verrai toujours vos visages. Embrassez les enfants pour moi.

Votre père qui vous aime,

J. F.

Une fois les enfants débarbouillés, couchés, bordés et embrassés, les parents se retrouvèrent dans la bibliothèque devant un verre de whisky et la lettre.

— *Un gentilhomme italien* ?

Bree regarda Roger en arquant un sourcil, une attitude qui lui rappelait tant Jamie Fraser qu'il baissa involontairement les yeux vers la lettre.

— Veut-il parler de…

— Charles-Edouard Stuart, il ne peut s'agir que de lui.

Elle prit la lettre et relut le post-scriptum pour la énième fois.

— Dans ce cas, le bien en question…

— Il a découvert l'or. Et Jem saurait où il l'a caché ?

Il n'avait pu s'empêcher d'employer un ton interrogatif, levant les yeux vers le plafond au-dessus duquel les enfants dormaient, espérait-il, paisiblement, drapés dans leur innocence et leur pyjama orné de personnages de bandes dessinées.

— Tu crois ? demanda Brianna. Ce n'est pas exactement ce que dit papa. Et s'il sait vraiment, c'est un secret terriblement lourd pour un enfant de huit ans.

— Effectivement.

L'âge importait peu, se dit Roger. Jem savait garder un secret. Toutefois, Bree avait raison, son père n'aurait jamais imposé à quiconque un fardeau aussi lourd et dangereux, surtout pas à son cher petit-fils. Et certainement pas sans une bonne raison. En outre, le post-scriptum laissait clairement entendre qu'il ne leur transmettait cette information qu'au cas où ils en auraient besoin.

— Tu as raison. Jem ne sait rien au sujet de l'or… il ne connaît que « l'Espagnol ». Il t'a déjà dit quelque chose à ce sujet ?

Elle fit non de la tête puis se tourna quand un courant d'air chargé d'une odeur de pluie gonfla les rideaux. Elle se leva précipitamment pour fermer la fenêtre avant de monter vérifier celles de l'étage supérieur, faisant signe à Roger de s'occuper de celles du rez-de-chaussée. Lallybroch était une grande maison. Les enfants essayaient régulièrement de compter ses fenêtres sans jamais parvenir deux fois au même nombre.

Roger aurait pu les compter lui-même et régler la question une fois pour toutes mais il rechignait à le faire. Comme toutes les vieilles demeures, Lallybroch avait sa propre personnalité. Ses bâtisseurs avaient cherché le confort plutôt que l'épate.

Elle était accueillante, spacieuse et belle ; avec l'écho des générations antérieures murmurant entre ses murs. Elle avait également ses petits secrets et il trouvait que de ne pas révéler le nombre de ses fenêtres cadrait bien avec son esprit espiègle.

Les fenêtres de la cuisine étaient fermées mais il la traversa quand même. Elle était maintenant équipée d'un réfrigérateur moderne, d'une cuisinière Aga et d'une nouvelle tuyauterie mais avait conservé ses vieux plans de travail en granit tachés de jus de baies ainsi que du sang des volailles et du gibier. Dans la dépense, la lumière était éteinte mais il distinguait néanmoins la grille de ventilation dans le sol qui alimentait le « trou du curé ».

Ces cachettes avaient été courantes aux XVIe et XVIIe siècles pour y abriter les prêtres catholiques persécutés. Son beau-père y avait trouvé refuge lui aussi juste après le soulèvement jacobite et avant d'être emprisonné à Ardsmuir. Roger y était descendu un jour, quand ils avaient acheté la maison. Dans le petit réduit fétide suintant d'humidité, il avait compris pourquoi Jamie Fraser avait choisi de vivre en pleine nature, perdu au milieu de montagnes lointaines.

Des années de fuite, de privations, d'emprisonnement... Jamie Fraser n'était pas un politique et il connaissait mieux que personne le véritable coût de la guerre, quel que soit ce qui la motivait. Pourtant, Roger avait vu son beau-père se masser de temps à autre les poignets d'un air absent. Les marques de fers avaient disparu depuis longtemps mais le souvenir de leur poids était tenace. Roger ne doutait pas que Jamie Fraser aurait préféré mourir plutôt que de perdre sa liberté. En cet instant, il aurait tout donné pour être avec lui et se battre à ses côtés.

La pluie était arrivée. Il l'entendit d'abord crépiter sur les ardoises des dépendances puis se déverser dans toute sa fureur, enveloppant la maison dans un cocon de brume et d'eau.

— Pour nous... et la postérité, dit-il doucement à voix haute.

C'était un marché conclu entre hommes... tacite mais parfaitement entendu. Rien d'autre n'importait que la préservation de la famille et la protection des enfants. Quel que soit le prix qu'il faudrait payer pour cela – sang, sueur ou âme –, il serait payé.

— *Oidche mhath*, dit-il encore en direction du trou du curé. « Bonne nuit ».

Il resta encore un moment dans la cuisine, percevant l'étreinte de la demeure qui les protégeait de l'orage. Cette pièce avait toujours été le cœur de la maison et il trouvait la chaleur de la cuisinière aussi réconfortante que l'avait été autrefois celle de la grande cheminée à présent inutilisée.

Il retrouva Brianna au pied de l'escalier. Elle s'était changée pour la nuit. Il faisait toujours frais dans les pièces et la pluie avait encore fait chuter la température de quelques degrés. Pourtant, au lieu de son pyjama habituel, elle avait enfilé une fine chemise de nuit blanche faussement innocente, avec un petit entrelacs en ruban rouge. Le coton léger épousait la forme de ses seins, semblable à un nuage sur le pic d'une montagne.

Il le lui dit et elle éclata de rire, mais ne souleva pas d'objection quand il y posa les mains. Ses mamelons contre ses paumes étaient ronds comme des galets.

Elle passa la langue sur ses lèvres et chuchota :

— On monte dans la chambre ?

Il l'embrassa goulûment.

— Non, dans la cuisine. On ne l'a pas encore fait là-bas.

Il la prit sur le vieux plan de travail aux taches mystérieuses, leurs halètements ponctués par le gémissement du vent et de la pluie contre les volets en bois. Il la sentit frémir des pieds à la tête et se liquéfier puis s'abandonna à son tour, les genoux tremblants. Il se laissa lentement tomber en avant à côté d'elle, s'accrochant à ses épaules, le visage enfoui dans sa chevelure qui sentait bon le shampooing. La dalle de granit était lisse et fraîche contre sa joue. Son cœur battait avec force et lenteur, régulier comme un rythme de grosse caisse.

Il était nu. Un courant d'air glacé venu de nulle part hérissa les poils de ses jambes et de son torse. Brianna le sentit frissonner.

— Tu as froid ? murmura-t-elle.

Elle, en revanche, irradiait comme de la braise. Il n'avait plus qu'une envie, se lover contre elle dans leur lit et écouter passer l'orage dans une douce étreinte.

— Ça va. On monte se coucher ?

A l'étage, le bruit de la pluie était plus net. Tandis qu'ils grimpaient les marches, Brianna fredonnait :

— *Deux par deux les animaux montaient à bord, les éléphants et les alligators...*

Roger sourit. Effectivement, la maison pouvait faire penser à l'arche de Noé, flottant sur une houle rugissante alors que tout à l'intérieur était douillet. Deux par deux... deux parents, deux enfants... peut-être plus, un jour. Après tout, ce n'était pas la place qui manquait.

Une fois la lumière éteinte, Roger oscilla à la lisière du sommeil, bercé par la pluie, s'accrochant au plaisir du moment. Le corps de Brianna contre le sien était doux et chaud. Elle chuchota :

— On ne lui demandera pas, n'est-ce pas ? A Jem ?

— Hein ? Ah, non ! Bien sûr que non. Ce n'est pas nécessaire.

Néanmoins, sa curiosité était piquée. Qui était l'Espagnol ? En outre, l'idée d'un trésor enfoui était toujours alléchante. Ils n'en avaient pourtant pas besoin ; ils avaient suffisamment d'argent pour le moment. Encore fallait-il que l'or soit toujours là où Jamie l'avait laissé, ce qui paraissait peu probable après toutes ces années.

Il n'avait pas non plus oublié la dernière injonction de son beau-père.

Faites-le bénir par un prêtre. Il a été souillé de sang. Les mots se fondirent dans sa pensée et ce qu'il voyait sur la surface de ses paupières n'était pas une masse de lingots d'or mais le vieux plan de travail en granit de la cuisine, avec ses taches sombres si profondément incrustées dans la pierre qu'elles en faisaient maintenant partie. Le récurage le plus vigoureux ne pourrait les faire partir ; et les prières moins encore !

Peu importait. L'Espagnol pouvait bien garder son or. La famille était en sécurité.

DEUXIÈME PARTIE

Du sang, de la sueur et des cornichons

6

Long Island

Le 4 juillet 1776, la déclaration d'indépendance fut signée à Philadelphie.

Le 24 juillet, le lieutenant général sir William Howe débarqua sur Staten Island et établit son quartier général de campagne à New Dorp, dans la taverne The Rose and Crown.

Le 13 août, le lieutenant général George Washington entra dans New York tenue par les Américains afin de renforcer les fortifications de la ville.

Le 21 août, lord Ellesmere, le lieutenant William Ransom, se présenta au Rose and Crown à New Dorp pour prendre son service (avec un certain retard). Il était le plus jeune membre de l'état-major du général Howe.

Le 22 août…

Le lieutenant Edward Markham, marquis de Clarewell, scruta le visage de William, lui offrant une vision rapprochée peu appétissante du bouton juteux sur le point d'éclore sur son front.

— Ça va aller, Ellesmere ?

William parvint à desserrer les dents pour répondre :

— Oui, très bien.

— C'est que… vous êtes tout vert.

L'air inquiet, Clarewell glissa une main dans sa poche.

— Voulez-vous sucer mon cornichon ?

William atteignit le bastingage juste à temps. Des remarques hilares fusèrent derrière lui concernant le cornichon de Clarewell, qui voudrait bien le sucer et combien ce dernier serait prêt à payer pour ce service, le tout ponctué des protestations du lieutenant qui soutenait que, selon sa vieille grand-mère, le cornichon au vinaigre était un remède miracle contre le mal de mer. Il en était la preuve vivante ; il n'y avait qu'à le regarder, solide comme un roc !

Les yeux larmoyants, William concentra son attention sur la ligne du rivage. La mer n'était pas particulièrement houleuse, même si un orage couvait au loin. Peu importait, le moindre mouvement du navire, même lors du trajet le plus bref, et son estomac se retournait comme un gant. C'était imparable !

Il n'avait plus rien à rendre depuis longtemps mais son ventre n'en semblait pas convaincu. Il s'essuya la bouche et se redressa en bombant le torse.

Ils ne tarderaient plus à jeter l'ancre. Il était temps pour lui de descendre rassembler ses compagnies dans un semblant d'ordre avant qu'elles ne soient transbordées dans les canots. Il risqua un bref regard vers le large et aperçut le *River* et le *Phoenix* juste derrière eux. Le *Phoenix* était le vaisseau amiral de Howe à bord duquel se trouvait son frère le général. Allait-on les faire attendre, ballottés comme des bouchons de liège sur une eau de plus en plus agitée, jusqu'à ce que le général Howe et son aide de camp le capitaine Pickering soient descendus à terre ? Il pria le ciel que non.

En fait, les hommes furent autorisés à débarquer presque aussitôt.

— DÉPÊCHONS, messssieurs ! s'époumona le sergent Cutter. Nous allons attraper ces fils de catins de rebelles dare-dare, c'est moi qui vous le dis ! Et GARE à celui que je surprends à tirer au flanc ! Vous, là… !

Il fonça avec la force d'un crachat noir de chique botter le train d'un second lieutenant défaillant sous le regard attendri de William. Rien de bien terrible ne pouvait survenir dans un monde abritant le sergent Cutter.

Il descendit l'échelle à la suite de ses hommes et s'installa dans un canot, l'excitation du moment lui faisant complètement oublier son estomac. Sa première vraie bataille l'attendait quelque part dans les plaines de Long Island.

Quatre-vingt-huit frégates. Selon la rumeur, telle était la puissance de la flotte de l'amiral Howe et William n'en doutait pas. La baie de Gravesend n'était plus qu'une forêt de mâts et la mer grouillait de petites embarcations transportant les troupes à terre. Lui-même bouillonnait d'impatience et il sentait la même effervescence se propager parmi ses hommes tandis que les caporaux venaient chercher les compagnies sur le rivage et les conduisaient à l'écart en rangs ordonnés, laissant de la place à la prochaine vague de canots.

Les chevaux des officiers étaient débarqués à la nage, la distance à couvrir n'étant pas grande. William fit un bond de côté quand un grand alezan surgit des flots non loin et s'ébroua, aspergeant d'embruns tous ceux se trouvant dans un rayon de quelques mètres. Le palefrenier accroché à son licou ressemblait à un rat mouillé. Il s'ébroua à son tour et adressa un grand sourire à William, bleu de froid mais les yeux pétillants d'excitation.

William avait une monture lui aussi... quelque part. Le capitaine Griswold, un officier supérieur appartenant à l'état-major de Howe, devait lui en prêter une faute d'avoir eu le temps de s'organiser autrement. Il supposait que le soldat chargé de la lui amener le trouverait tôt ou tard, même s'il ne voyait pas comment.

Partout régnait un chaos organisé. La portion du littoral où ils avaient débarqué était bordée d'un vaste replat de marée et des essaims d'hommes en redingote rouge pataugeaient dans le varech tels des échassiers, le beuglement des sergents offrant un contrepoint aux cris des mouettes au-dessus de leurs têtes.

William avait été présenté aux caporaux le matin même et n'avait pas encore eu le temps de mémoriser leurs traits. Il finit néanmoins par retrouver ses quatre compagnies pour les entraîner vers les dunes jonchées d'herbes rêches. Il faisait chaud et, avec leur uniforme et leur lourd paquetage, les hommes étaient en nage. Il leur ordonna de se mettre au repos, les laissant boire l'eau ou la bière de leurs bidons et manger un bout de fromage et de biscuit. Ils ne tarderaient pas à se mettre en route.

Pour aller où ? William aurait bien aimé le savoir. La veille, lors d'une brève réunion d'état-major, sa première, il avait appris l'essentiel du plan d'invasion : une moitié de l'armée marcherait de la baie de Gravesend vers l'intérieur des terres puis bifurquerait vers le nord en direction de Brooklyn Heights où les forces rebelles étaient retranchées. Le reste des troupes remonterait la côte jusqu'à Montauk, formant une ligne de défense pouvant traverser Long Island et prendre au filet les rebelles si nécessaire.

William aspirait de toutes ses forces à faire partie de l'avant-garde, même s'il savait que c'était peu réaliste. Il ne savait rien de ses troupes et celles-ci faisaient peine à voir. Aucun commandant sensé ne placerait ce genre de compagnies sur la ligne de front, à moins de s'en servir comme chair à canon. William s'arrêta sur cette pensée un instant, mais rien qu'un instant.

Howe n'était pas du genre à gaspiller ses hommes. Il avait la réputation d'être prudent, peut-être même un peu trop. William tenait cette information de son père. Lord John n'avait pas précisé que c'était justement la raison pour laquelle il avait consenti à ce qu'il rejoigne son état-major mais cela coulait de source. Peu importait. William avait calculé que ses chances de participer à de vrais combats étaient nettement plus élevées avec Howe qu'en piétinant sur place dans les marais de Caroline du Nord avec sir Peter Packer.

Et après tout... Il regarda lentement autour de lui. La mer n'était qu'une masse de navires britanniques et la plage à ses pieds était noire de soldats. Il n'aurait jamais admis à voix haute à quel point il était impressionné mais sa cravate lui serrait la gorge.

L'artillerie était en train d'être débarquée, flottant périlleusement sur des barges manœuvrées à grand renfort de jurons. Les avant-trains, les caissons ainsi que les chevaux et les bœufs chargés de les tirer, débarqués un peu plus au sud, avançaient sur la plage en projetant des gerbes d'eau et de sable dans un concert de hennissements et de meuglements de protestation. C'était la plus grande armée qu'il ait jamais vue.

— Mon lieutenant ! Mon lieutenant !

En se retournant, il découvrit un soldat, petit et guère plus âgé que lui, aux joues rebondies et à l'air anxieux.

— Votre esponton et votre cheval, mon lieutenant.

Il montra du menton le grand hongre bai dont il tenait les rênes.

— Avec les compliments du capitaine Griswold, mon lieutenant.

William prit l'arme d'hast dont la hampe mesurait plus de deux mètres. Son fer en acier poli lançait un éclat terne même sous le ciel couvert et son poids électrisa tout son bras.

— Merci. Et vous êtes… ?

— Oh ! Première classe Perkins, mon lieutenant !

Le soldat toucha précipitamment son front en guise de salut.

— … Troisième compagnie. Les « estafileurs », qu'on nous appelle.

— Vraiment ? Eh bien, espérons qu'on vous donnera bientôt l'occasion de mériter votre surnom.

Perkins le regarda sans comprendre.

William lui fit signe qu'il pouvait se retirer.

— Merci, Perkins.

Il empoigna les rênes de sa monture, sentant la joie le submerger. C'était la plus grande armée qu'il ait jamais vue et il en faisait partie.

Il eut plus de chance qu'il ne l'avait prévu mais moins qu'il ne l'aurait espéré. Ses compagnies devaient faire partie de la seconde vague, suivant l'avant-garde à pied et protégeant l'artillerie. L'action n'était pas garantie mais restait dans le domaine du possible, en particulier si les Américains, que l'on disait belliqueux, se montraient à la hauteur de leur réputation.

Il était midi passé quand il leva haut son esponton et hurla :

— En avant, marche !

L'orage avait enfin éclaté et la pluie leur offrait un doux répit après la chaleur lourde.

Au-delà de la frange boisée qui bordait les dunes s'étendait une large et belle plaine. De hautes herbes oscillaient devant eux, parsemées de fleurs sauvages aux couleurs vives rehaussées par la lumière grise. Au loin, il apercevait des envolées d'oiseaux chassés de leurs fourrés par la progression des soldats (des colombes ? des cailles ? Ils étaient trop loin pour qu'il les distingue).

Près du centre de la première ligne, ses compagnies marchaient en colonnes sinueuses derrière lui. Il eut une pensée reconnaissante pour le général Howe. En tant que plus jeune officier, il aurait dû être affecté à des tâches de liaison, cavalant d'une compagnie à l'autre pour transmettre les ordres du quartier général, acheminant des informations entre les trois généraux, Howe, sir Henry Clinton et lord Cornwallis.

Toutefois, du fait de son arrivée tardive, il ne connaissait aucun des autres officiers ni la disposition des troupes. Ne sachant qui était qui et qui était censé être où, il aurait fait une piètre estafette. Trouvant un instant en dépit des préparatifs de l'invasion imminente, le général Howe l'avait reçu avec une grande courtoisie et lui avait offert le choix : accompagner le capitaine Griswold et le servir comme ce dernier jugerait bon ou assurer le commandement de quelques compagnies dont le lieutenant venait d'être pris de fièvre.

Il avait sauté sur l'occasion et se tenait à présent fièrement en selle, son esponton calé contre sa cuisse, menant ses hommes à la guerre. Il roula les épaules, appréciant la sensation de sa nouvelle redingote en laine rouge, de sa queue de cheval soigneusement tressée contre sa nuque, de sa cravate en cuir raide, du poids de son gorgerin d'officier, ce minuscule vestige en argent de l'armure romaine. Il n'avait pas endossé l'uniforme depuis près de deux mois et, trempé ou pas, il se sentait tel un guerrier auréolé de gloire.

Une compagnie de cavalerie légère avançait non loin. Il entendit son officier crier un ordre et la vit bifurquer vers un boqueteau au loin. Avaient-ils aperçu quelque chose ?

Non. Un nuage de merles s'éleva au-dessus des cimes dans une explosion de cris qui fit se cabrer plusieurs chevaux. Les cavaliers fouillèrent le petit bois en se frayant un passage entre les branches à coups de sabre mais c'était de pure forme. Si des hommes s'y étaient cachés, ils avaient fui depuis longtemps et la compagnie repartit au galop rejoindre l'avant-garde.

William se détendit et décrispa ses doigts autour de l'esponton.

Pas l'ombre d'un Américain en vue. Il n'était pas surpris. Depuis son départ de Wilmington, il en avait assez vu et entendu pour savoir que seules les troupes régulières de l'armée continentale se battraient d'une manière organisée. Il avait assisté à des entraînements de miliciens sur les places de village, avait partagé leurs repas. Aucun n'était un vrai soldat. Lors des manœuvres, ils étaient pathétiques, incapables de marcher en rangs, au pas encore moins. Cependant, tous étaient des chasseurs aguerris. Après en avoir observé bon nombre abattre des oies sauvages et des dindes en plein vol, il ne pouvait plus partager le mépris dans lequel les tenaient la plupart des militaires britanniques.

Non, s'il y avait des Américains dans les parages, ils ne le sauraient qu'en voyant les premiers soldats britanniques tomber. Il fit signe à Perkins d'approcher et lui ordonna de dire aux caporaux de maintenir leurs hommes en alerte, leur arme chargée et amorcée. Il vit un caporal se raidir en recevant ce message, le prenant manifestement comme une insulte... mais il s'exécuta néanmoins. William sentit sa tension se relâcher d'un cran.

Il songea à son récent voyage et se demanda quand – et où – il reverrait le capitaine Richardson pour lui transmettre les « renseignements » qu'il avait collectés.

Il avait gravé la plupart de ses observations dans sa mémoire, ne consignant que le strict nécessaire en langage codé dans un exemplaire du Nouveau Testament offert par sa grand-mère. Ce dernier se trouvait toujours dans une poche de son manteau de civil laissé sur Staten Island. Maintenant qu'il était de retour sain et sauf dans le giron de l'armée, ne devrait-il pas coucher ses observations par écrit dans un rapport en bonne et due forme ?

Un mouvement le fit se dresser sur ses étriers, juste à temps pour entrevoir un éclair de mousquet provenant d'un bois sur leur gauche.

Voyant ses hommes commencer à abaisser leurs armes, il cria :

— Halte ! Ne tirez pas !

Le bois était trop loin et une autre colonne d'infanterie se trouvait mieux placée. Elle se mit en ordre de tir et décocha une salve en direction de la forêt. Le premier rang mit un genou à terre et le second tira une deuxième salve par-dessus les têtes. Des tirs leur répondirent derrière les arbres. Il vit un ou deux hommes tomber, d'autres chanceler mais la ligne tint bon.

Deux autres salves, quelques tirs en retour, plus sporadiques... Du coin de l'œil, il perçut un mouvement et pivota sur sa selle. Un groupe d'hommes en tenue de chasse détalait de l'autre côté du bois.

La compagnie devant lui les vit également. A un cri de leur sergent, les soldats fixèrent leurs baïonnettes au bout de leurs mousquets et se mirent à courir, même s'il était évident qu'ils ne pourraient jamais les rattraper.

Ce type d'escarmouche se répéta tout au long de l'après-midi à mesure que l'armée avançait. Les blessés, transportés à l'arrière, furent rares. Une des compagnies de William essuya quelques tirs ennemis et il se sentit tel un dieu en ordonnant d'attaquer. Ses hommes se ruèrent vers le bois comme un essaim de frelons furieux, baïonnettes en avant. Ils parvinrent à tuer un rebelle dont le corps fut traîné à découvert dans la plaine. Le caporal proposa de le pendre à un arbre afin de dissuader ses comparses mais William repoussa fermement cette suggestion peu honorable. Il fit déposer le cadavre en lisière de forêt afin que ses compagnons puissent le récupérer.

A l'approche du soir, des ordres du général Clinton circulèrent dans les rangs. Ils ne monteraient pas de camp pour la nuit. Ils s'arrêteraient brièvement pour manger des rations froides puis poursuivraient leur route.

Il y eut des murmures surpris parmi les soldats mais nul ne se plaignit. Ils étaient venus pour se battre et reprirent leur marche avec plus d'empressement encore.

Il pleuvait toujours de façon sporadique et les tirs de rebelles s'espacèrent avec la tombée de la nuit. Il ne faisait pas froid et, en dépit de ses vêtements humides, William préférait cette fraîcheur à la moiteur étouffante de la journée. En outre, la pluie semblait démoraliser sa monture, ce qui était aussi bien. C'était un animal nerveux et capricieux, au point qu'il en vint à douter de la générosité désintéressée du capitaine Griswold. Epuisé par la longue marche, le hongre cessa de broncher au moindre mouvement de branche et de tirer sur ses rênes. Il avançait d'un pas lourd, ses oreilles retombant sur les côtés avec résignation.

Les premières heures de marche nocturne se déroulèrent sans encombre. Toutefois, après minuit, la fatigue commença à se faire sentir. Certains chancelaient et trébuchaient et tous prenaient la mesure du long effort qu'il leur restait à faire dans l'obscurité avant l'arrivée de l'aube.

William appela Perkins. Le jeune soldat aux joues rebondies s'approcha en bâillant et marcha à ses côtés en se tenant à son étrier tandis que William lui expliquait ce qu'il voulait.

— Chanter ? répéta Perkins, perplexe. Euh... oui, je veux bien, mon lieutenant, mais je ne connais que des hymnes.

— Hmm... ce n'est pas tout à fait ce que j'avais en tête. Allez donc demander au sergent... comment s'appelle-t-il déjà ? Millikin ? L'Irlandais ? Qu'il chante ce qu'il voudra, du moment que c'est entraînant.

Après tout, ils ne cherchaient pas à cacher leur présence. Les Américains savaient exactement où ils se trouvaient.

— Bien, mon lieutenant, répondit Perkins dubitatif avant de disparaître dans la nuit.

Quelques minutes plus tard, William entendit s'élever la voix puissante de Patrick Millikin entonner avec un accent très marqué une chanson paillarde. Les hommes se mirent à rire et, le temps d'arriver au premier refrain, plusieurs l'accompagnaient. Quelques vers plus tard, tous braillaient de concert, William y compris.

Naturellement, chargés comme ils l'étaient, ils ne purent continuer ainsi pendant des heures mais quand, à bout de souffle, ils eurent épuisé toutes leurs chansons préférées, ils étaient tous bien réveillés et d'humeur enjouée.

Peu avant l'aube, William sentit l'odeur de la mer et les effluves fétides d'un marécage battu par la pluie. Les hommes déjà trempés durent patauger dans des criques délaissées par la marée.

Quelques minutes plus tard, la détonation d'un canon brisa la nuit et les oiseaux des marais s'élevèrent dans le ciel mauve en poussant des cris d'alarme.

Au cours des deux jours qui suivirent, William ne sut jamais où il était. Des noms tels que « Jamaica Pass », « Flatbush » et « Gowanus Creek » apparaissaient dans les dépêches et messages qui circulaient entre les officiers mais, pour autant qu'il sache, il aurait pu s'agir de « Jupiter » ou de « la face cachée de la Lune ».

Il vit enfin des continentaux. Des hordes, sortant en masse des marais. Les premiers affrontements furent féroces mais les compagnies de William restèrent en retrait, gardant l'arrière. Ils ne se retrouvèrent qu'une seule fois dans le feu de l'action, afin de repousser une bande d'Américains.

Il n'en était pas moins dans un état d'excitation permanente, essayant de tout voir et de tout entendre, enivré par l'odeur de poudre même si ses os s'entrechoquaient à chaque coup de canon. Au coucher du soleil, quand les échanges de tirs cessèrent, il grignota sans appétit un peu de fromage et des biscuits et ne dormit que brièvement.

A la fin de l'après-midi du second jour, ils se trouvèrent à proximité d'une grande ferme en pierre que les Britanniques et quelques troupes hessiennes avaient réquisitionnée comme poste d'artillerie. Le fût des canons saillait des fenêtres du premier étage, luisant de pluie.

La poudre mouillée commençait à poser un problème. Les cartouches ne risquaient rien mais si la poudre d'amorce restait dans le bassinet du canon plus de quelques minutes, elle se figeait et devenait inutilisable. L'ordre de charger devait donc être donné au tout dernier instant et chaque fois William serrait les dents en se demandant quel était le bon moment.

Parfois, la question ne se posait pas. Un groupe d'Américains jaillit subitement de la forêt en poussant un cri de guerre et se lança à l'assaut de la bâtisse. Des troupes postées à l'intérieur ripostèrent avec des tirs de mousquet, en fauchèrent quelques-uns mais d'autres atteignirent la maison et commencèrent à grimper aux fenêtres brisées. William éperonna son cheval pour voir ce qui se passait à l'arrière de la ferme. Comme il s'en était douté, un autre groupe de rebelles y était déjà, certains escaladant le lierre qui recouvrait la façade.

— Par ici, hurla-t-il à ses hommes en agitant son esponton. Olson, Jeffries ! A l'arrière ! Chargez et tirez dès que vous les aurez à votre portée !

Deux de ses compagnies s'élancèrent au pas de charge, les hommes déchirant leurs cartouches d'un coup de dents tout en courant, mais un escadron de Hessiens en veste verte les devança, les mercenaires allemands saisissant les Américains par les pieds et les faisant tomber pour les rouer de coups de massue.

Il tira sur ses rênes et repartit vers le devant de la ferme, juste à temps pour voir un artilleur britannique voler par une des fenêtres à l'étage. Il toucha terre une jambe repliée sous lui et hurla de douleur. L'un des hommes de William qui se trouvait assez près accourut et le souleva par les épaules avant d'être abattu par un tireur dans la bâtisse. Il se recroquevilla et s'effondra, son chapeau roulant sous les buissons.

Ils passèrent le reste de la journée autour de la ferme ; à quatre reprises les Américains tentèrent une incursion et, par deux fois, parvinrent à entrer dans le bâtiment et à désarmer ses occupants. Par deux fois, ils furent maîtrisés par de nouvelles vagues de troupes britanniques, mis en fuite ou tués. William ne parvint jamais à moins de deux cents mètres de la maison mais put, à une occasion, interposer une de ses compagnies entre le bâtiment et une bande d'Américains déguisés en Indiens et hurlant comme des possédés. L'un d'eux pointa une carabine droit sur lui et fit feu mais le manqua. William brandit son épée et il s'apprêtait à fondre sur l'effronté quand ce dernier fut abattu d'un tir venu d'on ne sait où et roula au pied d'un petit monticule.

William dirigea son cheval vers l'homme étendu à terre afin de vérifier s'il était mort ou non. Ses compagnons avaient déjà fui derrière la ferme, poursuivis par des troupes britanniques. Le hongre, habitué aux tirs de mousquet mais pas aux canonnades, renâclait et, quand un canon tira, il aplatit ses oreilles en arrière et freina des quatre fers.

William avait toujours son épée à la main, les rênes mollement enroulées autour de l'autre. La secousse le déséquilibra puis, quand sa monture fit une brusque embardée de côté, il perdit un étrier et fut désarçonné. Il eut juste la présence d'esprit de lâcher son arme avant d'atterrir sur une épaule.

Tout en maudissant le hongre et en remerciant le ciel de ne pas avoir eu un pied coincé dans un étrier, il se mit à quatre pattes, couvert de boue.

Dans la ferme, les tirs avaient cessé. Sans doute les Américains y avaient-ils pénétré à nouveau et étaient engagés dans un corps à corps avec les artilleurs. Il recracha de la terre et entreprit de battre prudemment en retraite, se sachant dans la ligne de mire des fenêtres de l'étage.

L'Américain qui avait tenté de l'abattre était étendu sur sa gauche dans l'herbe mouillée. Après un regard méfiant vers la bâtisse, il rampa jusqu'à lui. L'homme gisait face contre terre, immobile. Pour une raison qu'il n'aurait su expliquer, William voulait voir son visage. Il se redressa à genoux, le saisit par les épaules et le tira vers lui.

Il était mort, d'une balle en pleine tête. Sa bouche et ses yeux étaient entrouverts et son corps pesait étrangement, lourd et mou à la fois. Il portait une sorte d'uniforme de milice. William vit le mot « PUT » gravé sur les boutons en bois. Cela signifiait sans doute quelque chose mais, dans son hébétude, William était incapable de réfléchir. Il reposa délicatement l'homme dans l'herbe et se redressa pour aller chercher son épée. Ses genoux tremblaient.

Il fit quelques pas, s'arrêta puis revint en arrière. S'agenouillant, les doigts glacés et le ventre noué, il ferma les yeux du mort.

Cette nuit-là, au grand plaisir des soldats, ils montèrent enfin le camp. Des fosses de cuisson furent creusées, les carrioles de cuisine furent avancées et des odeurs de viande grillée et de pain frais s'élevèrent dans l'air humide. William venait juste de s'asseoir pour dîner quand cet oiseau de mauvais augure de Perkins apparut d'un air contrit à ses côtés avec un message : il devait se présenter sur-le-champ au rapport au quartier général du général Howe. William attrapa un morceau de pain et une saucisse de porc fumante et se mit en route tout en mâchant.

Il trouva les trois généraux et la totalité de leurs officiers plongés dans une discussion animée sur les résultats de la journée. Les généraux étaient assis autour d'une petite table jonchée de dépêches et de cartes hâtivement dessinées. William trouva une place parmi les officiers respectueusement alignés le dos contre la cloison de toile de la grande tente.

Sir Henry plaidait en faveur d'un assaut sur Brooklyn Heights au petit matin. Il agita une main vers les dépêches.

— Nous pourrions les déloger facilement. Ils ont perdu la moitié de leurs hommes, sinon plus… Et d'ailleurs ils n'étaient pas si nombreux.

— Facilement ? J'en doute, objecta lord Cornwallis. Vous les avez vus au combat. Certes, nous pourrons les déloger, mais cela aura un prix.

Il se tourna avec déférence vers Howe.

— Qu'en dites-vous ?

Howe se mordit les lèvres jusqu'au sang, puis répondit d'une voix sèche :

— J'ai déjà payé très cher ma dernière victoire. Je ne peux pas me permettre de remettre ça. Quand bien même je le pourrais, je n'en voudrais pas.

Il balaya du regard les jeunes officiers devant lui.

— J'ai perdu tout mon état-major sur cette maudite colline à Boston. Vingt-huit hommes ; tous mes officiers.

Son regard s'attarda sur William, le plus jeune, puis il secoua la tête et se tourna à nouveau vers sir Henry.

— On cesse le combat.

Sir Henry n'était visiblement pas satisfait mais il se contenta d'acquiescer.

— Leur proposons-nous de négocier ?

— Non. Comme vous venez de le dire, ils ont perdu près de la moitié de leurs hommes. Seul un fou continuerait de se battre sans une bonne raison. Ils… Vous, jeune homme, vous avez une remarque à faire ?

William tressaillit en se rendant compte que Howe s'adressait à lui. Ses yeux ronds transperçaient son thorax comme des salves de chevrotine.

— Je... euh...

Il se reprit et se redressa, le dos droit.

— Oui, mon général. C'est le général Putnam qui commande les opérations, ici, dans la crique. Ce n'est... ce n'est peut-être pas un fou, mon général, mais il a la réputation d'être très têtu.

Howe le dévisagea en plissant les yeux.

— Têtu, répéta-t-il. C'est le moins qu'on puisse dire.

— N'était-il pas l'un des commandants à Breed's Hill ? intervint lord Cornwallis. Les Américains ont bien détalé comme des lapins, ce jour-là !

— Oui, mais...

William s'interrompit, paralysé par les regards des trois généraux rivés sur lui. D'un geste impatient, Howe lui fit signe de poursuivre.

— Avec tout le respect que je vous dois, mon général, j'ai... entendu dire qu'à Boston les Américains n'avaient pris la fuite qu'après avoir épuisé jusqu'à leur dernière munition. Je ne pense pas que ce soit le cas ici. Quant au général Putnam... il n'avait personne derrière lui à Breed's Hill.

— Et vous pensez que c'est le contraire ici.

Ce n'était pas une question.

— Oui, mon général. J'en suis convaincu. Je crois que pratiquement tous les continentaux se trouvent sur l'île en ce moment.

Il s'efforça d'adopter un ton assuré. Il avait entendu un major le dire la veille mais ce n'était peut-être qu'une fausse rumeur.

— Si Putnam est au commandement ici...

Clinton l'interrompit en lui lançant un regard noir.

— Comment savez-vous qu'il s'agit de Putnam, lieutenant ?

— Je reviens d'une expédition de renseignements au cours de laquelle j'ai traversé le Connecticut, mon général. Beaucoup de gens là-bas disaient que les milices se rassemblaient pour accompagner le général Putnam qui devait rejoindre les forces du général Washington près de New York. En outre, sur la veste d'un des rebelles morts cet après-midi, j'ai vu le mot « PUT » gravé sur un bouton. C'est ainsi qu'ils surnomment le général Putnam… le vieux Put.

Le général Howe se redressa avant que Clinton ou Cornwallis aient pu intervenir encore.

— Têtu, répéta-t-il à nouveau. Oui, sans doute. Néanmoins, suspendez les combats. Sa position est intenable, il s'en rend sûrement compte. Donnons-lui une chance de réfléchir à la situation et de consulter Washington s'il le souhaite. Ce dernier est peut-être plus raisonnable. Si nous pouvions obtenir la reddition de toute l'armée continentale sans un autre bain de sang… je crois que le jeu en vaut la chandelle, messieurs. Mais nous n'offrons aucune négociation.

Ce qui signifiait que si les Américains entendaient raison, ce serait une reddition sans conditions. Et dans le cas contraire ? William avait entendu des récits sur la bataille de Breed's Hill, de la bouche d'Américains, certes, et donc à prendre avec des pincettes. Apparemment, les rebelles à court de munitions avaient arraché les clous des clôtures des fortifications et même des talons de leurs chaussures pour les tirer sur les Britanniques. Ils n'avaient battu en retraite qu'une fois réduits à leur lancer des cailloux.

Clinton fronça les sourcils.

— Mais si Putnam espère des renforts de Washington, il va se contenter d'attendre patiemment ; et nous, nous allons ensuite nous retrouver face à toute cette masse… Ne ferions-nous pas mieux de…

— Ce n'est pas ce qu'il a voulu dire, l'interrompit Howe. N'est-ce pas, Ellesmere ? Quand vous avez dit qu'à Breed's Hill il n'avait personne derrière lui ?

— Non, mon général, répondit William. Je voulais dire que… cette fois, il a quelque chose à protéger. Derrière lui. Je ne crois pas qu'il attende que le reste de l'armée vienne à son secours mais plutôt qu'il couvre sa retraite.

Les sourcils naturellement arqués de lord Cornwallis se haussèrent encore d'un cran. Clinton fusilla du regard William qui se souvint avec un temps de retard qu'il avait été le commandant en chef lors de la victoire à la Pyrrhus de Breed's

Hill. Il était donc particulièrement sensible à tout ce qui touchait Israel Putnam.

— Peut-on savoir pourquoi on demande son avis à un gamin sans expérience ? Avez-vous déjà participé à une bataille, jeune homme ?

William sentit ses joues s'empourprer.

— Je serais en train de me battre, mon général, si je n'étais retenu ici !

Lord Cornwallis éclata de rire et un soupçon de sourire se dessina sur les lèvres de Howe qui déclara :

— Nous veillerons à ce que vous ayez votre lot de tueries, lieutenant. Mais pas aujourd'hui.

Il fit signe à un petit homme aux très larges épaules qui s'avança d'un pas et salua.

— Capitaine Ramsay, emmenez Ellesmere vous faire un rapport sur les résultats de son expédition de... renseignements. Vous me transmettrez tout ce qui vous paraîtra digne d'intérêt. En attendant...

Il se tourna vers ses deux généraux.

— ... suspendez les hostilités jusqu'à nouvel ordre.

William n'entendit pas la suite des délibérations.

Avait-il trop parlé et ses propos avaient-ils été déplacés ? Certes, le général lui avait posé une question directe et il avait été bien obligé de répondre. Mais de là à opposer les piètres renseignements glanés au cours de son mois de voyage aux connaissances combinées de tous ces officiers haut gradés et expérimentés...

Il fit part de ses doutes au capitaine, un homme peu loquace mais qui semblait amical.

— Non, vous n'aviez pas d'autre choix que de répondre, le rassura Ramsay. Toutefois...

William évita une pile de crottin de mule et hâta le pas pour rattraper le capitaine.

— Toutefois... ?

Ramsay ne répondit pas tout de suite, le conduisant à travers le campement, le long de rangées ordonnées de tentes, saluant au passage des hommes rassemblés autour de feux de camp.

Quand ils arrivèrent enfin devant la tente de Ramsay, celui-ci écarta le rabat de l'entrée et s'effaça pour laisser passer William en déclarant :

— Vous avez déjà entendu parler d'une certaine Cassandre ? Une dame grecque, il me semble. Elle ne s'est pas fait beaucoup d'amis.

Après les fatigues des derniers jours, l'armée dormit d'un sommeil profond ; William aussi.

— Votre thé, mon lieutenant ?

Il cligna des yeux, désorienté. Il était toujours dans son rêve où il déambulait dans le zoo privé du duc de Devonshire main dans la main avec un orang-outan. Toutefois, ce n'était pas le primate mais le visage rond et anxieux de Perkins qui était penché sur lui.

— Hein ?

Perkins semblait flotter dans une sorte de nuage, une impression qui ne se dissipa pas quand il battit des paupières. En se redressant pour accepter la tasse fumante, il comprit pourquoi : un dense voile de brume flottait sous la tente.

Tous les sons étaient étouffés. Autour de lui, les bruits du réveil et des préparatifs semblaient lointains. Quand il pointa le nez dehors quelques minutes plus tard, il découvrit qu'un épais brouillard montant des marais avait envahi le campement.

Peu importait, l'armée n'allait nulle part. Une dépêche du quartier général de Howe avait officialisé la suspension des hostilités. Il n'y avait plus rien à faire qu'attendre que les Américains entendent raison et capitulent.

L'armée s'étira, bâilla, chercha des distractions. William était engagé dans une partie de dés endiablée avec les caporaux Yarnell et Jeffries quand Perkins apparut à nouveau, hors d'haleine.

— Le colonel Spencer vous envoie ses salutations, mon lieutenant, et le général Clinton vous attend.

— Ah bon ? Pour quoi faire ?

Perkins en resta décontenancé ; il ne lui était pas venu à l'esprit de le demander au messager.

— Euh… parce qu'il veut vous voir.
— Merci infiniment, Perkins, grogna William.

Perkins ne sembla pas remarquer son sarcasme. Il afficha un sourire rayonnant et tourna les talons sans attendre d'être congédié.

— Hé, Perkins !

Le soldat se retourna, perplexe.

— Où est-ce ? demanda William.
— Quoi ? Euh… où est quoi, mon lieutenant ?
— Où se trouve le Q.G. du général Clinton ?
— Ah ! Le hussard… est venu de…

Perkins pivota lentement de gauche à droite telle une girouette, le front plissé par la concentration.

— Par là ! s'exclama-t-il enfin. Je pouvais voir le bout de cette butte derrière lui.

Le brouillard était toujours dense près du sol mais le faîte des collines et des arbres était visible ici et là. William n'eut aucun mal à repérer la « butte » dont parlait Perkins. Elle était surmontée d'une drôle de bosse.

— Merci, Perkins.

Il ajouta précipitamment avant que le soldat ne file à nouveau :

— Vous pouvez disposer.

Il observa Perkins se fondre dans la masse changeante de brouillard et de silhouettes puis, secouant la tête, partit à la recherche du caporal Evans pour lui céder son commandement.

Le hongre n'aimait pas le brouillard. William non plus. Il le mettait mal à l'aise, comme si quelqu'un lui soufflait dans la nuque.

C'était un brouillard marin, lourd, froid et humide sans être oppressant. Il se clairsemait et épaississait dans un mouvement perpétuel. La visibilité était réduite et il distinguait tout juste la forme indécise de la colline que lui avait indiquée Perkins, son sommet ne cessant d'apparaître et de disparaître telle une montagne magique de conte de fées.

Que lui voulait sir Henry ? Etait-il le seul à avoir été convoqué ou s'agissait-il d'une réunion pour informer tous les officiers de ligne d'un changement de stratégie ?

Peut-être les hommes de Putnam s'étaient-ils rendus ? C'était ce qu'ils avaient de mieux à faire. Compte tenu des circonstances, ils n'avaient aucun espoir de remporter la victoire ; ce dont ils devaient être conscients.

Mais sans doute Putnam devait-il préalablement en discuter avec Washington. Au cours de la bataille autour de la vieille ferme, William avait aperçu un petit groupe de cavaliers sur un sommet au loin. L'un d'eux brandissait une bannière qui lui était inconnue. Quelqu'un les lui avait montrés du doigt et avait déclaré en riant : « C'est lui, là-bas. Washington. Dommage qu'on n'ait pas un canon de vingt-quatre en place. On lui aurait appris à danser la gigue ! »

La logique voulait qu'ils se rendent. Cependant, William ressentait un trouble qui n'avait rien à voir avec le temps. Au cours de son mois sur les routes, il avait écouté beaucoup de colons. La plupart étaient eux aussi mal à leur aise, ne souhaitant pas un conflit avec l'Angleterre et, par-dessus tout, ne voulant pas se trouver pris entre deux feux... Ce qui était compréhensible. En revanche, ceux qui étaient décidés à se révolter affichaient une détermination à toute épreuve.

Il espérait que Ramsay était parvenu à transmettre son sentiment aux généraux. Le capitaine n'avait pas paru impressionné par ses informations, et encore moins par ses opinions, mais peut-être que...

Son cheval trébucha et il fut projeté en avant sur sa selle, tirant sur les rênes par réflexe. Agacé, le hongre tourna la tête et tenta de le mordre, éraflant sa botte de ses longues dents.

— Sale bête !

Il frappa le chanfrein de sa monture avec le bout des rênes puis tira dessus, le forçant à tourner le cou jusqu'à ce que ses yeux ronds et ses lèvres retroussées soient presque sur sa cuisse. Lui ayant montré qui était le chef, il relâcha sa prise. Le cheval s'ébroua en secouant violemment sa crinière mais reprit sa marche sans plus renâcler.

Il lui semblait s'être mis en route depuis longtemps mais le brouillard était trompeur, altérant sa perception du temps et des distances. Il lança un regard vers la colline qui lui servait de repère mais elle avait disparu. Bah... elle réapparaîtrait tôt ou tard.

Sauf qu'elle ne réapparaissait pas.

Le brouillard semblait tourner autour de lui. Des arbres se dressaient devant lui, si près qu'il entendait leurs feuilles goutter avant qu'ils ne s'évanouissent à nouveau. Mais la colline, elle, refusait obstinément de se montrer.

Il lui vint soudain à l'esprit qu'il n'avait entendu aucun bruit dénotant une présence humaine depuis un certain temps.

C'était étrange.

S'il approchait du quartier général de Clinton, il aurait dû non seulement percevoir les sons habituels d'un campement mais aussi croiser des hommes, des chevaux, des feux de camp, des tentes, des carrioles...

Il n'y avait pas un bruit autour de lui hormis celui de l'eau. Il avait dû dépasser le camp.

— Perkins, tu ne perds rien pour attendre ! bougonna-t-il.

Il s'arrêta un instant, vérifia l'amorce de son pistolet et huma la poudre dans le bassinet. Humide, elle empestait l'œuf pourri. Ce n'était pas encore le cas, elle sentait le chaud et lui picota les narines.

Il garda l'arme à la main. Jusqu'à présent, il n'avait rien vu de menaçant mais cette purée de pois l'empêchait de voir à plus de quelques mètres. Si quelqu'un surgissait soudain devant lui, il n'aurait qu'un instant pour décider s'il devait tirer ou pas.

Tout était calme. L'artillerie britannique était silencieuse et il n'y avait pas de tirs de mousquet sporadiques comme la veille. L'ennemi battait en retraite, cela ne faisait aucun doute. Mais s'il tombait tout à coup sur un continental égaré comme lui, lui faudrait-il l'abattre ? Sans doute, même si cette seule pensée rendait ses paumes moites. L'autre n'hésiterait sûrement pas à ouvrir le feu dès qu'il apercevrait son uniforme rouge.

Le pire serait d'être abattu par son propre camp ; l'humiliation suprême !

Ce maudit brouillard semblait s'être encore épaissi. Il chercha vainement le soleil dans l'espoir de se repérer mais le ciel était invisible.

Il refoula un petit accès de panique. Il y avait trente-quatre mille soldats britanniques sur cette foutue île. S'il tirait en l'air, il y en aurait au moins un pour l'entendre. Il te suffit également d'être à portée d'oreille d'un seul Américain, se rappela-t-il en se frayant un passage entre des mélèzes.

Il entendit des craquements de branches non loin. Il y avait des gens dans la forêt, à n'en pas douter, mais à quel camp appartenaient-ils ?

L'armée britannique ne se déplacerait pas dans un tel brouillard (maudit Perkins !). S'il entendait un groupe d'hommes en marche, le mieux était de se cacher. Autrement... il ne lui restait qu'à espérer tomber sur des troupes, ou entendre des bruits indiscutablement militaires, comme des ordres aboyés...

Il continua d'avancer puis rengaina son pistolet, son poids commençant à lui peser. Depuis combien de temps était-il parti ? Une heure ? Deux ? Devait-il faire demi-tour ? Il avait perdu le sens de l'orientation et ne savait même plus par où il était venu. Peut-être tournait-il en rond sans le savoir. Partout, le paysage était le même : une masse confuse et grise où se dessinaient des arbres, des rochers et de hautes herbes. La veille, il avait vécu chaque instant avec fébrilité, prêt à l'attaque. Aujourd'hui, son enthousiasme pour le combat était considérablement émoussé.

Un homme surgit devant lui et son cheval se cabra si brusquement que William ne fit que l'entrapercevoir mais eut le temps de remarquer qu'il ne portait pas l'uniforme britannique. Il aurait dégainé son pistolet s'il n'avait eu les deux mains occupées à tenter de maîtriser sa monture.

Le hongre paniqué bondissait sur ses jambes arrière en décrivant des cercles fous, manquant de lui disloquer la colonne vertébrale à chaque saut. Le paysage tournoyait autour de lui, bleu et vert. Il eut vaguement conscience d'exclamations proches qui pouvaient être des railleries comme des encouragements.

Après ce qui lui parut une éternité (mais ne dura sans doute qu'une demi-minute), il réussit à immobiliser la créature infernale. Celle-ci s'ébroua violemment, montrant le blanc de ses yeux.

— Saloperie de carne ! s'écria William en faisant ployer le cou à la bête.

Le souffle chaud et humide du cheval traversait le daim de ses culottes et ses flancs palpitaient.

— Ma foi, j'ai connu des chevaux qui avaient meilleur caractère, dit une voix.

Une main attrapa la bride.

— Cela dit, il a l'air en bonne santé.

William distingua un homme trapu au teint bistre et en tenue de chasse avant d'être happé par la ceinture et arraché de sa selle.

Il atterrit à plat dos, le souffle coupé. Il tenta vaillamment d'attraper son pistolet mais un genou s'enfonça dans son thorax et une poigne d'acier lui fit lâcher prise. Un visage barbu se pencha sur lui avec un grand sourire et déclara sur un ton réprobateur :

— Voilà qui n'est pas très sociable, mon garçon. Moi qui croyais que vous autres, les Anglais, vous étiez tous bien élevés.

— Si tu le laisses se relever, Harry, je te parie qu'il entreprendra de te civiliser.

Celui qui avait parlé était plus petit et plus menu. Il s'exprimait avec la voix douce et cultivée d'un maître d'école. Il regarda par-dessus l'épaule de l'homme agenouillé sur la poitrine de William.

— Cela dit, tu pourrais peut-être le laisser respirer...

La pression sur son torse se relâcha et William parvint à inspirer un filet d'air, qu'il expira aussitôt de manière explosive quand celui qui l'avait cloué au sol lui envoya un grand coup de poing dans le ventre. Des mains fouillèrent rapidement ses poches et lui ôtèrent brutalement son gorgerin, lui écorchant le nez. Quelqu'un dégrafa sa ceinture et la lui retira avec un sifflement admiratif devant l'équipement qui y était accroché.

— Bonne pioche ! approuva le deuxième homme.

Il baissa les yeux vers William étendu sur le dos et haletant.

— Je vous remercie, monsieur. Ce fut un plaisir. C'est bon, Allan ?

L'homme qui tenait le cheval répondit avec une voix nasillarde et un fort accent écossais :

— Oui, je l'ai. Filons !

Les hommes s'éloignèrent et, l'espace d'un instant, William les crut partis. Soudain, une main épaisse lui agrippa l'épaule et le retourna comme une crêpe. Il se mit à ramper à quatre pattes mais la main attrapa sa queue de cheval et lui tira la tête en arrière, exposant sa gorge. Il aperçut l'éclat d'une lame et le large sourire de son agresseur, n'eut ni le temps ni le souffle nécessaires pour des prières ou des insultes.

Le couteau s'abattit et un coup sec dans sa nuque lui fit monter les larmes aux yeux. L'homme émit un grognement mécontent, s'y reprit à deux fois avant de brandir sa tresse avec un cri de triomphe.

— Un petit souvenir ! annonça-t-il à William d'un air ravi.

Puis il tourna les talons et courut rejoindre ses compagnons. Quelques instants plus tard, William entendit son cheval hennir dans la brume, railleur.

Que n'aurait-il pas donné pour en avoir tué au moins un ! Il s'était laissé prendre comme un bleu ; ils l'avaient plumé telle une oie et laissé gisant à terre comme un misérable étron ! William bouillait de rage au point qu'il dut s'arrêter pour donner un coup de poing dans un tronc d'arbre. La douleur fut aveuglante mais n'entama pas sa fureur vengeresse.

Le souffle court, il serra sa main meurtrie entre ses cuisses et siffla entre ses dents jusqu'à ce qu'elle s'atténue. Le choc se mêlait à la colère ; il était étourdi et plus désorienté que jamais. Il porta sa main indemne à sa nuque, palpa les cheveux raides de ce qui avait été sa queue de cheval. Submergé par une nouvelle vague de rage, il envoya un grand coup de pied dans le tronc.

Il sautilla en rond à cloche-pied en jurant puis se laissa tomber sur une pierre et se prit la tête entre les mains.

Peu à peu, sa respiration ralentit et sa capacité à réfléchir de façon rationnelle commença à lui revenir.

Bon. Il était toujours perdu au milieu de nulle part sur Long Island mais à présent sans cheval, sans nourriture, sans arme… et sans cheveux. Ce dernier point le fit se redresser brusquement, les poings serrés, et il eut un mal fou à refouler sa rage. Ce n'était pas le moment d'y céder. Cela dit, s'il croisait à nouveau un jour le chemin de Harry, d'Allan ou de l'avorton à la voix de maître d'école...

Pour l'instant, l'important était de retrouver une partie de l'armée. Sa première impulsion était de déserter sur-le-champ, de sauter à bord du premier navire pour la France et ne jamais revenir, laissant ses supérieurs croire qu'il avait été tué. Hélas, c'était impossible pour de multiples raisons, la première étant que son père aurait sans doute préféré savoir son fils mort plutôt que lâche.

Il n'y avait rien à faire. Il se releva, résigné, puisant une maigre consolation dans le fait que les brigands lui avaient au moins laissé sa redingote. Le brouillard se dissipait légèrement ici et là mais restait dense et frisquet près du sol. Il s'en rendit à peine compte : son sang bouillonnait.

Il examina les silhouettes nébuleuses d'arbres et de rochers autour de lui. Elles ressemblaient à s'y méprendre à celles de tous les maudits arbres et rochers qu'il avait vus tout au long de cette maudite journée.

— Bon, dit-il à voix haute.

Il pointa un doigt en l'air et tourna sur lui-même.

— Un petit cochon pendu au plafond, tirez-lui la queue... Oh, et puis merde !

Il se mit en route en boitillant. Il ignorait où il allait mais l'inaction était pire que tout.

Il occupa un moment son esprit en imaginant sa récente rencontre agrémentée de visions gratifiantes où il saisissait le petit gros nommé Harry, lui tordait le nez jusqu'à ce qu'il n'en reste qu'un moignon sanglant puis lui fracassait le crâne sur une pierre. Il lui arrachait ensuite son couteau et éviscérait la petite raclure... lui lacérant les poumons. Les tribus sauvages de Germanie pratiquaient autrefois un rituel baptisé « l'aigle de sang » : ils tailladaient le dos de leur victime et extirpaient ses poumons à travers les entailles, si bien qu'ils palpitaient telles des ailes tandis qu'elle agonisait...

Il se calma peu à peu, simplement parce qu'il était impossible de rester dans un tel état de fureur.

Son pied lui faisait un peu moins mal. Sa main était écorchée mais ne l'élançait plus et ses fantasmes de vengeance commençaient à lui paraître absurdes. Etait-ce à quoi ressemblait la furie du combat ? Cette envie de tuer non parce que le devoir le commandait mais parce que cela procurait du plaisir ? Que cela était aussi excitant que de posséder une femme ? Et se sentait-on un peu benêt après coup ?

Il songeait parfois au jour où il lui faudrait tuer au cours d'une bataille. Ce n'était pas une obsession mais il y pensait. Quand il s'était engagé dans l'armée, il s'était efforcé de visualiser ce moment. Et il était conscient qu'un tel acte pouvait entraîner des remords.

Avec franchise et sans chercher à se justifier, son père lui avait raconté les circonstances dans lesquelles il avait tué un homme pour la première fois. Ce n'était pas au cours d'une bataille mais peu après. L'exécution à bout portant d'un Ecossais blessé et laissé pour mort à Culloden.

« Cumberland avait donné l'ordre de ne pas faire de quartier », lui avait-il expliqué.

Lord John, qui jusque-là avait parlé en fixant les étagères de sa bibliothèque, s'était alors tourné vers lui.

« Les ordres, nous devons les suivre, bien sûr. Nous y sommes obligés. Mais il t'arrivera de ne pas en avoir ou de te trouver dans une situation où la donne a brusquement changé. Il y aura des moments où ton honneur te dictera de ne pas obéir. Dans ce cas, tu devras suivre ta conscience… et être prêt à en subir les conséquences. »

William avait hoché la tête, l'air grave. Il venait d'apporter les documents de sa commission afin que son père les examine et les signe. Il avait cru que ce ne serait qu'une formalité. Il ne s'était attendu ni à une confession ni à un sermon, si c'était bien ce dont il s'agissait.

« Je n'aurais pas dû, avait dit son père tout à trac. Je n'aurais pas dû l'achever.

— Mais… les ordres…

— Ils ne me concernaient pas directement. Je n'avais pas encore obtenu ma commission. J'accompagnais mon frère en campagne mais je n'étais pas encore officiellement soldat. Je n'étais pas sous l'autorité de l'armée, j'aurais pu refuser.

— Si tu ne l'avais pas tué, quelqu'un d'autre s'en serait chargé, non ? »

Son père avait souri brièvement.

« Oui, certainement, mais là n'est pas la question. Je dois reconnaître qu'il ne m'est même pas venu à l'esprit que je pouvais agir autrement. Or, c'est justement là mon erreur, William. Tu as toujours le choix. Tu ne l'oublieras jamais, n'est-ce pas ? »

Sans attendre sa réponse, lord John avait saisi une plume dans le pot en porcelaine bleu et blanc sur son bureau et avait ouvert son encrier en cristal. Puis il avait relevé les yeux vers William et l'avait dévisagé gravement.

« Tu es sûr ? »

William avait acquiescé et lord John avait signé.

« Je suis fier de toi, William. Je le serai toujours. »

William soupira. Il ne doutait pas que son père l'aimerait toujours, mais quant à le rendre fier... Cette dernière mésaventure n'était pas de celles dont on tirait gloire. Il pourrait s'estimer heureux s'il parvenait à retrouver son campement avant que quelqu'un ne note son absence et sonne l'alarme. Seigneur, quelle ignominie... ! Son premier acte remarquable serait de s'être égaré et d'avoir été détroussé !

D'un autre côté, cela valait mieux que de se faire remarquer en étant tué par des brigands.

Il continua d'avancer prudemment dans la forêt drapée de brouillard. La pluie avait laissé par endroits de grandes flaques, transformant le terrain en bourbier. Lorsqu'il entendit la détonation éraillée d'un mousquet, il pressa le pas dans la direction du tir mais le son s'estompa avant qu'il ait pu le localiser.

Il poursuivit sa route en maugréant, se demandant combien de temps prendrait la traversée de toute cette satanée île et s'il n'était pas sur le point de l'avoir déjà fait. Le terrain était devenu subitement pentu. Il grimpait, le visage ruisselant de transpiration. Le brouillard serait peut-être moins dense en hauteur ? Effectivement, il déboucha sur un promontoire rocheux et, regardant à ses pieds, ne vit qu'un amas vaporeux gris et tourbillonnant. Pris de vertige il dut s'asseoir quelques instants, les yeux fermés, avant de reprendre sa marche.

A deux reprises, il entendit des hommes et des chevaux mais quelque chose clochait : les voix n'avaient pas le rythme militaire et il s'éloigna discrètement dans la direction opposée.

La végétation changea abruptement, devenant une sorte de maquis, des arbres nains émergeant d'un sol jaunâtre qui crissait sous sa semelle. Puis il y eut un bruit d'eau... le clapotis des vagues sur une plage. La mer ! Alléluia ! Il hâta le pas.

Toutefois, à mesure qu'il approchait du rivage, d'autres bruits lui parvinrent.

Des bateaux. Le raclement de coques traînées sur des galets. Des rames s'entrechoquant, des éclaboussures. Puis des voix. Etouffées mais animées. Et merde ! Il plongea derrière le tronc d'un pin noueux.

Un mouvement brusque près de lui le fit aussitôt bondir de l'autre côté et porter la main à sa ceinture. A peine s'il eut le temps de se souvenir qu'il n'avait plus son pistolet avant de se rendre compte que son adversaire était un grand héron bleu. Ce dernier le toisa de son œil jaune puis s'élança dans les airs en poussant des cris outrés. Une exclamation s'éleva dans les buissons à quelques pas de lui, suivie de près par la détonation d'un mousquet. Le héron explosa dans une pluie de plumes juste au-dessus de sa tête. Il sentit des gouttes de sang chaud s'écraser sur son visage et se laissa tomber sur les fesses, des points noirs dansant devant ses yeux.

Il n'osait pas bouger, encore moins appeler. Il entendait des murmures non loin, pas assez forts cependant pour distinguer les paroles. Au bout de quelques instants, il perçut un bruissement furtif qui s'éloignait. Aussi discrètement que possible, il se mit à quatre pattes et rampa dans la direction inverse jusqu'à ce qu'il s'estime hors de danger.

Il entendait toujours des voix. Il s'approcha à pas de loup, le cœur battant, sentit une odeur de tabac et s'immobilisa.

Rien ne bougeait alentour mais les voix étaient toujours là, à bonne distance. Il huma l'air mais l'odeur avait disparu. Peut-être le fruit de son imagination. Il s'approcha encore.

Il les entendait clairement à présent. Des gens s'interpellaient à voix basse, des tolets grinçaient, des pieds pataugeaient dans l'eau. Les chuchotements et les chuintements se mêlaient au murmure des vagues et des herbes. Il lança un regard vers le ciel toujours désespérément caché par le brouillard. Il devait se trouver sur le côté ouest de l'île. Il en était sûr. Enfin... presque. Et, dans ce cas...

Les bruits qu'il entendait devaient être ceux des rebelles américains, s'enfuyant de l'île pour rejoindre Manhattan.

— Ne. Bouge. Pas !

Le chuchotis derrière lui coïncida très exactement avec la pression du canon d'une arme à feu dans le creux de ses reins. Il se figea. L'arme se retira un instant, puis s'enfonça dans son dos avec une force qui lui brouilla la vue. Il eut un grognement guttural et se cambra mais, avant qu'il ait pu protester, des mains calleuses lui saisirent les poignets et les tirèrent en arrière pour les lier prestement.

— Te fatigue pas pour rien, dit une voix grave et éraillée. Pousse-toi de là que je le bute.

— Attends un peu, répondit une autre voix tout aussi grave mais moins hargneuse. C'est qu'un gamin. Et joli comme tout avec ça !

Il se raidit en sentant une main rêche lui caresser la joue.

— Si tu voulais vraiment le tuer, sœurette, ce serait déjà fait. Tourne-toi, mon garçon.

Il se retourna lentement pour découvrir qu'il avait été capturé par deux vieilles femmes, aussi petites et trapues que des gnomes. L'une d'elles, celle qui tenait le pistolet, fumait la pipe. Quand elle lut l'ébahissement et le dégoût sur ses traits, ses lèvres minces se retroussèrent, révélant des chicots jaunâtres.

— Ma foi, c'est vrai qu'il est chou mais c'est pas une raison. D'un autre côté, ça vaut-y vraiment la peine de gaspiller des munitions… ?

Retrouvant un peu d'aplomb, William tenta une opération de charme.

— Madame, je crains que vous ne vous mépreniez. Je suis un soldat du roi…

Les deux harpies éclatèrent d'un rire grinçant.

— Pas possible ! dit la fumeuse de pipe. Et nous qui t'avions pris pour le préposé aux latrines !

— Tu ferais mieux de te taire, fiston, l'interrompit sa sœur. On te fera pas de mal tant que tu te tiens tranquille et que tu la fermes.

Elle le regarda de haut en bas non sans une certaine compassion.

— Tu as fait la guerre, hein ?

Sans attendre de réponse, elle le poussa en arrière et il tomba assis sur un rocher. Celui-ci était couvert de moules et d'algues mouillées, et il en déduisit qu'il ne se trouvait qu'à quelques pas de la mer.

Il se tut. Non par peur des deux femmes mais parce qu'il n'y avait rien à dire.

Il se concentra sur les bruits de l'exode. Impossible de dire combien ils étaient ni depuis combien de temps ils étaient là. Rien de ce qu'il entendait ne lui était utile. Ce n'étaient que les paroles hachées d'hommes affairés, des marmonnements agacés ponctués, de temps à autre, par un rire nerveux.

Le brouillard se dissipait au-dessus de l'eau. Il les voyait clairement à présent ; ils n'étaient qu'à une centaine de mètres. Une minuscule flotte de barques et de doris avec, ici et là, un ketch de pêche allait et venait sur une mer d'huile. Le nombre des hommes sur la grève diminuait régulièrement, les fuyards gardant une main sur la crosse de leur pistolet et jetant des regards nerveux par-dessus leur épaule, de crainte sans doute d'être poursuivis.

Si seulement ils savaient ! pensa amèrement William.

Pour le moment, son propre avenir lui importait peu. L'humiliation d'assister impuissant à la fuite de toute l'armée américaine et la perspective de rentrer au camp et de raconter son aventure au général Howe étaient si mortifiantes que les deux sorcières pouvaient bien le faire cuire et le manger… Il s'en fichait.

Absorbé par la scène sur la berge, il ne lui était pas encore venu à l'esprit que, s'il pouvait voir les Américains, ces derniers pouvaient le voir en retour. De fait, continentaux et miliciens étaient tellement concentrés sur leur retraite que personne ne le remarqua… jusqu'à ce que l'un d'eux se retourne et semble chercher quelque chose du regard le long de la plage.

Il se raidit puis, après un coup d'œil vers ses compagnons occupés ailleurs, marcha droit vers William d'un pas décidé.

— Qu'est-ce que c'est que ça, mère ? demanda-t-il.

Il portait l'uniforme des continentaux. Il était aussi trapu que les deux femmes mais nettement plus grand et, si son visage était calme, ses yeux injectés de sang étaient animés par toutes sortes de calculs.

— On a été à la pêche, répondit la fumeuse de pipe. On a attrapé ce petit poisson rouge mais on se demande si on va pas le rejeter à l'eau.

— Ah oui ? Pas tout de suite alors.

William s'efforça de prendre l'air le plus féroce possible.

L'homme regarda le mur de brouillard derrière lui.

— Il y en a beaucoup d'autres comme toi là-bas, mon garçon ?

William ne répondit pas. L'homme soupira, serra le poing et le lui envoya en plein dans l'estomac. William se plia en deux et tomba de son rocher pour atterrir à plat ventre sur le sable, le souffle coupé. L'homme l'attrapa par le col et le souleva comme une plume.

— Réponds-moi, gamin. Je n'ai pas beaucoup de temps et tu ne voudrais pas que je m'impatiente.

Il s'exprimait avec calme mais la main sur le couteau accroché à sa ceinture. William s'essuya la bouche sur son épaule puis regarda l'homme dans les yeux. Il se sentait envahi d'une paix étrange. *Si c'est ici que je dois mourir, au moins que je ne meure pas pour rien.* Il était presque soulagé.

La sœur de la fumeuse de pipe mit un terme à cet élan mélodramatique en le poussant du bout de son mousquet.

— S'il y en avait d'autres, y a un bail qu'on les aurait entendus. C'est qu'ils sont pas discrets, les grivetons.

— C'est vrai, ça, convint sa sœur.

Elle retira sa pipe de sa bouche pour cracher sur les galets.

— Celui-là, il a dû se perdre. Et puis tu vois bien qu'il te dira rien.

Elle sourit à William, dévoilant sa dernière canine jaunie.

— Y préférerait plutôt crever, pas vrai, mon petit gars ?

William inclina la tête de quelques millimètres, faisant glousser les deux vieilles femmes.

La tante agita une main vers la plage derrière son neveu.

— Allez, file ; ils vont partir sans toi.

L'homme ne lui adressa pas un regard. Il continuait de fixer William. Au bout d'un moment, il acquiesça, pivota sur ses talons et s'éloigna sans un mot.

William sentit une des commères derrière lui. La ficelle qui le ligotait fut tranchée d'un coup sec.

— Allez, déguerpis, mon garçon, dit la fumeuse de pipe sur un ton presque gentil. Disparais avant qu'un autre te voie et qu'il lui vienne des idées.

Il partit.

A la lisière de la plage, il se retourna. Les deux femmes avaient disparu mais l'homme se tenait sur la poupe d'une barque qui s'éloignait rapidement de la grève quasi déserte. Il le fixait toujours.

William tourna les talons. Le soleil était enfin visible, un cercle orange pâle derrière le voile de brouillard. C'était la fin de l'après-midi. Il marcha vers l'intérieur des terres, mettant le cap vers le sud-ouest, mais il garda la sensation d'un regard dans son dos longtemps après avoir perdu la plage de vue.

Il avait le ventre noué et une seule pensée le taraudait : la question du capitaine Ramsay. *Vous avez déjà entendu parler d'une certaine Cassandre ?*

7

Un futur incertain

Lallybroch, Inverness-shire, Ecosse, septembre 1980

Seules certaines lettres étaient datées. Bree parcourut rapidement la demi-douzaine au sommet de la pile avec la sensation de se trouver en suspens au sommet d'un grand huit. Puis elle en choisit une sur le rabat de laquelle était marqué : *2 mars de l'an 1777.*

— Je crois que c'est celle-là, annonça-t-elle, le souffle court. Elle est… toute fine. Ce n'est pas long.

En effet, elle ne faisait qu'une page et demie mais la raison de sa brièveté lui apparut rapidement : elle avait été entièrement rédigée par son père. Son écriture maladroite mais déterminée lui serra le cœur.

Elle se tourna vers Roger et décréta avec véhémence :

— On ne laissera jamais un enseignant forcer Jemmy à apprendre à écrire avec la main droite. Jamais !

Surpris et légèrement amusé, Roger se contenta de répondre :

— Bien sûr !

2 mars, anno domini 1777
Fraser's Ridge, colonie de Caroline du Nord

Ma très chère fille,

Nous nous préparons à partir pour l'Ecosse. Pas pour toujours, ni même pour longtemps. Ma vie (nos vies) est ici en Amérique. Et en toute sincérité, je préférerais être piqué à mort par un essaim de frelons plutôt que de remettre le pied à bord d'un navire. Je m'efforce de ne pas trop y penser. Néanmoins, deux principales préoccupations me contraignent à prendre cette décision.

Si je n'avais le don de prescience que toi, ta mère et Roger Mac m'avez donné, j'aurais tendance à penser (comme la grande majorité des gens dans la colonie) que le Congrès continental ne tiendrait pas six mois, et l'armée de Washington encore moins. J'ai parlé avec un homme de Cross Creek réformé (honorablement) de l'armée continentale en raison d'une plaie purulente au bras (naturellement, ta mère s'est chargée de lui. Il a beaucoup crié et j'ai été recruté d'office pour m'asseoir sur lui durant l'opération). Il m'a expliqué que Washington ne dispose que de quelques milliers de soldats réguliers, tous mal équipés, mal armés et mal vêtus. Ils n'ont pas touché leur solde depuis un certain temps et n'en verront sans doute jamais la couleur. Le gros de ses troupes est donc composé de miliciens, enrôlés pour deux ou trois mois et dont bon nombre commencent à disparaître, ayant besoin de rentrer chez eux pour les semailles.

Mais voilà, je sais. Parallèlement, j'ignore comment se dérouleront exactement les événements qui surviendront. Suis-je destiné à y jouer un rôle d'une manière ou d'une autre ? Devrais-je me tenir à l'écart ? Cela nuirait-il à la réalisation de nos désirs, voire les empêcherait ? J'aimerais pouvoir en discuter avec ton mari, tout presbytérien qu'il soit. Je suis sûr qu'il trouverait ces questions encore plus troublantes que moi. Mais, au bout du compte, peu importe. Je suis tel que Dieu m'a fait et dois affronter les temps dans lesquels il m'a placé.

Je n'ai pas encore perdu la vue, l'ouïe ou encore le contrôle de mes intestins mais je ne suis plus un jeune homme. J'ai une épée, un fusil, et je sais m'en servir, mais je possède également une presse d'imprimerie que je peux mettre à bien meilleur usage. Il ne m'a pas échappé qu'un mousquet ou une épée ne permet de combattre qu'un ennemi à la fois tandis que les mots peuvent toucher une multitude.

Ta mère, sans nul doute pour ne pas avoir à me supporter pendant plusieurs semaines avec le mal de mer, me suggère de m'associer avec Fergus, et d'utiliser la presse de L'Oignon *plutôt que d'aller chercher la mienne en Ecosse.*

J'y ai longuement réfléchi mais je ne peux, en mon âme et conscience, exposer Fergus et sa famille aux dangers inhérents à ce que je me propose de faire. Leur presse est l'une des rares en opération entre Charleston et Norfolk ; même en imprimant mes textes dans le plus grand secret, les soupçons ne tarderaient pas à retomber sur eux. New Bern est un foyer ardent de loyalistes et l'origine de mes pamphlets serait vite découverte.

Au-delà de ma préoccupation pour Fergus et les siens, un voyage à Edimbourg pourrait avoir d'autres bienfaits. J'y avais autrefois des relations variées ; certaines ont peut-être échappé à la prison ou au gibet.

Plus importante encore, l'autre considération qui me pousse à rentrer en Ecosse concerne ton cousin Ian. Il y a des années de cela, j'ai juré à ma sœur – sur la tête de notre mère – de lui ramener son fils, ce que j'ai la ferme intention de faire même si l'homme que je raccompagnerai à Lallybroch n'est plus le garçon qui en est parti. Dieu seul sait ce qu'ils penseront l'un de l'autre, Ian et Lallybroch, et Dieu a un sens de l'humour bien singulier. Mais s'il doit rentrer un jour, il faut que ce soit maintenant.

La neige fond. Le matin, les stalactites sous les avant-toits de la cabane atteignent presque le sol et gouttent toute la journée. D'ici quelques semaines, les routes seront dégagées. Je sais qu'il peut paraître étrange de prier pour un voyage qui sera terminé, pour le meilleur ou pour le pire, longtemps avant que vous ne l'appreniez, mais je vous le demande néanmoins. Dis à Roger Mac que, selon moi, Dieu ne tient pas compte du temps. Et embrasse les enfants pour moi.

Ton père qui t'aime,

J. F.

Roger se cala contre le dossier du fauteuil et lança à Brianna un regard interrogateur.

— Tu penses qu'il s'agit de la « French Connexion » ?

— De la *quoi* ?

Elle relut par-dessus son épaule le passage qu'il soulignait du bout du doigt.

— Quoi ? Là où il parle de ses relations à Edimbourg ?

— Oui. N'entretenait-il pas là-bas des relations avec un tas de contrebandiers ?

— Si, c'est ce que maman m'a dit.

— D'où son allusion au gibet. Et d'où venait la plupart de la contrebande, à ton avis ?

Elle ouvrit des yeux ronds.

— Tu plaisantes ! Tu penses qu'il a l'intention de trafiquer avec des contrebandiers français ?

— Bah, pas forcément avec des contrebandiers. Apparemment, il connaissait également bon nombre d'agitateurs, de voleurs et de prostituées.

Il lui adressa un petit sourire narquois avant de poursuivre plus sérieusement :

— Je lui ai raconté tout ce que je savais sur la genèse de la révolution mais sans pouvoir entrer dans le détail, car je ne suis pas spécialiste en la matière. Cela dit, je lui ai expliqué l'importance du rôle de la France pour les Américains. Je me disais simplement…

Il hésita quelques instants, mal à l'aise.

— Il est clair qu'il ne retourne pas en Ecosse pour fuir les combats.

— Tu crois qu'il compte tisser des liens politiques ? Et pas simplement récupérer sa presse, déposer Ian à Lallybroch et repartir dare-dare ?

Brianna trouvait l'idée légèrement réconfortante. Savoir ses parents nouant des intrigues à Edimbourg et Paris était moins angoissant que de les imaginer au milieu des explosions et des champs de bataille. En outre, ils seraient ensemble. Où son père allait, sa mère suivait.

Roger haussa les épaules.

— Et cette allusion au fait d'être tel que Dieu l'a fait, tu sais ce qu'il a voulu dire par là ?

— Que c'est une tête brûlée ?

Elle s'approcha de Roger et posa une main sur son épaule comme si elle craignait qu'il ne disparaisse soudain.

— Il m'a dit lui-même qu'il était un homme de guerre ; qu'il avait rarement choisi de se battre mais savait être né pour ça.

— Oui, dit doucement Roger. Mais il n'est plus ce jeune laird qui, brandissant son épée, a conduit trente de ses métayers à une bataille perdue d'avance et les a pourtant ramenés entiers au pays. Il en sait beaucoup plus aujourd'hui sur ce qu'un homme peut faire. Et je crois bien qu'il a l'intention de le faire.

— Moi aussi.

Elle avait la gorge nouée, mais autant par la fierté que par l'inquiétude.

Roger prit sa main et la serra.

— Je me souviens de ce que racontait ta mère au sujet de son retour à notre époque, quand elle a repris ses études de médecine. Ton père… enfin Frank, lui a dit que d'avoir une vocation était une bénédiction pour elle, même si c'était une vraie plaie pour son entourage. Il avait raison. Jamie en est conscient lui aussi.

Brianna acquiesça. Elle savait qu'elle ne devait pas le lui demander mais ne pouvait ravaler sa question plus longtemps.

— Et toi, tu sais quelle est ta vocation ?

Il resta silencieux un long moment, les yeux rivés sur les pages devant lui, puis il secoua la tête ; un mouvement si discret qu'elle le sentit plutôt qu'elle ne le vit.

— Je l'ai su, dit-il simplement avant de lâcher sa main.

Sa première impulsion fut de lui asséner un coup de poing sur le crâne ; la seconde, de l'agripper par les épaules, d'approcher son visage à quelques centimètres du sien et de le regarder dans le blanc des yeux en demandant, calmement mais distinctement : « Qu'est-ce que tu veux dire exactement par là ? »

Elle ne fit ni l'un ni l'autre car ces deux réactions risquaient fort de dégénérer en une longue discussion pas faite pour des oreilles d'enfants ; or ils étaient tous les deux à quelques pas de la porte du bureau. Elle les entendait papoter dans le couloir.

— T'as vu ça ? demanda Jemmy.

— Voui.

— Des gens méchants sont venus ici, il y a très longtemps pour chercher grand-père. Des méchants *Anglais*. C'est eux qui ont fait ça.

Roger tourna la tête vers la porte, croisant le regard de Brianna. Il lui adressa un demi-sourire.

— Méchants zangais ! répéta docilement Mandy. Méchants !

Malgré son agacement, Brianna ne put s'empêcher d'être amusée. Elle revoyait encore son oncle Ian, un homme si calme, si doux, lui montrant les traces de coups de sabre dans les lambris en bois du couloir. Il lui avait expliqué :

« Nous les gardons tels quels pour les montrer aux enfants et leur dire : Voici ce que sont les Anglais. »

Il avait dit ces derniers mots d'une voix métallique et elle entendait à présent son écho enfantin dans celle de Jemmy. Pour la première fois, elle se demanda si préserver cette tradition familiale était raisonnable.

Quand les voix des enfants s'éloignèrent vers la cuisine, elle demanda à Roger :

— C'est toi qui lui en as parlé ? Parce que moi je ne lui ai rien dit.

— Annie lui a raconté une partie de l'histoire. J'ai jugé préférable de lui expliquer le reste. Aurais-je dû lui dire de t'en parler à toi ?

— Oh ! Non, non. Mais… on ne devrait sans doute pas lui apprendre à haïr les Anglais, tu ne crois pas ?

Cela fit sourire Roger.

— « Haïr » est un bien grand mot. Il a dit les « méchants Anglais ». Or, il y a effectivement eu des « méchants » parmi eux dans le passé. En outre, s'il grandit dans les Highlands, il en entendra d'autres et des bien pires sur les *Sassenachs*. Grâce à ses souvenirs de ta mère, il saura faire la part des choses. Ton père l'appelle toujours « *Sassenach* », après tout.

Il baissa les yeux vers la lettre sur la table puis lança un regard vers la pendule et se leva brusquement.

— Mince, je suis en retard. Je ferai un saut à la banque pendant que je suis en ville. Tu as besoin de quelque chose chez Farm and Household ?

— Oui, répondit-elle d'un ton pince-sans-rire. Une nouvelle pompe pour le séparateur de lait.

— D'accord.

Il déposa un baiser sur son front et sortit tout en enfilant sa veste.

Elle voulut le rappeler pour lui dire qu'elle plaisantait, se ravisa. Après tout, il était possible que Farm and Household ait une pompe pour séparateur de lait. Cet immense magasin à l'entrée d'Inverness était un étourdissant capharnaüm où l'on trouvait tout ce dont on pouvait avoir besoin dans une ferme : fourches, seaux d'incendie en caoutchouc, fil de fer de cerclage, machines à laver, vaisselle, bocaux pour les conserves et de nombreux outils étranges dont elle ne pouvait que deviner l'usage.

Elle passa la tête dans le couloir mais les enfants étaient dans la cuisine avec Annie MacDonald, la jeune aide ménagère. De l'autre côté de la porte tapissée de feutre, elle entendit des rires et le « *clong !* » du grille-pain archaïque (ils en avaient hérité avec la maison), sentit l'odeur alléchante du pain chaud beurré. Le bruit et les effluves évocateurs de chaleur douillette et domestique l'attirèrent comme un aimant.

Avant de les rejoindre, elle replia la lettre, les lèvres pincées au souvenir de la dernière remarque de Roger.

Marmonnant entre ses dents, elle rangea la lettre dans le coffret et sortit dans le couloir. En chemin, elle aperçut une grande enveloppe sur la console près de la porte d'entrée, parmi le fouillis que Roger et Jemmy vidaient de leurs poches chaque jour. Elle la dégagea de sous une pile de prospectus, de galets, de bouts de crayons, de maillons de chaîne de vélo et… était-ce une souris morte ? En effet. Elle était aplatie et desséchée mais ornée d'une fine queue rose formant une boucle raide. Elle la saisit délicatement du bout des doigts et, l'enveloppe coincée sous le bras, se dirigea vers son thé et son pain beurré.

En toute sincérité, Roger n'était pas le seul à avoir ses petits secrets. La différence, c'était qu'elle comptait bien lui divulguer le sien une fois l'affaire réglée.

8

Le dégel de printemps

Fraser's Ridge, colonie de Caroline du Nord, mars 1777

L'un des avantages d'un incendie dévastateur, c'est qu'il est plus facile ensuite de faire ses bagages. Il ne me restait plus qu'une robe, une chemise, trois jupons – un en laine et deux en mousseline –, deux paires de bas (j'en portais une au moment des faits et l'autre avait été oubliée à sécher sur un buisson quelques jours avant l'incendie et retrouvée plus tard, abîmée mais encore mettable), un châle et une paire de chaussures. Jamie m'avait dégotté une cape immonde (j'ignorais où et je préférais ne pas le savoir). Confectionnée dans une épaisse laine lépreuse, elle sentait le cadavre. Je l'avais fait bouillir avec de la lessive mais le spectre de son ancien propriétaire refusait de partir.

En tout cas, je ne gèlerais pas.

Mon nécessaire médical était presque aussi sommaire. Avec un soupir de regret en songeant à mon beau coffre d'apothicaire, avec ses instruments élégants et ses nombreux flacons, je triai les quelques vestiges récupérés dans les ruines de mon infirmerie. Le corps cabossé de mon microscope ; trois flacons en céramique, dont un ayant perdu son couvercle et un autre ébréché ; une grande boîte en étain contenant de la graisse d'oie mélangée à du camphre, à présent à moitié vide après un hiver de catarrhes et de toux ; une poignée de pages noircies arrachées au cahier commencé par Daniel Rawlings et poursuivi par moi-même (quoique retrouver parmi ces quelques pages la recette spéciale du docteur Rawlings pour déboucher les intestins me mit du baume au cœur).

C'était la seule de ses recettes que j'avais trouvée efficace et, même si j'avais mémorisé depuis longtemps sa formule, l'avoir sous la main me le rendait vivant. Je n'avais jamais rencontré Daniel Rawlings mais il était devenu mon ami depuis le jour où Jamie m'avait apporté son coffre et son cahier de remèdes. Je repliai soigneusement les pages et les rangeai dans ma poche.

La plupart de mes herbes et de mes drogues médicinales avaient été dévorées par les flammes en même temps que mes jarres en terre cuite, mes flacons en verre, les grands pots dans lesquels je préparais mes bouillons de culture pour la pénicilline et mes scies chirurgicales. Il me restait un scalpel et la lame noircie d'une petite scie à amputation. Le manche avait brûlé mais Jamie pourrait m'en confectionner un autre.

Les habitants de Fraser's Ridge avaient été généreux – aussi généreux que pouvaient l'être à la fin de l'hiver des gens qui, eux-mêmes, ne possédaient pratiquement rien. Nous avions des provisions pour le voyage et bon nombre de femmes m'avaient apporté un peu de leurs simples : j'avais de petits bocaux de lavande, de romarin, de camphre et de graines de moutarde ; deux précieuses aiguilles en acier ; un écheveau de soie pour les sutures et le fil dentaire (je taisais ce dernier usage car elles auraient pu en être offensées) et une très maigre réserve de bandages et de gaze.

Ce que j'avais en abondance, en revanche, c'était de l'alcool. Le séchoir à maïs avait été épargné par l'incendie, ainsi que l'alambic. Comme il y avait largement assez de céréales pour les animaux et nous, Jamie avait transformé l'excédent en une mixture puissante que nous emporterions afin de l'échanger ici et là contre des denrées utiles. Un tonnelet avait été mis de côté à des fins médicinales. Afin de décourager les voleurs éventuels, j'avais soigneusement peint dessus « *sauerkraut* ».

Cela avait amusé Jamie qui m'avait demandé :

— Et si nous tombons sur des bandits analphabètes ?

— J'y ai pensé.

Je lui montrai une petite fiole remplie d'un liquide trouble.

— « Eau de choucroute ». J'en aspergerai mon fût dès que s'approchera quelqu'un de louche.

— Il ne reste plus qu'à espérer que nous ne croiserons pas de voleurs teutons !

— Tu as déjà rencontré un brigand allemand ?

A l'exception du soûlard ou du mari violent occasionnel, pratiquement tous les Allemands de notre connaissance étaient honnêtes, travailleurs et vertueux à l'excès. Ce qui n'était pas si surprenant, dans la mesure où la plupart étaient venus dans la colonie pour des raisons religieuses.

— Non, admit-il, mais as-tu oublié les Mueller ? Et ce qu'ils ont fait à tes amis ? Eux-mêmes ne se qualifieraient pas de « brigands » mais les Tuscarora ont sans doute une autre opinion sur la question.

Il avait raison. Je sentis des doigts froids me caresser la nuque. La fille des Mueller, des voisins allemands, avait été emportée par la rougeole ainsi que son nouveau-né et sa famille avait accusé les Indiens du coin d'être responsables de l'infection. Fou de chagrin, le vieil Herr Mueller avait monté une expédition punitive avec ses fils et ses gendres et était parti à la chasse… aux scalps. Mes viscères se souvenaient encore du choc éprouvé lorsque j'avais ouvert le ballot sur mes genoux et découvert la chevelure striée de blanc de mon amie Nayawenne.

— Tu trouves que j'ai blanchi ? demandai-je soudain.

Il haussa un sourcil surpris puis se pencha vers moi et examina le sommet de mon crâne en écartant doucement mes mèches.

— Il y a peut-être un cheveu sur cinquante qui est devenu blanc. Un sur vingt-cinq est argenté. Pourquoi ?

— Je suppose qu'il me reste un peu de temps alors. Nayawenne…

Je n'avais pas prononcé son nom à voix haute depuis plusieurs années et j'en ressentis un étrange réconfort, comme si l'évoquer l'avait fait se dresser devant moi.

— … Elle m'a dit que je serais au sommet de mes pouvoirs quand mes cheveux seraient blancs.

— Que Dieu nous protège ! dit-il avec un sourire.

— Je ne te le fais pas dire. Néanmoins, dans la mesure où ce n'est pas encore le cas, si nous tombons en chemin sur une bande de voleurs de choucroute, je devrai défendre mon tonnelet à coups de scalpel.

Il m'adressa un regard étrange, puis se mit à rire.

Ses préparatifs étaient un peu plus complexes. La nuit qui avait suivi les funérailles de Mme Bug, Petit Ian et lui avaient commencé à extirper l'or de sa cachette sous les fondations de la maison, une opération délicate à laquelle j'avais participé en plaçant dehors une grande bassine de pain rassis trempé dans de l'alcool de maïs et en hurlant à pleins poumons : « La truuuiiiiiiiiie ! » depuis l'autre bout du sentier menant au potager.

Après un long silence, la truie émergea de sa tanière, tache claire se détachant contre les pierres noires des décombres. J'avais beau savoir ce que c'était, la vue de cette masse blanche se déplaçant rapidement me flanqua une peur bleue. Il s'était remis à neiger, une des raisons qui avaient convaincu Jamie d'agir au plus tôt. Elle surgit d'un tourbillon de gros flocons blancs avec une vélocité qui la faisait paraître tel l'esprit de la tempête en personne, conduisant le vent.

L'espace d'un instant, je crus qu'elle allait fondre sur moi ; elle tourna la tête dans ma direction et grogna en percevant mon odeur ; fort heureusement, les effluves de nourriture étaient plus alléchants et elle changea de cap. Quelques instants plus tard, les bruits peu ragoûtants d'un porc proche de l'extase s'élevèrent dans la nuit, et Jamie et Ian sortirent du couvert des arbres pour se mettre au travail.

Il leur fallut plus de deux semaines pour déplacer tout l'or ; ils ne travaillaient que de nuit et uniquement s'il neigeait ou s'apprêtait à neiger afin de masquer leurs traces. Le reste du temps, ils se relayaient pour garder les ruines de la Grande Maison, à l'affût du moindre signe d'Arch Bug.

Un petit matin, alors qu'il se frottait les mains pour les réchauffer suffisamment de façon à pouvoir tenir sa cuillère, je demandai à Jamie :

— Tu crois vraiment qu'Arch se soucie encore de l'or ?

Il était rentré prendre son petit déjeuner, glacé et épuisé après une longue nuit passée à marcher autour des décombres afin de ne pas être engourdi par le froid. Il me répondit à voix basse pour ne pas réveiller les Higgins :

— Il n'a plus grand-chose d'autre à quoi penser, n'est-ce pas ? A part Ian.

Je frissonnai, autant à la pensée du vieil Arch hantant la forêt tel un spectre, survivant grâce à la chaleur de sa haine, qu'en raison du froid entré dans la cabane en même temps que Jamie. Comme tous les hommes vivant dans les montagnes en hiver, il avait laissé pousser sa barbe pour se tenir chaud. Des cristaux de glace scintillaient dans ses moustaches et ses sourcils.

Je lui tendis un bol de porridge qu'il huma profondément, inhalant la vapeur, les yeux fermés et l'air béat.

— Veux-tu me passer la bouteille de whisky, s'il te plaît ? demanda-t-il.

— Quoi, tu vas en mettre dans ton porridge ? Il est déjà beurré et salé.

Je la descendis néanmoins de son étagère et la lui tendis.

— Non, c'est pour me dégeler le gosier avant de manger. Je ne suis qu'un bloc de glace du cou jusqu'aux orteils.

Depuis son apparition lors du double enterrement, plus personne n'avait vu Arch Bug, ni même aperçu une de ses traces dans la neige. Peut-être s'était-il calfeutré dans une tanière pour l'hiver ; à moins qu'il ne se soit réfugié dans un des villages indiens. Ce n'était guère charitable de ma part mais j'espérais plutôt qu'il était mort.

Je m'en ouvris à Jamie. La glace dans ses cheveux avait fondu et la lueur du feu faisait chatoyer les gouttelettes d'eau dans sa barbe comme autant de diamants. Il ne partageait pas mon avis.

— S'il est mort sans qu'on le sache jamais, Ian ne connaîtra plus un instant de paix. Tu l'imagines le jour de son mariage, lançant des regards par-dessus son épaule en craignant qu'une balle transperce le cœur de sa femme alors qu'elle prononce ses vœux ? Ou avec des enfants, n'osant pas sortir de chez lui ni les quitter des yeux, par peur de ce que le vieux pourrait leur faire ?

— Je suis impressionnée par l'étendue et la morbidité de ton imagination mais tu as raison. Soit, je ne souhaite pas sa mort, sauf si on retrouve son cadavre.

Mais nul ne trouva son corps et l'or fut déplacé, lingot par lingot, dans sa nouvelle cachette.

Le choix de cette dernière avait nécessité une longue réflexion et un nombre considérable de discussions en privé entre Jamie et Ian. Pas la grotte à whisky. Peu de gens connaissaient son existence mais certains, si. Joseph Wemyss, sa fille Lizzie et ses deux maris (je m'étonnais moi-même d'en être arrivée à penser à Lizzie et aux Beardsley comme si c'était la chose la plus naturelle du monde), étaient tous nécessairement au courant. Il faudrait la montrer à Bobby et Amy Higgins avant notre départ car ils seraient chargés de fabriquer le whisky en notre absence. Arch Bug n'avait pas été informé de son emplacement mais le connaissait sûrement.

Jamie était catégorique : personne ne devait savoir qu'il y avait de l'or à Fraser's Ridge.

— Si jamais la rumeur se propage, tout le monde ici sera en danger, avait-il déclaré. Tu te souviens de ce qui s'est passé quand ce Donner a raconté que nous possédions des pierres précieuses…

Je ne risquais pas de l'oublier. Je me réveillais encore au beau milieu de la nuit en croyant avoir entendu le rugissement étouffé des vapeurs d'éther s'embrasant, des bris de verre et un fracas de planches arrachées tandis que les vandales saccageaient notre maison.

Dans certains cauchemars, je courais impuissante dans tous les sens, tentant de sauver quelqu'un – qui ? –, mais je ne me heurtais qu'à des portes verrouillées, des murs nus ou des pièces transformées en brasiers. Dans d'autres, j'étais paralysée, incapable de bouger un muscle tandis que les flammes léchaient les murs, dévoraient avec voracité les vêtements de cadavres amoncelés autour de moi, mettaient le feu à une chevelure, se propageaient à mes jupes et s'enroulaient autour de mes jambes en volutes ardentes.

Je ressentais encore une profonde tristesse ainsi qu'une rage puissante et salutaire chaque fois que j'apercevais les vestiges noirâtres de ce qui avait été ma maison ; pourtant, après chacun de ces rêves, j'éprouvais le besoin de faire le tour des décombres et de sentir l'odeur fétide de cendres froides afin d'étouffer les flammes qui brûlaient derrière mes yeux.

— Bien ! dis-je. Alors... ? Où ?

Jamie et moi nous tenions près de la laiterie, contemplant les ruines tout en discutant. Je resserrai mon châle autour de mes épaules car la fraîcheur de l'air pénétrait jusque dans mes os.

— Dans la grotte de l'Espagnol, répondit-il.

— La quoi ?

Il me sourit.

— Je te la montrerai, *a nighean*, dès que la neige aura fondu.

Le printemps était arrivé et le débit du ruisseau ne cessait de grossir. Gonflé par la fonte des neiges et alimenté par des centaines de cascatelles qui se déversaient et rebondissaient sur les versants montagneux, il grondait joyeusement à mes pieds en projetant des éclaboussures. Je sentais les gouttelettes froides sur mon visage ; peu importait car je serais bientôt trempée jusqu'aux genoux. Les berges étaient parsemées de sagittaires et de pontédéries à feuilles en cœur. Arrachées par l'eau montante, certaines plantes étaient emportées en tourbillonnant ; d'autres s'accrochaient désespérément au sol de toutes leurs racines, leurs feuilles ondulant dans le courant. De petits tapis de cresson oscillaient sous l'eau près des berges. Or, les plantes vertes comestibles étaient justement ce que je cherchais.

Mon panier était déjà à moitié rempli de crosses de fougère et de pousses de poireau sauvage. Un bon gros bouquet de jeune cresson tendre et croquant à souhait achèverait de corriger notre carence en vitamine C due au long hiver. Je retirai mes chaussures et mes bas. Après un moment d'hésitation, j'ôtai également mon châle et ma robe et je les suspendis à une branche. Il faisait frais à l'ombre des bouleaux argentés qui bordaient le ruisseau et je frissonnai légèrement. M'armant de courage, je remontai ma chemise et pénétrai dans l'eau.

Ce froid-là était plus difficile à ignorer. Je retins un cri en sentant sa morsure et faillis en lâcher mon panier. Je manquai de glisser sur les pierres, retrouvai mon équilibre puis avançai vers la plus proche tache d'un vert sombre alléchant. Quelques secondes plus tard, les jambes engourdies, j'avais perdu toute sensation de froid dans l'enthousiasme de la cueillette et mon envie de salade.

Une bonne partie de nos réserves de nourriture avaient échappé au feu, étant conservées dans les dépendances : la laiterie, le séchoir à maïs et le fumoir. En revanche, la cave à tubercules avait été détruite et, avec elle, outre les carottes, les oignons, l'ail et les pommes de terre, mon stock soigneusement constitué de pommes séchées et d'ignames sauvages ainsi que les grosses grappes de raisin. Bref, tout ce qui devait nous protéger du scorbut. Naturellement, mes herbes étaient parties en fumée avec mon infirmerie. Une grande quantité de potirons et de courges, entreposés dans la grange, avait survécu mais, au bout de quelques mois, on se lasse des tartes au potiron et des *succotash*... à vrai dire, pour ma part, au bout de quelques jours.

En plus de sa personnalité chaleureuse, je regrettais les talents culinaires de Mme Bug. Amy McCallum avait grandi dans une ferme des Highlands et était, selon ses propres termes, « une bonne cuisinière de base », ce qui signifiait qu'elle pouvait faire cuire des petits pains, préparer le porridge et frire du poisson simultanément sans rien brûler. Ce n'était pas une mince prouesse mais, question régime, un peu rébarbatif.

Ma spécialité à moi était le ragoût qui, en l'absence d'oignons, d'ail, de carottes et de pommes de terre, avait évolué en une sorte de fricassée à base de gibier ou de dinde mijoté avec du maïs concassé, de l'orge et, parfois, des morceaux de pain rassis. Etonnamment, Ian s'était révélé un assez bon cuisinier : le *succotash* et la tarte au potiron étaient ses contributions au menu communautaire. Je me demandais où il avait appris à les préparer mais estimais plus sage de ne pas le lui demander.

Jusque-là, personne n'était mort de faim ni n'avait perdu ses dents mais, la mi-mars venue, j'aurais été prête à m'enfoncer jusqu'au cou dans des torrents glacés pour cueillir quelque chose de vert et de comestible.

Fort heureusement, Ian avait continué à respirer. Après avoir vécu dans l'hébétude pendant une semaine environ, il avait fini par retrouver un comportement plus ou moins normal. Cependant, je surprenais parfois Jamie en train de l'épier et Rollo s'était mis à dormir la tête sur la poitrine de son maître. J'ignorais si cette nouvelle habitude venait de ce qu'il percevait la douleur dans le cœur de Ian où si c'était simplement par réaction à l'espace exigu dans lequel nous dormions.

Je m'étirai le dos et sentis mes vertèbres craquer. A présent que la neige fondait, j'avais hâte de partir. Fraser's Ridge et ses habitants me manqueraient... enfin, presque tous. Peut-être pas Hiram Crombie. Ni les Chisholm ni... J'interrompis ma liste avant qu'elle ne devienne embarrassante.

— D'un autre côté, pense aux lits ! m'admonestai-je.

Certes, nous passerions bon nombre de nuits sur la route, dormant à la belle étoile, mais nous finirions par rejoindre la civilisation. Des auberges. Avec des plats chauds ! Et des lits ! Je fermai les yeux, imaginant le bonheur d'un vrai matelas. Je n'aspirais même pas à un matelas en plumes ; tout ce qui constituerait plus de deux centimètres de rembourrage entre moi et le sol serait le paradis. Et, naturellement, si cela s'accompagnait d'un minimum d'intimité, ce serait encore mieux.

Jamie et moi n'avions pas été totalement chastes depuis le mois de décembre. Au-delà du désir, nous avions besoin du réconfort et de la chaleur du corps de l'autre. Toutefois, s'ébattre sous une courtepointe sous l'œil fixe de Rollo à quelques mètres n'était pas l'idéal, même en supposant que Ian dormait réellement. J'en doutais mais il avait la délicatesse de faire semblant.

Un cri atroce fendit l'air et je sursautai, lâchant mon panier. Je le rattrapai de justesse par l'anse avant qu'il ne soit emporté par le courant et me redressai, dégoulinante et tremblante, attendant le cœur battant au cas où le cri se reproduirait.

Ce fut le cas, suivi presque aussitôt d'un autre cri perçant mais d'un timbre plus grave. Mes oreilles bien entraînées reconnurent aussitôt le son émis par un Ecossais des Highlands subitement immergé dans l'eau glacée. Des glapissements plus aigus, accompagnés d'un juron proféré avec un fort accent du Dorset, m'indiquèrent que les messieurs de la maison prenaient leur bain printanier.

J'essorai le bas de ma chemise, décrochai mon châle de sa branche, enfilai mes chaussures et me dirigeai vers le raffut.

Il existe peu de choses plus agréables que d'être confortablement assise au sec à observer d'autres êtres humains s'ébattre dans l'eau froide. Si les humains en question vous offrent un panorama du corps masculin dans toute sa splendeur, le plaisir n'en est que décuplé. Je me frayai un chemin dans un taillis de saules bourgeonnants, me trouvai un rocher au soleil suffisamment caché derrière un écran de verdure et étalai les pans mouillés de ma chemise, goûtant la chaleur sur mes épaules, l'odeur âcre des chatons dans les arbres et le spectacle qui s'offrait à moi.

Jamie se tenait dans l'étang, de l'eau jusqu'aux épaules, ses cheveux lissés en arrière tel un phoque brun-roux. Bobby, sur la berge, souleva Aidan de terre et l'envoya virevolter au-dessus de l'eau, le faisant pousser des cris extatiques de terreur.

— Moi, moi, moi !

Orrie sautillait autour de son beau-père, ses petites fesses rondes rebondissant entre les roseaux comme deux ballons roses.

Bobby se mit à rire et le souleva à son tour. Il le tint quelques instants à bout de bras au-dessus de sa tête en le faisant hurler comme un goret avant de le lancer en un arc bas.

Il atterrit dans un plouf retentissant et Jamie s'empressa de le repêcher. Il émergea avec une telle expression de stupeur que tous s'esclaffèrent comme une bande de gibbons.

De l'autre côté de l'étang, j'aperçus Ian dévaler nu la petite pente puis plonger tel un saumon en poussant un de ses meilleurs cris de guerre iroquois. Il s'enfonça dans l'eau glacée sans projeter la moindre éclaboussure.

Il y eut un silence et j'attendis – comme les autres – de le voir réapparaître. Rien… Jamie lançait des regards soupçonneux autour de lui, se préparant à une attaque surprise. Quelques instants plus tard, Ian surgit juste devant Bobby avec un cri terrible, l'attrapa par la cheville et le tira dans l'étang.

Il s'ensuivit une mêlée chaotique de corps enchevêtrés, de cris, de sifflements et de sauts depuis des rochers qui me donna tout loisir de méditer sur la beauté du corps masculin. Certes, j'avais déjà vu mon lot d'hommes nus au cours de ma vie mais, à l'exception de Frank et de Jamie, la plupart étaient malades ou blessés ou avaient été rencontrés dans des circonstances laissant peu de place à une appréciation de leurs meilleurs attributs.

Des rondeurs d'Orrie et des longs membres blancs d'Aidan au torse pâle et aux jolies petites fesses plates de Bobby, les McCallum-Higgins étaient aussi divertissants à regarder qu'une cage remplie de petits singes.

Ian et Jamie appartenaient à une autre espèce, des babouins peut-être, ou des mandrills. Ils ne se ressemblaient en rien si ce n'était par leur grande taille et, pourtant, ils étaient clairement coulés dans le même moule. En observant Jamie accroupi sur un rocher surplombant l'étang, cuisses bandées, s'apprêtant à plonger, je l'imaginai aisément sur le point de bondir sur un léopard. Quant à Ian, il étirait son corps ruisselant au soleil, réchauffant ses parties intimes tout en gardant un œil alerte au cas où des intrus apparaîtraient. Il ne leur manquait plus qu'un postérieur violet et ils auraient pu se promener dans le veldt africain sans paraître déplacés.

Ils étaient tous beaux, chacun à sa manière, mais c'était toujours vers Jamie que mon regard revenait, encore et encore. Il était buriné et couvert de cicatrices ; l'âge avait creusé les sillons entre ses muscles noueux. L'épaisse zébrure laissée par un coup de baïonnette remontait presque tout le long de sa cuisse, large et laide, tandis que la trace blême de la morsure d'un serpent à sonnette était presque invisible sous sa toison fournie. Celle-ci commençait à sécher et formait sur sa peau un nuage d'un rouge doré. L'entaille en demi-lune faite par un sabre en travers de sa cage thoracique avait bien cicatrisé, elle aussi. Il n'en restait qu'une fine ligne blanche à peine plus épaisse qu'un cheveu.

Il se retourna et se baissa pour saisir le savon posé sur une pierre. Je sentis mon cœur fondre. Son postérieur, bien que n'étant pas violacé, était en tout point parfait, haut, rond, délicatement saupoudré d'or rouge et bordé de chaque côté par une exquise concavité musculaire. Ses bourses, qu'on apercevait par-derrière, étaient, elles, violettes de froid, me donnant une forte envie de me glisser derrière lui et de les prendre dans mes mains chauffées sur le rocher.

Je me demandai si le bond géant qu'il ferait dans l'étang parviendrait à le vider de toute son eau.

En fait, je ne l'avais pas vu nu, ni même presque nu, depuis des mois.

Mais à présent... Je renversai la tête en arrière et fermai les yeux, laissant le soleil de printemps caresser mon visage, appréciant le chatouillis de mes cheveux fraîchement lavés contre mes omoplates. La neige avait fondu, le temps était doux et la nature tout entière me clignait de l'œil, m'indiquant d'innombrables endroits offrant un peu d'intimité... à condition de ne pas tomber sur un putois.

Je laissai les hommes s'égoutter et se dorer au soleil et retournai chercher mes vêtements. Je ne les enfilai pas tout de suite mais me dirigeai d'un pas leste vers la laiterie au bord de la source et plongeai mon panier dans l'eau fraîche. Si je le rapportais à la cabane, Amy s'empresserait de faire bouillir mes pousses vertes jusqu'à les réduire en bouillie. Je déposai ma robe, mon corset et mes bas enroulés sur une étagère à côté des fromages, puis retournai au ruisseau.

Les cris et les bruits d'éclaboussures avaient cessé. J'entendis quelqu'un chanter à voix basse un peu plus loin sur le sentier. C'était Bobby. Il portait Orrie, profondément endormi après toute cette excitation. Aidan, propre comme un sou neuf, marchait d'un pas tranquille à ses côtés, dodelinant de la tête au rythme de la chanson.

C'était une jolie berceuse gaélique. Amy avait dû la lui apprendre. Je me demandai si elle avait expliqué à Bobby le sens des paroles.

S'iomadh oidhche fhliuch is thioram
Sìde nan seachd sian
Gheibheadh Griogal dhomhsa creagan
Ris an gabhainn dìon.

(Combien de nuits, humides ou sèches,
Même par les pires intempéries,
Gregor m'a trouvé un petit rocher
Près duquel m'abriter.)

Obhan, òbhan òbhan ìri
Obhan ìri ò !
Obhan, òbhan òbhan ìri
'S mòr mo mhulad's mòr.

(Pauvre de moi, pauvre de moi, pauvre de moi
Que mon chagrin est grand.)

De les voir me fit sourire tout en me faisant un pincement au cœur. Je me souvenais de Jamie portant Jem après leur baignade l'été précédent, et de Roger chantant une berceuse à Mandy, sa voix râpeuse et brisée, à peine un murmure, mais toujours mélodieuse.

Je fis un signe à Bobby qui me répondit d'un hochement de tête et d'un sourire sans interrompre sa chanson. Il pointa le pouce par-dessus son épaule, m'indiquant la direction qu'avait prise Jamie. Il ne semblait pas surpris de me voir en chemise avec mon châle, pensant sans doute que, inspirée par cette journée inhabituellement chaude, j'allais me laver dans le ruisseau à mon tour.

Eudail mhòr a shluagh an domhain
Dhòirt iad d' fhuil an dè
'S chuir iad do cheann air stob daraich
Tacan beag bhod chrè.

(Toi le bien-aimé des peuples de la terre
Ils ont versé ton sang hier,
Puis planté ta tête sur un pieu en chêne
A une courte distance de ton corps.)

Obhan, òbhan òbhan ìri
Obhan ìri ò !

Òbhan, òbhan òbhan ìri
'S mòr mo mhulad's mòr.

(Pauvre de moi, pauvre de moi, pauvre de moi,
Que mon chagrin est grand.)

Je les saluai de la main et m'engageai dans le sentier qui grimpait à la haute clairière. Tout le monde l'appelait « la Nouvelle Maison » même si la seule indication qu'une bâtisse s'y dresserait peut-être un jour était une pile de troncs couchés et quelques pieux fichés en terre reliés par des ficelles. Ces derniers étaient censés marquer le périmètre et les pièces de notre future demeure que Jamie comptait construire pour remplacer celle qui avait brûlé… quand nous rentrerions.

Je remarquai qu'il avait déplacé des pieux. Le séjour sur le devant de la maison s'était encore agrandi et la pièce derrière, ma future infirmerie, avait développé une sorte d'excroissance. Peut-être une distillerie ?

L'architecte était assis sur un tronc, nu comme un ver, contemplant son royaume.

J'ôtai mon châle et le suspendis à une branche.

— Tu m'attendais ? demandai-je.

— Oui.

Il sourit et se gratta le torse.

— Je me suis dit que la vue de mes fesses nues te donnerait sans doute des envies. A moins que ce ne soit celles de Bobby ?

— Bobby n'en a pas. Sais-tu que tu n'as pas un seul poil gris des épaules aux orteils ? Comment est-ce possible ?

Il baissa les yeux pour s'inspecter. Effectivement, sa chevelure flamboyante n'était parsemée que de quelques filaments d'argent alors que sa barbe d'hiver – laborieusement et douloureusement taillée quelques jours plus tôt – était copieusement jonchée de blanc. En revanche, les poils sur son torse étaient toujours auburn foncé et sa toison plus bas une masse touffue d'un roux éclatant.

L'air songeur, il écarta des doigts cette végétation luxuriante.

— Je crois qu'elle se cache.

Il releva les yeux vers moi et arqua un sourcil.

— Tu ne voudrais pas m'aider à la retrouver ?

Sans me faire prier, je vins m'agenouiller devant lui. L'objet en question était en fait bien visible, quoique assez traumatisé par sa récente immersion dans l'eau glacée et d'une teinte bleu pâle fort intéressante.

Après quelques instants de contemplation, je déclarai :

— On m'a toujours dit que les grands chênes naissaient de glands minuscules.

La chaleur de ma bouche le fit frémir des pieds à la tête et je ne pus m'empêcher de prendre ses bourses dans le creux de mes mains.

— Doux Jésus, murmura-t-il.

Il posa doucement ses mains sur mon crâne en guise de bénédiction. Quelques instants plus tard, il demanda :

— Que viens-tu de dire ?

Je m'écartai un instant pour reprendre mon souffle.

— Je disais que je trouve la chair de poule assez érotique.

— Ça tombe bien ! Enlève ta chemise, *Sassenach.* Voilà presque quatre mois que je ne t'ai pas vue nue.

— Euh... oui, c'est vrai, hésitai-je. Mais je ne suis pas sûre d'avoir envie d'être vue.

— Et pourquoi pas ?

— Parce que ça fait des semaines que je vis enfermée, sans soleil ni activité physique. Je ressemble à une de ces larves qu'on trouve sous les pierres, grosse, blanche et visqueuse.

— Visqueuse ?

— Parfaitement, visqueuse, répétai-je en drapant dignement mes bras autour de mes seins.

Il pinça les lèvres et expira lentement, m'observant en penchant la tête d'un côté.

— Tu me plais quand tu es grosse mais je sais que ce n'est pas le cas parce que je sens tes côtes quand je te serre dans mes bras toutes les nuits depuis janvier. Quant au fait d'être blanche, tu l'as toujours été depuis que je te connais ; je ne serai donc pas choqué. En ce qui concerne ta viscosité...

Il tendit le bras et me fit signe d'approcher.

— ... c'est plutôt pour me plaire.

— Hmm... hésitai-je encore.

Il poussa un soupir.

— *Sassenach*, je viens de te dire que je ne t'avais pas vue nue depuis quatre mois. Par conséquent, si tu retires ta chemise, ce sera la plus belle chose que j'aie vue en quatre mois. Or, à mon âge, mes souvenirs ne vont pas au-delà.

Je me mis à rire puis, sans plus tergiverser, me relevai et dénouai le ruban qui retenait le col du vêtement. Avec force trémoussements, je laissai tomber ma chemise autour de mes pieds.

Il ferma les yeux et inspira profondément. Puis il les rouvrit.

— Je suis aveuglé, dit-il doucement en me tendant la main.

— Aveuglé comme par le reflet du soleil sur une vaste étendue de neige ? Ou comme un homme tombant nez à nez avec une gorgone ?

— Voir une gorgone ne t'aveugle pas mais te transforme en pierre, corrigea-t-il. Quoique, tout compte fait...

Il se toucha délicatement du bout de l'index.

— ... Je n'en suis pas loin. Alors, vas-tu te laisser faire, oui ou non ?

Je me laissai faire.

Je m'endormis dans la chaleur de son corps et me réveillai quelque temps plus tard confortablement enroulée dans son plaid. Je m'étirai, effrayant un écureuil au-dessus de moi. Il courut le long d'une branche pour mieux m'examiner. Ce qu'il vit ne lui plut guère car il se mit à rouspéter.

— Vas-tu te taire ? lui dis-je dans un bâillement.

Je me redressai, ce qui acheva de l'énerver. Il se mit à piailler de plus belle, au bord de la crise de nerfs.

Je ne lui prêtai plus attention. A ma surprise, Jamie avait disparu. Je crus d'abord qu'il était allé se soulager contre un arbre mais, en regardant autour de moi, je ne le vis nulle part. Je me relevai, serrant le plaid autour de moi.

Je n'avais rien entendu. Si quelqu'un était venu, je me serais sûrement réveillée ou Jamie m'aurait prévenue. Je tendis l'oreille mais, l'écureuil s'étant calmé, je ne perçus rien hormis les bruits d'une forêt s'éveillant au printemps : le murmure du vent à travers les jeunes feuilles, ponctué de temps à autre par le craquement d'une branche qui tombait ; l'entrechoc des pommes de pin de l'année précédente ; des bogues de châtaigne rebondissant sur le feuillage ; l'appel d'un geai au loin ; la conversation d'une bande de sittelles picorant dans les hautes herbes ; le bruissement d'un campagnol affamé courant sur les feuilles mortes de l'hiver.

Le geai appelait toujours ; un autre lui répondait à présent, poussant des cris aigus d'alarme. Jamie était peut-être dans cette direction.

J'enfilai ma chemise et mes chaussures. Le soir n'allait plus tarder à tomber. Nous avions... ou plutôt j'avais dormi longtemps. Il faisait toujours bon au soleil mais l'ombre sous les arbres était fraîche. Je drapai mon châle autour de mes épaules et roulai le plaid de Jamie en boule. Il en aurait sûrement besoin.

Je grimpai plus haut sur la colline, suivant les appels des geais. Il y en avait un couple nichant près de la Source blanche. Je les avais vus construire leur nid deux jours plus tôt.

Ce n'était pas loin de l'emplacement de la Nouvelle Maison, même si cette source donnait toujours l'impression d'être éloignée de tout. Elle se trouvait au centre d'un bosquet de frênes blancs et de sapins du Canada et était abritée à l'est par un affleurement de roches couvertes de lichen. L'eau sous toutes ses formes est toujours porteuse de vie. Une source de montagne véhicule une singulière impression de joie tranquille, jaillissant pure des entrailles de la terre. La Source blanche, qui devait son nom au gros rocher pâle dominant son bassin, dégageait quelque chose de plus, la sensation d'une paix que rien n'était jamais venu profaner.

Plus je m'en approchais, plus j'étais certaine d'y trouver Jamie. Il avait dit un jour à Brianna :

« Il y a là quelque chose qui écoute. On voit ce type de bassins dans les Highlands ; on les appelle des "mares aux saints". Les gens disent que des saints vivent près de l'eau et écoutent tes prières. »

Elle avait demandé, un brin cynique :

« Et quel saint vit au bord de la Source blanche, saint Killian ?

— Pourquoi lui ?

— Parce que c'est le saint patron des goutteux, des arthritiques et des badigeonneurs de chaux. »

Jamie avait ri avant de répondre plus sérieusement :

« Ce qui vit dans ses eaux est bien plus ancien que la notion de saint… et ça écoute. »

Je me dirigeai à pas lents vers la source. Les geais s'étaient tus.

Il était assis sur une pierre au bord de l'eau, vêtu de sa seule chemise. Je compris pourquoi les oiseaux s'étaient calmés. Il était aussi immobile que le grand rocher pâle, les yeux fermés, les mains posées sur les genoux, paumes vers le ciel, invitant la grâce.

Je m'arrêtai aussitôt. Je ne l'avais vu prier qu'une seule fois… quand il avait demandé de l'aide à Dougal MacKenzie avant une bataille. J'ignorais à qui il s'adressait à présent mais je ne tenais pas à interrompre cette conversation.

J'aurais sans doute dû m'éclipser et cependant, outre ma crainte de le déranger en faisant du bruit, je ne le souhaitais pas vraiment. Une grande partie de la source se trouvait dans l'ombre mais des faisceaux lumineux tombaient entre les arbres, caressant sa peau. L'air était chargé de pollen et des particules d'or dansaient dans la lumière. Elle se posait en reflets dorés sur le sommet de son crâne, sur la cambrure lisse et prononcée de son pied, sur l'arête de son nez, les méplats de son visage. Il aurait pu être né ici, en partie terre, pierre et eau ; il aurait pu être lui-même l'esprit de la source.

Je ne me sentais pas exclue. La paix du lieu m'envahit lentement, ralentissant les battements de mon cœur.

Que venait-il chercher ici ? Voulait-il s'imprégner de la paix de la montagne afin de s'en souvenir, qu'elle le soutienne durant les mois – les années peut-être ? – de notre prochain exil ?

Moi, je m'en souviendrais.

La lumière commença à baisser, son éclat pâlissant à vue d'œil. Il bougea enfin, relevant légèrement la tête. Je l'entendis dire doucement :

— Faites que je suffise.

Il rouvrit les yeux, se redressa lentement et longea le ruisseau, ses longs pieds nus s'enfonçant sans un bruit dans la couche de feuilles humides. Quand il arriva à hauteur de l'affleurement rocheux, il m'aperçut et me sourit. Il prit le plaid que je lui avais apporté sans un mot. Toujours en silence, il saisit ma main froide dans la sienne, grande et chaude, et nous prîmes le chemin de la maison, marchant côte à côte dans la paix de la montagne.

Il vint me chercher quelques jours plus tard alors que je fouillais les ruisseaux en quête de sangsues. Celles-ci commençaient juste à sortir de leur hibernation, assoiffées de sang. Elles étaient faciles à trouver : il suffisait de marcher lentement dans l'eau, près de la berge.

Les premiers temps, l'idée de servir d'appât à ces créatures était rebutante mais, après tout, c'était encore le moyen le plus simple de s'en procurer. Je demandais à Jamie, Ian, Bobby ou n'importe qui parmi la dizaine de jeunes hommes disponibles de patauger dans le courant puis je les leur retirais. Une fois que vous vous étiez habitué à voir les sangsues se gorger de votre sang, ce n'était pas si terrible.

Tout en glissant l'ongle de mon pouce sous la ventouse de l'une d'elles pour la déloger, j'expliquai en grimaçant :

— Il faut que je les laisse s'alimenter suffisamment pour qu'elles survivent, mais pas trop, autrement elles deviennent comateuses et ne me servent plus à rien.

— Je fais confiance à ton bon jugement, observa Jamie.

Je laissai tomber la sangsue dans un bocal plein d'eau et de lenticules.

— Quand tu auras fini de nourrir tes petites chéries, viens avec moi. Je voudrais te montrer la grotte de l'Espagnol.

Ce n'était pas la porte à côté. Elle se trouvait à plus de six kilomètres de Fraser's Ridge. Il fallait traverser de nombreux torrents boueux, grimper des pentes escarpées, se faufiler dans la brèche d'une paroi en granit qui me donna la sensation d'être emmurée vivante avant d'émerger de l'autre côté dans un chaos de rochers couverts de vignes sauvages.

Jamie écarta un rideau de feuilles et s'effaça pour me laisser passer :

— On l'a découverte, Jem et moi, un jour qu'on chassait par ici.

Les sarments rampaient sur les rochers, aussi épais qu'un bras d'homme et rendus noueux par l'âge. Le feuillage vert sombre du printemps ne les cachait pas encore complètement.

— C'était notre secret. Nous sommes convenus de n'en parler à personne, pas même à ses parents.

— Ni même à moi.

Je n'étais pas vexée. J'avais perçu la pointe de tristesse dans sa voix quand il avait évoqué son petit-fils.

L'entrée de la grotte n'était qu'un trou dans le sol. Jamie avait poussé dessus une grosse pierre plate. Il la dégagea non sans mal et je me penchai au-dessus de l'orifice. Mes entrailles se nouèrent en entendant le bruit de l'air se déplaçant doucement à travers la fissure. Toutefois, l'air en surface était chaud. La grotte inspirait, elle ne soufflait pas.

J'avais encore en mémoire l'angoissante grotte d'Abandawe qui avait semblé respirer autour de nous et il me fallut rassembler mon courage avant de suivre Jamie dans le trou. Une échelle en bois, rudimentaire mais récente, en remplaçait une autre beaucoup plus ancienne qui s'était désagrégée et dont il restait quelques échelons pourris pendant au bout de tiges de métal rouillé.

Il ne devait pas y avoir plus de trois à quatre mètres de profondeur mais le goulot était étroit et la descente me parut durer une éternité. Quand j'atteignis le fond, je constatai toutefois que la grotte s'évasait comme un ballon de chimie. Jamie était accroupi dans un coin. Je le vis sortir une fiole de sa poche et sentis une forte odeur de térébenthine.

Il avait apporté une torche en pin dont la tête enduite de goudron était enveloppée dans un chiffon. Il imbiba ce dernier de térébenthine puis ouvrit le briquet que Bree lui avait confectionné. Une pluie d'étincelles illumina ses traits concentrés. Il dut s'y reprendre à deux fois avant que la torche s'embrase. La flamme traversa le tissu inflammable et atteignit le goudron.

Il leva sa torche et me montra le sol derrière moi. Je me retournai et manquai hurler.

L'Espagnol était assis adossé à la paroi, ses jambes osseuses étirées devant lui, son crâne retombant en avant comme s'il s'était assoupi. Des touffes de cheveux roux étaient encore accrochées ici et là mais la peau avait entièrement disparu. Une bonne partie de ses mains et de ses pieds également, les petits os emportés par des rongeurs. Cependant, aucun gros animal n'avait pu l'atteindre et, si son torse et ses os longs portaient des traces de dents, ils étaient en grande partie intacts. Sa cage thoracique était visible à travers une étoffe si élimée et fanée qu'il était impossible de deviner sa couleur originelle.

C'était effectivement un Espagnol. Un casque en métal orné d'armoiries était posé à ses côtés, ainsi qu'un gorgerin et un couteau.

— Putain de bordel de merde ! murmurai-je.

Jamie se signa et s'agenouilla près du squelette.

— Je ne sais pas depuis combien de temps il est ici, dit-il à voix basse. Je n'ai rien trouvé d'autre autour de lui à part son armure et ça.

Il pointa l'index vers les gravillons juste devant le pelvis. En m'approchant, je distinguai un petit crucifix, probablement en argent à présent noirci, et, à quelques centimètres, une petite forme triangulaire, également noire.

— Un rosaire ? demandai-je.

Jamie acquiesça.

— Il devait le porter autour du cou. Il était sans doute en bois et en fil. Quand il s'est désintégré, les parties en métal sont tombées.

Il toucha délicatement le petit triangle.

— D'un côté, il porte l'inscription *Nr. Sra. Ang*, ce qui signifie sans doute *Nuestra Señora de los Angeles*, « Notre-Dame des Anges ». De l'autre, une représentation de la Vierge Marie.

Je me signai machinalement.

Après un moment de silence respectueux, je demandai :

— Jemmy n'a pas eu peur ?

— C'est moi qui ai eu une frousse bleue. Quand je suis descendu, il n'y avait aucune lumière et j'ai quasiment marché sur ce malheureux. J'ai cru qu'il était vivant et mon cœur a failli lâcher.

Il avait poussé un cri d'effroi et Jemmy, resté au bord de l'ouverture avec l'ordre strict de ne pas en bouger, s'était empressé de descendre à son tour. A mi-parcours, un échelon de l'échelle avait lâché et il avait atterri à pieds joints sur son grand-père.

— Heureusement, je l'ai entendu et j'ai levé les yeux juste à temps pour le voir dégringoler comme un boulet de canon. Il m'a percuté en pleine poitrine.

Il se massa le côté gauche du torse avec un petit sourire triste.

— Si je n'avais pas levé le nez à temps, il m'aurait brisé le cou et, seul, il n'aurait jamais réussi à sortir d'ici.

Et nous n'aurions jamais su ce qui vous était arrivé, pensai-je la gorge sèche. Pourtant, ce genre d'accident pouvait arriver n'importe quand… à n'importe qui.

— C'est un miracle que vous ne vous soyez rien cassé, l'un comme l'autre.

Je lui indiquai le squelette.

— Que crois-tu qu'il soit arrivé à ce monsieur ?

Ses proches ne l'avaient probablement jamais su.

— Je l'ignore, répondit Jamie. Il n'attendait pas un ennemi puisqu'il ne portait pas son armure.

— Tu ne penses pas qu'il est tombé et n'a pas pu remonter à la surface ?

Je m'assis sur mes talons et suivis du bout du doigt la ligne de son tibia gauche. L'os était desséché et fissuré ; une extrémité avait été rongée par de petites dents acérées. Je distinguai ce qui pouvait être une fracture incomplète ou tout aussi bien une craquelure occasionnée par le temps.

— Je ne crois pas, dit Jamie. Il était plus petit que moi mais la vieille échelle devait déjà exister quand il est mort, car si on l'a fabriquée plus tard, pourquoi aurait-on laissé cet homme au fond ? Et puis même avec une jambe cassée il aurait pu s'en sortir.

— Hmm… Il est peut-être mort d'une fièvre, ce qui expliquerait pourquoi il a ôté son casque et son gorgerin.

Pour ma part, je les aurais retirés à la première occasion ; enfermé dans sa coque de métal, il aurait été, selon la saison, bouilli vivant ou étouffé par le mildiou.

— Mmph.

Je relevai les yeux vers Jamie, son grognement traduisant une acceptation dubitative de mon raisonnement mais un désaccord avec ma conclusion.

— Tu crois qu'il a été tué ?

Il haussa les épaules.

— Il avait son armure mais aucune arme à part ce petit couteau. En outre, tu constateras qu'il était droitier mais que le couteau repose sur sa gauche.

Effectivement, les os du bras droit étaient nettement plus épais, même à la seule lueur de la torche. Etait-ce un guerrier ?

— J'ai rencontré bon nombre d'Espagnols aux Antilles, *Sassenach*. Tous étaient bardés d'épées, de lances et de pistolets. Si cet homme était mort d'une fièvre, ses compagnons auraient sans doute emporté ses armes, mais également son armure et le couteau. Pourquoi les abandonner ?

— Mais dans ce cas, s'il a été tué, pour quelle raison son meurtrier n'a-t-il pas emporté l'armure et le couteau ?

— L'armure, parce qu'il n'en voulait pas. Elle n'est utile qu'à un soldat. Le couteau… parce qu'il était planté dans sa chair ?

— C'est logique, convins-je. En laissant de côté la manière dont il est mort, qu'est-ce qu'il pouvait bien fabriquer dans les montagnes de Caroline du Nord ?

— Les Espagnols ont envoyé des explorateurs vers le nord jusqu'en Virginie il y a une soixantaine d'années environ. Mais ils ne sont pas allés plus loin, découragés par les marécages.

— Ça se comprend. Mais comment expliquer… *ceci* ?

Je me relevai, lui montrant la grotte et l'échelle. Il ne répondit pas mais me prit par le bras, leva sa torche et me fit pivoter vers la paroi faisant face à l'échelle. Haut au-dessus de ma tête, j'aperçus une autre brèche dans la roche, juste assez grande pour qu'un homme s'y glisse.

— Il y a une autre grotte plus petite de l'autre côté, m'expliqua-t-il. Jem est monté sur mes épaules pour regarder. Il m'a dit qu'il y avait des traces dans la poussière, des empreintes carrées, comme si de lourdes caisses y avaient été entreposées.

Voilà pourquoi, en quête d'une nouvelle cachette pour le trésor, il avait pensé à la grotte de l'Espagnol.

— Nous apporterons la dernière partie de l'or cette nuit, m'informa-t-il. Nous boucherons cette brèche là-haut avec des pierres puis nous laisserons le *señor* poursuivre son repos en paix.

Force m'était de reconnaître que cette cache en valait une autre. Si quelqu'un découvrait la grotte par hasard, la présence du soldat espagnol le dissuaderait de l'explorer plus en profondeur. Les Indiens comme les colons avaient une vive aversion pour les fantômes. Les Highlanders aussi d'ailleurs. Intriguée, je me tournai vers Jamie.

— Jem et toi... vous n'avez pas eu peur d'être hantés par l'Espagnol ?

— Non, nous avons récité la prière qu'il fallait pour le repos de son âme puis, après avoir refermé l'entrée de la grotte avec une pierre, j'ai répandu du sel tout autour.

Cela me fit sourire.

— Tu connais une prière adaptée à chaque circonstance, hein ?

Il esquissa un sourire avant de frotter le bout de sa torche sur le gravier humide pour l'éteindre. Un faible rayon de lumière tombant de l'ouverture illuminait le sommet de son crâne.

— Il y a toujours une prière appropriée, *a nighean*, même si ce n'est que *A Dhia, cuidich mi.*

« O mon Dieu, aide-moi ! »

9

Un couteau qui connaît ma main

L'Espagnol n'hérita pas de la garde de la totalité du trésor. Deux de mes jupons avaient une fausse doublure garnie de minuscules poches remplies d'éclats d'or et plusieurs grammes étaient cousus dans la couture de ma grande poche. Jamie et Ian en conservaient chacun une petite quantité dans leur *sporran*. En outre, ils portaient deux grandes gibernes à la ceinture. Nous nous étions retirés tous les trois dans la clairière de la Nouvelle Maison pour fabriquer les balles à l'abri des regards.

Jamie retourna le moule et fit tomber une balle de mousquet dans un pot de graisse et de suie. Elle luisait comme un coucher de soleil miniature.

— Au moment de charger ton arme, tu ne te tromperas pas de côté, n'est-ce pas, Ian ?

Ian lui lança un regard caustique.

— Pas à moins que tu n'aies pris ma giberne par erreur, mon oncle.

Il fabriquait des balles en plomb qu'il versait dans un creux tapissé de feuilles humides. En atterrissant, le métal brûlant sifflait et dégageait une volute de vapeur dans l'air frais du soir printanier.

Rollo, couché non loin, éternua quand un nuage de fumée passa près de sa truffe. Ian le regarda avec attendrissement.

— Ça te plaira de chasser le cerf rouge dans la lande, *a cù* ? Il te faudra rester à distance des moutons, autrement, ils risquent de te prendre pour un loup et de t'abattre.

Rollo soupira et ferma lentement les yeux, se rendormant.

— Tu as pensé à ce que tu diras à ta mère quand tu la verras ? demanda Jamie.

Il tendait la louche remplie de copeaux d'or au-dessus du feu, plissant des yeux pour se protéger de la fumée.

— J'essaie de ne pas trop y penser, répondit Ian avec franchise. J'éprouve un sentiment étrange chaque fois que je pense à Lallybroch.

Je lui demandai :

— Etrange d'une manière agréable ou désagréable ?

Ma tâche consistait à cueillir délicatement les balles en or trempant dans la graisse avec une cuillère en bois et à les déposer dans les gibernes.

Ian fronça les sourcils, le regard rivé sur sa louche où les petites gouttes de plomb se transformaient en une flaque bouillonnante.

— Un peu les deux, je crois. Brianna m'a parlé un jour d'un livre où il était écrit qu'une fois qu'on était parti de chez soi, on ne pouvait jamais revenir. C'est peut-être vrai, mais j'ai quand même envie d'essayer.

Toujours concentré, il versa le plomb fondu dans le moule.

Son expression mélancolique me fit détourner les yeux, pour croiser le regard de Jamie qui m'observait d'un air interrogateur et chargé de compassion. Je me détournai à nouveau et me redressai avec un gémissement en sentant mes genoux craquer.

— Tu sais, tout dépend de ce que tu appelles « chez soi ». Ce n'est pas toujours un lieu.

— Oui, c'est vrai.

Ian agita le moule un moment pour le refroidir avant de reprendre :

— Mais, même s'il s'agit d'une personne, on ne peut pas toujours revenir, n'est-ce pas ? Ou peut-être que si ?

Un soupçon de sourire apparut à la commissure de ses lèvres tandis que son regard allait de Jamie à moi.

Son oncle décida de ne pas relever cette allusion et déclara avec flegme :

— Je pense que tu retrouveras tes parents plus ou moins tels que tu les as laissés. Ce sont plutôt eux qui auront un choc en te voyant.

Ian sourit plus largement.

— C'est vrai que j'ai un peu grandi.

Je ne pus m'empêcher de rire. Quand il avait quitté l'Ecosse, à quinze ans, c'était un adolescent maigrelet et dégingandé. Depuis, il avait pris plus de cinq centimètres. Il était svelte et dur comme une bande de cuir séché, avec un teint généralement tout aussi tanné même si l'hiver l'avait décoloré, ce qui faisait encore davantage ressortir les demi-cercles tatoués en pointillé sur ses pommettes.

Je lui demandai :

— Tu te souviens de cette autre maxime que je t'ai apprise quand nous sommes venus à Lallybroch après que j'ai... eu retrouvé Jamie ? *Chez toi, c'est cet endroit où, quand tu dois y revenir, on ne peut que te reprendre.*

Ian arqua un sourcil, nous regardant Jamie et moi à tour de rôle, puis il hocha la tête.

— Je comprends que tu sois autant attaché à elle, mon oncle. Elle doit t'être d'un rare réconfort.

Sans quitter son travail des yeux, Jamie répondit :

— Que veux-tu, elle continue de me reprendre, alors je suppose que c'est elle, mon chez-moi.

Notre travail terminé, Ian et Rollo emportèrent les gibernes pleines à la cabane. Jamie étouffa le feu pendant que je rassemblais notre outillage. Il se faisait tard et l'air, déjà si frais qu'il picotait les poumons, avait acquis cette vivacité supplémentaire qui caressait également la peau, le souffle impétueux du printemps balayant la terre.

Je me tins un moment immobile, savourant cet instant. Bien que nous ayons travaillé à l'air libre, la fonte du métal m'avait donné chaud et la brise froide qui soulevait les cheveux de ma nuque était délicieuse.

— Tu n'aurais pas un penny, *a nighean* ?

Je me rendis compte que Jamie se tenait tout près de moi.

— Un quoi ?

— A vrai dire, n'importe quelle pièce de monnaie fera l'affaire.

— Je ne pense pas mais…

Je fouillai dans la grande poche attachée à ma ceinture qui, à ce stade de nos préparatifs, contenait un assortiment d'objets aussi improbables que le *sporran* de Jamie. Parmi des écheveaux de fil, des pochettes en papier contenant des graines et des herbes séchées, des aiguilles plantées dans des bouts de cuir, un petit bocal de sutures, une plume de pic-vert mouchetée de noir et de blanc, un morceau de craie blanche, un demi-biscuit (j'avais dû être interrompue pendant que je le mangeais), je finis par découvrir un demi-shilling crasseux, couvert de peluches et de miettes.

Je l'essuyai et le tendis à Jamie.

— Ça t'ira ?

— Parfait.

Il me tendit quelque chose en retour. Ma main se referma machinalement sur le manche d'un couteau et, prise de court, je faillis le lâcher.

— Quand on offre un couteau, on doit toujours demander une pièce de monnaie en échange, me dit-il. La lame connaît ainsi son propriétaire et ne se retournera pas contre lui.

— Son propriétaire ?

Le soleil effleurait la crête des montagnes mais il faisait encore très clair. J'examinai ma nouvelle acquisition. La lame était fine mais robuste, avec un seul tranchant parfaitement affûté qui lançait un éclat argenté. Le manche était en bois de cerf, lisse et chaud dans ma paume. Deux petites dépressions y avaient été sculptées qui épousaient parfaitement ma prise. C'était vraiment *mon* couteau.

— Merci, dis-je en l'admirant, mais…

— Je me sentirai plus tranquille en sachant que tu le portes sur toi. Oh, attends, il manque une chose… Rends-le-moi.

Perplexe, je le vis passer la lame sur le gras de son pouce. Du sang apparut le long de l'entaille. Il l'essuya sur ses culottes et suça son pouce tout en me rendant le couteau.

Il retira son doigt blessé de sa bouche le temps de m'expliquer :

— Il faut toujours baptiser une nouvelle lame, afin qu'elle connaisse son rôle.

Un frisson me parcourut. A quelques rares exceptions près, Jamie n'était pas du genre à se livrer à des actes purement romantiques. S'il me donnait un couteau, c'était parce qu'il pensait que j'en aurais besoin. Et non pas pour déterrer des racines ou écorcer des arbres.

Je caressai doucement le creux du manche qui épousait mon pouce.

— Il correspond exactement à ma main. Comment as-tu fait ?

Il se mit à rire et m'assura :

— Tu m'as tenu la queue suffisamment de fois pour que je connaisse la taille et la forme de ta main, *Sassenach.*

Je lui répondis par un bref grognement puis entaillai à mon tour mon pouce de la pointe de la lame. Elle était incroyablement tranchante. Je la sentis à peine mais une perle de sang grenat apparut aussitôt. Je glissai mon couteau sous ma ceinture, pris sa main et pressai mon pouce contre le sien, déclarant :

— Le sang de mon sang.

Moi non plus, je n'étais pas du genre romantique.

10

La poivrière

New York, août 1776

La nouvelle de la fuite des Américains fut beaucoup mieux accueillie que William ne l'aurait pensé. Exaltée à l'idée que l'ennemi était au pied du mur, l'armée de Howe se mit en marche avec une rapidité remarquable. La flotte de l'amiral se trouvait toujours dans la baie de Gravesend ; en une journée, des milliers d'hommes regagnèrent la plage et rembarquèrent pour la courte traversée jusqu'à Manhattan ; au coucher du soleil du second jour, des compagnies lancèrent l'assaut contre New York... pour découvrir les tranchées désertes et les fortifications abandonnées.

William était déçu, ayant espéré venger son humiliation dans un corps à corps direct. En revanche, le général Howe était aux anges. Il s'installa avec son état-major dans un grand hôtel particulier baptisé Beekman House et entreprit de consolider son emprise sur la colonie. On sentait une certaine irritation parmi les officiers supérieurs qui auraient voulu pourchasser les insurgés jusqu'au dernier (un avis partagé par William), mais Howe était convaincu que la défaite et l'usure dissémineraient les dernières forces de Washington et que l'hiver les achèverait.

Le lieutenant Anthony Fortnum balaya du regard l'étouffant grenier où les trois plus jeunes officiers de l'état-major étaient logés.

— En attendant, déclara-t-il, nous sommes une armée d'occupation. Ce qui signifie que nous avons droit aux plaisirs des lieux.

— Et quels seraient-ils ? demanda William qui cherchait vainement autour de lui un endroit où poser la vieille malle contenant la plupart de ses biens.

Fortnum prit un air inspiré.

— Eh bien, les femmes. Oui, les drôlesses, certainement. Il doit bien y avoir des bordels à New York.

Ralph Jocelyn fit une moue dubitative.

— Je n'en ai vu aucun quand on est entrés dans la ville. Et pourtant, j'ai bien regardé !

— Pas assez, rétorqua Fortnum. Je suis sûr qu'il y en a.

— Il y a de la bière, suggéra William. En arrivant, j'ai bu une bonne pinte dans une gargote convenable, la Fraunces Tavern, à côté de Water Street.

— Il doit y avoir un endroit plus près que ça, gémit Jocelyn. Vous ne me ferez pas marcher des kilomètres dans cette chaleur !

Beekman House jouissait d'un site agréable, avec un parc spacieux et de l'air pur, mais se trouvait à l'écart de la ville.

— Qui cherche trouve, mes frères, les assura Fortnum.

Il balança sa veste sur son épaule.

— Tu viens, Ellesmere ?

— Pas tout de suite, j'ai des lettres à écrire. Naturellement, si vous trouvez des bordels, je veux un rapport écrit en trois exemplaires !

Livré provisoirement à lui-même, il laissa tomber son sac sur le plancher et sortit la petite liasse de lettres que le capitaine Griswold lui avait remise.

Il y en avait cinq. Trois portaient le sceau en demi-lune de son père (lord John lui écrivait invariablement tous les quinze du mois, ainsi qu'en d'autres occasions). Une autre était de son oncle Hal. Il sourit en la voyant. Les missives de Hal étaient parfois déroutantes mais toujours amusantes. La dernière portait une écriture féminine qu'il ne reconnut pas, avec un cachet neutre.

Intrigué, il l'ouvrit en premier et découvrit deux feuilles noircies par sa cousine Dottie. Il haussa un sourcil surpris. Dottie ne lui avait encore jamais écrit.

Alors que, toujours debout, il parcourait la lettre, sa surprise ne fit qu'augmenter.

— Ça, par exemple ! lâcha-t-il à voix haute.

Fortnum, qui venait d'entrer pour chercher son chapeau, demanda :

— Quoi ? De mauvaises nouvelles de chez toi ?

— Pardon ? Ah, non, non. Juste… intéressantes.

Il relut la première page rapidement puis replia la lettre et la serra dans sa poche, à l'abri de la curiosité de Fortnum. Il prit celle d'oncle Hal. Son compagnon de chambrée écarquilla les yeux en apercevant le sceau orné d'armoiries ducales mais s'abstint de tout commentaire.

William toussota et brisa le cachet. Comme à l'accoutumée, le message ne comportait qu'une demi-page et n'incluait ni salutation ni conclusion. Oncle Hal considérait que, dans la mesure où il y avait une adresse sur l'enveloppe, son destinataire coulait de source ; le sceau indiquait clairement l'identité de l'expéditeur et il ne perdait pas son temps à écrire à des idiots.

Adam est stationné à New York sous le commandement de sir Henry Clinton. Minnie lui a confié un paquet odieusement encombrant pour toi. Dottie t'embrasse, ce qui prend moins de place.

John me dit que tu accomplis une mission pour le capitaine Richardson. Je le connais et pense que tu devrais t'en abstenir.

Transmets mes salutations au colonel Spencer et ne joue pas aux cartes avec lui.

Personne n'égalait oncle Hal dans l'art de livrer autant d'informations (souvent énigmatiques) en quelques lignes. William se demanda si le colonel Spencer était un tricheur, un excellent joueur ou tout bonnement un chanceux. Oncle Hal avait sûrement intentionnellement omis de le préciser sachant que, dans les deux derniers cas, son neveu serait tenté de se mesurer à lui. Même s'il était dangereux de battre à répétition un officier supérieur. Une ou deux fois, peut-être… Non, oncle Hal était lui-même un joueur hors pair et, s'il le mettait en garde, la prudence était de mise. Le colonel Spencer pouvait fort bien être un joueur honnête et quelconque mais qui finirait par se vexer – et se venger – s'il était battu trop souvent.

Oncle Hal est un vieux renard, pensa William non sans admiration.

Ce qui l'inquiétait, c'était le second paragraphe. *Je connais Richardson...* Dans ce cas précis, il comprenait pourquoi son oncle n'en disait pas plus. Le courrier pouvait être lu par n'importe qui et une lettre portant les armoiries du duc de Pardloe risquait d'attirer l'attention. Le cachet semblait intact mais, ayant vu son père faire sauter des sceaux avec une rare habileté à l'aide d'une lame chauffée, William ne se faisait aucune illusion.

Ce qui ne l'empêchait pas de se demander ce qu'oncle Hal savait sur le capitaine Richardson et pourquoi il lui conseillait de cesser d'enquêter pour lui. De toute évidence, papa lui avait raconté la nature de sa mission.

Mais, dans ce cas, oncle Hal devait avoir dit à papa ce qu'il savait sur Richardson et tout ce qui pouvait le discréditer.

William mit le message de son oncle de côté et ouvrit la première des lettres de son père. Non, rien sur Richardson... Dans la deuxième ? Rien non plus. Dans la dernière, il y avait bien une vague allusion à sa collecte d'informations mais exprimant uniquement une préoccupation pour sa sécurité avec une référence oblique à sa grande taille.

Un homme grand attire toujours l'attention dans un groupe, d'autant plus si son regard est direct et sa tenue soignée.

Cela fit sourire William. Au collège de Westminster où il avait fait ses études, les classes se tenaient dans une vaste salle où une toile tendue séparait les petits des grands mais où des garçons de tous les âges suivaient les cours ensemble. William avait rapidement appris quand – et comment – passer inaperçu ou se faire remarquer en fonction de son entourage immédiat.

Donc, oncle Hal savait des choses sur Richardson mais cela ne préoccupait pas papa. Naturellement, les choses en question n'étaient pas forcément indignes. Le duc de Pardloe n'avait peur de rien en ce qui le concernait mais tendait à être un peu trop protecteur envers les membres de sa famille. Peut-être considérait-il simplement Richardson trop imprudent. Papa, se fiant au bon sens de son fils, n'avait pas jugé utile d'en parler.

La chaleur dans le grenier était suffocante. La sueur dégoulinait sur le visage de William et trempait sa chemise. Fortnum était de nouveau sorti, laissant les pieds de son lit de camp perchés en équilibre précaire sur sa malle. Cela laissait toujours assez d'espace pour atteindre la porte, ce que fit William en deux enjambées. L'air à l'extérieur était chaud et humide mais au moins était-il en mouvement. Il coiffa son chapeau et se lança à la recherche de son cousin Adam. Le paquet « odieusement encombrant » de sa tante semblait prometteur.

Tandis qu'il se faufilait à travers un groupe de fermières en route vers la place du marché, il sentit le froissement du papier dans sa poche et songea à la sœur d'Adam.

Dottie t'embrasse, ce qui prend moins de place.

Oncle Hal avait beau être un vieux renard, il arrivait que le plus rusé des renards ne voie pas ce qui se passait juste sous son nez.

Le paquet « odieusement encombrant » remplit ses promesses : un livre, une bouteille d'excellent xérès, un bocal d'olives pour l'accompagner et trois paires de bas de soie.

— Elle m'inonde de bas, lui confia son cousin Adam quand William voulut partager son butin avec lui. Mère les achète en gros et m'en envoie chaque fois qu'elle peut mettre la main sur quelqu'un qui part pour les colonies. Estime-toi heureux qu'elle n'ait pas pensé à t'envoyer des caleçons. J'en reçois avec chaque malle diplomatique. Imagine un peu à quel point il est gênant d'expliquer ça à sir Henry… En revanche, je ne dirais pas non à un verre de ton xérès.

William ne savait pas trop si son cousin plaisantait au sujet des caleçons. Les traits sévères d'Adam lui étaient très utiles dans ses rapports avec les officiers supérieurs mais il possédait également ce don des Grey de proférer les insanités les plus scandaleuses en conservant un visage de marbre. William rit néanmoins et descendit demander deux verres en cuisine.

Un ami d'Adam apparut avec trois verres et prit un siège pour les aider à écluser le xérès. Un autre se matérialisa comme par enchantement (c'était un excellent xérès) et sortit une demi-bouteille de porto de sa malle en contribution aux festivités. Comme il était inévitable en ce genre de circonstances, amis et bouteilles se multiplièrent jusqu'à ce que la chambre d'Adam, qui certes était petite, soit pleine à craquer.

William, qui avait généreusement ouvert son bocal d'olives, porta un toast à la générosité de sa tante, sans omettre de mentionner les bas de soie. Il siffla son énième verre d'un trait puis le tendit à Adam pour qu'il le remplisse en ajoutant :

— Toutefois, je serais étonné que ce soit ta mère qui m'ait envoyé ce livre. Je me trompe ?

Adam pouffa de rire, un litre de punch ayant fait fondre sa gravité habituelle.

— Non. Ce n'est pas papa non plus. C'est ma propre contribution à l'avancée cutlurelle... Oups ! culutrelle... dans les colonies.

— Un service insigne à la sensibilité de l'homme civilisé, déclara sentencieusement William, pas peu fier de sa maîtrise de l'allitération en dépit de la boisson.

Plusieurs voix s'élevèrent à l'unisson :

— Quel livre ? Quel livre ? Montrez-nous ce fameux livre !

William se vit obligé d'exhiber le joyau de sa collection de présents : un exemplaire du célèbre ouvrage de M. Harris, *Une liste des dames de Covent Garden*, catalogue décrivant avec un grand luxe de détails les charmes, les spécialités, les tarifs et les disponibilités des meilleures putains de Londres.

L'ouvrage fut accueilli avec des cris d'extase et il s'ensuivit une brève mêlée pour s'en emparer. William le récupéra avant qu'il ne soit mis en pièces puis se laissa convaincre d'en lire quelques passages à voix haute, son interprétation théâtrale étant ponctuée par des hululements enthousiastes et un bombardement de noyaux d'olive.

C'est un fait avéré que la lecture à voix haute assèche le gosier et on fit monter d'autres rafraîchissements qui furent aussitôt consommés. Il n'aurait su dire qui le premier suggéra que l'assemblée se constitue en corps expéditionnaire afin de compiler une liste similaire pour New York mais la motion fut adoptée à l'unanimité et saluée avec des rasades de punch, toutes les bouteilles ayant déjà été éclusées.

C'est ainsi que William se retrouva errant dans un brouillard éthylique dans les rues étroites de New York dont l'obscurité n'était percée que par de petites chandelles placées ici et là derrière des fenêtres ou par les lanternes suspendues aux carrefours. Ni lui ni ses compagnons ne semblaient savoir où ils allaient mais ils avançaient néanmoins comme un seul homme, attirés par une subtile émanation.

— Comme des chiens derrière une chienne en chaleur, observa-t-il, songeur.

Une tape sur l'épaule accompagnée d'un éclat de rire lui fit comprendre qu'il avait parlé à voix haute. Néanmoins, il avait vu juste car ils débouchèrent bientôt dans une ruelle éclairée par deux ou trois lanternes. Drapées de mousseline rouge, elles projetaient une ombre sanglante sur des seuils dont les portes étaient entrouvertes, invitant le passant à entrer. Des cris de joie fusèrent dans le groupe et les « enquêteurs » s'avancèrent d'un pas assuré, avant de s'arrêter au milieu de la ruelle pour une brève discussion sur l'établissement qu'il convenait d'étudier en premier.

William se tint à l'écart du débat. L'air était lourd, humide, rendu fétide par les odeurs d'égouts et de bétail. En outre, il venait de se rendre compte qu'une des olives qu'il avait avalées était probablement avariée. Il transpirait abondamment et ses vêtements moites adhéraient à sa peau au point qu'il se demandait avec angoisse s'il parviendrait à baisser ses culottes à temps si son trouble intérieur migrait subitement vers le sud.

Il s'efforça de sourire et, d'un geste vague, indiqua à Adam qu'il allait un peu plus loin.

Il laissa donc derrière lui le groupe tapageur de jeunes officiers éméchés et, dépassant les lanternes rouges, chercha désespérément un coin retiré où vider ses tripes. Comme il ne trouvait rien, il finit par s'arrêter en titubant et vomir profusément sur un pas de porte. A sa grande horreur, celle-ci s'ouvrit et l'occupant des lieux, indigné, sans attendre des excuses, une explication ou une offre de compensation, sortit une espèce de gourdin de nulle part et le pourchassa en proférant un torrent d'insultes dans une langue qui semblait être de l'allemand.

William parvint à le semer, traversant des cours de porcherie, zigzaguant entre des cabanes de fortune et longeant des quais nauséabonds. Après avoir erré quelque temps pour retrouver son chemin, il finit par apercevoir son cousin arpentant la ruelle et tambourinant contre des portes en criant son nom à tue-tête.

— Ne frappe pas sur celle-là ! hurla-t-il juste à temps.

Adam se figea devant la porte de l'Allemand au gourdin et se tourna vers lui avec soulagement.

— Ah ! Te voilà ! Ça va, mon vieux ?

— Oui, très bien.

Il se sentait pâle et flageolant mais ses intestins s'étaient calmés et sa course poursuite avait eu l'effet salutaire de le dégriser.

— J'ai cru que tu avais été détroussé ou assassiné dans un recoin sombre. Je n'aurais jamais pu regarder lord John en face si j'avais dû lui annoncer que je t'avais conduit dans un traquenard.

Dans la ruelle, tous les jeunes hommes avaient disparu dans l'un ou l'autre des établissements. Aux bruits festifs et aux martèlements que l'on entendait de l'extérieur, il était clair qu'ils n'avaient rien perdu de leur entrain.

— Tu as trouvé chaussure à ton pied ? demanda Adam en pointant le menton dans la direction d'où William était venu.

— Euh... oui. Et toi ?

— Bah, elle n'aurait droit qu'à un tout petit paragraphe dans le bouquin de Harris mais ce n'était pas si mal pour un trou comme New York.

Sa cravate dénouée pendait mollement autour de son cou et, quand ils passèrent devant une fenêtre éclairée, William remarqua que son cousin avait perdu un des boutons en argent de sa veste. Adam ajouta :

— Je jurerais avoir aperçu une ou deux de ces putains dans le camp.

— Sir Henry t'a envoyé faire un recensement ? Ou tu passes tellement de temps avec les filles à soldats que tu les connais toutes par…

Il fut interrompu par des bruits provenant de l'une des maisons. Des cris… mais ce n'était plus le joyeux chahut qui résonnait un peu plus tôt. On entendait un homme vociférer et des hurlements féminins.

Les cousins échangèrent un regard puis s'élancèrent vers la source du raffut.

Celui-ci doubla de volume à mesure qu'ils approchaient. Lorsqu'ils arrivèrent à hauteur de la dernière maison, ils virent un groupe de soldats débraillés en jaillir, suivis par un lieutenant trapu auquel William avait été présenté dans la chambre d'Adam mais dont le nom ne lui revint pas. Il traînait par le bras une femme à moitié nue.

Le lieutenant avait perdu sa veste et sa perruque. Ses cheveux noirs étaient coupés ras et implantés bas sur son front ce qui, ajouté à sa corpulence, lui donnait un air de taureau sur le point de charger. De fait, il pivota et d'un coup d'épaule envoya la femme s'écraser contre le mur. Il était très soûl et proférait des insanités incohérentes.

— Une poivrière !

William ne vit pas celui qui avait parlé mais le mot fut repris dans des murmures excités et une humeur malsaine se propagea dans le groupe.

— Une poivrière ! C'est une poivrière !

Plusieurs femmes étaient apparues sur le seuil. On ne pouvait distinguer leurs traits mais elles étaient visiblement effrayées, se blottissant les unes contre les autres. L'une d'entre elles cria quelque chose et tendit un bras mais ses compagnes la retinrent et la tirèrent à l'intérieur. Le lieutenant brun ne la remarqua pas, trop occupé à rouer la femme de coups de poing dans le ventre et les seins.

— Hé, tout doux !

William s'apprêtait à intervenir mais plusieurs mains lui agrippèrent les bras et le retinrent.

— Poivrière ! scandaient les hommes, rythmant les coups du lieutenant.

Une poivrière était une putain vérolée, ce que la femme était effectivement. Lorsque le lieutenant interrompit ses coups et poussa la malheureuse dans le halo d'une lanterne, William aperçut son visage couvert de pustules.

— Rodham ! Rodham !

Adam criait le nom du lieutenant en essayant de l'approcher mais les autres formaient barrage et le repoussaient sans cesse tout en beuglant « poivrière » de plus en plus fort.

Les prostituées reculèrent précipitamment quand Rodham projeta sa victime sur le seuil. William se débattit et parvint à forcer le barrage mais, avant qu'il ait pu atteindre le lieutenant, celui-ci brisa la lanterne contre le mur et jeta l'huile brûlante sur la putain.

Il fit un pas en arrière, écarquillant des yeux incrédules, abasourdi par ce qu'il venait de faire. La femme s'était relevée d'un bond et décrivait des moulinets paniqués avec les bras tandis que les flammes embrasaient sa chevelure et sa chemise vaporeuse. En quelques secondes, elle se transforma en torche vivante, hurlant d'une voix mince et stridente qui s'éleva au-dessus de la cacophonie et résonna jusque dans le cerveau de William.

Les hommes battirent en retraite en la voyant chanceler vers eux, les bras tendus dans un vain appel à l'aide, à moins qu'elle n'ait voulu les immoler à leur tour. William resta cloué sur place, son corps tout entier tendu par le besoin d'agir, l'impossibilité de faire quoi que ce soit et un écrasant sentiment de catastrophe. Une douleur insistante au bras lui fit tourner la tête et il vit Adam à ses côtés, livide et ruisselant de transpiration, lui enfonçant les doigts dans les muscles de l'avant-bras.

— Partons ! chuchota Adam. Pour l'amour de Dieu, filons d'ici.

La porte du bordel s'était refermée dans un claquement. La femme en flammes se jeta contre elle, paumes pressées contre le bois. Une odeur de chair grillée avait envahi la ruelle et William sentit la bile lui remonter à nouveau dans la gorge.

— Allez crever en enfer ! Que vos sales bites vous pourrissent entre les jambes !

Le cri venait d'une fenêtre plus haut. Levant la tête, William vit une prostituée qui agitait le poing en direction des hommes. Il y eut des grognements et l'un des hommes lui répondit par une insulte ; un autre ramassa un pavé, le lança de toutes ses forces. Il heurta le mur sous la fenêtre et retomba sur un de ses compagnons, qui jura et poussa celui qui l'avait lancé.

La femme s'était affaissée le long de la porte, laissant une traînée noirâtre sur le bois. Une plainte sifflante s'échappait encore de sa gorge mais elle avait cessé de se débattre.

Soudain, William devint comme fou. Attrapant le lanceur de pavé par le col, il lui cogna la tête contre le mur. L'homme s'effondra, ses genoux ployant sous lui et resta assis contre le mur, groggy et gémissant.

— Foutez le camp ! hurla William. Tous ! Partez !

Serrant les poings, il se tourna vers le lieutenant brun qui, sa rage envolée, se tenait immobile, les yeux rivés sur la prostituée. Ses jupes avaient disparu ; ses jambes noires s'agitaient encore faiblement dans la pénombre.

William rejoignit Rodham en une enjambée et l'attrapa sans ménagement par le devant de sa chemise.

— Dégage ! grogna-t-il. Disparais ! Maintenant !

Le lieutenant cligna des yeux, déglutit puis, tournant les talons, s'éloigna dans le noir tel un automate.

Hors d'haleine, William se retourna vers les autres mais leur soif de violence s'était évaporée aussi rapidement qu'elle était apparue. Il y eut quelques coups d'œil piteux vers la femme maintenant immobile et des murmures incohérents. Tous évitaient de se croiser du regard.

William était vaguement conscient de la présence d'Adam à ses côtés, tremblant mais ferme sur ses jambes. Il posa une main sur l'épaule de son cousin et, tremblant lui aussi, fit front jusqu'à ce que les hommes commencent à s'éloigner. Celui qui s'était effondré se redressa avec difficulté puis courut les rejoindre d'un pas incertain, se cognant contre les façades jusqu'à disparaître dans les ténèbres.

Le silence retomba sur la ruelle. Le feu s'était éteint. Les lanternes rouges avaient disparu. William avait l'impression d'avoir pris racine et qu'il resterait à jamais planté dans ce lieu damné. Puis Adam bougea, sa main retomba et il découvrit que ses pieds pouvaient encore le porter.

Les deux cousins s'éloignèrent et marchèrent en silence dans les rues sombres. Lorsqu'ils atteignirent un poste de sentinelles, les soldats de garde, censés maintenir l'ordre dans la ville occupée, étaient réunis autour d'un feu, discutant tranquillement. Ils leur adressèrent à peine un regard et ne leur posèrent aucune question.

A la lueur des flammes, William vit des traces de larmes sur le visage d'Adam et se rendit compte que son cousin pleurait en silence.

Tout comme lui.

11

Délivrance

Fraser's Ridge, mars 1777

Le monde ruisselait. De nouveaux cours d'eau dévalaient la montagne ; les herbes et les feuilles croulaient sous la rosée et les galets fumaient au soleil du matin. Nos préparatifs étaient terminés, les cols étaient dégagés. Il ne restait plus qu'une dernière chose à faire avant de partir.

— C'est pour aujourd'hui, tu crois ? me demanda Jamie d'une voix chargée d'espoir.

Il n'était pas fait pour la contemplation passive. Une fois qu'une décision avait été prise, il avait besoin d'agir. Hélas, les bébés sont totalement indifférents à la commodité comme à l'impatience. Essayant de maîtriser ma nervosité, je répondis laconiquement :

— Peut-être. Ou peut-être pas.

— Je l'ai vue la semaine dernière, tante Claire, déclara Ian. Elle semblait sur le point d'exploser.

Il tendit à Rollo le dernier morceau de son muffin avant de préciser :

— Comme ces gros champignons tout ronds, vous savez ? Il suffit de les toucher et… *pouf* !

Jamie me regarda en fronçant les sourcils.

— Elle n'en attend qu'un, n'est-ce pas ?

— Je te l'ai déjà dit au moins six fois. Je l'espère ! Mais on ne peut jamais en être certain.

— Les jumeaux, c'est souvent de famille, observa Ian.

Jamie se signa.

Je m'efforçai de garder mon calme.

— Je n'ai entendu qu'un battement de cœur et cela fait des mois que j'écoute.

— Vous ne pouvez pas compter les bouts qui pointent ? demanda Ian. Si la « chose » a six pieds...

— C'est plus facile à dire qu'à faire.

Naturellement, je pouvais deviner l'aspect général de l'enfant ; il était relativement aisé de repérer une tête, ainsi que des fesses. Les bras et les jambes étaient plus problématiques. C'était ce qui me préoccupait.

Au cours du dernier mois, j'avais ausculté Lizzie une fois par semaine et, depuis une semaine, je montais tous les deux jours jusqu'à sa cabane qui était assez éloignée. Le bébé (et j'étais raisonnablement convaincue qu'il n'y en avait qu'un) semblait très gros. Le fond utérin me paraissait beaucoup plus haut qu'il ne l'aurait dû. En outre, même si les fœtus changeaient fréquemment de position au cours des semaines précédant l'accouchement, celui-ci se trouvait coincé transversalement depuis bien trop longtemps.

Sans hôpital, bloc opératoire ou anesthésie, mes possibilités de traiter un accouchement complexe étaient sérieusement limitées. En l'absence d'intervention chirurgicale, la sage-femme confrontée à une présentation transversale a quatre solutions : laisser mourir la mère après une longue et douloureuse agonie ; la laisser mourir après avoir pratiqué une césarienne sans anesthésie ou asepsie mais, peut-être, en sauvant l'enfant ; sauver peut-être la mère en tuant l'enfant dans son ventre puis en l'extrayant morceau par morceau (Daniel avait consacré plusieurs pages à cette solution dans son cahier, l'accompagnant d'illustrations) ; enfin, tenter manuellement de retourner l'enfant dans l'utérus jusqu'à ce qu'il se présente dans une position lui permettant de naître.

Bien que semblant la meilleure, cette dernière option pouvait s'avérer aussi dangereuse que les autres, provoquant la mort de la mère *et* de l'enfant.

J'avais déjà essayé une version externe de cette méthode la semaine précédente, et réussi, non sans mal, à inciter l'enfant à s'orienter la tête en bas. Deux jours plus tard, il s'était retourné, appréciant manifestement d'être couché sur le dos. Il pouvait à nouveau bouger avant que le travail commence. Ou pas.

Forte de mon expérience, je parvenais généralement à faire le distinguo entre prendre en compte intelligemment d'éventuels imprévus et se faire inutilement un sang d'encre pour des événements qui ne se produiraient peut-être pas. Il n'empêche que je n'avais quasiment pas fermé l'œil de la nuit depuis une semaine, imaginant que l'enfant ne se tournerait pas à temps et revoyant encore et encore cette courte liste de choix en cherchant vainement une dernière et meilleure option.

Si j'avais eu de l'éther... mais tout mon stock avait disparu dans l'incendie.

Tuer Lizzie afin de sauver l'enfant ? Non. S'il fallait en arriver là, mieux valait sacrifier le bébé in utero afin que Rodney continue d'avoir une mère et les frères Beardsley une épouse. Toutefois, l'idée de broyer le crâne d'un enfant parvenu à terme, sain et prêt à voir le jour... ou de le décapiter à l'aide d'un fil de fer coupant...

— Vous n'avez pas faim ce matin, ma tante ?

— Euh... non. Merci, Ian.

— Tu es toute pâlotte, *Sassenach.* Tu n'es pas souffrante ?

— Non !

Je me levai rapidement de table avant qu'ils ne me posent d'autres questions et sortis chercher de l'eau au puits. Il ne servait strictement à rien de les terroriser avec les images qui défilaient dans ma tête.

Dehors, Amy avait commencé un feu sous la grande lessiveuse et grondait Aidan et Orrie qui, chargés de chercher du petit bois, s'interrompaient régulièrement pour se jeter des mottes de boue.

M'apercevant le seau à la main, elle me lança :

— Vous voulez de l'eau, *a bhana-mhaighstir* ? Aidan va aller vous en chercher.

— Non, ce n'est pas nécessaire, l'assurai-je. J'ai surtout besoin de prendre un peu d'air. Il fait si bon le matin à présent.

Le fait était qu'il faisait encore un peu frisquet jusqu'à ce que le soleil grimpe haut dans le ciel mais l'air était pur, chargé d'odeurs d'herbes, de bourgeons gorgés de résine et de chatons.

Je remplis mon seau au puits et redescendis le sentier à pas lents, absorbant les détails du paysage alentour comme on regarde des choses en sachant qu'on ne les verra plus avant longtemps, voire jamais.

Fraser's Ridge avait considérablement changé avec l'apparition de la violence, les bouleversements de la guerre et l'incendie de la Grande Maison. Il changerait encore beaucoup plus une fois que Jamie et moi serions partis.

Qui ferait un bon chef ? Hiram Crombie était de facto à la tête du groupe de pêcheurs presbytériens venu de Thurso, mais c'était un homme rigide et dépourvu d'humour. Plus à même de provoquer des frictions avec le reste de la communauté que de maintenir l'ordre et d'encourager l'entraide.

Bobby ? Après y avoir longuement réfléchi, Jamie l'avait nommé régisseur, chargé d'administrer notre propriété ou ce qu'il en restait. Mais, indépendamment de ses qualités naturelles ou de ses défauts, il était jeune et, comme bon nombre d'autres hommes de Fraser's Ridge, il pouvait facilement être emporté par la tempête imminente et être contraint de s'engager dans l'une des milices. Pas dans les forces de la Couronne. Sept ans plus tôt, alors soldat britannique, il avait été cantonné à Boston. Avec plusieurs de ses camarades, ils avaient été pris à partie par des centaines de Bostoniens furieux. Craignant pour leurs vies, les soldats avaient chargé leurs mousquets et les avaient pointés vers la foule. Des pavés et des gourdins avaient été lancés, des coups de feu avaient été tirés… personne n'aurait su dire par qui ; je ne l'avais jamais demandé à Bobby. Des hommes étaient morts.

Au cours du procès qui avait suivi, la vie de Bobby avait été épargnée mais il portait sur la joue un « M » marqué au fer rouge. « M » pour meurtrier. J'ignorais quels étaient ses penchants politiques – il n'en parlait jamais –, mais il ne se battrait plus jamais aux côtés de l'armée anglaise.

Ayant retrouvé une certaine sérénité, je poussai la porte de la cabane et trouvai Jamie et Ian en train de discuter du bébé à venir. Serait-ce un garçon ou une fille ? Serait-il ou elle du même père que Rodney ou juste un demi-frère ou une demi-sœur ?

Tout en versant l'eau du seau dans la marmite, je les interrompis :

— Cela n'a pas d'importance, Jo et Kezzie sont de vrais jumeaux, ce qui signifie que leur… semence est identique.

C'était simplifier à l'extrême, certes, mais il était encore trop tôt dans la matinée pour me lancer dans un exposé sur la méiose et l'ADN recombinant.

— Ils ont le même foutre ? demanda Ian, incrédule. Comment pouvez-vous le savoir ? Vous avez regardé ?

Il me dévisageait avec une curiosité horrifiée.

— Bien sûr que non, rétorquai-je. Je n'en ai pas eu besoin. Ce sont des choses que je sais.

Il hocha respectueusement la tête.

— Ah, bien sûr. J'oublie parfois ce que vous êtes, tante Claire.

Je ne savais pas trop ce qu'il voulait dire par là mais il ne me parut pas opportun d'expliquer que ma connaissance des processus intimes des jumeaux Beardsley était purement académique plutôt que surnaturelle.

Jamie fronça les sourcils.

— Mais c'est bien Kezzie qui est le père cette fois, non ? J'ai chassé Jo. C'est Kezzie qui est resté avec elle toute cette année.

Ian lui lança un regard compatissant.

— Parce que tu crois qu'il est parti, Jo ?

Les épais sourcils roux de Jamie se rapprochèrent encore un peu.

— Je ne l'ai pas vu.

— C'est normal, répondit Ian. Ils sont très prudents car ils ne veulent pas que tu te fâches à nouveau. On n'en voit jamais qu'un seul à la fois.

Nous le fixâmes tous les deux. Il releva les yeux du morceau de bacon qu'il tenait dans les mains et prit un air innocent :

— Ce sont des choses que je sais, voyez-vous ?

Après le dîner, la maisonnée s'installa pour la nuit. Tous les Higgins se retirèrent dans la chambre à l'arrière de la cabane où ils partageaient le même et unique lit.

Obsessionnelle, j'ouvris une fois de plus ma sacoche de sage-femme et étalai son contenu devant moi, vérifiant chaque objet. Fil blanc pour le cordon ombilical ; linge propre lavé et relavé pour ôter tout résidu de lessive, bouilli et séché ; un grand carré de toile cirée pour protéger le matelas ; un petit flacon d'alcool dilué à cinquante pour cent dans de l'eau stérilisée ; une pochette contenant plusieurs tortillons de laine lavée mais non bouillie ; un rouleau de parchemin qui me servait de stéthoscope, le mien ayant disparu dans l'incendie ; un couteau ; une petite bobine de fil de fer fin, dont une extrémité avait été aiguisée.

Je n'avais pas avalé grand-chose au dîner, ni de la journée d'ailleurs, sentant en permanence la bile affluer. Je déglutis et rangeai à nouveau tout mon attirail, enroulant fermement la sacoche dans de la ficelle.

Je sentis que Jamie m'observait et levai les yeux vers lui. Il ne dit rien, se contentant de sourire légèrement. Je fus momentanément apaisée par la chaleur de son regard avant d'être reprise par l'angoisse. Que penserait-il s'il savait ce que j'aurais à faire au cas où l'accouchement tournerait mal ? Il dut lire la peur dans mes yeux car il sortit son chapelet de son *sporran* et se mit à prier en silence, faisant lentement glisser les grains entre ses doigts.

Deux nuits plus tard, je me réveillai en sursaut en entendant des pas marteler le sentier. Je fus debout en un clin d'œil et habillée avant même que Jo ne frappe à la porte. Jamie le fit entrer. Cherchant à quatre pattes ma sacoche sous le banc, je les entendis murmurer. Jo paraissait excité, un peu inquiet mais pas paniqué. C'était bon signe. Si Lizzie avait été effrayée ou mal en point, il l'aurait aussitôt perçu. Les jumeaux étaient aussi sensibles à ses humeurs et à son bien-être qu'aux leurs.

Jamie s'approcha et me chuchota :

— Tu veux que je vienne ?

Je posai les mains sur son torse pour puiser un peu de sa force et murmurai :

— Non. Retourne te coucher. Si j'ai besoin de toi, je t'enverrai chercher.

Il était hirsute. Les braises du feu creusaient des ombres dans sa chevelure mais son regard était alerte. Il acquiesça et me baisa le front puis, au lieu de s'écarter, posa une main sur mon crâne et récita en gaélique :

— O Michel du domaine rouge, bénis-la...

Puis il effleura ma joue en guise d'adieu.

— A demain matin, *Sassenach.*

Il me poussa doucement vers la porte.

A ma surprise, il neigeait. Le ciel était d'un gris lumineux et l'air rempli d'énormes flocons qui me caressaient le visage, fondant immédiatement au contact de ma peau. C'était une tempête de printemps. Je voyais les cristaux se poser sur les tiges d'herbe et disparaître aussitôt. Il n'y aurait sans doute aucune trace de la neige au matin mais la nuit était remplie de mystère. En me retournant, je ne vis pas la cabane derrière nous, uniquement la silhouette des arbres dans la lumière gris perle. Le sentier devant nous paraissait tout aussi irréel, se fondant au loin dans les troncs étranges et des ombres indéfinissables.

Je me sentais étrangement désincarnée, partagée entre le passé et le futur, ne voyant rien que le silence blanc tourbillonnant autour de nous. Pourtant, cela faisait des jours que je n'avais pas été aussi calme. Je sentais encore le poids de la main de Jamie sur ma tête et entendais sa bénédiction : « O Michel du domaine rouge... »

C'était celle donnée au guerrier avant la bataille. Je la lui avais récitée plus d'une fois. J'ignorais ce qui l'avait incité à me bénir ainsi ; il ne l'avait encore jamais fait. Néanmoins, ses paroles me réchauffaient le cœur, petit rempart contre les épreuves à venir.

La neige formait un mince tapis blanc cachant la terre brune et les jeunes pousses. Je marchais dans les empreintes fraîches et sombres de Jo devant moi, sentais les aiguilles de pins et de sapins baumiers frotter contre mes jupes et écoutais le silence qui vibrait telle une cloche.

S'il existait des nuits où les anges descendaient marcher sur terre, je priais pour que celle-ci soit l'une d'elles.

La cabane des Beardsley se trouvait à une bonne heure de marche, en plein jour et par beau temps. Mais l'angoisse hâtait mes pas et, bientôt, ce fut au tour de Jo (si c'était bien lui) d'avoir du mal à me suivre.

— Quand cela a-t-il commencé ? dis-je.

C'était toujours difficile à déterminer mais le premier accouchement de Lizzie avait été très rapide. Elle avait mis le petit Rodney au monde seule et sans incident. Je doutais qu'elle aurait la même chance cette nuit mais, dans un élan d'optimisme, je nous imaginais arrivant à la cabane et découvrant une Lizzie radieuse serrant déjà son nouveau-né contre son sein.

— Il n'y a pas longtemps, me répondit-il en haletant. Elle a perdu les eaux tout à coup, alors que nous étions tous au lit, et elle a dit que je ferais mieux d'aller vous chercher.

J'essayai de ne pas m'attarder sur le « tous au lit ». Après tout, l'un des jumeaux dormait peut-être sur le plancher. Cela dit, le « ménage » Beardsley était l'incarnation littérale du double sens ; quiconque connaissait la vérité ne pouvait penser à eux sans s'empêcher de…

Il était inutile de lui demander depuis combien de temps Kezzie et lui vivaient tous les deux dans la cabane ; d'après ce qu'en avait dit Ian, ni l'un ni l'autre n'en étaient jamais partis. Compte tenu des conditions de vie dans l'arrière-pays, personne n'aurait cillé à l'idée d'un homme vivant avec sa femme et son frère sous le même toit. Pour les habitants de Fraser's Ridge, Lizzie était mariée à Kezzie. Ce qui était vrai. Sauf qu'elle l'était également à Jo grâce à une série d'intrigues qui, à ce jour, me laissait encore pantoise. Toutefois, sur ordre de Jamie, la maison Beardsley taisait cette dernière information.

Quand le sentier s'élargit, Jo se rapprocha pour marcher à ma hauteur.

— Son père doit déjà être arrivé, annonça-t-il. Tout comme tante Monika. Kezzie est allé les chercher.

— Vous avez laissé Lizzie *toute seule* ?

Il haussa les épaules, mal à l'aise, et répondit simplement :

— C'est elle qui nous l'a ordonné.

Je n'insistai pas mais pressai encore le pas jusqu'à ce qu'un point de côté me fasse ralentir. Si Lizzie n'avait pas déjà accouché, n'avait pas fait d'hémorragie ou subi quelque autre catastrophe, la présence de « tante Monika » pourrait être utile. Seconde épouse de M. Wemyss, Monika Berrisch Wemyss était une Allemande à l'anglais limité et excentrique mais au courage et au bon sens exemplaires.

M. Wemyss n'était pas sans courage lui non plus mais il était d'une nature plus réservée. Il nous attendait sous le porche avec Kezzie. Il était clair que le beau-père soutenait le gendre plutôt que l'inverse. Le jeune homme se tordait les mains en sautillant d'un pied sur l'autre tandis que le petit M. Wemyss penché vers lui lui parlait à voix basse en lui tenant le bras. Quand ils nous entendirent puis nous virent, l'espoir leur fit redresser le dos.

Un cri retentit dans la cabane, long et grave, et les trois hommes se raidirent comme si un loup avait surgi des ténèbres.

— Ma foi, ça a l'air de bien se passer, dis-je sur un ton léger.

Ils relâchèrent leur respiration tous en même temps. Retenant un rire, je poussai la porte.

— Argh ! fit Lizzie.

Elle leva la tête depuis son lit.

— Ah, c'est vous, madame ! Dieu soit loué !

— *Gott bedanket, aye* ! convint tante Monika d'une voix tranquille.

Elle était à quatre pattes, en train d'éponger le sol avec un torchon. Elle ajouta :

— C'est pour bientôt, maintenant. Ch'espère.

— Je l'espère aussi, gémit Lizzie en grimaçant. AAAAARRRGH !

Ses traits se convulsèrent et devinrent rouge vif. Son corps gonflé se cambra. Cela ressemblait plus à une crise de tétanie qu'à un accouchement mais, heureusement, le spasme fut de courte durée et elle s'effondra, pantelante.

Pendant que je palpais son abdomen, elle ouvrit un œil.

— Ce n'était pas comme ça la dernière fois, fit-elle.

— Ce n'est jamais deux fois pareil, répondis-je d'un air absent.

Un premier coup d'œil avait fait bondir mon cœur : l'enfant n'était plus en position transverse. Toutefois... il n'avait pas vraiment la tête en bas non plus. Il ne bougeait pas, ce qui était généralement le cas durant le travail. Il me semblait bien avoir localisé son crâne sous les côtes de sa mère mais, pour ce qui était du reste...

— Laisse-moi regarder ça de plus près.

Elle était nue, enveloppée dans une courtepointe. Sa chemise trempée suspendue sur le dossier d'une chaise fumait devant la cheminée. Le lit n'étant pas mouillé, j'en déduisis qu'elle avait senti la rupture de ses membranes à temps pour se lever avant de perdre les eaux.

M'étant préparée au pire, je poussai un soupir de soulagement. Le risque principal d'une présentation par le siège était que le cordon descende lors de la rupture des membranes et reste coincé entre le pelvis et une partie du fœtus. Sur ce plan, tout allait bien et une légère palpation m'assura que le col de l'utérus était presque entièrement dilaté.

Il ne restait plus qu'à attendre de voir ce qui se présenterait en premier. J'ouvris ma sacoche et, plaçant discrètement la bobine de fil de fer sous une pile de linge, déployai la toile cirée. Tante Monika m'aida à y déposer Lizzie.

Lorsque Lizzie poussa un autre de ses hurlements surnaturels, Monika tressaillit et jeta un œil vers le petit lit où ronflait Rodney. Elle m'interrogea du regard, cherchant à se rassurer, puis saisit les mains de Lizzie et répondit à ses gémissements par des murmures en allemand.

J'entendis la porte grincer derrière moi et me retournai. Un des Beardsley regardait par l'entrebâillement avec un mélange de peur et d'espoir.

— Ça y est ? chuchota-t-il d'une voix rauque.

Lizzie se redressa brusquement en position assise et hurla :

— NON ! Hors de ma vue ou je vous arrache les couilles ! Toutes les quatre !

La porte se referma aussi sec et Lizzie se laissa retomber en arrière.

— Je les hais ! déclara-t-elle sans desserrer les dents. Je voudrais qu'ils meurent !

— Hmm... dis-je avec compassion. Je suis sûre qu'ils souffrent, c'est déjà ça.

— Tant mieux !

Elle passa de la fureur au mélodramatique en une fraction de seconde et ses yeux se remplirent de larmes.

— Je vais mourir ?

— Mais non, répondis-je de mon ton le plus rassurant.

— IIIIAAAAAAAAAAARRRGGG !

— *Grüss Gott*, murmura tante Monika en se signant. *Ist gut ?*

— *Ja*, répondis-je avec conviction. Vous ne sauriez pas où trouver des ciseaux... ?

— Oh, *ja*.

Elle fouilla dans son sac et me tendit une minuscule paire de ciseaux de broderie à la dorure très usée.

— Ça, ça fous ira ?

— *Danke*.

— BLOOOOOOOOOORRRRGGGG !

Monika et moi nous penchâmes sur Lizzie.

— N'exagère pas, lui dis-je. Ils sont terrifiés mais pas idiots. En outre, tu vas effrayer ton père. *Et* Rodney.

Elle se calma, le souffle court, et parvint à esquisser un vague sourire.

Après cela, les choses se déroulèrent rapidement. Je vérifiai son pouls, puis son col utérin et sentis mon rythme cardiaque s'accélérer en touchant ce qui était clairement un petit pied, en route vers la sortie. Pouvais-je attraper l'autre ?

Je soupesai Monika du regard, évaluant sa taille et sa force. Elle était coriace comme du whipcord mais pas très épaisse. En revanche, Lizzie était grosse comme une... Disons qu'il était compréhensible que Ian ait pensé qu'elle attendait des jumeaux.

L'idée que ce puisse être le cas me donna la chair de poule. Non, me répétai-je fermement. Ce n'est pas ça ; ça ne peut pas l'être. En sortir un de là sera déjà suffisamment problématique.

— Nous allons avoir besoin de l'un des hommes pour lui tenir les épaules, annonçai-je à Monika. Allez chercher un des jumeaux, s'il vous plaît.

— Les deux, gémit Lizzie.

— Un seul sera suffis...

— *Les deux ! Nnnnnggggg...*

— Les deux, dis-je à Monika qui hocha la tête sans broncher.

Les jumeaux firent irruption dans un courant d'air frais, leurs visages tels deux masques rougeauds identiques exprimant à la fois l'alarme et l'excitation. Avant même que j'aie pu leur parler, ils se précipitèrent vers Lizzie comme de la limaille de fer attirée par un aimant. Elle s'était péniblement hissée en position assise et l'un d'eux se plaça derrière elle pour masser doucement ses épaules crispées par la dernière contraction. L'autre s'assit à côté d'elle, glissa un bras sous ce qui avait été autrefois sa taille et écarta ses cheveux trempés de sa main libre.

Je voulus étaler la courtepointe sur son ventre rond mais elle la repoussa, en nage et irritable. La cabane était remplie d'une vapeur chaude dégagée par la marmite sur le feu et nos transpirations. Me disant que les jumeaux étaient plus familiers que moi avec son anatomie, je tendis la couverture humide à Monika. L'accouchement s'accommodait mal avec la pudeur.

Je m'agenouillai devant Lizzie, les ciseaux à la main, et incisai rapidement le périnée. Une petite giclée de sang chaud me coula sur la main. Il était rare que j'aie à pratiquer une épisiotomie mais, dans le cas présent, j'allais avoir besoin d'espace pour manœuvrer. Je pressai un linge propre contre l'entaille mais la quantité de sang était négligeable et, de toute manière, l'intérieur de ses cuisses était déjà couvert de traînées sanglantes.

C'était bien un pied. Je pouvais voir les orteils, longs comme ceux d'une grenouille. Je regardai machinalement les pieds de Lizzie fermement plantés sur le sol. Ceux du bébé étaient petits et compacts. Ce devait être les gènes des jumeaux.

Des relents marécageux de liquide amniotique, de sueur et de sang émanaient du corps de Lizzie et je sentais la transpiration ruisseler le long de mes côtes. J'enfonçai ma main, passai un doigt derrière un petit talon et extirpai le pied, sentant la vie de l'enfant remuer dans sa chair même si le bébé lui-même ne bougeait pas. Il subissait, impuissant, le processus de sa naissance.

L'autre. Il me fallait l'autre pied. Cherchant désespérément le long de la paroi du ventre entre chaque contraction, je glissai mon autre main le long de la petite jambe et trouvai la courbe minuscule d'une fesse. Je changeai rapidement de main et, les yeux fermés, distinguai l'arrondi d'une cuisse tendue. Bon sang de bonsoir ! Il avait le genou coincé sous le menton... Je sentis la raideur molle des petits os cartilagineux, solides sous la pression du liquide, l'étirement d'un muscle... parvins à mettre un doigt, puis deux autour d'une cheville et grognai :

— Tenez-la bien !

Lizzie cambra les reins, poussant ses fesses vers moi, et je sortis le second pied.

Je retombai sur mon postérieur, pantelante même si l'effort n'avait pas été physique. Les petits pieds de grenouille s'agitèrent une fois puis les jambes commencèrent à apparaître avec la poussée suivante. Je posai une main sur la cuisse de Lizzie.

— Encore, ma chérie !

Nous entendîmes un grondement semblant surgir des entrailles de la terre, un râle comme ne peut en pousser qu'une femme qui se fiche de vivre, de mourir ou d'être fendue en deux. Puis la partie inférieure du bébé glissa lentement, le cordon ombilical palpitant tel un gros ver violacé enroulé sur son ventre. Je ne pouvais le quitter des yeux. Je me répétais : « Dieu merci ! Dieu merci ! » Tante Monika se pencha pardessus mon épaule.

— *Ist das* bourses ? demanda-t-elle, perplexe, en pointant un doigt vers le sexe de l'enfant.

Préoccupée par le cordon, je n'avais pas encore eu le temps de regarder. Je me mis à sourire.

— Non, *ist eine Mädchen.*

La vulve du bébé était œdémateuse. Elle ressemblait effectivement à l'équipement d'un petit garçon, le clitoris saillant des lèvres vaginales enflées.

— Quoi ? Qu'est-ce que c'est ?

L'un des Beardsley étirait le cou pour regarder.

Radieuse, tante Monika lui répondit :

— Fous afez une betite fille.

— Une fille ! s'écria l'autre Beardsley. Lizzie, on a une fille !

— Tu vas la fermer ? grogna Lizzie. NNNNNNNGGGGG !

Rodney se réveilla et se redressa subitement, la bouche et les yeux grands ouverts. Tante Monika se précipita et le cueillit dans son lit avant qu'il n'ait eu le temps de brailler.

La sœur de Rodney progressait lentement vers le jour, comme à contrecœur, centimètre par centimètre, poussée par chaque contraction. Je comptais mentalement : *Un hippopotame, deux hippopotames...* Entre l'apparition du cordon ombilical et la délivrance en bonne et due forme de la bouche et du nez, il ne devait pas s'écouler plus de quatre minutes, autrement le manque d'oxygène pouvait endommager le cerveau. Toutefois, je ne pouvais pas risquer d'abîmer le cou et la tête en tirant.

— Pousse, ma chérie... Plus fort. Maintenant !

Tenant fermement ses cuisses, je m'efforçais de garder une voix calme.

Trente-quatre hippopotames, trente-cinq...

D'ici à ce que le menton soit coincé sous l'os pelvien... Après la contraction suivante, je glissai rapidement mes mains le long du visage de l'enfant et plaçai deux doigts au-dessus de la mâchoire supérieure. Je sentis la prochaine contraction venir et serrai les dents, ma main écrasée entre les os du pelvis et le crâne du bébé. Je tins bon, craignant de rater ma traction.

Soixante-deux hippopotames...

Une pause. Je tirai doucement, très doucement, attirant la tête en avant, faisant passer le menton sous le bord du pelvis...

Quatre-vingt-neuf hippopotames, quatre-vingt-dix hippopotames...

L'enfant pendait hors de Lizzie, bleu et luisant à la lueur des flammes, oscillant dans l'ombre de ses cuisses tel le battant d'une cloche ou un corps au bout d'une corde... Je chassai aussitôt cette image.

Tante Monika, serrant Rodney contre son sein, se pencha vers moi et murmura :

— On ne defrait pas... ?

Cent hippopotames...

— Non. Ne la touchez pas. Pas encore.

La gravité aidait lentement la naissance. En tirant, nous pouvions provoquer des lésions du cou, et si la tête restait coincée...

Cent dix... ça en fait beaucoup, pensai-je soudain en imaginant des troupeaux d'hippopotames dévalant cette sombre vallée et se vautrant glorieusement dans la gadoue...

Une main en l'air, prête à éponger les narines et la bouche dès qu'elles émergeraient, je lançai :

— Maintenant !

Mais Lizzie ne m'avait pas attendue. La tête sortit d'un seul coup et le bébé tomba entre mes mains comme un fruit mûr.

Je versai encore un peu d'eau de la marmite fumante dans la bassine et y ajoutai de l'eau froide. La chaleur brûla mes mains ; la peau entre mes phalanges était crevassée par le long hiver et la manipulation constante d'alcool dilué pour les stérilisations. Je venais de finir de recoudre Lizzie et de la nettoyer. Le sang sur mes doigts dessina des volutes sombres dans la bassine.

Lizzie était confortablement bordée dans son lit, vêtue d'une chemise des jumeaux, la sienne n'étant toujours pas sèche. Elle riait, en proie à l'euphorie de la naissance et de la survie, ses deux maris l'encadrant, la couvrant d'attentions, lui murmurant leur admiration et leur soulagement. L'un d'eux lissait ses cheveux moites tandis que l'autre déposait des baisers dans son cou.

— Tu te sens fiévreuse, mon cœur ? s'inquiéta l'un des jumeaux.

Je me retournai. Lizzie souffrait du paludisme. Elle n'avait pas subi de crise depuis un certain temps mais peut-être que le stress de l'accouchement...

Elle embrassa Kezzie ou Jo sur le front.

— Non, mon chéri. C'est juste le bonheur qui me donne chaud.

Jo ou Kezzie la dévisagea avec adoration tandis que son frère poursuivait sa distribution de bisous.

Tante Monika toussota. Elle avait lavé le nouveau-né avec un linge humide et les écheveaux de laine que j'avais apportés, rendus doux et onctueux par la lanoline. Il était à présent enveloppé dans une couverture. Rodney s'était lassé d'observer les opérations depuis un certain temps et s'était rendormi sur le plancher près du couffin, suçant son pouce.

Un soupçon de reproche dans la voix, elle déclara à sa belle-fille :

— Fotre père, Lizzie. Il doit afoir très froid. Et il foudra foir *die Mädel*, *mit* fous mais peut-être pas *mit der*...

Elle inclina la tête vers le lit tout en évitant pudiquement de regarder le trio folâtre qui y était couché. A la naissance de Rodney, M. Wemyss s'était raccommodé du bout des lèvres avec ses gendres mais mieux valait ne pas pousser le bouchon trop loin.

Les paroles de Monika galvanisèrent les jumeaux qui bondirent sur leurs pieds, l'un soulevant Rodney affectueusement tandis que l'autre sortait chercher M. Wemyss, oublié dans le feu de l'action.

Bien que le teint légèrement bleuté, M. Wemyss était tellement soulagé qu'il semblait rayonner de l'intérieur. Il sourit à Monika avec une joie sincère, accordant un bref regard et une petite caresse au paquet dans ses bras, mais toute son attention était tournée vers Lizzie et celle de la jeune femme vers son père.

— Tu as les mains gelées, papa, dit-elle avec un petit gloussement.

Il voulut les retirer mais elle les retint.

— Non, reste. J'ai suffisamment chaud. Assieds-toi près de moi et dis bonjour à ta petite-fille.

Sa voix vibrait d'une fierté timide.

Monika déposa le bébé dans ses bras puis se tint aux côtés de son mari, une main sur son épaule, son visage tanné illuminé par un sentiment plus profond que la simple affection. Ce n'était pas la première fois que j'étais surprise (et vaguement confuse de l'être) par la profondeur de l'amour qu'elle portait à ce petit homme frêle et discret.

— Oh, fit doucement M. Wemyss.

Il effleura la joue du bébé du bout du doigt. La petite faisait des bruits de succion. Choquée par le traumatisme de sa naissance, elle n'avait d'abord accordé aucun intérêt au sein mais elle était visiblement en train de changer d'avis.

— Elle a faim.

Avec des gestes experts, Lizzie abaissa la couverture, redressa l'enfant et la guida vers son sein.

— Comment vas-tu l'appeler, *a leannan* ? demanda son père.

— Je n'ai pas réfléchi à un prénom de fille, répondit Lizzie. Elle était tellement grosse, j'étais persuadée que c'était un garçon… Aïe !

Elle se mit à rire d'un rire grave et tendre.

— J'avais oublié à quel point les nourrissons sont voraces. Aïe ! Doucement, *a chuisle*, voilà, comme ça…

Je saisis un écheveau de laine pour frotter mes mains à vif et aperçus les jumeaux se tenant à l'écart, côte à côte, le regard rivé sur Lizzie et leur fille, chacun avec une expression similaire à celle de Monika. Sans les quitter des yeux, celui qui tenait Rodney pencha la tête et déposa un baiser sur le crâne rond de l'enfant.

Tant d'amour dans si peu d'espace… Je me détournai, les yeux humides. Que cette petite famille peu conventionnelle repose sur une union tricéphale avait-il de l'importance ? Cela en aurait pour Hiram Crombie, le chef des presbytériens rigoristes venus de Thurso. S'il l'apprenait, il aurait tôt fait de condamner Lizzie et ses deux maris à la lapidation, avec les fruits de leurs péchés.

Tant que Jamie se trouvait à Fraser's Ridge, cela n'arriverait pas mais, une fois qu'il serait parti ? Tout en nettoyant méticuleusement mes ongles, je priais que Ian ait vu juste quant aux capacités de discrétion – et de dissimulation – des frères Beardsley.

Absorbée par mes pensées, je n'avais pas entendu tante Monika s'approcher discrètement. Elle posa une main noueuse sur mon bras et dit à voix basse :

— *Danke.*

Je posai ma main sur la sienne et la pressai doucement.

— *Gern geschehen.* Votre aide m'a été très précieuse. Merci.

Elle sourit mais son front était soucieux.
— Pas tant que cha mais ch'ais peur, *ja* ?
Elle jeta un coup d'œil vers le lit et poursuivit :
— Que fa-t-il se passer, la prochaine fois, quand fou ne serez plus *hier* ? Ils n'arrêtent jamais, fou safez ?
Elle dessina un cercle avec le pouce et l'index puis y inséra plusieurs fois le majeur de l'autre main dans un geste sans aucune ambiguïté.
Je parvins à cacher mon fou rire dans une quinte de toux qui, heureusement, ne fut pas remarquée par les principaux intéressés, même si M. Wemyss nous adressa un regard vaguement surpris par-dessus son épaule. Quand je me fus ressaisie, je glissai à Monika :
— Vous serez là pour l'aider.
Elle parut horrifiée.
— Moi ? *Nein. Das reicht nicht.* Moi...
Constatant que je n'avais pas compris, elle tapota son torse maigre.
— Je... Je ne suis pas assez.
Je pris une grande inspiration, sachant qu'elle avait raison. Et pourtant...
— Il faudra que vous le soyez, lui dis-je doucement.
Elle cligna ses grands yeux marron et sages puis acquiesça lentement.
— *Mein Gott, hilf mir,* soupira-t-elle.

Jamie n'avait pas pu fermer l'œil. Ces derniers temps, il dormait mal, restant souvent éveillé jusque tard dans la nuit, ressassant les mêmes idées en contemplant les braises mourantes dans l'âtre ou en cherchant l'inspiration dans les poutres sombres du plafond. S'il s'endormait rapidement, c'était pour se réveiller en sursaut un peu plus tard, en sueur. Il savait pourquoi et comment y remédier.
La plupart de ses méthodes soporifiques reposaient sur Claire : lui parler, lui faire l'amour ou parfois simplement la regarder dormir, puisant un réconfort dans la courbe ferme de sa clavicule ou dans la forme émouvante de ses paupières

closes, laissant le sommeil l'envahir peu à peu dans la chaleur paisible de son épouse.

Mais, cette nuit, Claire n'était pas là.

Après avoir récité son rosaire pendant une demi-heure, il se dit qu'il en avait fait plus qu'assez pour le salut de Lizzie et de son futur enfant. Le rosaire comme pénitence ? Oui, il en comprenait l'intérêt, surtout quand on le récitait à genoux. Ou pour apaiser son esprit, fortifier son âme, méditer sur des sujets sacrés... Mais le rosaire en tant que supplique ? Non. S'il était Dieu, ou même la Vierge Marie pourtant connue pour sa patience, il trouverait fastidieux d'écouter indéfiniment quelqu'un débiter les mêmes paroles implorantes. Or, barber celui ou celle dont vous vouliez l'aide n'était pas la meilleure manière de s'y prendre.

Les prières gaéliques lui paraissaient beaucoup plus appropriées. Elles concernaient toujours un sujet précis et étaient plus agréables à entendre car plus variées et rythmées. Du moins, tel était son humble avis.

Moire gheal is Bhride ;
Mar a rug Anna Moire,
Mar a rug Moire Criosda,
Mar a rug Eile Eoin Baistidh
Gun mhar-bhith dha dhi,
Cuidich i na 'h asaid,
Cuidich i a Bhride !

Mar a gheineadh Criosd am Moire
Comhliont air gach laimh,
Cobhair i a mise, mhoime,
An gein a thoir bho 'n chnaimh ;
'S mar a chomhn thu Oigh an t-solais,
Gun or, gun odh, gun ni,
Comhn i 's mor a th' othrais,
Comhn i a Bhride !

murmurait-il tout en marchant.

Marie pure et épouse ;
Comme Anne eut Marie,
Comme Marie eut le Christ,
Comme Elisabeth eut Jean le Baptiste
Né sans aucune tache,
Aide-la dans sa délivrance,
Aide-la, ô Epouse !

Tel le Christ qui fut conçu par Marie,
Parfait en tout point,
Assiste-moi, mère nourricière,
A faire jaillir des os la conception ;
Comme tu as aidé la Vierge de la joie,
Sans or, sans blé, sans bétail,
Aide-la car grande est sa souffrance,
Aide-la, ô Epouse !

Ne tenant plus en place, il était sorti et marchait sous la neige, méditatif, cochant des listes mentales. Toutefois, tous ses préparatifs étaient terminés ; il ne restait plus qu'à charger les chevaux et les mules. Il prit soudain conscience qu'il remontait le sentier conduisant chez les Beardsley. La neige venait de s'arrêter mais le ciel s'étirait au-dessus de lui, gris et doux. Un calme froid et blanc s'étendait sur les arbres et étouffait le bruit du vent.

Un sanctuaire... pensa-t-il. Naturellement, en temps de guerre aucun lieu n'était à l'abri. Toutefois, l'atmosphère nocturne de la montagne lui rappelait celle des églises : une grande paix, une attente tranquille.

Notre-Dame de Paris, Saint Giles à Edimbourg, les églises minuscules des Highlands où il avait parfois cherché refuge au cours des années où il devait se cacher. Il se signa en les revoyant en pensée : des pierres nues, des espaces parfois entièrement vides hormis un simple autel en bois... Et pourtant, quel soulagement en y entrant... S'asseoir à même le sol quand il n'y avait pas de bancs et rester là, sachant qu'on n'était plus seul. Un sanctuaire.

Peut-être était-ce de songer aux lieux saints ou à Claire mais il se souvint soudain d'une autre église, celle où ils s'étaient mariés. Il sourit à cette pensée. Cette fois-là n'avait rien eu de paisible. Il sentait encore les battements effrénés de son cœur quand il était entré, l'odeur de sa sueur (il empestait comme un bouc et espérait qu'elle ne le remarquerait pas), la sensation d'oppression qui l'empêchait de respirer. Puis sa main dans la sienne, ses petits doigts glacés serrant les siens, cherchant un soutien.

Un sanctuaire. Voilà ce qu'ils avaient été l'un pour l'autre, ce qu'ils étaient toujours. *Le sang de mon sang.* La minuscule entaille avait cicatrisé mais il massa doucement le gras de son pouce. Il sourit en l'entendant à nouveau prononcer ces mots comme s'ils coulaient de source.

Il distingua la cabane au loin et aperçut Joseph Wemyss attendant sous le porche, le dos voûté et battant la semelle. Il allait l'appeler quand la porte s'ouvrit et l'un des Beardsley (Bon sang, qu'est-ce qu'ils fichaient ici ?) attrapa le vieil homme par le bras et l'attira à l'intérieur, manquant de le faire tomber dans son excitation.

Car c'était bien de l'excitation, pas de la douleur ni de l'angoisse ; il avait clairement vu les traits du garçon. Il poussa un soupir de soulagement. L'enfant était né et avait survécu, Lizzie aussi.

Il s'adossa à un arbre et, touchant le rosaire autour de son cou, remercia le ciel dans un murmure :

— *Moran taing.*

Quelqu'un dans la cabane avait rajouté du bois dans l'âtre : un nuage d'étincelles s'échappa de la cheminée, illuminant la neige de rouge et d'or avant de retomber dans une pluie de particules noires.

L'homme naît pour connaître les tourments, comme l'étincelle pour s'élever vers le ciel… En prison, il avait lu ce verset de Job maintes fois sans jamais le comprendre. Les étincelles qui volaient vers le ciel ne causaient pas de tourments, à moins que les bardeaux du toit ne soient particulièrement secs ; c'étaient celles qui jaillissaient de la cheminée qui risquaient d'incendier la maison. Si l'auteur avait simplement voulu dire qu'il était dans la nature de l'homme de s'attirer des ennuis (ce qui, à en juger par sa propre expérience, était le cas), alors c'était une métaphore de l'inexorabilité basée sur le principe que les étincelles montaient toujours. Or, quiconque avait jamais observé un feu aurait pu lui dire qu'il se trompait.

Mais qui était-il pour critiquer la logique de la Bible alors qu'il aurait dû réciter des psaumes de louange et de gratitude ? Il essaya d'en trouver un mais sa bonne humeur prit le dessus et il ne se rappela que des bribes décousues.

Avec une certaine surprise, il se rendit compte qu'il était parfaitement heureux. L'arrivée de l'enfant sain et sauf était une grande joie, bien sûr, mais cela signifiait également que Claire avait accompli sa mission et qu'ils étaient à présent tous les deux libres. Ils pouvaient quitter Fraser's Ridge la conscience tranquille : ils avaient fait tout ce qui était en leur pouvoir pour ceux qui resteraient.

Quitter sa maison était toujours un peu triste mais, en l'occurrence, c'était leur maison qui les avait quittés en brûlant. Qui plus est, ce chagrin était contrebalancé par son excitation croissante. Libre et loin, avec Claire à ses côtés, sans corvées quotidiennes, sans chamailleries de voisinage à apaiser, sans veuves ni orphelins dont s'occuper… certes, c'était une pensée peu charitable et pourtant…

La guerre était toujours tragique et celle-ci le serait également mais elle était indéniablement captivante. Il sentait par avance son sang bouillonner de la racine des cheveux à la plante des pieds.

— *Moran taing*, répéta-t-il avec gratitude.

Quelque temps plus tard, la porte de la cabane s'ouvrit à nouveau. Claire sortit en rabattant sa capuche sur sa tête, un panier sous le bras. Des voix la suivirent et des silhouettes se pressèrent sur le seuil. Elle se retourna pour les saluer de la main et il l'entendit rire, un son qui fit naître en lui un frisson de plaisir.

La porte se referma et elle descendit le long du sentier dans la lumière grise. Elle titubait de fatigue et pourtant il émanait d'elle de la joie… Il devina qu'elle ressentait la même euphorie que lui.

— Comme les étincelles qui volent vers le ciel, dit-il en souriant.

Il se redressa pour aller à sa rencontre. Elle ne fut pas surprise, se tourna aussitôt dans sa direction et marcha vers lui. Elle semblait flotter sur la neige.

— Tout va bien, donc, dit-il en la prenant dans ses bras.

Elle soupira d'aise et se blottit contre lui, solide et chaude sous les plis froids de sa cape. Il glissa les mains sous le vêtement et rabattit sur elle les pans de sa propre cape.

— J'ai besoin de toi, s'il te plaît, murmura-t-elle.

Il la souleva de terre (elle avait dit vrai, sa cape empestait la chair morte ; celui qui la lui avait vendue avait dû l'utiliser pour envelopper du gibier dépecé en forêt).

Elle posa ses lèvres sur les siennes. Il l'embrassa avec fougue puis la reposa et l'entraîna sur le sentier. La légère couche de neige semblait fondre sous leurs pieds.

Ils rejoignirent rapidement la grange. Ils échangèrent quelques mots en marchant mais il n'aurait su dire de quoi ils parlaient. Seul comptait le fait d'être ensemble.

L'atmosphère dans la grange n'était pas franchement douillette mais il ne gelait pas. Elle leur parut même accueillante avec l'agréable odeur chaude des bêtes dans l'obscurité. L'étrange lueur grise du ciel y pénétrait un peu, et l'on distinguait les formes des chevaux et des mules assoupis dans leurs box. Il y avait de la paille sur le sol pour s'allonger, bien qu'un peu vieille et moisie.

Il faisait trop froid pour se déshabiller mais il étala sa cape sur la paille, la coucha dessus et s'allongea sur elle. Ils frissonnaient tout en s'embrassant, si bien que leurs dents s'entrechoquaient. Ils s'écartèrent l'un de l'autre en riant.

— C'est fou. Je vois mon souffle. Il fait tellement froid qu'on pourrait souffler des ronds de buée. On va mourir gelés.

— Mais non. Tu sais comment les Indiens font du feu ?

— Quoi, tu veux dire en frottant une brindille sèche contre…

— Oui, par friction.

Il remonta ses jupons. Ses cuisses étaient lisses et fraîches sous sa main. Il reprit :

— Sapristi ! Pour ce qui est de la sécheresse, on est loin du compte. Tu es une vraie fontaine, *Sassenach.*

Il caressa fermement sa vulve avec sa paume. Elle était chaude, douce et juteuse. Elle poussa un cri au contact de sa main glacée, suffisamment aigu pour faire redresser la tête à l'une des mules. Elle remua, juste assez pour qu'il ôte sa main et la remplace vite par autre chose.

— Tu vas réveiller toute la grange, *Sassenach*, haleta-t-il.

Seigneur, la chaleur de son fourreau lui faisait tourner la tête.

Elle glissa ses mains sous sa chemise et lui pinça les tétons, fort. Il poussa un cri à son tour puis se mit à rire.

— Refais-moi ça, lui dit-il.

Il se pencha et glissa la langue dans son oreille pour le plaisir de l'entendre gémir. Elle se trémoussa et cambra les reins. Il saisit doucement le lobe entre ses dents et le mordilla tout en allant et venant lentement en elle, riant de tous les sons qui s'échappaient de la gorge de Claire.

Cela faisait trop longtemps qu'ils faisaient l'amour en silence.

Il avait à peine délacé sa braguette et dégagé sa chemise qu'elle la lui retroussa jusqu'aux épaules, lui pétrissant le dos. Elle glissa les mains dans ses culottes et lui saisit les fesses. Elle le pressa contre elle, enfonçant ses doigts dans la chair, et il comprit ce qu'elle voulait. Il lâcha son oreille, se redressa sur ses bras et son va-et-vient se fit plus vigoureux. La paille crépitait comme un feu.

Il n'aspirait qu'à se déverser en elle puis la serrer contre lui et s'assoupir, serein et rassasié, dans le parfum de sa chevelure. Mais il se souvint alors que c'était elle qui l'avait réclamé. Elle en avait besoin. Il ne pouvait la laisser insatisfaite.

Il ferma les yeux et ralentit son mouvement, frottant son torse contre le sien, l'étoffe de leurs vêtements se froissant entre eux. Il glissa une main le long d'une courbe lisse puis inséra les doigts entre ses fesses. Son majeur s'enfonça un peu plus et elle gémit. Elle souleva les hanches, essayant de se libérer, mais il tint bon et se mit à rire.

Otant son doigt, il le remplaça par sa verge qui pénétra profondément en elle.

Il poussa à son tour un cri de plaisir.

Quelques instants après, respirant des odeurs de musc et de vie nouvelle, il murmura :

— Tu n'es pas très paisible, *Sassenach*. Mais c'est comme ça que je t'aime.

12

Etre assez

Je fis mes adieux, en commençant par la laiterie. Je me tins à l'intérieur un moment, écoutant le gargouillis de la source qui se déversait dans sa rigole de pierre, inhalant le parfum de fraîcheur qui régnait en ce lieu avec ses vagues effluves de lait et de beurre. En sortant, je tournai à gauche, passant devant la palissade défraîchie de mon potager. Je n'y avais plus mis les pieds depuis le jour où j'y avais découvert les cadavres de Malva et de son enfant. Je posai les mains sur la clôture en bois et regardai entre les planches.

J'avais bien fait de ne pas y revenir plus tôt. Je n'aurais pas supporté de le voir en proie à la désolation de l'hiver, les tiges noircies et raides, les feuilles pourries sur le sol. Le potager était affligeant à voir pour un jardinier mais il n'était plus sinistre. La verdure poussait partout, parsemée de petites fleurs. Le printemps généreux décorait de guirlandes les os de l'hiver. Certes, il s'agissait surtout de mauvaises herbes. D'ici l'été, la nature aurait repris ses droits, étouffant les nouvelles pousses chétives de choux et d'oignons. Amy cultivait un nouveau carré de légumes près de la vieille cabane. Ni elle ni personne d'autre sur Fraser's Ridge ne viendrait ici.

Quelque chose remua dans la verdure. Une petite couleuvre chassait. La vue d'un être vivant me réconforta, même si je ne raffolais pas des serpents. Je souris puis, en levant les yeux, constatai que des abeilles bourdonnaient autour des vestiges de ruches qui se dressaient au fond du potager.

Je me tournai enfin vers le coin où je faisais autrefois pousser mes salades. C'était là qu'elle était morte. Dans mon souvenir, je revoyais toujours la flaque de sang s'agrandissant, l'imaginais toujours là, une tache sombre imbibant la terre parmi les débris de laitues et les feuilles flétries. Mais elle avait disparu. Plus rien ne marquait l'endroit mis à part un cercle de champignons, leur minuscule chapeau blanc pointant entre les herbes folles.

— *Je vais me lever et partir à présent*, récitai-je doucement. *J'irai à Innisfree et j'y construirai une petite cabane de boue et de bardeaux ; j'y aurai neuf rangées de haricots, une ruche pour les abeilles, et vivrai seul dans la clairière vibrant de leurs appels.*

Je m'interrompis un instant, puis me détournai en achevant :

— *Et là-bas je trouverai un peu de paix ; car la paix vient en tombant doucement.*

Je descendis le sentier d'un pas leste. Je n'avais pas besoin d'aller voir les ruines de la maison ni la truie blanche, je ne risquais pas de les oublier. Quant au séchoir à maïs et au poulailler, quand on en a vu un on les a tous vus.

J'apercevais le rassemblement de chevaux, de mules et de gens devant la cabane, les lentes allées et venues du départ imminent. Cependant, je n'étais pas encore tout à fait prête et pénétrai dans la forêt pour me ressaisir.

Le long du sentier, l'herbe était haute, douce et duveteuse contre mes jupes alourdies. Quelque chose de plus lourd les frôla et, baissant les yeux, j'aperçus Adso. J'avais passé toute la journée de la veille à le chercher. Se manifester à la dernière minute lui ressemblait bien.

— Te voilà !

Il me regarda avec ses grands yeux vert céladon, imperturbable face à mon ton de reproche, et se lécha une patte. Je le soulevai de terre et le serrai contre moi, écoutant son ronronnement grave, les doigts enfouis dans l'épaisse fourrure argentée de son ventre.

Il s'en sortirait bien, je n'en doutais pas. La forêt était sa réserve de chasse personnelle. Amy Higgins l'aimait bien et m'avait promis de lui donner du lait et un abri au chaud près de la cheminée quand le temps se gâterait.

Je le déposai sur le sol.

— Allez, va !

Il resta immobile un instant, sa queue se balançant mollement, le museau dressé à l'affût de nourriture ou d'odeurs intéressantes, puis il s'enfonça entre les herbes et disparut.

Je me penchai en avant, très lentement, les bras croisés, et me mis à pleurer, violemment, en silence.

Je pleurai jusqu'à en avoir la gorge meurtrie et ne plus pouvoir respirer. Je m'assis dans l'herbe et me recroquevillai comme une feuille racornie. Les larmes que je ne pouvais retenir tombaient sur mes genoux comme les premières grosses gouttes d'un orage imminent. Oh, Seigneur ! Ce n'était que le début.

Je me frottai les yeux, lissant mes larmes, essuyant le chagrin. Un tissu soyeux toucha mon visage et je redressai la tête avec un reniflement. Jamie était agenouillé devant moi, un mouchoir à la main.

— Je suis désolé, dit-il doucement.

— Ce n'est pas... Ne t'inquiète pas, je suis... Ce n'est qu'un chat.

Aussitôt, une nouvelle vague de chagrin s'enroula autour de ma gorge tel un lacet.

— Oui, je sais.

Il s'assit à mes côtés, passa un bras autour de mes épaules et attira ma tête contre son torse. Il essuya délicatement mon visage.

— Tu ne pouvais pas pleurer quand les enfants sont partis, ni pour ta maison, ni pour ton petit jardin, ni pour la pauvre jeune fille et son bébé. Mais tu pleures pour ton chat parce que tu sais que tu pourras t'arrêter.

— D'où tiens-tu ça ?

— Parce que moi non plus je ne peux pas pleurer pour toutes ces choses, *Sassenach*, et je n'ai pas de chat.

Je reniflai, m'essuyai le visage une dernière fois puis me mouchai et lui rendis son mouchoir. Il le fourra dans son *sporran* sans sourciller.

Il avait dit : *Seigneur, faites que je suffise*. En l'entendant, sa prière m'avait transpercée comme une flèche. J'avais cru alors qu'il demandait de l'aide pour accomplir ce qui devait être fait.

Mais ce n'était pas ce qu'il avait voulu dire et de le comprendre à présent me fendait le cœur.

Je pris son visage entre mes mains. J'aurais tellement voulu avoir sa faculté de dire ce que j'avais sur le cœur, d'une manière qu'il comprendrait. Mais je n'avais pas ce don.

— Jamie, dis-je enfin. Tu es… tout. Toujours.

Une heure plus tard, nous quittions Fraser's Ridge.

13

Inquiétudes

Ian était couché de tout son long, un sac de riz sous la nuque en guise d'oreiller. C'était dur mais il aimait le crissement des grains quand il tournait la tête et leur vague odeur d'amidon. Rollo souleva un coin du plaid avec son museau puis se glissa dessous, rampa en grognant le long du corps de Ian et finit par caler confortablement sa truffe dans l'aisselle de son maître. Ce dernier gratta le museau du chien puis reposa sa tête, contemplant les étoiles.

La lune n'était qu'un fin croissant. Le ciel d'un noir violacé était parsemé d'étoiles, grosses et lumineuses. Il chercha les constellations, se demandant s'il verrait les mêmes en Ecosse. Quand il était chez lui dans les Highlands, il n'avait guère prêté attention à la voûte céleste. Et à Edimbourg, on ne voyait pas les étoiles à cause de la fumée des innombrables cheminées.

Sa tante et son oncle étaient allongés de l'autre côté du feu mourant, collés l'un contre l'autre si bien qu'on aurait dit un tronc d'arbre. Il vit leur couverture remuer, se figer, remuer à nouveau puis s'immobiliser. Il entendit un chuchotement, trop faible pour distinguer les mots mais au sens évident.

Il s'efforça d'adopter un souffle régulier, un peu plus sonore que la normale. Au bout d'un moment, les mouvements furtifs reprirent. Il était difficile de tromper oncle Jamie mais il existe des occasions où un homme ne demande qu'à être berné.

Sa main reposait sur la tête du chien. Rollo soupira et son grand corps s'amollit, chaud et lourd contre le sien. Sans sa présence, Ian aurait été incapable de dormir à la belle étoile. Il ne dormait jamais profondément, ni longtemps, mais au moins pouvait-il s'abandonner de temps en temps au sommeil en sachant que Rollo entendrait des bruits suspects bien avant lui.

Le premier soir de leur périple, percevant son trouble, oncle Jamie lui avait dit :

« Tu ne crains rien, tu sais. »

Sa nervosité l'avait empêché de fermer l'œil. Il était resté assis près du feu, alimentant les braises de brindilles jusqu'à ce que des flammes pures et vives s'élèvent dans le noir.

Il était conscient d'être parfaitement visible pour quiconque aurait voulu l'épier mais il n'y pouvait rien. Il aurait aussi bien pu avoir une cible peinte sur le torse ; lumière ou pas, cela n'aurait rien changé.

Rollo, couché près du feu mais les sens en alerte, avait brusquement redressé la tête puis, reconnaissant un son familier, s'était contenté de la tourner vers la forêt. Ian n'avait donc pas été surpris en voyant son oncle émerger d'entre les arbres où il avait été se soulager. Jamie s'était assis auprès de lui.

« Il ne veut pas ta peau, avait-il dit sans préambule. Tu ne cours aucun danger.

— Je crois que je préférerais encore être en danger », avait-il répliqué.

Oncle Jamie s'était tourné vers lui, surpris, puis avait hoché la tête.

Ian comprenait ce qu'il avait voulu dire. Arch Bug ne voulait pas qu'il meure. Cela aurait mis un terme à sa culpabilité et donc à sa souffrance. Ian avait regardé au fond de ces yeux qui avaient vu tant de choses, leur globe jauni et strié de rouge, larmoyant de froid et de chagrin. Ce qu'il y avait lu lui avait glacé le sang. Non, Arch Bug ne le tuerait pas… pas encore.

Son oncle contemplait le feu, sa lueur chaude illuminant les méplats de son visage, une vision qui réconfortait Ian autant qu'elle le terrifiait.

Tu ne comprends donc pas ? Il a dit qu'il me prendrait ce que j'aimais. Et pourtant tu es là, assis à mes côtés, aussi clair que le jour.

La première fois que cette pensée l'avait traversé, il l'avait aussitôt chassée. Le vieil Arch était redevable à oncle Jamie pour tout ce qu'il avait fait pour sa femme et lui. C'était le genre d'homme à respecter une dette... quoique peut-être encore plus enclin à réclamer son dû. En outre, qu'il respectât Jamie en tant qu'homme ne faisait aucun doute. En un premier temps, cela avait semblé clore le sujet.

Mais d'autres pensées lui étaient venues depuis, sournoises, lancinantes, se faufilant dans son esprit au cours de ses nombreuses nuits blanches depuis qu'il avait tué Murdina Bug.

Arch était un vieil homme. Aussi dur qu'une lance forgée sur le feu et deux fois plus dangereux... mais un vieil homme tout de même. Il s'était battu à Sheriffmuir et devait donc approcher les quatre-vingts ans. Le désir de vengeance pouvait le maintenir en vie encore un certain temps mais nul n'est éternel. Aussi bien pouvait-il se dire qu'il n'avait pas le temps d'attendre que Ian acquière quelque chose qui valait « la peine d'être pris ». S'il voulait concrétiser sa menace, il devait agir rapidement.

Ian entendait de légers bruissements de couverture de l'autre côté du feu de camp, et avala sa salive, la bouche sèche. Le vieil Arch pouvait décider de lui prendre sa tante car il savait à quel point il l'aimait et elle serait nettement plus facile à tuer qu'oncle Jamie. Non... Arch était peut-être fou de chagrin et de colère mais il n'était pas dément. Toucher à tante Claire sans éliminer Jamie en même temps serait du suicide.

Peut-être s'en fiche-t-il. Encore une autre de ces pensées qui lui trottinaient dans la tête la nuit, avec de petits pieds glacés.

Il devait les quitter, il le savait. Il l'avait compris depuis un certain temps déjà et comptait bien le faire. Il attendrait qu'ils s'endorment, puis se lèverait sans bruit et disparaîtrait. Ils seraient alors hors de danger.

Mais cette première nuit, il n'avait pu s'y résoudre. Assis près du feu, il tentait de rassembler son courage lorsque son oncle avait contrecarré son plan en venant s'installer près de lui, silencieux mais protecteur. Il était resté jusqu'à ce que Ian, sentant la fatigue l'emporter, accepte de se recoucher.

Demain, avait-il pensé. Après tout, Arch n'avait donné aucun signe de vie depuis l'enterrement de sa femme. *Peut-être est-il mort.* Il était vieux et seul.

Un autre problème se posait : s'il partait sans dire un mot, son oncle se lancerait à sa recherche. Il avait été clair sur le fait qu'il comptait ramener son neveu en Ecosse, bon gré mal gré, ligoté dans un sac si nécessaire. Ian sourit malgré lui.

Il avait à peine réfléchi à l'Ecosse et à ce qui l'attendait là-bas.

De l'autre côté du feu, s'éleva une brève inspiration aiguë, suivie de deux profonds soupirs à l'unisson. Pas besoin d'un dessin pour deviner de quoi il retournait. Du coup, il se demanda s'il trouverait une épouse en Ecosse.

Pourquoi pas ? Bug pourrait-il le suivre aussi loin ? Il est peut-être déjà mort, se répéta-t-il. Fébrile, il changea à nouveau de position. Rollo grogna puis, reconnaissant les signes, s'écarta de lui et alla se rouler en boule un peu plus loin.

Sa famille serait là. Entourés par les Murray, son épouse et lui seraient en sécurité, à n'en pas douter. Dans les forêts denses des montagnes, se cacher était facile ; nettement moins dans les Highlands, où nul étranger ne passe inaperçu aux regards perçants.

Il ignorait quelle serait la réaction de sa mère en le voyant mais elle finirait par s'habituer. Peut-être connaîtrait-elle une gentille fille que son aspect ne rebuterait pas ?

Un léger bruit de succion et un gémissement à peine audible. Ce dernier émanait de son oncle. Il faisait ça quand elle lui suçait un mamelon. Ian l'avait vue faire une ou deux fois à la lueur des braises près de la cheminée dans la cabane. Ses paupières closes, le bref éclat de ses dents humides et ses cheveux retombant sur ses épaules nues dans un nuage d'ombres et de lumière.

Tenté, il posa une main sur son sexe. Il possédait une collection d'images qu'il gardait dans un coin de sa tête pour ce genre d'occasions… dont certaines de sa cousine, bien qu'il en eût un peu honte. Elle était la femme de Roger Mac. Néanmoins, il avait pensé un temps devoir l'épouser et, bien que terrifié par cette perspective (il n'avait que dix-sept ans et elle, nettement plus), il s'était enhardi jusqu'à s'imaginer au lit avec elle.

Il l'avait observée attentivement pendant plusieurs jours, admirant la courbe ronde et ferme de son cul, l'ombre sombre de sa touffe rousse sous la fine chemise en mousseline quand elle partait se baigner, imaginant le choc exquis de la voir nue la nuit où elle s'étendrait devant lui et écarterait les cuisses.

Seigneur ! Il ne pouvait penser à Brianna ainsi, à quelques mètres de son père !

Il grimaça et ferma les yeux avec force, sa main allant et venant lentement tandis qu'il invoquait d'autres images de sa bibliothèque privée. Pas la sorcière... pas ce soir. Son souvenir l'excitait puissamment, souvent douloureusement, mais s'accompagnait d'un sentiment d'impuissance. Malva... Non, il avait peur de l'invoquer ; il avait fréquemment l'impression que son esprit flottait non loin.

La frêle Mary. Oui, elle. Sa main trouva aussitôt son rythme et il soupira d'aise, soulagé de trouver une échappatoire dans les petits seins roses et le sourire engageant de la première fille avec laquelle il avait couché.

Quelque temps plus tard, à la lisière d'un rêve dans lequel il était marié à une toute petite jeune femme blonde, il pensa à nouveau vaguement : Oui, il doit être déjà mort.

Rollo poussa un grognement sourd, comme s'il marquait son désaccord, puis roula sur le dos, les pattes en l'air.

14

Des affaires délicates

Londres, novembre 1776

Vieillir offrait de nombreuses compensations, selon lord John. La sagesse, le recul, une position sociale, un sentiment d'accomplissement, de temps dépensé à bon escient, une richesse affective avec amis et parents… et ne plus avoir besoin de garder le dos collé au mur lorsqu'il parlait à lord George Germain. Même si son miroir et son valet lui assuraient qu'il était encore présentable, il avait au moins vingt ans de trop pour plaire au secrétaire d'Etat, qui aimait la chair fraîche.

Le jeune clerc qui l'avait fait entrer, avec ses longs cils noirs et une moue boudeuse, correspondait davantage aux goûts de lord Germain. Grey lui accorda à peine un regard, plus porté qu'il était sur les physiques virils.

Il n'était pas tôt (connaissant les habitudes de Germain, il avait attendu treize heures pour se présenter) mais son hôte portait encore les traces d'une nuit agitée. De profonds cernes bleus soulignaient des yeux qui semblaient vouloir jaillir de leur orbite. Ils le dévisageaient avec un manque d'enthousiasme évident. Néanmoins, Germain fit l'effort d'être courtois. Il invita Grey à s'asseoir et pria le clerc aux yeux de biche de leur apporter du cognac et des biscuits.

Grey buvait rarement des alcools forts avant la tombée du soir. Il goûta donc du bout des lèvres au cognac, par ailleurs excellent, tandis que Germain plongeait dans son verre le fameux nez des Sackville (proéminent et aussi tranchant qu'un coupe-papier), inhalait profondément, le vidait d'un trait puis s'en servait un autre. Le breuvage sembla avoir un effet salutaire car, après le second verre, il parut plus épanoui et demanda à Grey des nouvelles de sa santé.

— Je vais très bien, merci, répondit poliment Grey. Je viens de rentrer des Amériques et des relations communes m'ont confié des lettres pour vous.

Le visage de Germain s'illumina quelque peu.

— Vraiment ? Comme c'est aimable de votre part. La traversée fut supportable ?

— A peine.

A dire vrai, elle avait été épouvantable. Ils avaient essuyé une succession de tempêtes au milieu de l'Atlantique. Le navire n'avait cessé de rouler et de tanguer durant des jours au point que Grey avait prié qu'il coule une fois pour toutes et mette un terme à ses souffrances. Mais il n'était pas venu jusque chez Germain pour perdre du temps en trivialités.

Jugeant que son hôte était à présent suffisamment alerte pour l'écouter, il commença :

— Juste avant de quitter la Caroline du Nord, j'ai fait une rencontre assez étrange. Permettez-moi de vous la raconter.

Germain était vaniteux et mesquin, savait manier la langue de bois comme personne mais il était capable de se concentrer sur un sujet quand il le voulait, à savoir quand il percevait qu'une situation pouvait tourner à son avantage. L'allusion au Territoire Nord-Ouest retint immédiatement son attention.

Tout en reposant sur le guéridon son troisième verre de cognac à moitié vide, il demanda :

— Vous n'avez plus reparlé à ce Beauchamp depuis ?

— Non. Il avait délivré son message. Poursuivre cette conversation n'avait pas d'intérêt dans la mesure où il ressortait clairement qu'il n'avait pas le pouvoir d'agir. En outre, s'il avait souhaité divulguer le nom de ses commettants, il l'aurait fait.

Germain reprit son verre mais se contenta de le tourner dans ses mains comme pour s'aider à réfléchir. Le verre était souillé de traces de doigts et d'empreintes de lèvres.

— Connaissiez-vous déjà cet homme ? Pourquoi s'est-il adressé à vous plutôt qu'à un autre ?

Non, il est tout sauf idiot, pensa Grey.

— Nous nous étions rencontrés il y a de cela des années. Dans le cadre de mon travail avec le colonel Bowles.

Pour rien au monde il n'aurait révélé à Germain la véritable identité de Percy. Ce dernier avait été – et était toujours – leur frère par alliance, à Hal et lui. Seules la chance et la détermination de Grey avaient évité un énorme scandale à l'époque où Percy avait été surpris en flagrant délit de sodomie. Certains scandales s'estompaient avec le temps... pas celui-ci.

Les sourcils épilés de Germain se haussèrent à la mention de Bowles. Ce dernier avait dirigé la Chambre noire d'Angleterre pendant de longues années.

— Un espion ? demanda-t-il sur un ton légèrement dégoûté.

L'espionnage était une vile nécessité ; un gentleman n'y aurait jamais touché à mains nues.

— Il l'a probablement été autrefois. Il semblerait qu'il se soit élevé dans le monde.

Grey saisit son verre et but une grande gorgée. C'était vraiment un excellent cognac. Puis il le posa et se leva pour prendre congé. Il était inutile de chercher à sonder le secrétaire. Maintenant qu'il lui avait exposé l'affaire, ce dernier mènerait sa propre enquête afin de servir ses intérêts.

Grey quitta Germain toujours assis dans son fauteuil, fixant son verre vide d'un air méditatif. Il enfila sa cape que lui tenait le clerc à la bouche tendre, qui en profita pour lui effleurer la main au passage.

Serrant sa cape autour de lui et rabattant son chapeau pour se protéger du vent, Grey se fit la réflexion qu'après tout il ne comptait pas sur le sens des responsabilités de Germain pour élucider l'affaire ; l'homme était trop lunatique. Le cabinet de lord North comptait deux autres secrétaires d'Etat : celui du Département du Nord, qui couvrait toute l'Europe, et celui du Département du Sud, qui représentait le reste du monde. Il aurait préféré ne pas traiter du tout avec Germain mais le protocole et la diplomatie lui interdisaient de s'adresser directement à lord North, ce qui avait été sa première impulsion. Il laisserait à Germain une journée d'avance puis irait porter le déconcertant message de M. Beauchamp au secrétaire du Sud, Thomas Thynne, vicomte de Weymouth. Le secrétaire du Sud était chargé de traiter avec les nations catholiques d'Europe et de ce fait, toute affaire liée aux Français le concernait.

Si les deux hommes décidaient de s'occuper de la question, lord North en serait certainement informé. Lui ou l'un de ses ministres viendrait alors trouver Grey.

Un orage se préparait sur la Tamise ; il apercevait les nuages noirs s'amonceler, menaçant de déchaîner leur fureur au-dessus du Parlement.

— Un peu de tonnerre et d'éclairs les réveillera, murmura-t-il.

Il héla un fiacre juste au moment où les premières gouttes s'écrasaient sur les pavés.

Le temps qu'il arrive au Beefsteak, il pleuvait à verse. Avant d'avoir franchi les trois pas qui le séparaient de l'entrée du club, il était trempé.

M. Bodley, le vieux majordome, l'accueillit comme s'il l'avait vu la veille et non dix-huit mois plus tôt.

— Soupe de tortue au sherry ce soir, milord.

Il fit signe à un laquais de prendre la cape et le chapeau mouillés de Grey avant d'ajouter :

— Excellent pour se réchauffer. Ensuite, je vous suggère une côtelette d'agneau accompagnée de pommes de terre nouvelles…

— Ce sera parfait, monsieur Bodley.

Il s'installa dans la salle à manger, réconfortante avec son grand feu de cheminée et ses nappes blanches. Alors qu'il penchait la tête en arrière pour laisser M. Bodley glisser un coin de la serviette sous son col, il remarqua une nouveauté dans la décoration et demanda, perplexe :

— Qui est-ce ?

Le tableau, accroché en évidence sur le mur qui lui faisait face, représentait un Indien en tenue d'apparat, avec plumes d'autruche et draperies brodées. Il paraissait déplacé parmi les portraits guindés de plusieurs membres éminents du club, la plupart morts et enterrés.

— Ah, mais c'est M. Brant, naturellement ! répondit M. Bodley avec une légère pointe de reproche. M. Joseph Brant. M. Pitt l'a amené à dîner l'an dernier lorsqu'il était à Londres.

— Brant ?

M. Bodley arqua les sourcils. Comme la plupart des Londoniens, il présumait que quiconque avait été en Amérique connaissait tous ceux qui s'y trouvaient.

— C'est un chef iroquois, si je ne m'abuse, répondit-il en appuyant sur le mot « iroquois ». Il était ici pour rendre visite au roi.

— Vous m'en direz tant !

Il se demanda qui, du roi ou de l'Iroquois, avait été le plus impressionné.

M. Bodley se retira pour revenir presque aussitôt déposer une lettre devant Grey.

— Ceci vous a été envoyé aux bons soins du secrétaire.

— Ah ? Merci, monsieur Bodley.

Les entrailles de Grey se nouèrent en reconnaissant l'écriture de son fils. Pourquoi Willie lui avait-il adressé une lettre ici plutôt que chez sa grand-mère ou chez Hal ?

De peur qu'ils la lisent, se répondit-il aussitôt. Il saisit son couteau à poisson et l'ouvrit fébrilement.

S'agissait-il de Richardson ? Hal éprouvait une franche antipathie pour cet homme et n'approuvait pas que William travaille pour lui, même s'il n'avait rien eu de concret à dire à son détriment. Peut-être avait-il été imprudent en poussant William dans cette voie, sachant ce qu'il savait sur le monde louche du renseignement ? D'un autre côté, il avait fallu impérativement éloigner Willie de la Caroline du Nord avant qu'il ne tombe nez à nez avec Jamie Fraser ou Percy « Beauchamp ».

En outre, même si cela fendait le cœur, il fallait bien un jour laisser partir son fils, le laisser voler de ses propres ailes ; Hal le lui avait dit à plusieurs reprises. Trois fois, précisément ; à savoir chaque fois qu'un de ses fils était entré dans l'armée.

Il déplia la lettre précautionneusement comme si elle risquait d'exploser. Elle était rédigée avec un soin qui lui parut de très mauvais augure. D'ordinaire, l'écriture de Willie était lisible mais sans plus.

A lord John Grey
Le Cercle des amateurs de beefsteak anglais
De la part du lieutenant William lord Ellesmere
7 septembre 1776
Long Island
Colonie royale de la Nouvelle-York

Mon cher père,
J'ai un problème délicat à te soumettre.

Voilà bien une phrase à glacer l'échine de n'importe quel parent. Willie avait-il engrossé une jeune femme ? Avait-il joué et perdu des biens importants ? Contracté une affection vénérienne ? Défié quelqu'un ou été défié en duel ? Ou encore… avait-il découvert, sur la route qui le menait auprès du général Howe, quelque information compromettante lors de sa mission de renseignements ? Grey saisit son verre et avala une gorgée de vin. Il ressentait le besoin de prendre des forces avant d'affronter la suite. Toutefois, rien ne l'avait préparé à la phrase suivante.

Je suis amoureux de lady Dorothea.

Grey s'étrangla, renversant du vin sur sa main. Il chassa aussitôt le majordome qui se précipitait avec une serviette et s'essuya sur ses culottes tout en poursuivant sa lecture.

Voici un certain temps déjà que nous avons pris conscience d'une attraction réciproque mais j'hésitais à me déclarer, sachant que je partirais bientôt pour les colonies. Toutefois, lors du bal de lady Belvedere, une semaine avant mon départ, nous nous sommes soudain retrouvés seuls dans le parc. La beauté du décor, l'atmosphère romantique de la soirée et l'enivrante proximité de ma chère cousine ont eu raison de mon bon sens.

— Oh, bon sang ! s'exclama lord John. Ne me dis pas que tu l'as déflorée sous un buisson !

Les dîneurs assis à une table voisine tournèrent vers lui des regards intéressés. Il toussota dans son poing et reprit sa lecture.

Je rougis de honte d'avouer que j'ai laissé mes sentiments prendre le dessus, au point que j'hésite à le consigner par écrit. Je suis mortifié, naturellement, tout en sachant qu'il n'existe aucune excuse pour un comportement aussi déshonorant. Lady Dorothea a été généreuse dans son pardon et m'a interdit avec véhémence d'aller trouver directement son père comme j'en avais d'abord eu l'intention.

— Très malin de ta part, Dottie, murmura Grey.

Il n'imaginait que trop bien la réaction de son frère en apprenant la nouvelle. Restait à espérer que Willie exagérait un peu la gravité de son outrage.

Je comptais d'abord te demander de préparer oncle Hal à ma requête l'an prochain, lorsque je rentrerai à la maison et pourrai demander la main de lady Dorothea en bonne et due forme. Malheureusement, je viens d'apprendre qu'elle a reçu une autre offre, de la part du vicomte Maxwell, une proposition à laquelle oncle Hal réfléchit sérieusement.

Pour rien au monde je ne voudrais ternir l'honneur de l'élue de mon cœur mais, compte tenu des circonstances, il est clair qu'elle ne peut épouser Maxwell.

Tu veux dire que Maxwell s'apercevrait qu'elle n'est plus vierge, se dit Grey avec cynisme. Il ferait irruption chez Hal le lendemain de la nuit de noces pour le lui annoncer. Il se passa les mains sur le visage, pris d'une soudaine lassitude.

Père, les mots ne peuvent traduire les remords qui m'accablent et je ne peux même pas demander un pardon que je ne mérite pas pour t'avoir tant déçu. Si je t'implore de parler au duc, ce n'est donc pas pour moi mais pour elle. J'espère que tu pourras le convaincre d'écouter ma requête et d'accepter que nous nous fiancions sans rien lui divulguer qui pourrait causer du tort à ma chère cousine.

Ton très humble fils prodigue,

William

Grey s'enfonça dans son siège et ferma les yeux. Le premier choc de la révélation passé, son esprit commençait à cerner le problème.

C'était jouable. Rien n'empêchait William et Dottie de se marier. Bien que nominalement cousins, ils n'étaient pas liés par la consanguinité. William était son fils à tous les égards, sauf par le sang. En outre, si Maxwell était jeune, riche et d'un parti convenable, William était comte, hériterait un jour de la dignité de baronet et était loin d'être pauvre.

Non, de ce côté-ci, tout allait bien. Minnie aimait beaucoup William. Quant à Hal et ses fils... à condition de ne pas avoir vent de la conduite de William, ils verraient plutôt cette union d'un bon œil. En revanche, s'ils découvraient le pot aux roses, William pourrait s'estimer heureux s'il parvenait à leur échapper sans avoir été roué de coups de cravache et les os intacts. Grey de même.

Certes, Hal ne manquerait pas d'être surpris. Les deux cousins s'étaient beaucoup vus durant le séjour londonien de William mais ce dernier n'avait jamais parlé de Dottie d'une manière qui puisse...

Il reprit la lettre et la relut. Puis une fois encore. Il la reposa et la fixa quelques minutes, les yeux mi-clos, songeur.

— Je veux bien être pendu si j'avale cette couleuvre. Que diable manigances-tu, William ?

Il froissa la lettre et, saisissant un bougeoir sur une table voisine avec un sourire contrit à ses occupants, y mit le feu. Le majordome accourut aussitôt avec un plat en porcelaine dans lequel Grey laissa tomber le papier en flammes. Ils l'observèrent tous les deux se racornir et noircir.

— Votre soupe, milord.

Chassant le petit nuage de fumée en agitant une serviette, M. Bodley déposa une assiette fumante devant lui.

William étant hors d'atteinte, le mieux était encore d'interroger sa complice... quel que soit leur crime. Plus il y réfléchissait, plus il était convaincu que ce qui se tramait entre William, neuvième comte d'Ellesmere, et lady Dorothea Jacqueline Benedicta Grey n'avait rien à voir avec l'amour ou une passion coupable.

Mais comment parler à Dottie sans attirer l'attention de ses parents ? Il ne pouvait rester posté dans la rue en attendant que Hal et Minnie soient tous les deux sortis. Même s'il parvenait à coincer Dottie seule à la maison et à l'interroger en privé, les domestiques ne manqueraient pas de signaler sa visite à leurs maîtres et Hal, qui veillait sur sa fille tel un mastiff sur son os préféré, aurait tôt fait d'apprendre ce qu'il était venu faire.

Il repoussa l'offre du portier de lui héler un fiacre et rentra à pied chez sa mère, cherchant une solution. Il pouvait inviter sa nièce à dîner… mais il était très inhabituel de sa part de le faire sans convier également Minnie. Il en allait de même pour le théâtre ou l'opéra. Il escortait souvent ces dames car Hal ne pouvait rester en place suffisamment longtemps pour écouter un opéra dans son entier et considérait le théâtre comme un insoutenable ramassis de fadaises.

Son chemin passait par Covent Garden. Il évita de justesse un seau d'eau lancé par un marchand de fruits et légumes pour nettoyer les pavés des feuilles de chou et des pommes pourries. Avant l'aube, des fleurs fraîches arriveraient de la campagne par carrioles entières et rempliraient la place de parfums et de fraîcheur. En automne, l'air y était lourd des odeurs écœurantes de fruits écrasés, de viandes faisandées et de légumes abîmés.

Pendant la journée, les marchands criaient les mérites de leurs produits, marchandaient, se querellaient, houspillaient les voleurs et les pickpockets puis repliaient leurs étals à la nuit tombée pour dépenser la moitié de leurs profits dans les tavernes de Tavistock et de Brydges Street. Lorsque les ombres du soir envahissaient la place, les putains prenaient possession des lieux.

Quelques-unes, arrivées de bonne heure, déambulaient parmi les derniers marchands en espérant trouver un client avant qu'ils ne rentrent chez eux. Leur spectacle détourna momentanément l'attention de lord John de ses soucis familiaux et lui rappela le sujet qui l'avait préoccupé plus tôt.

Il se tenait à l'entrée de Brydges Street et distinguait la belle bâtisse qui se dressait légèrement en retrait à l'autre bout de la rue, toute drapée de son élégante discrétion.

Les prostituées savaient beaucoup de choses et, si on savait les motiver, pouvaient en découvrir beaucoup d'autres. Il fut tenté de rendre visite à Nessie, ne serait-ce que pour le plaisir de sa compagnie. Mais non… plus tard.

Il devait d'abord trouver ce que l'on savait sur Percy Beauchamp dans les cercles plus officiels avant de lancer ses limiers sur la piste de ce lièvre particulier. Et avant de consulter Hal.

Il était trop tard pour passer par la voie officielle. Il enverrait un billet et prendrait rendez-vous. Dès demain matin, il se rendrait à la Chambre noire.

15

La Chambre noire

Grey se demanda quel esprit romantique avait imaginé l'appellation « chambre noire »... et s'il s'agissait d'ailleurs vraiment de romantisme. Peut-être les premiers espions avaient-ils été consignés dans un réduit aveugle sous les escaliers de Whitehall, auquel cas le terme était purement descriptif. Depuis, la Chambre noire en était venue à désigner un type d'activité plutôt qu'un lieu spécifique.

Toutes les capitales d'Europe (ainsi que quelques grandes villes) possédaient une chambre noire, des cellules où étaient inspectées les lettres dérobées par des espions dans le courrier régulier ou simplement prélevées dans les malles diplomatiques. Elles étaient décodées avec plus ou moins de succès, après quoi les informations ainsi obtenues étaient envoyées à la personne ou à l'agence concernées. A l'époque où Grey y avait travaillé, la Chambre noire anglaise employait quatre personnes, sans compter les clercs et les commis. Ils étaient à présent plus nombreux, répartis dans divers petits bureaux et recoins insignifiants des bâtiments administratifs longeant Pall Mall. Néanmoins, le centre des opérations se trouvait toujours à Buckingham Palace.

Non pas dans les parties superbement équipées qui abritaient la famille royale, ses secrétaires, les caméristes, les gouvernantes, les majordomes et autres membres du gratin de la domesticité mais quand même dans le palais.

Grey, qui avait passé son uniforme bardé de ses insignes de lieutenant-colonel pour entrer plus facilement, salua d'un hochement de tête le soldat de garde devant le portail noir. Il s'engagea dans un vestibule miteux et mal éclairé aux odeurs de vieille cire et aux vagues relents de chou bouilli et de cake brûlé. Un agréable frisson de nostalgie le parcourut. La troisième porte sur la gauche était entrebâillée. Il entra sans frapper.

Il était attendu. Arthur Norrington le salua sans se lever et lui fit signe de prendre un siège.

Les deux hommes se connaissaient depuis des années sans être pour autant vraiment amis. Grey ne l'avait pas vu depuis des lustres et trouva réconfortant de le trouver inchangé. Arthur était un homme corpulent et doux, avec de grands yeux à fleur de tête et des lèvres épaisses qui lui donnaient l'air d'un turbot sur un lit de glace pilée. Digne et légèrement réprobateur.

Grey s'assit et déposa un petit paquet sur un coin du bureau.

— Je vous suis très reconnaissant de votre aide, Arthur. Je vous ai apporté un petit quelque chose en guise de remerciement.

Norrington déballa le paquet avec des doigts avides.

— Oh ! s'exclama-t-il avec un plaisir non feint.

Il retourna la petite sculpture en ivoire entre ses gros doigts, l'approchant de son visage pour en examiner les détails avec ravissement.

— Tsuji ?

Grey hocha la tête, satisfait de l'effet de son présent. Il n'y connaissait rien en netsuke mais connaissait un marchand spécialisé dans les miniatures en ivoire chinoises et japonaises. Il avait été surpris par la finesse et la beauté du travail de celle-ci en particulier, qui représentait une femme à moitié nue engagée dans des ébats acrobatiques avec un obèse nu et coiffé d'un petit chignon.

— Je crains qu'il n'ait pas de provenance, s'excusa-t-il.

Norrington chassa ce détail d'un geste de la main sans quitter des yeux son nouveau trésor. Puis, avec un soupir de contentement, il le glissa dans la poche intérieure de sa veste.

— Merci, milord. Quant au sujet qui vous intéresse, je n'ai malheureusement pas trouvé grand-chose concernant votre mystérieux M. Beauchamp.

Il indiqua un vieux classeur en cuir sur son bureau. Grey pouvait voir un objet volumineux à l'intérieur maintenu par une ficelle. Ce n'était pas du papier.

Il tendit la main en déclarant :

— Vous me surprenez, Arthur. Enfin... voyons voir ce que vous avez là.

Norrington posa une main à plat sur le classeur et plissa le front, cherchant à lui faire comprendre que les secrets officiels ne pouvaient être divulgués à *n'importe qui*. Grey lui sourit.

— Voyons, Arthur. Si vous voulez savoir ce que je sais sur le mystérieux M. Beauchamp – et je peux vous assurer que vous le voulez –, vous allez devoir me montrer absolument tout ce que vous possédez sur lui.

Norrington se détendit un peu, reculant sa main mais toujours avec une certaine réticence. Arquant un sourcil, Grey saisit le classeur et l'ouvrit. L'objet était un petit sac en toile. A part ça, il n'y avait que quelques feuilles de papier. Grey poussa un soupir et déclara sur un ton de reproche :

— Vos méthodes laissent à désirer, Arthur. Il y a des montagnes de papiers concernant Beauchamp et plus encore contenant des renvois à ce nom. Certes, il n'est plus actif depuis des années mais quelqu'un aurait dû se donner le mal de faire des recherches.

— Nous les avons faites, répliqua Norrington avec une note étrange dans la voix qui surprit Grey. Le vieux Crabbot s'est souvenu de ce nom et nous sommes allés fouiller dans les archives. Les dossiers ont disparu.

Le sang de Grey se figea.

— Voilà qui est bien étrange, dit-il calmement. Dans ce cas...

Il se pencha sur le dossier mais il lui fallut un certain temps pour comprendre ce qu'il regardait tant son esprit était en ébullition. Quand il parvint enfin à se concentrer sur la feuille devant lui, le nom de « Fraser » lui sauta au visage.

Non, il ne s'agissait pas de Jamie Fraser. Il inspira lentement, tourna la page, lut la suivante, puis revint à la première.

Le dossier contenait quatre lettres, dont seule une avait été entièrement décodée. Quelqu'un avait commencé d'en analyser une autre, ainsi que l'attestaient les notes en marge. Grey pinça les lèvres. En son temps, il avait été un bon décodeur mais il était absent du champ de bataille depuis trop longtemps. Il ne connaissait pas les nouveaux langages utilisés par les Français, sans parler des jargons propres à chaque espion. Toutefois, il sautait aux yeux que ces lettres étaient l'œuvre d'au moins deux auteurs différents.

Grey releva la tête et s'aperçut que Norrington le fixait tel un crapaud lorgnant une mouche bien grasse.

— Je les ai examinées, déclara Arthur. Je ne les ai pas décodées *officiellement* mais j'ai une bonne idée générale de leur sens.

Grey avait déjà pris sa décision et s'était préparé à se confier à Norrington, le plus discret de ses contacts dans la Chambre noire.

— Beauchamp s'appelle en réalité Percival Wainwright, expliqua-t-il, tout en se demandant pourquoi il taisait le véritable prénom de Percy. C'est un sujet britannique. Il a été officier dans notre armée avant d'être arrêté pour crime de sodomie. Il n'a jamais été jugé. On le croyait mort dans la prison de Newgate alors qu'il attendait son procès mais…

Il lissa les feuilles de papier du plat de la main et referma le classeur.

— … il s'en est visiblement sorti.

Les grosses lèvres d'Arthur s'arrondirent de stupéfaction.

Grey se demanda un instant s'il devait en rester là… mais Arthur était aussi tenace qu'un teckel traquant un blaireau au fond de son terrier. S'il découvrait le reste par ses propres moyens, il soupçonnerait Grey d'en savoir beaucoup plus.

Grey reposa le classeur sur le bureau et poursuivit le plus naturellement possible :

— C'est également mon frère par alliance. Je l'ai vu en Caroline du Nord.

Les coins de la bouche de Norrington s'affaissèrent un instant mais il se reprit aussitôt.

— Je vois… Effectivement, dans ce cas… Oui, je vois.

— Vous comprenez pourquoi il faut absolument que je connaisse le contenu de ces lettres. Le plus tôt possible.

Arthur hocha la tête en signe d'assentiment puis se redressa et rouvrit le dossier. Une fois convaincu, il ne tergiversait plus.

— La plupart de ce que j'ai pu déchiffrer avait trait à l'expédition de marchandises. Il y a des noms de navires, de contacts aux Antilles, de cargos à livrer... de la simple contrebande, quoique à une échelle assez vaste. Il y a une allusion à un banquier à Edimbourg mais je n'ai pas encore déterminé son identité. Cependant, trois des lettres mentionnent un nom en clair... vous l'aurez sûrement remarqué.

Grey ne se donna pas la peine de le nier. Arthur reprit :

— Quelqu'un en France tient beaucoup à trouver un certain Claudel Fraser.

Il arqua un sourcil interrogateur.

— Vous n'auriez pas une petite idée de qui il s'agit ?

Grey avait un vague soupçon mais répondit néanmoins :

— Non. Et vous, une petite idée de qui le cherche et pourquoi ?

Norrington fit non de la tête.

— J'ignore pourquoi, répondit-il franchement. Quant à qui, il pourrait s'agir d'un aristocrate français.

Il saisit le petit sac en toile et en retira précautionneusement deux cachets en cire, l'un largement fendillé, l'autre intact. Tous deux représentaient un martinet devant un soleil levant.

Norrington les toucha du bout du doigt.

— Personne n'a encore réussi à les identifier. Ils vous disent quelque chose ?

La gorge soudain sèche, Grey répondit :

— Non, mais vous devriez regarder du côté d'un certain baron Amandine. Wainwright l'a mentionné dans notre conversation comme une de ses relations.

Norrington parut perplexe.

— Amandine ? Jamais entendu parler.

— Personne d'autre non plus...

Grey se leva avec un soupir.

— ... au point que je commence à me demander s'il existe réellement.

Il se posait toujours la question tout en marchant vers la maison de Hal. Le baron Amadine n'était peut-être qu'une façade, masquant une personnalité beaucoup plus importante. Dans le cas contraire, tout devenait plus déroutant et plus simple à la fois. Puisqu'il était impossible de savoir de qui il s'agissait, Percy Wainwright restait la seule piste valable à suivre.

Aucune des lettres de Norrington ne mentionnait le Territoire Nord-Ouest ni ne contenait la moindre allusion à la proposition de Percy. Cela n'avait rien de surprenant ; il aurait été très dangereux de coucher ce genre d'informations sur le papier, même s'il avait connu bien des espions ayant commis ce genre d'erreur. Si Amandine existait vraiment, c'était un homme sage et prudent.

De toute façon, il allait devoir parler de Percy à Hal. Peut-être saurait-il quelque chose sur cet Amandine ou pourrait-il mener une enquête. Il avait beaucoup d'amis en France.

Penser à Hal lui rappela brusquement la lettre de William, presque oubliée parmi les intrigues du matin. Il marmonna d'exaspération dans sa barbe. Non, il n'était pas question de parler de *ça* à son frère avant d'avoir pu discuter avec Dottie. En tête à tête.

Quand il arriva à Argus House, Dottie n'était pas à la maison.

Lorsqu'il s'enquit courtoisement de sa nièce et filleule, sa belle-sœur Minnie lui répondit :

— Elle est sortie à l'un des après-midi musicaux de Mlle Brierley. Elle est très mondaine, ces temps-ci. Elle sera navrée de t'avoir raté.

Elle se hissa sur la pointe des pieds et l'embrassa, rayonnante.

— Cela me fait tellement plaisir de te voir, John.

— Moi de même, Minnie. Hal est à la maison ?

Elle leva les yeux vers le plafond.

— Cela fait huit jours qu'il n'est pas sorti. Il a la goutte. Encore une semaine dans cet état et je mets du poison dans sa soupe.

— Ah !

Cela renforça sa décision de ne pas parler à Hal de William. De bonne humeur, son frère terrifiait les soldats aguerris et les politiciens endurcis ; souffrant... Voilà qui expliquait sans doute pourquoi Dottie avait le bon sens de ne pas rester dans les parages.

Les nouvelles qu'il s'apprêtait à lui annoncer n'allaient guère améliorer son humeur. Il poussa prudemment la porte du bureau. Son frère était connu pour lancer des objets à la tête des gens quand il était irritable et rien ne l'irritait plus que d'être malade.

A la vérité, Hal dormait, affalé dans un fauteuil devant la cheminée, son pied bandé posé sur un tabouret. Une puissante et âcre odeur de médicament flottait dans la pièce, étouffant celles du bois brûlé, du suif fondu et du pain rassis. Sur un plateau, une assiette de soupe attendait, froide et intacte. Minnie avait peut-être mis ses menaces à exécution. Grey sourit. A l'exception de leur mère et de lui-même, Minnie était la seule personne au monde qui n'avait jamais peur de Hal.

Il s'assit sans faire de bruit, hésitant à le réveiller. Hal avait les traits tirés et paraissait amaigri. Cela étant, il avait toujours été mince. Il possédait une élégance innée qui ne le quittait pas, même en caleçon, avec une vieille chemise en lin, les jambes nues et un châle miteux drapé autour des épaules. Néanmoins, les traces d'une vie passée sur les champs de bataille se lisaient sur son visage.

Le cœur de Grey se serra avec une tendresse soudaine et il se demanda si, après tout, le perturber était nécessaire. D'un autre côté, il ne pouvait risquer que Hal apprenne par accident la résurrection inopportune de Percy. Il devait être prévenu.

Avant qu'il ait pu se décider, les yeux de Hal s'ouvrirent brusquement, clairs et alertes. Ils étaient du même bleu que ceux de son cadet.

— Tu es rentré, dit-il simplement.

Il lui adressa un sourire affectueux et poursuivit :

— Sers-moi un cognac.

— Minnie m'a dit que tu avais la goutte. Les charlatans qui te soignent ne t'ont pas interdit de boire de l'alcool ?

Il se leva néanmoins.

Hal se redressa dans son fauteuil et grimaça en bougeant sans le vouloir son pied bandé.

— Si. Mais à ta tête, je sens que tu vas me dire quelque chose de désagréable et que je vais en avoir besoin. Tu ferais mieux d'apporter directement la carafe.

Il ne quitta Argus House que quelques heures plus tard après avoir décliné l'invitation à dîner de Minnie. Le temps s'était considérablement détérioré. Un vent d'automne frisquet se levait et il pouvait sentir le sel dans l'air... les traces de la brume marine approchant de la côte. C'était un soir parfait pour rester chez soi.

Minnie s'était excusée de ne pas pouvoir lui proposer sa voiture, Dottie l'ayant prise pour se rendre à son *salon*. Il avait assuré que marcher lui ferait le plus grand bien car il avait besoin de réfléchir. Toutefois, les rafales qui faisaient battre les pans de sa cape et menaçaient d'emporter son chapeau gênaient sa concentration. Il commençait à regretter la voiture quand il l'aperçut soudain dans l'allée de l'une des grandes demeures près d'Alexandra Gate, les chevaux caparaçonnés de plaids pour les protéger du vent.

Il allait franchir le portail quand il entendit crier : « Oncle John ! » Il se tourna juste à temps pour voir sa nièce fondre sur lui. Elle portait une grande mante en soie prune et rose dont les pans et la capuche étaient gonflés à un point alarmant. De fait, elle arriva sur lui à une vitesse telle qu'il ouvrit les bras pour arrêter son élan. Il demanda sans préambule :

— Tu es toujours vierge ?

Elle écarquilla les yeux et, sans l'ombre d'une hésitation, le gifla.

— *Quoi ?*

— Toutes mes excuses. Je sais, c'était un peu brutal.

Il lança un regard vers la voiture avec son cocher imperturbable, lui fit signe d'attendre et, prenant sa nièce par le bras, l'entraîna en direction du parc.

— Où allons-nous ?

— Faire une promenade. J'ai quelques questions à te poser et je ne souhaite pas qu'on nous entende. Toi non plus, crois-moi.

Elle ne discuta pas, se contentant de plaquer une main sur son charmant petit chapeau et de le suivre dans un bouillonnement de jupons.

Le mauvais temps et les passants empêchèrent Grey de poser les questions qui le taraudaient jusqu'à ce qu'ils aient rejoint un chemin plus ou moins désert qui traversait un bosquet de buissons aux formes extravagantes.

Le vent s'était légèrement calmé bien que le ciel soit de plus en plus noir. Dottie s'arrêta brusquement devant un lion en buis et demanda :

— Oncle John, que signifient ces calembredaines ?

Dottie avait le teint de feuille d'automne de sa mère, les mêmes cheveux couleur de blé mûr et des pommettes perpétuellement roses. Toutefois, alors que sa mère possédait un ravissant visage aux courbes douces, elle avait hérité de l'ossature fine et des longs cils noirs de son père. Et sa beauté recelait quelque chose de dangereux.

Ce quelque chose menaçait d'exploser dans le regard de braise qu'elle fixait sur son oncle et ce dernier se dit que, si Willie était amoureux d'elle, cela se comprenait aisément. *S'il l'était.*

— J'ai reçu une lettre de William me laissant entendre qu'il s'était comporté avec toi d'une manière indigne d'un gentleman. Est-ce vrai ?

Elle ouvrit une bouche médusée.

— Il t'a dit *quoi* ?

Voilà qui le soulageait d'un fardeau. Elle était probablement encore vierge : inutile d'expédier William en Chine pour échapper au courroux de ses cousins.

— Comme je viens de le dire, ce n'était qu'une allusion. Il ne m'a fourni aucun détail. Viens, reprenons notre marche avant de geler sur place.

Il la prit par le bras et la guida vers une allée menant à un petit oratoire. Ils se réfugièrent dans le vestibule dominé par un vitrail représentant sainte Agathe exhibant ses seins coupés sur un plateau. Grey feignit d'admirer cette image édifiante, laissant à Dottie le temps de remettre un peu d'ordre dans sa toilette et de réfléchir à ce qu'elle allait lui dire.

Elle se tourna enfin vers lui, le menton dressé.

— Eh bien... Il est vrai que nous... euh... que je l'ai laissé m'embrasser.

— Ah ? Où ?

En voyant son expression choquée (c'était intéressant : une jeune femme sans la moindre expérience imaginerait-elle possible d'être embrassée ailleurs que sur les lèvres ou la main ?), il s'empressa de préciser :

— Je voulais dire, dans quel endroit géographique ?

Ses joues rosirent un peu plus lorsqu'elle prit conscience de sa bévue. Elle ne détourna pas les yeux pour autant.

— Dans le parc de lady Windermere. Nous assistions tous deux à sa soirée musicale et, le dîner n'étant pas prêt, William m'a invitée à marcher un peu. C'était une si belle soirée...

— Oui, c'est ce qu'il m'a dit. C'est intéressant, cet effet enivrant du beau temps !

Elle prit un air piqué.

— Quoi qu'il en soit, nous sommes amoureux. Cela, il te l'a dit, au moins ?

— En effet. Il a commencé par une confession dans ce sens avant d'enchaîner sur un aveu scandaleux concernant ta vertu.

Elle le regarda avec stupéfaction.

— Qu'a... qu'a-t-il dit exactement ?

— Assez pour me convaincre d'aller trouver ton père et de lui faire valoir qu'il représentait un parti désirable pour toi.

— Ah.

Elle parut soulagée et détourna le regard un instant avant de braquer de nouveau ses yeux bleus sur lui.

— Eh bien ? Et tu vas le faire ? s'enquit-elle avant d'ajouter avec une note d'espoir : A moins que tu ne l'aies déjà fait ?

— Non. Je n'ai encore rien dit à ton père. Je voulais d'abord en discuter avec toi et m'assurer que tu partageais bien les sentiments de William.

Elle battit des cils et lui adressa un de ses sourires enjôleurs.

— Comme c'est gentil de ta part, oncle John. Bien des hommes n'auraient que faire de l'opinion de la femme mais toi, tu as toujours été si prévenant ! Mère ne tarit pas d'éloges à ton égard.

— N'en rajoute pas, Dottie. Tu accepterais donc d'épouser William ?

— Si j'accepterais ? s'exclama-t-elle. Mais je ne demande que ça !

Il lui jeta un long regard sceptique mais elle ne flancha pas bien que sa gorge et ses joues virent au cramoisi.

— Vraiment ? dit-il toujours aussi peu convaincu. Pourquoi ?

Elle cligna des yeux, déconcertée.

— Pourquoi ?

— Pourquoi, répéta-t-il patiemment. Qu'y a-t-il dans la personnalité de William, ou dans son aspect (car les jeunes femmes étaient connues pour ne pas être fines psychologues), qui t'attire au point de vouloir l'épouser ? Et précipitamment de surcroît.

Qu'ils soient attirés l'un par l'autre pouvait se comprendre, mais pourquoi une telle hâte ? Même si William craignait que Hal accepte la proposition du vicomte Maxwell, Dottie savait pertinemment que son père, qui l'adorait, ne l'obligerait jamais à se marier contre son gré.

— Mais parce que nous nous aimons, bien sûr !

Il y avait une pointe d'hésitation dans cette déclaration théoriquement passionnée.

— Quant à sa… à sa personnalité… Enfin, oncle John, tu es son père ! Tu ne peux pas ignorer son… son… intelligence ! finit-elle par lâcher, avec une note de triomphe.

Une fois lancée, l'inspiration lui vint plus facilement.

— … Sa gentillesse, son humour… sa douceur…

Ce fut au tour de lord John d'être décontenancé. William était indubitablement intelligent, drôle et raisonnablement bon mais la douceur n'était pas une qualité qui venait immédiatement à l'esprit quand on pensait à lui. Le trou dans la boiserie de la salle à manger de sa mère, à l'endroit où William avait projeté un camarade lors d'un goûter, n'avait jamais été réparé et la scène était encore fraîche dans les souvenirs de Grey. William se comportait certainement de manière plus civilisée avec Dottie mais quand même…

A présent intarissable, elle déclamait avec enthousiasme :

— C'est l'incarnation même du parfait gentleman ! Quant à son allure… toutes mes amies l'admirent ! Si grand, si imposant, si…

Il remarqua avec un détachement clinique que, dans son inventaire des caractéristiques remarquables de William, elle ne parlait pas de ses yeux. Or, outre sa grande taille qui passait difficilement inaperçue, ses yeux étaient probablement son trait le plus saisissant. Ils étaient d'un bleu profond et brillant, d'une forme inhabituelle, bridés comme ceux d'un chat. C'étaient les yeux de Jamie Fraser et, chaque fois que William le regardait avec une certaine expression, Grey ressentait un petit pincement au cœur.

William était parfaitement conscient de l'effet de son regard sur les jeunes femmes et n'hésitait pas à en profiter. S'il avait langoureusement dévisagé Dottie, elle aurait été clouée sur place, amoureuse ou pas. Quant à cet émouvant récit d'extase dans le parc… tantôt lors d'une soirée musicale, tantôt lors d'un bal, un soir chez lady Belvedere, l'autre chez lady Windermere…

Absorbé par ses pensées, il ne se rendit pas tout de suite compte que Dottie avait cessé de parler.

— Je te demande pardon, ma chère, et je te remercie pour ce panégyrique à la gloire de William, un discours qui ne peut que réchauffer le cœur du père que je suis. Mais tu n'as toujours pas répondu à ma question : pourquoi cette urgence ? William rentrera sûrement à Londres d'ici un an ou deux.

— Il pourrait être tué !

Son ton exprimait une angoisse si réelle qu'il en fut presque alarmé. Elle déglutit péniblement, une main sur sa gorge.

— Je ne le supporterais pas, poursuivit-elle d'une petite voix. S'il… s'il lui arrivait malheur et que nous n'ayons jamais… jamais eu l'occasion de…

Elle l'implorait d'un regard chargé d'émotion et lui prit le bras.

— Il le faut, dit-elle. Vraiment, oncle John, je ne peux pas attendre. Je veux aller en Amérique et me marier.

Il en resta pantois. Vouloir se marier était une chose mais *ça*… !

— Tu n'es pas sérieuse ! Tu ne crois tout de même pas que tes parents, et notamment ton père, t'autoriseront à partir !

— Il acceptera si tu lui présentes la chose sous un angle flatteur. Il estime ton jugement plus que celui de n'importe qui.

Elle exerça une légère pression sur son bras.

— Et, oncle John, tu dois comprendre mieux que personne l'horreur que je ressens à l'idée que quelque chose puisse arriver à William avant que je l'aie revu.

De fait, le seul facteur jouant en sa faveur était le désarroi que lui inspirait la disparition possible de William. Effectivement, il pouvait être tué, comme n'importe quel homme en temps de guerre, un soldat en particulier. C'était le risque encouru, mais il ne pouvait en son âme et conscience empêcher William de le prendre même si l'idée qu'il puisse être mis en pièces par un boulet de canon, abattu d'une balle en pleine tête ou souffrir la lente agonie d'une fluxion…

La gorge sèche, il s'efforça de repousser ces images insoutenables dans un placard métallique solidement cadenassé au fond de son esprit.

— Dorothea, annonça-t-il d'une voix ferme, je finirai bien par découvrir ce que vous tramez.

Elle le dévisagea longuement, songeuse, comme si elle évaluait ses chances. L'angle de sa bouche se souleva imperceptiblement et elle plissa les yeux. Il pouvait lire sa réponse sur son visage aussi clairement que si elle l'avait dite à voix haute.

Ça m'étonnerait.

Cela ne dura qu'une fraction de seconde puis elle prit un air indigné.

— Oncle John ! Il s'agit de William, ton fils ! Comment peux-tu nous accuser de… De quoi nous accuses-tu, au juste ?

— Je l'ignore, admit-il.

Dottie était une flirteuse-née. Elle se pencha vers lui, si près qu'il sentit le parfum de violettes dans ses cheveux, et enroula ses doigts autour des revers de sa cape.

— Alors ? Tu parleras à papa pour nous ? Pour moi ? S'il te plaît ! Aujourd'hui ?

— Je ne peux pas, répondit-il tout en cherchant à se libérer. Pas pour le moment. Je lui ai déjà fait subir un choc aujourd'hui. Un second risquerait de l'achever.

— Demain alors ?

Il lui prit les mains et s'émut de constater qu'elles étaient froides et tremblantes. Elle était sincère... même si elle ne disait pas la vérité.

— Dottie, répéta-t-il plus doucement. Même si ton père était disposé à t'envoyer en Amérique pour te marier... et je ne peux imaginer pour quelle raison il accepterait, à moins d'apprendre que tu attends un enfant... il te serait impossible de partir avant le mois d'avril. Il est inutile de pousser Hal dans sa tombe en lui annonçant ton projet, du moins tant qu'il ne sera pas remis sur pied.

Elle était mécontente mais dut reconnaître le bon sens de son raisonnement. Il poursuivit :

— En outre, les campagnes s'interrompent en hiver, comme tu le sais. Les combats cesseront bientôt et William sera à l'abri du danger. Tu n'as donc pas à t'inquiéter pour lui.

En faisant abstraction des accidents, de la fluxion, de la fièvre, de l'empoisonnement alimentaire, des coliques, des bagarres de taverne et de dix à quinze autres risques potentiellement mortels.

— Mais... commença-t-elle avant de s'interrompre et de soupirer : Oui, tu as sans doute raison. Mais... tu parleras à papa bientôt, n'est-ce pas, oncle John ?

Il esquissa un sourire.

— Si c'est ce que tu désires vraiment.

Une bourrasque s'engouffra dans l'oratoire et ébranla le cadre en plomb du vitrail de sainte Agathe. Presque aussitôt, le bruit de la pluie crépita sur les tuiles du toit. Il serra sa cape autour de lui.

— Reste ici. Je vais aller chercher la voiture et la faire venir au coin de la rue.

Alors qu'il avançait contre le vent, retenant son chapeau d'une main, il se souvint avec un certain malaise de ses propres paroles : *Je ne peux imaginer pour quelle raison il accepterait, à moins d'apprendre que tu attends un enfant.*

Elle n'irait tout de même pas jusque-là ! Si ? Non, se dit-il avec conviction. Se faire faire un enfant par un homme afin de convaincre son père de la laisser en épouser un autre ? Insensé ! Hal la contraindrait à épouser le fautif avant qu'elle n'ait eu le temps d'ouvrir la bouche. A moins, naturellement, qu'elle ne choisisse un géniteur inépousable. Un homme marié, par exemple. Absurde ! Que dirait William en la voyant débarquer en Amérique enceinte d'un autre ?

Non. Même Brianna Fraser MacKenzie en serait incapable. Il n'avait pourtant jamais rencontré une femme d'un pragmatisme aussi terrifiant ! Il sourit malgré lui en repensant à la redoutable Mme MacKenzie, se souvenant qu'elle avait tenté de le faire chanter pour le forcer à l'épouser… alors qu'elle était enceinte d'un homme qui n'était définitivement pas lui. Il s'était toujours demandé si l'enfant était de son mari. A bien y songer, oui, elle, elle en aurait été capable. Mais pas Dottie.

Impensable !

16

Conflit non armé

Inverness, Ecosse, octobre 1980

La vieille église anglicane de Saint Stephen se dressait sereine sur les bords du loch Ness, drapée dans la paix vertueuse des stèles moussues de son petit cimetière. Roger était conscient de cette sérénité mais était loin de la partager.

Le sang battait à ses tempes et le col de sa chemise lui semblait trop serré en dépit de la fraîcheur de l'air. Il avait marché depuis le parking de High Street d'un pas rageur, grimpant la colline en un rien de temps.

Elle l'avait traité de lâche ! Elle l'avait qualifié de bien d'autres épithètes mais ce coup-là avait fait mouche et elle le savait.

La dispute avait commencé la veille après le dîner. Elle avait déposé le plat sale dans le vieil évier en pierre, s'était retournée, avait pris une grande inspiration puis lui avait annoncé qu'elle avait décroché un entretien d'embauche pour un poste à la centrale hydroélectrique North of Scotland.

« Un poste ? avait-il répété, hébété.

— Oui, un poste. »

Il s'était retenu juste à temps de répliquer qu'elle avait déjà un travail, optant pour un plus subtil :

« Pourquoi ? »

Elle l'avait dévisagé froidement et avait répondu :

« Parce qu'il faut bien que l'un d'entre nous gagne des sous. Puisque ce n'est pas toi, ce sera moi.

— Qu'est-ce que tu veux dire par "gagner des sous" ? (Et merde. Il était lâche car il savait pertinemment ce qu'elle voulait dire). Nous avons suffisamment d'argent pour un moment.

— Pour un moment, en effet. Un an ou deux, peut-être plus si nous faisons attention. Tu penses donc qu'on devrait rester assis sur notre cul jusqu'à ce que les comptes soient vides ? Et après ? C'est à ce moment-là que tu te poseras la question de ton avenir ?

— J'y réfléchis », avait-il rétorqué entre ses dents.

Le fait était : il n'avait pas fichu grand-chose depuis des mois. Il y avait le livre, bien sûr. Il consignait par écrit toutes les chansons apprises par cœur au XVIIIe siècle, avec un commentaire. Mais on pouvait difficilement parler de « travail » et ce n'était pas ça qui les ferait vivre.

« Eh bien, moi aussi je réfléchis. »

Elle avait ouvert grand le robinet et lavé le plat, soit pour couvrir sa réponse à lui, soit pour se donner le temps de se ressaisir. Elle avait coupé l'eau, lui avait fait face à nouveau et repris, s'efforçant d'adopter un ton raisonnable :

« Ecoute, je ne peux plus attendre. Je ne peux pas rester absente de mon secteur professionnel pendant des années et y retourner quand bon me semble. Mon dernier job de consultante remonte à près d'un an... Je dois faire quelque chose.

— Tu n'as jamais parlé de reprendre un travail à plein temps », avait-il objecté.

Elle avait effectué plusieurs brèves missions d'ingénieur consultant à Boston une fois Mandy sortie de l'hôpital et hors de danger. C'était Joe Abernathy qui les lui avait trouvées. Il avait entraîné Roger à l'écart et lui avait expliqué :

« Elle a des fourmis dans les jambes. Je la connais, il faut qu'elle bouge. Depuis la naissance de la petite, elle est entièrement concentrée sur elle, nuit et jour. Elle a été occupée avec les médecins, les cliniques ; toujours avec les gosses accrochés à ses basques. Elle a besoin de se changer les idées. »

Et pas moi, peut-être ? avait pensé Roger.

Un vieil homme coiffé d'une casquette était occupé à désherber le pourtour d'une tombe, un tas de plantes déracinées à ses côtés. Il observait Roger hésitant près du mur et le salua d'un geste amical.

Elle était mère ; voilà ce qu'il aurait voulu dire à Brianna. Il aurait aimé lui parler de ce lien étroit qui la reliait aux enfants, du fait qu'ils avaient besoin d'elle comme ils avaient besoin d'air, de nourriture et d'eau. Il lui arrivait d'être jaloux de ne pas leur être indispensable de manière aussi primaire. Comment pouvait-elle renier ce don ?

En fait, il avait bien essayé de lui en parler. Autant craquer une allumette dans une mine saturée de gaz !

Il fit brusquement demi-tour et sortit du cimetière. Il ne pouvait pas parler au recteur dans cet état… incapable qu'il était d'articuler fût-ce un son. Il lui fallait d'abord recouvrer et son calme et sa voix.

Il tourna à gauche et descendit Huntly Street, apercevant du coin de l'œil la façade de Saint Mary de l'autre côté du fleuve. L'unique église catholique d'Inverness.

Tôt dans la dispute, alors qu'ils étaient encore rationnels, elle avait fait un effort et lui avait demandé si c'était de sa faute :

« C'est moi ? C'est parce que je suis catholique ? Je sais… je sais que ça rend les choses plus compliquées. Jem m'a raconté la visite de Mme Ogilvy. »

Bien que n'ayant pas le cœur à rire, il n'avait pu réprimer un léger sourire au souvenir de l'incident.

Il se trouvait dans la grange, chargeant des pelletées de fumier dans une brouette. Jem l'assistait avec sa petite pelle en plastique.

Roger chantait, si tant est qu'on puisse appeler « chanter » le croassement rauque qui sortait de sa gorge :

— *T'en fais seize tonnes et ça te donne quoi ?*

— *Un jour de plus vers quatre planches de bois !* répondit Jem dans un braillement hilare.

Ce fut à cet instant fâcheux que Roger se retourna et découvrit qu'ils avaient de la visite : Mmes Ogilvy et MacNeil, deux dames patronnesses de la Free North Church d'Inverness. Les connaissant, il devina ce que ces grenouilles de bénitier étaient venues faire.

— Nous cherchons votre épouse, Mme MacKenzie, déclara Mme MacNeil, la bouche en cul de poule.

Il se demanda si son expression pincée était le signe de sa réprobation ou si elle craignait simplement de perdre son dentier mal ajusté en ouvrant la bouche de plus d'un demi-centimètre.

— Ah, je regrette, mais elle est partie en ville.

Il essuya sa main sur son jean, envisagea de la tendre puis, constatant combien elle était sale, se ravisa et se contenta d'un signe de tête.

— Donnez-vous donc la peine d'entrer. Je vais demander à l'aide-ménagère de vous préparer du thé.

Elles secouèrent la tête à l'unisson.

— Nous n'avons pas encore vu votre épouse à l'église, monsieur MacKenzie, dit Mme Ogilvy avec un regard soupçonneux.

Il s'y était attendu. Il pouvait essayer de gagner du temps en disant que la petite était malade mais à quoi bon ? Il faudrait bien le leur annoncer tôt ou tard. Il prit donc son ton le plus aimable.

— C'est normal, elle est catholique. Elle va à la messe à Saint Mary le dimanche.

Le visage carré de Mme Ogilvy s'affaissa soudain, devenant ovale.

— Votre femme est papiste ? fit-elle d'un ton laissant entendre qu'elle lui donnait une dernière chance de rectifier ces propos aberrants.

— En effet, elle est née catholique.

Après cette révélation, la conversation fut rapidement écourtée. Elles lancèrent un regard vers Jem, demandèrent si, au moins, il allait au catéchisme, poussèrent un bref soupir de soulagement en entendant la réponse puis prirent congé non sans avoir une dernière fois fusillé Roger du regard.

« Tu veux que je me convertisse ? » avait demandé Brianna lors de leur dispute.

Cela avait sonné comme un avertissement plutôt qu'une offre.

Il avait eu envie de répondre oui, ne serait-ce que pour voir si elle le ferait, par amour. Cependant, sa conscience religieuse n'aurait pu le tolérer ; encore moins sa conscience de mari.

Huntly Street devint soudain Bank Street et la foule de piétons de l'artère commerciale disparut. En passant devant le petit square où se dressait un monument aux infirmières de la Seconde Guerre mondiale, il eut, comme à chaque fois, une pensée pour Claire. Quoique, cette fois, son admiration pour elle soit teintée d'amertume.

Qu'est-ce que tu en dirais, toi ? Il le savait, du moins, il ne doutait pas du camp qu'elle choisirait. Elle avait opté pour la reprise de ses études de médecine quand Bree avait sept ans, laissant Frank, son mari, s'occuper de l'enfant à plein temps, que cela lui plaise ou non. Il ralentit le pas. Voilà sans doute pourquoi Bree pensait…

Il passa devant la Free North Church et songea à Mmes Ogilvy et MacNeil. S'il ne réagissait pas, elles reviendraient à la charge. Il connaissait ce type de bienveillance forcenée. Si elles apprenaient que Bree était partie travailler, ce qui à leurs yeux revenait à abandonner son mari avec deux enfants en bas âge, elles se relaieraient pour le submerger de ragoûts de pommes de terre aux oignons et de hachis Parmentier. Finalement, ce n'était peut-être pas une si mauvaise chose, pensa-t-il en se léchant les lèvres. Sauf qu'elles s'immisceraient dans le fonctionnement de la maison. Les laisser entrer dans la cuisine de Brianna ne serait pas simplement jouer avec de la dynamite mais jeter délibérément un flacon de nitroglycérine dans son mariage.

« Les catholiques ne croient pas au divorce, l'avait informé un jour Brianna. En revanche, nous croyons au meurtre. Après tout, c'est bien à ça que sert la confession. »

De l'autre côté du fleuve se dressait la seule église anglicane d'Inverness, Saint Andrew. Une église catholique, une église anglicane et pas moins de six églises presbytériennes, toutes disposées en carré au bord du fleuve. Voilà qui en disait long sur la nature profonde d'Inverness. C'était ce qu'il avait tenté d'expliquer à Brianna sans, toutefois, lui parler du vacillement de sa propre foi.

Elle n'avait pas posé de questions, ce en quoi il lui était reconnaissant. En Caroline du Nord, il avait été à deux doigts d'être ordonné… puis il y avait eu la naissance de Mandy, la désintégration de la communauté de Fraser's Ridge et la décision de risquer le voyage à travers les pierres… Plus personne n'en avait parlé. Une fois de retour, il avait fallu s'occuper avant tout de l'opération de la petite et reconstruire un semblant de vie normale… La question de son sacerdoce avait été occultée.

Il supposait que Brianna ne lui en avait pas parlé parce qu'elle ne savait pas comment aborder le sujet et ne voulait pas paraître le pousser dans une direction ou une autre. Si le fait qu'elle soit catholique n'arrangerait pas sa position de pasteur presbytérien à Inverness, détenir un ministère compliquerait sérieusement la vie de sa femme. Elle en était consciente.

Ce qui expliquait sans doute pourquoi l'un et l'autre avaient passé la question sous silence quand ils avaient organisé les détails de leur retour.

Ils avaient réglé les questions pratiques de leur mieux. Il ne pouvait retourner à Oxford… pas sans une justification minutieusement préparée. Il avait expliqué à Brianna et Joe Abernathy, le médecin et vieil ami de Claire avant qu'elle ne parte rejoindre Jamie :

« On ne peut pas interrompre et reprendre une carrière universitaire comme ça. D'accord, on peut prendre un congé sabbatique, voire un congé prolongé, mais il faut avoir un objectif déclaré et pouvoir présenter des recherches publiées à son retour.

— Tu as de quoi écrire un best-seller sur la Régulation, avait observé Joe Abernathy. Ou encore sur la Révolution dans les Etats du Sud.

— Certes, avait admis Roger, mais pas un ouvrage respectable d'universitaire. »

Il avait souri amèrement, sentant ses doigts le démanger. Effectivement, il pourrait écrire un livre que personne d'autre ne pouvait écrire. Mais pas en tant qu'historien.

Il avait indiqué du menton la bibliothèque de Joe. Ils se trouvaient dans le bureau de ce dernier, tenant le premier d'une longue série de conseils de guerre.

« Pas de sources, avait-il expliqué. Un historien doit pouvoir citer les sources de toutes les informations qu'il donne et je suis sûr que rien n'a été enregistré sur la plupart des situations uniques que j'ai vécues. Je peux vous assurer que "témoignage oculaire de l'auteur" passerait très mal dans une édition universitaire. Il faudrait que j'en fasse un roman. »

Cette idée n'était pas sans attrait mais n'impressionnerait guère les collèges d'Oxford.

En Ecosse, toutefois…

On ne débarquait pas dans les Highlands sans se faire remarquer. Cependant, Roger n'était pas un nouveau venu. Il avait grandi dans un presbytère à Inverness où beaucoup de gens l'avaient connu adulte. En outre, il revenait avec une épouse américaine et des enfants pour justifier son absence…

« … Les gens là-bas se fichent pas mal de ce que vous avez fait ailleurs. Ils ne s'intéressent qu'à ce que vous faites quand vous êtes au pays. »

Il avait atteint le groupe d'îlots sur le Ness. Situé à quelques mètres seulement de la berge, il avait été aménagé en un petit parc tranquille avec des allées en terre battue, de grands arbres. Il était peu fréquenté. Roger se promena sur les sentiers, essayant de se vider la tête et de la remplir du clapotis de l'eau, du calme, du ciel bas et gris.

Une fois arrivé au bout du parc, il se tint immobile un instant, fixant distraitement les débris pris dans les branches des buissons au bord de l'eau : des amas de feuilles mortes, des plumes d'oiseaux, des squelettes de poisson, un paquet de cigarettes vide, le tout déposé par le courant.

Naturellement, il n'avait pensé qu'à lui, à ce qu'*il* ferait, à ce que les gens penseraient de *lui*. Pourquoi ne s'était-il pas interrogé sur ce que ferait Brianna s'ils s'installaient en Ecosse ?

Avec le recul, la réponse sautait aux yeux. A Fraser's Ridge, Bree avait mené l'existence normale d'une femme du XVIIIe siècle dans les colonies, se distinguant, on ne pouvait le nier, par le fait que, telle une Diane chasseresse, elle ramenait à la maison les buffles et les dindons sauvages qu'elle avait abattus, quand elle ne trucidait pas des pirates. En dehors de cela, elle s'occupait de sa progéniture, la nourrissait, l'habillait, la réconfortait, donnait parfois la fessée. Avec Mandy souffrante et la perte de ses parents, l'idée de retravailler avait été rangée au placard. Rien n'aurait pu la séparer de sa fille.

Mais Mandy était sauvée et d'une bonne santé terrifiante, comme en attestait l'étendue des dégâts qu'elle laissait dans son sillage. Ils avaient accompli la tâche complexe consistant à renouer avec leur identité du XXe siècle, avaient racheté Lallybroch à la banque qui en était propriétaire, achevé leur emménagement en Ecosse. Jemmy allait à l'école dans le village voisin et une jeune fille du même village avait été recrutée pour faire le ménage et aider à veiller sur Mandy.

A présent, Brianna allait reprendre sa vie professionnelle.

Et Roger pouvait aller au diable.

Brianna ne pouvait nier qu'elle avait été prévenue. Elle mettait le pied dans un monde exclusivement masculin.

L'entreprise avait été colossale et le travail très rude, un des plus pénibles qui soient : creuser les tunnels par lesquels passaient les kilomètres de câbles reliant les turbines de centrales hydroélectriques. On avait surnommé les hommes chargés des excavations « les tigres de tunnel ». La plupart étaient des immigrés polonais et irlandais arrivés dans les années cinquante.

Elle avait lu des articles à leur sujet, vu des photos des ouvriers dont le visage aussi noir que ceux des mineurs faisait ressortir le blanc de leurs yeux. Les murs des bureaux de la commission hydroélectrique en étaient couverts, attestant « le plus grand exploit de l'Ecosse moderne ». Et quel serait le plus grand exploit de la vieille Ecosse ? se demanda-t-elle. L'invention du kilt ? Elle réprima un petit rire, ce qui dut rendre son visage plus avenant car M. Campbell, le directeur du personnel, lui sourit avec bienveillance.

— Vous avez de la chance ! Nous avons justement un poste qui se libère le mois prochain à Pitlochry.

— C'est fantastique.

Elle tenait sur ses genoux un dossier contenant ses références. Surprise qu'il n'ait même pas demandé à les voir, elle le déposa sur le bureau et l'ouvrit.

— Voici mes...

Il fixait le curriculum vitae au sommet de la pile de documents, la bouche si grande ouverte qu'elle apercevait les plombages de ses molaires.

Il referma la bouche, lui lança un regard interloqué puis baissa à nouveau les yeux vers le dossier, saisissant lentement le CV comme s'il craignait de découvrir dessous quelque chose d'encore plus choquant.

Elle refoula l'envie d'enfoncer nerveusement ses ongles dans les plis de sa jupe et déclara :

— Je pense avoir toutes les qualifications nécessaires pour être inspectrice de centrale.

Elle ne faisait pas que le penser, elle en était convaincue. Elle avait même les qualifications pour la leur construire, leur foutue centrale.

— Inspectrice... répéta-t-il d'une voix faible.

Il toussota et rougit. C'était un grand fumeur ; elle sentait l'odeur de tabac froid accrochée à ses vêtements.

— Je crains qu'il n'y ait un petit malentendu, ma chère madame. C'est une secrétaire que nous recherchons pour Pitlochry.

Cette fois, elle ne résista pas à l'envie de tripoter sa jupe.

— Je n'en doute pas, mais l'annonce à laquelle j'ai répondu concernait un inspecteur de centrale et c'est le poste qui m'intéresse.

Il secoua la tête, l'air épouvanté.

— Mais... ma chère... Vous êtes une femme !

— En effet.

N'importe lequel des centaines d'hommes ayant côtoyé son père aurait reconnu le ton glacé de sa voix et aussitôt capitulé. Hélas pour lui, M. Campbell n'avait jamais rencontré Jamie Fraser... mais il n'allait pas tarder à être éclairé.

— Pouvez-vous m'expliquer quels aspects de l'inspection d'une centrale hydroélectrique nécessitent un pénis ?

Il écarquilla les yeux et son teint prit la couleur de la caroncule d'un dindon à la saison des amours.

— C'est que... vous... c'est-à-dire que...

Il fit un effort visible pour se reprendre et rester courtois bien que ses traits trahissent toujours sa stupéfaction.

— Madame MacKenzie, ne croyez pas que j'ignore tout du mouvement pour l'émancipation des femmes ; j'ai moi-même plusieurs filles. (Et aucune ne m'aurait dit une horreur pareille, se dit-il in petto.) Ce n'est pas que je vous considère incompétente, c'est... l'environnement professionnel. Il ne convient pas à une femme.

— Pourquoi ?

Il commençait à retrouver son aplomb.

— Les conditions de travail sont souvent physiquement rudes et, pour ne rien vous cacher, les hommes auxquels vous auriez affaire également. La compagnie ne peut, en son âme et conscience, mettre votre sécurité en danger. Sans compter que cela pourrait nous coûter très cher.

— Vous employez des hommes qui agressent les femmes ?

— Non ! Nous...

— Vos centrales sont-elles physiquement dangereuses ? Dans ce cas, vous avez vraiment besoin d'une inspectrice, n'est-ce pas ?

— Les conditions légales...

— Je connais les régulations afférentes aux centrales hydroélectriques sur le bout des doigts, l'interrompit-elle fermement.

Elle ouvrit son sac et sortit le manuel de régulations, très écorné, publié par l'Agence du développement des Highlands et îles d'Ecosse.

— Je sais détecter les problèmes et peux vous dire comment les rectifier rapidement... et le plus économiquement possible.

M. Campbell paraissait profondément malheureux. Elle poursuivit :

— En outre, j'ai entendu dire que vous n'aviez pas eu beaucoup de candidats pour ce poste. A vrai dire, aucun.

— Les hommes...

— Les hommes ? répéta-t-elle avec une pointe d'amusement. J'ai déjà travaillé avec des hommes. Je m'entends bien avec eux.

Elle se tut et le dévisagea fixement. *Je sais ce que c'est que de tuer un homme. Je sais à quel point c'est facile. Vous pas.* Elle n'avait pas conscience d'avoir changé d'expression mais M. Campbell pâlit légèrement et détourna le regard. L'espace d'un instant, elle se demanda si Roger en ferait autant s'il lisait la même lueur dans ses yeux. Mais ce n'était pas le moment de penser à ce genre de choses. Elle déclara sur un ton plus doux :

— Et si vous me montriez un des sites ? Nous pourrions discuter plus longuement.

Au XVIIIe siècle, Saint Stephen avait été provisoirement convertie en prison pour accueillir des jacobites. Selon certains témoignages, deux d'entre eux avaient été exécutés dans le cimetière. Ce n'était pas si mal comme ultime panorama : le fleuve large et le ciel infini, tous deux se fondant dans la mer. Le vent, les nuages et l'eau, en dépit de leur mouvement constant, dégageaient un profond sentiment de paix.

Son père adoptif lui avait dit un jour :

« Si tu es un jour empêtré au cœur d'un paradoxe, tu peux être sûr d'être tout près de la vérité. »

Il avait ajouté avec un sourire :

« Tu ne sauras peut-être pas quelle est cette vérité, mais elle sera là. »

Le recteur de Saint Stephen, le professeur Weatherspoon, avait eu lui aussi quelques aphorismes à partager.

« Quand Dieu ferme une porte, il ouvre une fenêtre. »

Sauf que la fenêtre en question était située au dixième étage et que Roger n'était pas certain que Dieu offrît également le parachute.

Il leva les yeux vers le ciel gris d'Inverness.

— Mais peut-être que si ?

— Je vous demande pardon ?

Perplexe, le sacristain venait de surgir de derrière la stèle où il travaillait accroupi.

Roger agita une main, gêné.

— Excusez-moi, je parlais tout seul.

Le vieil homme hocha la tête d'un air compréhensif.

— Ce n'est rien. C'est quand on commence à entendre les réponses qu'il faut s'inquiéter.

Il pouffa de rire puis disparut derrière la tombe.

Roger sortit du cimetière et retourna vers le parking en marchant lentement. Il avait fait le premier pas. Il avait mis du temps, certes, et Bree avait raison, à sa manière. Il avait été lâche mais il avait fini par réagir.

Le problème n'était pas encore résolu mais il avait été réconfortant de l'exposer à quelqu'un qui comprenait et compatissait.

Il gravit les marches en béton menant au parking, cherchant ses clefs dans sa poche. Il n'était pas encore en paix avec lui-même mais se sentait mieux disposé à l'égard de Bree. Il pouvait à présent rentrer à la maison et lui raconter...

Non... Bon sang ! Pas encore ! Il lui fallait d'abord vérifier. Il savait qu'il avait raison mais il devait avoir la preuve en main afin de le démontrer à Bree.

Il pivota sur ses talons, passa devant le gardien du parking qui s'approchait, dévala les escaliers et s'engagea dans Huntly Street comme s'il marchait sur des charbons ardents. Il s'arrêta au Fox, extirpa quelques pièces de monnaie de sa poche et composa le numéro de Lallybroch sur le cadran d'un téléphone public. Annie répondit avec sa brusquerie habituelle d'un « Ouais ? » sonore. Il ne prit pas la peine de la sermonner pour ses mauvaises manières au téléphone.

— C'est Roger. Dites à madame que je dois aller à Oxford faire une recherche. Je ne rentrerai pas ce soir.

Elle aurait aimé frapper Roger sur la tête avec un objet contondant. Comme une bouteille de champagne, par exemple.

— Il est allé *où* ?

Elle avait pourtant parfaitement entendu. La jeune fille haussa les épaules, lui signifiant qu'elle comprenait la nature purement rhétorique de sa question.

— A Oxford. En *Angleterre*.

Le ton d'Annie reflétait sa désapprobation devant le comportement scandaleux de Roger. Il ne s'était pas contenté d'aller farfouiller dans un vieux livre, ce qui était déjà étrange en soi (bien qu'il soit universitaire et qu'avec ces gens-là il faille s'attendre à tout), mais il avait abandonné femme et enfants sans prévenir pour fuir dans un pays étranger !

Elle ajouta, dubitative :

— Il a dit qu'il rentrerait demain.

Elle souleva la bouteille de champagne précautionneusement, comme si elle risquait d'exploser.

— Je devrais peut-être mettre ça dans le compartiment à glace ?

— Le quoi ? Ah, non, pas dans le congélateur ; le frigo suffira. Merci, Annie.

Une fois la jeune fille disparue dans la cuisine, Brianna resta un moment plantée dans le couloir rempli de courants d'air, essayant de maîtriser ses émotions avant d'aller retrouver ses enfants. Ils avaient déjà senti qu'il y avait de l'eau dans le gaz entre leurs parents. Que leur père ait subitement disparu n'allait pas les rassurer. Leur avait-il dit au revoir, au moins ? Promis qu'il reviendrait ? Non, évidemment.

— Espèce de... d'égocentrique, d'égoïste, de... de...

Incapable de trouver une épithète plus satisfaisante, elle acheva :

— ... de sale rat puant !

Puis elle se mit à rire doucement, non seulement à cause de l'absurdité de l'insulte mais parce que force lui était de reconnaître qu'elle avait obtenu ce qu'elle désirait. Sur toute la ligne.

De toute manière, il n'aurait pu l'empêcher de chercher du travail. Une fois remis des bouleversements que cela provoquerait dans leur vie quotidienne, il s'en accommoderait probablement.

Sa mère lui avait déclaré un jour :

« Les hommes ont horreur du changement, à moins qu'il ne vienne d'eux, naturellement. Mais tu peux parfois leur faire croire que ce sont eux qui en ont eu l'idée. »

Elle aurait dû être moins directe ; lui faire sentir qu'il avait son mot à dire. Lui faire croire que l'idée venait de lui ? Non, cela aurait été pousser le bouchon trop loin. En outre, elle n'avait pas voulu biaiser. Ni même faire preuve de tact.

Quant à ce qu'elle lui avait fait... Elle avait supporté son inertie aussi longtemps que possible, puis elle l'avait poussé de la falaise, délibérément.

— Et je ne me sens pas coupable pour un sou ! déclara-t-elle au portemanteau.

Elle accrocha lentement son pardessus, prenant le temps de vider ses poches de mouchoirs en papier et de tickets de caisse froissés.

Etait-il parti par dépit ? Pour se venger qu'elle se soit rendue à un entretien d'embauche ? Ou par colère parce qu'elle l'avait traité de lâche ? Il n'avait pas apprécié l'insulte. Son regard était devenu noir et il en avait presque perdu la voix... Les émotions puissantes l'étranglaient littéralement, lui bloquant le larynx. Elle l'avait fait exprès. Elle connaissait ses points faibles, tout comme il connaissait les siens.

Ses doigts se refermèrent sur un objet dur dans la poche intérieure de sa veste. Un coquillage, lissé par le temps, blanchi par le soleil et l'eau. Roger l'avait ramassé parmi les galets au bord du loch Ness et le lui avait donné.

« C'est pour t'y cacher. »

Il avait eu beau sourire, sa voix trahissait son émotion.

« Quand tu auras besoin d'un refuge. »

Roger n'était pas mesquin. Il n'aurait pas été jusqu'à Oxford, se dit-elle en ne pouvant s'empêcher de sourire en repensant à la mine choquée d'Annie, uniquement pour l'inquiéter.

Il devait avoir une raison précise, sans doute révélée par leur dispute. Ce qui était autrement plus inquiétant.

Depuis leur retour, il s'était débattu comme un beau diable. Elle aussi, bien sûr : la maladie de Mandy, les choix à faire pour décider où s'établir, les mille petits détails à régler pour relocaliser une famille dans l'espace et le temps... Ils avaient tout fait ensemble. Toutefois, il y avait des choses contre lesquelles il se battait seul.

Elle était enfant unique, comme lui. Elle savait ce que c'était, le temps qu'on passait dans sa propre tête. Mais ce que Roger avait en tête le rongeait ; c'était indubitable. Peut-être ne lui confiait-il pas ce qui le tracassait parce qu'il estimait que c'était trop personnel pour le partager, chose qui ne lui plaisait pas mais qu'elle pouvait comprendre. Mais ce pouvait être également parce qu'il trouvait cela trop perturbant ou dangereux pour le lui dire et ça, elle ne le supporterait pas.

Ses doigts se crispèrent autour du coquillage. Elle les desserra lentement, essayant de se calmer.

Elle entendait les enfants dans la chambre de Jem à l'étage. Il lisait une histoire à Mandy. Ce devait être *L'Homme de pain d'épice*. Elle n'entendait pas les mots mais en reconnaissait le rythme, ponctué par les petits cris d'excitation de Mandy.

Il était inutile de les interrompre. Elle leur annoncerait plus tard que papa ne rentrerait pas cette nuit. Si elle en parlait comme si de rien n'était, peut-être ne réagiraient-ils même pas. Depuis leur retour, il ne s'était jamais absenté mais, quand ils vivaient à Fraser's Ridge, il lui arrivait souvent de partir chasser pendant plusieurs jours avec Jamie ou Ian. Mandy ne s'en souviendrait pas mais Jem…

Elle se dirigea vers son bureau puis, à mi-chemin, bifurqua vers la porte ouverte de celui de Roger. C'était l'ancien cabinet du laird, la salle de consultation du domaine, la pièce depuis laquelle son oncle Ian avait dirigé les affaires de Lallybroch durant des années, et son père pendant une brève période avant lui, et son grand-père avant lui.

A présent, c'était l'antre de Roger. Elle avait préféré le petit salon de l'autre côté du couloir, avec sa fenêtre ensoleillée et l'ombre du rosier grimpant parfumé qui embellissait tout ce flanc de la demeure par ses couleurs. En outre, elle trouvait que c'était une pièce masculine avec son vieux parquet éraflé et sa bibliothèque joliment délabrée.

Roger avait déniché un des anciens registres de Lallybroch, datant de 1776. Il se trouvait sur l'étagère supérieure, sa reliure en tissu élimé abritant les détails minutieusement consignés de la vie quotidienne dans une ferme des Highlands. *Un quart de livre de graines de sapin argenté ; un bouc ; six lapins ; trente onces de pommes de terre de semence…* Etait-ce l'écriture de son oncle ?

Elle se demanda avec un léger pincement au cœur si ses parents avaient réussi à revenir en Ecosse, ici même à Lallybroch. Avaient-ils revu Jenny et Ian ? Son père s'était-il assis (s'assiérait-il ?) dans cette pièce, à nouveau chez lui, discutant des affaires du domaine avec Ian ? Et sa mère ? Claire ne s'était pas séparée de Jenny en très bons termes et, du peu qu'elle lui en avait dit, Brianna savait qu'elle en était attristée. Elles avaient été très proches autrefois. Peut-être parviendraient-elles à se raccommoder... ou s'étaient-elles raccommodées.

Elle lança un regard vers le coffret en bois placé en haut de la bibliothèque près du registre, derrière le petit serpent en cerisier. Elle descendit ce dernier, caressa la courbe lisse de son corps. Il avait une expression comique, regardant par-dessus son épaule inexistante. Elle sourit malgré elle.

— Merci, oncle Willie, murmura-t-elle.

Elle sentit un frisson extraordinaire la parcourir. Ce n'était pas la peur, ni le froid, mais une sorte de joie tranquille. Une reconnaissance.

Elle avait manipulé ce serpent tant de fois à Fraser's Ridge, puis ici où il avait été sculpté, sans jamais penser à son créateur, le frère aîné de son père, mort à l'âge de onze ans. Quand elle était venue à Lallybroch la première fois, au XVIIIe siècle, il y avait un portrait de lui sur le palier du premier étage. Un garçonnet roux et robuste, debout avec une main posée sur l'épaule de son petit frère, le regard bleu et grave.

Où était passé ce portrait ? Ainsi que tous les autres tableaux de sa grand-mère ? Il y en avait un, un autoportrait, qui s'était frayé un chemin jusqu'à la National Portrait Gallery de Londres. Il faudrait qu'elle emmène les enfants le voir quand ils seraient plus grands. Mais les autres ? Elle se souvenait d'une très jeune Jenny Murray nourrissant un faisan apprivoisé aux grands yeux doux et marron comme ceux de son oncle Ian.

Ils avaient fait le bon choix en décidant de s'installer ici avec les enfants. Peu importait si trouver leur place leur demandait du temps, à elle et à Roger. Elle grimaça : peut-être ferait-elle mieux de ne pas parler pour Roger.

Elle leva à nouveau les yeux vers le coffret. Elle aurait aimé que ses parents soient là pour leur demander conseil. Non pas qu'elle en eût vraiment besoin... Pour être honnête, elle voulait surtout qu'on la rassure en lui disant qu'elle avait pris la bonne décision.

Elle saisit le coffret des deux mains et le descendit. Elle se sentait un peu coupable de ne pas vouloir partager la prochaine lettre avec Roger mais… elle avait besoin d'entendre sa mère. Elle prit la première de la pile portant l'écriture de Claire.

12 avril 1777
Bureau de L'Oignon, *New Bern, Caroline du Nord*

Ma chère Bree (et Roger, Jem et Mandy, bien sûr),

Nous sommes arrivés à New Bern sans incident majeur. Oui, je t'entends penser : « Majeur ? » Il est vrai que nous avons croisé un couple d'apprentis bandits sur la route de Boone. Dans la mesure où ils étaient âgés respectivement de neuf et onze ans, et armés en tout et pour tout d'un vieux mousquet équipé d'une platine à rouet qui leur aurait explosé à la figure s'ils avaient été capables de tirer avec, nous ne courions pas un grand danger.

Rollo a bondi de la carriole et en a plaqué un au sol, sur quoi l'autre a lâché son arme et détalé. Ton cousin Ian l'a rattrapé et l'a ramené par la peau du cou.

Il a fallu un certain temps à ton père pour leur soutirer une explication cohérente, jusqu'à ce qu'il nous vienne à l'idée de leur donner un repas chaud. Une fois le ventre plein, ils sont devenus intarissables. Ils nous ont dit s'appeler Herman et Vermine (Je te le jure !). Ils ont perdu leurs parents cet hiver. Leur père est parti chasser et n'est jamais revenu. Leur mère est morte en couches et son bébé l'a suivi un jour plus tard, les deux garçons n'ayant aucun moyen de le nourrir. Ils ne connaissent aucun parent du côté de leur père mais nous ont appris que le nom de jeune fille de leur mère était Kuykendall. Il se trouve que ton père connaît des Kuykendall du côté de Bailey Camp. Ian est donc parti à leur recherche avec nos deux petits garnements pour voir s'ils accepteraient de les prendre chez eux. Dans le cas contraire, il les amènera à New Bern où nous essaierons de les placer en apprentissage quelque part. Ou encore, ils nous accompagneront à Wilmington où nous leur trouverons peut-être une place à bord d'un navire comme garçons de cabine.

Fergus, Marsali et les enfants se portent à merveille, tant physiquement (si l'on fait exception d'une tendance familiale à une hypertrophie des végétations et à la plus grosse verrue que j'aie jamais vue sur le coude de Germain) que financièrement.

Avec La Gazette de Wilmington, L'Oignon *est le seul journal à paraître régulièrement dans la colonie et Fergus ne chôme donc pas. Si l'on ajoute à ça l'impression et la vente de livres et de pamphlets, on peut dire que son entreprise est florissante. La famille possède maintenant deux chèvres laitières, de nombreuses poules, un cochon et trois mules (en comptant Clarence que nous leur laissons).*

*Compte tenu des conditions et incertitudes actuelles (*Brianna comprit qu'elle voulait dire par là qu'elle ignorait qui lirait cette lettre et quand*), je ne vais pas entrer dans le détail de ce qu'imprime Fergus, outre son journal.* L'Oignon, *lui, est plutôt impartial, publiant des dénonciations virulentes signées par des loyalistes et des moins loyalistes, ainsi que des poèmes satiriques de notre vieil ami « Anonymus » raillant les deux camps du conflit politique. J'ai rarement vu Fergus aussi radieux.*

Certains hommes s'épanouissent en temps de guerre et, étrangement, Fergus en fait partie. Ton cousin Ian également, même si, dans son cas, je crois que c'est surtout que cela lui évite de trop réfléchir.

Je me demande comment sa mère va l'accueillir. La connaissant, je pense qu'une fois le premier choc passé, elle se mettra en quête d'une épouse pour son fils. Jenny est une femme très perspicace et tout aussi têtue que ton père. J'espère qu'il s'en souviendra.

En parlant de ton père… il passe beaucoup de temps à vadrouiller avec Fergus, vaquant à ses « occupations » (sans plus de précisions, ce qui signifie probablement qu'il se livre à des activités qui feraient se dresser les cheveux sur ma tête si j'étais au courant). Il se renseigne également auprès des marchands pour trouver un bateau mais je pense que nous aurons plus de chances à Wilmington où nous nous rendrons dès que Ian nous aura rejoints.

En attendant, j'ai installé ma petite enseigne, littéralement. Elle est fixée sur la devanture de l'imprimerie de Fergus et annonce « Ici, on arrache les dents ; on soigne l'urticaire, la pituite et la fièvre ». C'est l'œuvre de Marsali. Elle voulait ajouter la vérole mais Fergus et moi l'en avons dissuadée, lui parce qu'il craignait pour la réputation de son établissement ; moi parce qu'il n'y a rien que je puisse faire actuellement pour soigner ce qu'ils appellent la vérole. Pour ce qui est de la pituite… on peut toujours trouver un remède, même s'il ne s'agit que d'une infusion chaude de racines de sassafras, d'herbe-aux-chats ou de citronnelle avec une petite goutte d'alcool.

En chemin, j'ai rendu visite au docteur Fentiman à Cross Creek. J'ai pu lui acheter plusieurs instruments et remèdes très utiles afin de réapprovisionner mon stock (il ne m'en a coûté qu'une bouteille de whisky et d'être obligée d'admirer les dernières pièces de son abominable collection de curiosités conservées dans du vinaigre. Non, crois-moi, tu ne veux pas savoir de quoi il s'agit, vraiment pas). Heureusement qu'il n'a pas vu la verrue de Germain ; autrement il serait déjà à New Bern, rôdant autour de l'imprimerie avec sa scie à amputer.

Il me manque toujours une bonne paire de ciseaux chirurgicaux mais Fergus connaît un orfèvre nommé Stephen Moray à Wilmington qui devrait pouvoir m'en confectionner une sur mesure. Pour le moment, je consacre surtout mon temps à arracher des dents. Le barbier qui s'en chargeait avant moi s'est noyé en novembre dernier, étant tombé dans le port alors qu'il était ivre mort.

Avec toute mon affection,

Maman

P.-S. : Au sujet de La Gazette de Wilmington, *ton père s'est mis en tête de découvrir qui avait fait paraître cette maudite annonce de l'incendie. Cela dit, je ne devrais pas m'en plaindre. Si tu n'étais pas tombée dessus, tu ne serais peut-être jamais venue. Au cours de ton séjour parmi nous, beaucoup de choses se sont produites que je déplore mais je ne regretterai jamais que ton père et toi ayez pu vous connaître.*

17

Les petits démons

Pratiquement rien ne la distinguait de n'importe quelle autre piste de cerf ; de fait, elle avait dû commencer par n'être que foulée mais un petit quelque chose dans les traces trahissait le passage d'un homme. Ian était tellement habitué à établir ce genre de constat qu'il y réfléchissait rarement à deux fois. Il tira néanmoins d'un coup sec sur la longe de Clarence et retint sa propre monture.

Herman lui demanda sur un ton soupçonneux :

— Pourquoi qu'on s'arrête ? Y a rien ici !

Ian pointa le menton vers la pente boisée.

— Quelqu'un vit là-haut. Le passage n'est pas assez large pour les chevaux. Nous les attacherons ici et continuerons à pied.

Herman et Vermine échangèrent un regard dubitatif mais glissèrent néanmoins à bas de la mule et le suivirent d'un pas traînant.

Ian commençait à douter. Personne, parmi tous ceux qu'il avait interrogés depuis une semaine, ne connaissait de Kuykendall dans la région. Il ne pourrait poursuivre les recherches beaucoup plus longtemps. Il risquait de devoir emmener les petits sauvageons à New Bern avec lui et se demandait comment ils prendraient la nouvelle.

A dire vrai, il ignorait ce qu'ils avaient en tête. Ils n'étaient pas timides mais secrets, échangeant des messes basses dans son dos et se taisant dès qu'il se retournait, le dévisageant avec une expression neutre derrière laquelle il sentait des calculs considérables. Que diable complotaient-ils donc ?

S'ils lui faussaient compagnie, il ne ferait pas trop d'efforts pour les rattraper. En revanche, s'ils filaient pendant son sommeil en emmenant Clarence et son cheval, ce serait une autre paire de manches.

Il aperçut une cabane dont la cheminée crachait une volute de fumée. Herman se tourna vers lui d'un air stupéfait et il lui sourit.

— Je vous l'avais bien dit !

Les mains en porte-voix, il lança :

— Il y a quelqu'un ?

La porte s'ouvrit en grinçant et le canon d'un mousquet apparut. Ian ne se laissa pas démonter. Dans l'arrière-pays, ce n'était pas un accueil inhabituel. Il haussa la voix et expliqua la raison de sa visite, poussant Herman et Vermine devant lui en gage de sa bonne foi.

Le fusil ne se retira pas mais se souleva d'une manière significative. D'instinct, Ian se jeta à plat ventre en entraînant les deux enfants avec lui au moment où le coup partait au-dessus de leurs têtes. Une voix stridente de femme cria quelque chose dans une langue étrangère. Ian ne comprit pas les mots mais le message était clair. Il hissa les deux garçons sur leurs pieds et les poussa précipitamment vers le sentier.

Vermine jeta un regard dégoûté par-dessus son épaule.

— Si tu t'imagines que je vais aller vivre avec *celle-là*, tu te goures !

— Je doute que ce soit une possibilité, convint Ian. Allez, avance !

Vermine venait de s'arrêter net.

— Faut que je chie.

— Ah ! Alors dépêche-toi.

Il lui tourna le dos, ayant rapidement constaté que les garçons étaient extrêmement pudiques sur ce point.

Herman était déjà loin. Ian apercevait tout juste le sommet de sa chevelure hirsute et filasse. Il leur avait suggéré de couper ou, au moins, de brosser leurs tignasses, voire même de se débarbouiller afin de se montrer sous un meilleur jour aux parents qui accepteraient de les héberger mais sa proposition avait été rejetée sans appel. Heureusement, rien ne l'obligeait à les laver de force et, pour être honnête, cela ne changerait probablement rien à leur puanteur, compte tenu de l'état des nippes qu'ils portaient depuis des mois. La nuit, il les faisait dormir de l'autre côté du feu, espérant se protéger des poux dont ils étaient infestés.

Peut-être était-ce là l'origine du prénom du plus jeune ? A moins que leurs parents n'aient eu aucune idée de sa signification et ne l'aient choisi que parce qu'il sonnait bien à leurs oreilles.

Les hi-han sonores de Clarence l'arrachèrent à ses pensées. Il allongea le pas, se maudissant d'avoir laissé son fusil accroché à sa selle. Il n'avait pas voulu approcher de la cabane armé mais...

Il y eut un cri en contrebas. Il bondit aussitôt hors du sentier et se précipita entre les arbres. Un second cri s'interrompit brusquement et il dévala la pente le plus rapidement possible en s'évertuant à ne pas faire de bruit. Une panthère ? Un ours ? Dans ce cas, Clarence aurait beuglé comme un putois. Or, il poussait des braiments stridents comme lorsque...

Il reconnaissait quelqu'un.

Ian freina des quatre fers derrière un écran de peupliers, le cœur battant.

Arch Bug tourna la tête dans sa direction.

— Sors de là, mon garçon. Je peux te voir.

Effectivement, il regardait droit vers lui. Ian s'avança lentement.

Arch avait détaché son fusil de la selle et passé la bandoulière autour de son épaule. Il avait un bras autour du cou de Herman. Le visage du garçon était cramoisi ; ses petits pieds battaient dans le vide à quelques centimètres du sol.

— Où est l'or ? demanda Arch.

Ses cheveux blancs étaient brossés et soigneusement noués dans sa nuque. A première vue, il ne semblait pas avoir souffert de l'hiver. Il avait dû trouver de bonnes âmes pour l'héberger. Où ? A Brownsville ? S'il avait parlé de l'or aux Brown, ce pouvait être très dangereux mais le vieil Arch était trop malin pour commettre une telle erreur.

— Là où vous ne le trouverez jamais, répliqua Ian.

Il réfléchissait à toute allure. Il avait bien un couteau sous sa ceinture mais il était trop loin pour le lancer et s'il ratait son coup… Il s'approcha de quelques pas.

— Pourquoi vous en prendre à ce gamin ? Il ne vous a rien fait.

— Non, mais il est avec toi.

Herman émettait des sifflements inquiétants et les battements de ses pieds ralentissaient. Ian s'efforça de conserver un ton détaché.

— Vous vous trompez, il ne représente rien pour moi. Je ne fais que l'aider à retrouver sa famille. Quoi, vous allez lui trancher la gorge si je ne vous dis pas où est l'or ? Faites donc, je ne vous dirai rien.

Il ne vit pas Arch sortir son couteau mais celui-ci apparut soudain dans sa main droite. Il avait beau le tenir maladroitement à cause de ses doigts absents, il n'en était pas moins mortellement tranchant.

Arch appuya la pointe de la lame sous le menton de Herman et déclara calmement :

— Comme tu voudras.

Un cri s'éleva derrière Ian et Vermine apparut, courant et trébuchant sur les derniers mètres du sentier. Arch Bug releva des yeux surpris. Ian s'apprêtait à bondir mais Vermine le devança. Il se rua sur le vieil homme et lui décocha un coup de pied dans le tibia en hurlant :

— Sale vieux bouc ! T'as intérêt à la lâcher tout de suite !

Arch le regarda avec stupéfaction mais ne lâcha pas prise.

— « La » ? répéta-t-il en baissant des yeux incrédules sur Herman.

Celui-ci, ou celle-ci, parvint à tourner la tête et lui mordit le poignet. Ian en profita pour bondir mais fut de nouveau gêné par Vermine, qui s'agrippa à une jambe d'Arch et tenta de lui marteler l'entrejambe avec son petit poing.

Avec un grognement féroce, Arch poussa violemment la petite fille (s'il s'agissait bien d'une fille) vers Ian et assomma Vermine d'un coup de poing sur le crâne. Il secoua la jambe pour s'en débarrasser, lui envoya un pied dans les côtes, puis tourna les talons et partit en courant.

— Trudy ! Trudy !

Herman se précipita vers son petit frère, ou sa petite sœur, recroquevillé dans l'herbe, ouvrant et fermant la bouche telle une truite hors de l'eau.

Ian hésita. Il aurait voulu poursuivre Arch mais Vermine semblait mal en point. En outre, le vieil homme avait déjà disparu entre les arbres. Serrant les dents, il s'accroupit et examina l'enfant. Il ne saignait pas et commençait à retrouver son souffle, hoquetant et sifflant tel un soufflet percé.

Il se tourna vers Herman accroché au cou de Vermine.

— Trudy ?

Sans attendre de réponse, il souleva la chemise déchirée de Vermine, tira sur le lacet de ses culottes trop grandes et regarda à l'intérieur. Il le lâcha aussitôt.

Herman bondit sur ses pieds et pressa ses mains sur son entrejambe.

— Non ! Je te laisserai pas m'enfoncer ta sale bite !

— Il faudrait me payer cher, grommela Ian.

Il pointa un doigt vers Vermine qui avait roulé sur le côté, s'était redressée à quatre pattes et vomissait dans l'herbe.

— Mais si ça, c'est Trudy, toi, tu es qui ?

— Hermione, répondit l'enfant d'une voix lasse. Elle, c'est Ermintrude.

Ian s'efforça d'assimiler cette nouvelle donne. En y regardant de plus près… Non, elles avaient toujours l'air de deux petits démons malpropres, leurs yeux méfiants brillant derrière les mèches grasses et emmêlées qui retombaient sur leur visage crasseux. Leur tignasse était inextricable. Elles allaient devoir se raser le crâne et il espérait bien ne pas être dans les parages ce jour-là.

— Ah, fit-il faute de mieux. Je vois.

— T'as de l'or ? demanda Ermintrude, qui avait cessé de rendre ses tripes.

Elle essuya sa bouche d'un revers de main et cracha.

— Où ça ?

— Si je ne l'ai pas dit au vieux, pourquoi te le dirais-je ? Et tu peux t'ôter tout de suite cette idée de la tête.

Il avait surpris son regard vers le couteau sous sa ceinture.

Bigre, que faire à présent ? Il repoussa le choc causé par la réapparition d'Arch Bug et se passa une main sur le visage, cherchant à se concentrer. Au fond, qu'elles soient des filles ne changeait rien. Qu'elles sachent qu'il cachait de l'or était une autre affaire. Il ne pouvait plus les confier à personne car si elles parlaient…

— Si tu nous abandonnes, on dira à tout le monde que t'as de l'or, dit promptement Hermione. On veut pas vivre dans une cabane pourrie. On veut aller à Londres.

— Quoi ? demanda-t-il, incrédule. Mais qu'est-ce que vous connaissez de Londres, toutes les deux ?

— C'est de là que venait maman.

Hermione se mordit la lèvre pour l'empêcher de trembler. Ian remarqua avec intérêt que c'était la première fois que l'enfant mentionnait sa mère ou montrait un signe de vulnérabilité.

— Elle nous en a parlé.

— Mmph, fit-il, exaspéré. Je me demande pourquoi je ne te tue pas tout de suite.

Hermione sourit, la première expression plus ou moins agréable qu'il lisait sur son visage.

— Le chien t'aime, répondit-elle. Il ne resterait pas avec toi si tu tuais des gens.

— Qu'est-ce que tu en sais ? marmonna-t-il.

Rollo, qui était parti en balade, choisit ce moment opportun pour réapparaître, sortant du sous-bois, la truffe au ras du sol.

— Ah, te voilà, toi ! Jamais là quand on a besoin de toi !

Rollo flaira attentivement l'endroit où Arch Bug s'était tenu puis leva la patte et urina contre un buisson.

Ian hissa Trudy sur la mule derrière sa sœur. Elle demanda tout à coup :

— Ce sale type, il aurait vraiment tué Hermie ?

— Non, répondit-il d'un ton assuré.

Toutefois, tandis qu'il grimpait à son tour en selle, il se posa la question. Il avait l'impression dérangeante qu'Arch Bug ne connaissait que trop bien la nature du sentiment de culpabilité. Assez pour tuer un enfant innocent, rien que parce que Ian se sentirait responsable de sa mort ?

— Non, répéta-t-il plus fermement.

Arch Bug était à la fois rancunier et vindicatif… et il avait de bonnes raisons de l'être. Cependant, ce n'était pas un monstre.

Rassurée, Trudy s'assit et serra les genoux contre sa poitrine.

— Papa était souvent soûl lui aussi. Sauf qu'il gueulait et qu'il cassait des trucs.

— Vraiment ?

— Ouais. Une fois, il a même cassé le nez de maman.

— Ah ? fit simplement Ian, à court de réponse.

— Tu crois qu'il est mort ?

— Je l'espère.

— Moi aussi, dit-elle, satisfaite.

Elle bâilla à s'en décrocher la mâchoire. De là où il se tenait, il sentit l'odeur de ses dents pourries. Puis elle s'allongea à son tour, lovée contre sa sœur.

Ian se releva avec un soupir, alla chercher la couverture et les couvrit toutes les deux, les bordant soigneusement.

Que devait-il faire à présent ? Depuis qu'il les connaissait, les quelques paroles qu'ils venaient d'échanger étaient ce qui se rapprochait le plus d'une conversation. Il ne se faisait pas d'illusion ; ce bref élan de convivialité ne durerait pas jusqu'au matin. Où trouverait-il quelqu'un qui, non seulement accepterait de les recueillir, mais serait capable de s'occuper d'elles ?

Un ronflement, léger comme un bourdonnement d'abeille, s'élevait de la couverture. Il sourit. La petite Mandy, la fille de Bree, faisait le même bruit dans son sommeil.

Il avait parfois tenu Mandy dans ses bras pendant plus d'une heure, la regardant dormir, ne voulant pas se séparer de la chaleur de ce petit fardeau, observant le battement du pouls dans son cou. Il imagina sa propre fille avec une douleur tempérée par le temps. Mort-née, son visage, un mystère. Trouvant qu'elle était trop jeune pour avoir un vrai nom, les Mohawks l'avaient simplement appelée Yeksa'a, « petite fille ». Pourtant, elle en avait un, Iseabaìl. C'était lui qui le lui avait donné.

Il s'enveloppa dans le vieux plaid élimé que son oncle Jamie lui avait offert lorsqu'il était parti vivre parmi les Mohawks et s'allongea près du feu.

Prie. C'était ce que lui auraient conseillé son oncle et ses parents. Il ne savait pas trop à qui s'adresser, ni quoi dire. Devait-il parler au Christ, à la Vierge Marie, ou encore à un des saints ? A l'esprit du cèdre rouge qui montait la garde près du feu ou à la vie qui se déplaçait dans la forêt, murmurant dans la brise nocturne ?

— *A Dhia*, chuchota-t-il enfin au ciel au-dessus de lui. *Cuidich mi.*

Puis il s'endormit. Peut-être fut-ce Dieu ou la nuit qui lui répondit car, lorsqu'il se réveilla le lendemain à l'aube, il avait une idée.

Il pensait être accueilli par la servante bigleuse mais ce fut Mme Sylvie en personne qui lui ouvrit. Elle se souvenait de lui ; il aperçut dans ses yeux une lueur de reconnaissance (et, pensa-t-il, de plaisir), même si, bien sûr, elle n'alla pas jusqu'à sourire.

Elle le dévisagea d'un air impassible.

— Monsieur Murray...

Elle baissa les yeux et perdit un peu de sa superbe. Elle repoussa ses lunettes sur son nez pour mieux voir les deux petites personnes qui l'accompagnaient puis le dévisagea à nouveau avec une mine soupçonneuse.

— Qu'est-ce que c'est que ça ?

Il s'y était attendu. Il sortit la petite bourse qu'il avait préparée et la secoua pour faire tinter les pièces.

Elle changea d'expression et s'effaça pour les laisser entrer tout en fixant les gamines d'un œil méfiant.

Les deux diablesses n'étaient guère plus confiantes (il ne s'était pas encore résolu à les considérer comme de vraies filles). Elles restèrent sur le pas de la porte jusqu'à ce qu'il les attrape par la peau du cou et les pousse dans le salon de Mme Sylvie. Il les força à s'asseoir mais elles semblaient avoir une autre idée en tête. Il ne les quitta pas de son regard d'acier tout en discutant avec la propriétaire de l'établissement.

— Vous voulez que j'en fasse des bonnes ? répéta-t-elle, incrédule.

Il les avait lavées (tout habillées), ce qui lui avait valu quelques morsures. Heureusement, aucune ne s'était infectée, mais pour ce qui était de leur chevelure, la seule solution était de la couper ras et il n'était pas près d'approcher d'elles avec des ciseaux, tant pour leur bien que pour le sien. Elles le lorgnaient donc par-dessous leurs mèches raides de crasse avec des yeux rouges et malveillants de gargouilles.

— C'est qu'elles ne veulent pas faire les putains, expliqua-t-il avec affabilité. Je n'y tiens pas non plus. Non que je sois contre cette profession personnellement, ajouta-t-il par pure politesse.

Un pli apparut à la commissure des lèvres de la maquerelle et elle le dévisagea d'un air amusé.

— Je suis ravie de l'entendre.

Elle l'examina des pieds à la tête en laissant traîner son regard, lentement, le jaugeant d'une manière qui lui donna l'impression d'avoir été plongé dans un bain très chaud. Elle se concentra à nouveau sur son visage ; cette fois elle semblait clairement se divertir.

Il toussota, se souvenant avec un mélange de gêne et de concupiscence de divers moments de leur précédente rencontre, deux ans plus tôt. Extérieurement, c'était une femme au physique quelconque ayant passé la trentaine, son visage et son allure rappelant davantage la mère supérieure d'un couvent qu'une prostituée. Cependant, sous sa robe simple en calicot et son tablier en mousseline, elle valait son pesant d'or.

Il indiqua la bourse qu'il avait posée sur le guéridon près de son fauteuil.

— Je ne vous demande pas une faveur. Je pensais que vous pourriez les prendre en apprentissage.

— En apprentissage. Dans un bordel…

Ce n'était pas une question et son ton était teinté d'humour.

— Elles pourraient commencer comme bonnes. Il y a sûrement du ménage à faire chez vous ? Des pots de chambre à vider, ce genre de choses ? Et puis, si elles se montrent suffisamment malignes…

Il s'interrompit pour lancer un regard sévère aux deux fillettes. Hermione lui tira la langue.

— … vous pourriez peut-être leur apprendre à cuisiner. Ou à coudre. Vous avez sans doute beaucoup de raccommodage à faire, non ? Des draps déchirés ?

— Plutôt des chemises en loques, rétorqua-t-elle.

Elle leva les yeux vers le plafond où un grincement de ressorts rythmique trahissait la présence d'un client.

Les fillettes avaient quitté leurs tabourets et rôdaient dans le salon comme une paire de chats sauvages, examinant les bibelots avec fascination. Il se rendit soudain compte qu'elles n'avaient jamais vu une ville et encore moins l'intérieur d'une maison plutôt cossue.

Mme Sylvie saisit la bourse et la soupesa en écarquillant les yeux, surprise par son poids. Elle l'ouvrit et versa une poignée de billes noires dans sa paume. Elle releva un regard surpris vers Ian. Il lui sourit, cueillit l'une des billes dans sa main, la frotta vigoureusement avec son pouce et la laissa retomber dans sa paume. Un éclat d'or brillait au milieu de la masse noire.

Mme Sylvie plissa les lèvres et soupesa à nouveau la bourse.

— Tout ça ? demanda-t-elle.

Il avait estimé qu'elle contenait plus de cinquante livres d'or ; la moitié de ce qu'il transportait avec lui. Il bondit et ôta des mains de Hermione le bibelot en porcelaine qu'elle tripotait.

— Ce ne sera pas une tâche facile, déclara-t-il. Cela les vaut bien, je crois.

— Oui, en effet, répondit-elle en regardant Trudy.

Cette dernière, avec une nonchalance extrême, avait baissé ses culottes et était en train de se soulager dans un coin de la grande cheminée. Depuis que le secret de leur sexe avait été révélé, les fillettes avaient perdu toute pudeur.

Mme Sylvie agita sa clochette en argent, faisant sursauter les deux enfants.

— Pourquoi moi ?

— Je ne connais personne d'autre capable de les mater, répondit Ian.

— Vous m'en voyez très flattée.

— Alors, marché conclu ?

Elle soupira et se tourna vers les gamines. Elles étaient en train d'échanger des messes basses en l'observant d'un air dubitatif. Mme Sylvie secoua la tête.

— Je fais sans doute une très mauvaise affaire… mais les temps sont durs.

— Comment, dans votre métier ? J'aurais cru que la demande était constante.

Il avait voulu plaisanter mais elle le dévisagea gravement.

— Oh, ce ne sont pas les clients qui manquent mais ils n'ont plus d'argent. Personne n'en a, d'ailleurs. J'accepte les poulets ou les flèches de lard mais beaucoup n'ont même plus ça à offrir. Ils me donnent de l'argent de la proclamation, des billets continentaux, voire des bons émis par une milice… Vous avez une idée de ce qu'ils valent sur le marché ?

— Oui, je…

Mais elle était lancée, frémissante d'indignation.

— Ou encore, ils me payent des nèfles. Quand tout va bien, les hommes suivent, enfin… dans l'ensemble. Mais serrez-leur un peu la ceinture et, tout à coup, ils veulent tous prendre leur plaisir à l'œil. Après tout, qu'est-ce que ça me coûte, à moi ? Je ne peux même pas refuser, autrement ils viendront se servir de force puis brûleront ma maison ou nous battront pour avoir osé leur tenir tête.

Sa voix vibrait d'amertume et il abandonna aussitôt son idée de lui proposer de sceller leur marché de façon plus intime.

— Je vois, répondit-il avec prudence. Mais ce genre d'incident n'est-il pas un des risques du métier ? Jusqu'à présent, ça ne vous a pas empêchée de prospérer, n'est-ce pas ?

Elle pinça les lèvres un instant.

— J'avais un… protecteur. Un gentleman qui s'occupait de moi.

— En échange de… ?

Elle rosit.

— Cela ne vous regarde pas.

Il pointa le menton vers la bourse qu'elle tenait.

— Peut-être que si. Si je place mes… mes… commença-t-il avec un geste vers les fillettes, occupées à tripoter le velours des rideaux, enfin, elles chez vous, j'ai le droit de savoir si elles courent un danger.

— Ce sont des filles. Elles sont nées dans le danger et il les accompagnera toute leur vie, quelles que soient leurs conditions.

Les phalanges de ses doigts, crispés sur la bourse, étaient blanches. Ian était légèrement impressionné par sa franchise, d'autant qu'elle semblait avoir vraiment besoin de cet argent. En dépit de l'amertume de la dame, cette petite joute ne lui déplaisait pas.

— Vous pensez peut-être que la vie est moins dangereuse pour un homme ? Qu'est-il arrivé à votre souteneur ?

Elle pâlit d'un coup et des étincelles brillèrent au fond de ses yeux. Elle répondit dans un murmure féroce :

— C'était mon frère. Les Fils de la liberté l'ont enduit de goudron et de plumes et l'ont laissé mourir sur le pas de ma porte. A présent, monsieur, avez-vous d'autres questions concernant notre affaire ou en avons-nous terminé ?

Avant qu'il ait trouvé quoi répondre, une porte s'ouvrit et une jeune femme entra. Il ressentit un choc viscéral en l'apercevant et sa vision devint floue. Puis la pièce se stabilisa autour de lui et il parvint à inspirer à nouveau.

Ce n'était pas Emily. La jeune femme, dont le regard intrigué passait de lui aux deux sauvageonnes drapées dans les rideaux, était métisse, petite et gracieuse, avec des longs cheveux de jais lui tombant librement dans le dos, comme Emily. Elle avait ses larges pommettes et son petit menton délicat et rond mais ce n'était pas Emily.

Dieu soit loué, pensa-t-il. Parallèlement, il ressentit un grand vide. En la voyant, il avait eu l'impression qu'un boulet de canon lui avait traversé le ventre, laissant un grand trou en son milieu.

Mme Sylvie donna quelques instructions à la jeune Indienne dont les sourcils noirs se haussèrent un instant. Puis elle sourit aux fillettes et les invita à la suivre dans la cuisine pour leur donner à manger.

Les filles se dépêtrèrent rapidement des rideaux. Le petit déjeuner était déjà loin et il n'avait rien eu d'autre à leur donner qu'un peu de *drammach* et de la viande d'ours séchée aussi dure que de la semelle.

Elles suivirent la jeune fille vers la porte sans broncher. Sur le seuil, Hermione se retourna, remonta ses culottes trop grandes, le dévisagea férocement et pointa un long doigt osseux vers lui d'un air accusateur.

— Si jamais qu'on devient un jour des putains, espèce de salaud, je te retrouverai, je te couperai les couilles et je te les enfoncerai dans le cul.

Il prit congé le plus dignement possible. Et les éclats de rire de Mme Sylvie le poursuivirent jusque dans la rue.

18

L'arracheuse de dents

New Bern, colonie de Caroline du Nord, avril 1777

Je détestais arracher des dents. C'était horriblement difficile. Même dans le meilleur des cas – une personne robuste avec une grande bouche et un tempérament placide, dont la dent gâtée se trouvait sur le devant et logée dans la mâchoire supérieure (donc plus facile d'accès et avec une racine moins profonde) –, l'intervention restait compliquée, glissante et délicate. Outre l'aspect parfaitement déplaisant de la tâche, son issue probable me laissait inévitablement un sentiment de déprime.

Au-delà de la douleur provoquée par un abcès dentaire, celui-ci risquait de propager des bactéries dans le sang, provoquant une septicémie, voire la mort. Il fallait donc intervenir mais extraire une dent sans pouvoir la remplacer revenait à altérer non seulement l'aspect du patient mais également la fonction et la structure de sa bouche. L'absence d'une dent faisait se déplacer les autres, modifiant la denture et rendant la mastication plus laborieuse. Cela pouvait affecter la nutrition du patient, sa santé générale et ses perspectives d'une vie longue et heureuse.

Je changeai à nouveau de position afin de mieux voir la dent qui me préoccupait tout en me disant, avec une pointe de cynisme, que l'extraction de plusieurs dents n'endommagerait pas outre mesure la dentition de la malheureuse fillette que j'étais en train de soigner.

Elle n'avait guère plus de huit ou neuf ans, avec une bouche étroite et les mâchoires prognathes. Ses canines de lait n'étaient pas tombées à temps et les dents définitives avaient poussé par-derrière, lui donnant l'allure sinistre d'un roquet affublé d'une double rangée de crocs. Cette situation était encore aggravée par l'étroitesse inhabituelle de sa mâchoire supérieure, qui avait contraint ses deux incisives à pousser de biais et vers l'intérieur au point qu'elles se touchaient presque.

Je touchai l'abcès de l'une de ses molaires supérieures et elle tira brusquement sur les sangles qui l'attachaient au siège, poussant un cri strident qui s'enfonça sous mes ongles comme des échardes de bambou.

Je me redressai avec l'impression que mes lombaires avaient été pressées dans une enclume. Cela faisait plusieurs heures que je travaillais dans l'imprimerie de Fergus. J'avais un petit bol rempli de dents sanglantes près de mon coude et un public fasciné de l'autre côté de la vitrine.

— Donne-lui-en encore un peu, Ian.

Ce dernier, après un son dubitatif très écossais, saisit néanmoins la bouteille de whisky et adressa un sourire encourageant à la petite fille. Celle-ci poussa un nouveau cri de terreur en voyant son visage tatoué puis serra les lèvres. Perdant patience, sa mère la gifla, arracha la bouteille des mains de Ian et, pinçant le nez de sa fille de l'autre main, lui glissa le goulot dans la bouche puis inclina la bouteille.

L'enfant ouvrit des yeux ronds comme des billes et cracha une explosion de gouttelettes de whisky du coin des lèvres. Elle déglutit néanmoins, son petit cou maigrelet s'agitant convulsivement.

— Euh… je crois qu'elle en a eu assez, déclarai-je.

J'étais plutôt alarmée par la quantité d'alcool qu'elle ingurgitait. C'était du très mauvais whisky local. Jamie et Ian, après l'avoir goûté, avaient décrété qu'il ne rendait probablement pas aveugle mais j'avais des doutes.

La mère examina sa fille d'un œil critique sans pour autant retirer la bouteille.

— Hmm… fit-elle. Oui, je suppose que ça ira.

Le regard de l'enfant se révulsa soudain et elle devint toute molle. Sa mère écarta la bouteille, en essuya soigneusement le goulot avec son tablier puis la rendit à Ian en le remerciant d'un signe de tête.

Je pris le pouls de ma petite patiente et vérifiai sa respiration. Elle semblait en assez bonne santé ; pour le moment…

Je saisis mes pinces en marmonnant :

— *Carpe diem*. Ou devrais-je plutôt dire *Carpe vinorum* ? Ian, vérifie qu'elle respire.

Ian se mit à rire et versa un peu de whisky sur un bout de tissu propre.

— Je crois que vous avez le temps de lui arracher une autre dent, tante Claire. A vrai dire, vous pourriez les lui arracher toutes qu'elle ne broncherait pas.

Je tournai la tête de l'enfant.

— C'est une idée. Tu peux approcher le miroir ?

J'avais cassé un petit morceau de miroir qui me permettait, avec un peu de chance, de diriger la lumière à l'intérieur de la bouche du patient. En travaillant derrière la vitrine, je disposais de lumière naturelle en abondance. Malheureusement, il y avait tellement de curieux se pressant contre la vitre qu'ils nous cachaient le soleil, frustrant les efforts de Ian pour projeter le faisceau là où j'en avais besoin.

Je repris le pouls de la fillette au cas où, et appelai :

— Marsali !

— Oui ?

Elle sortit de l'arrière-boutique, essuyant ses doigts tachés d'encre sur un torchon.

— Vous avez encore besoin de Henri-Christian ? Si ça ne dérange personne…

— Pensez-vous ! Il adore ça, ce petit cabotin. Joanie ! Félicité ! Allez chercher le petit. On a besoin de lui dehors !

Félicité et Joanie, ou « les chatonnes de Satan » comme les avait surnommées Jamie, ne se firent pas prier. Elles aimaient le numéro de leur petit frère presque autant que lui.

Joanie ouvrit la porte de la cuisine et lança :

— Tu viens, Bubbles ?

Henri-Christian accourut, se dandinant sur ses courtes jambes, radieux, et criant :

— Hop là ! Hop là ! Hop !

— Mets-lui son chapeau ! dit Marsali. Il va attraper froid aux oreilles !

Il faisait beau mais venteux et Henri-Christian était sujet aux otites. Il portait un chapeau en laine noué sous le menton, avec des rayures bleues et blanches et orné d'une rangée de pompons rouges. C'était Brianna qui le lui avait tricoté et de le voir me procura un petit pincement au cœur, mélange de plaisir et de peine.

Ses sœurs le prirent chacune par une main, Félicité attrapant au passage le chapeau mou de leur père suspendu à une patère afin de faire la manche. Ils furent accueillis à l'extérieur par des hourras et des sifflets. A travers la vitrine, je vis Joanie enlever les livres présentés sur l'étal devant la boutique et Félicité hisser Henri-Christian sur cette scène improvisée. Avec un sourire rayonnant, il ouvrit grands ses petits bras puissants, salua la foule d'une courbette d'un côté et de l'autre. Puis il se pencha en avant, posa ses mains sur l'étal et, avec une grâce étonnante, souleva les pieds et fit le poirier.

Je n'attendis pas de voir le reste du spectacle – il s'agissait principalement de pas de danse et de bonds ponctués de sauts périlleux et autres figures acrobatiques, le tout rendu charmant par sa petite stature et sa personnalité enjouée. Il avait momentanément attiré la foule à l'écart de la vitrine, ce qui était le but du jeu.

Je me remis au travail. Grâce à la lumière vacillante du petit miroir, je voyais mieux ce que je faisais et je parvins à agripper la dent presque du premier coup. Là commençait la vraie difficulté. Elle était fêlée et pouvait fort bien se casser quand je tenterais de la tordre. Le cas échéant…

Tout se passa bien. Il y eut un petit *crac !* étouffé lorsque la racine se sépara du maxillaire puis la petite dent blanche suivit sans résister, intacte.

La mère de la fillette, qui avait observé attentivement l'opération, eut un soupir de soulagement et se détendit légèrement. L'enfant aussi, s'enfonçant dans le fauteuil. Je vérifiai à nouveau son état. Son pouls était normal quoique sa respiration me paraisse un peu trop superficielle. Elle allait probablement dormir encore pendant…

Il me vint une idée et je me tournai vers sa mère, déclarant avec hésitation :

— Vous savez, je pourrais en profiter pour lui en extraire une ou deux sans lui faire mal. Regardez...

Je m'écartai, lui fis signe de se pencher sur la bouche ouverte et lui indiquai les canines de lait.

— Il faudrait les lui enlever tout de suite afin que celles de derrière puissent pousser normalement. Et vous voyez ces dents de devant... J'ai déjà extrait la molaire bicuspide de gauche ; si j'enlève celle de droite, les autres dents se déplaceront peut-être, comblant le vide. En outre, si vous parvenez à la persuader de pousser avec sa langue contre ses dents de devant, chaque fois qu'elle y pense...

Ce n'était pas de l'orthodontie et présentait quelques risques d'infection mais j'étais très tentée. La pauvre petite ressemblait à une chauve-souris cannibale.

— Hmmm... fit la mère.

Elle examina la bouche ouverte de sa fille puis demanda :

— Vous me donnez combien pour les autres ?

— Combien... Quoi, vous voulez que je vous *paye* ?

— Ce sont de bonnes dents saines. Il y a un arracheur de dents près du port qui m'en donnera un shilling la pièce. Et Glory aura besoin d'argent pour sa dot.

— Sa dot ? répétai-je, interloquée.

— Personne ne va épouser cette pauvre chose pour sa beauté, rétorqua sa mère.

Je devais admettre qu'elle n'avait pas tort. En faisant abstraction de sa déplorable dentition, le moins qu'on pouvait dire de la pauvre enfant était qu'elle était dénuée de grâce.

— Marsali ? appelai-je. Tu n'aurais pas quatre shillings ?

L'or cousu dans la doublure alourdissait ma jupe mais je pouvais difficilement y avoir recours dans la situation présente.

Marsali se détourna de la vitrine d'où elle surveillait Henri-Christian et les filles.

— Non, je n'ai pas de monnaie.

— J'en ai, moi, tante Claire.

Ian posa le miroir et extirpa une poignée de pièces de son *sporran*, avant de fixer la mère d'un regard sévère.

— Jamais vous n'obtiendrez plus de trois pennies par dent saine. Celles d'un enfant valent probablement moins d'un penny !

La femme le toisa.

— Ah ! Vous avez beau être tatoué comme un sauvage, on reconnaît bien là un Ecossais ! Six pennies la dent, espèce de pingre !

Ian lui sourit, lui montrant ses propres dents qui, bien que n'étant pas toutes droites, étaient en parfait état.

— Emmenez donc la petite au port et laissez ce boucher la massacrer. D'ici là, elle sera sans doute réveillée et criera comme un goret. Trois pennies.

— Ian ! le réprimandai-je.

— Je ne vais pas la laisser vous embobiner, ma tante ! Non seulement elle ne veut pas débourser un sou pour que vous arrachiez les dents de sa fille mais voilà maintenant qu'elle voudrait qu'on la paye pour l'honneur qu'elle nous fait !

Enhardie par mon intervention, la femme pointa le menton et insista :

— Six pennies !

Attirée par l'altercation, Marsali se pencha sur la bouche ouverte de l'enfant. Puis elle informa la mère :

— Vous ne lui trouverez pas un mari pour moins de dix livres avec une bouche pareille ! Un homme aurait peur d'être mordu en l'embrassant. Ian a raison. En fait, vous devriez payer le double pour le service qu'on vous rend.

— En entrant, vous étiez bien d'accord pour payer, non ? renchérit Ian. Deux pennies pour lui extraire une dent. Et ma tante, par compassion pour la petite, vous fait une offre.

— Vampires ! s'exclama la femme. C'est bien vrai ce qu'on dit à propos des Ecossais, vous récupéreriez les pièces sur les yeux d'un mort !

De toute évidence, l'affaire n'était pas près de se régler. Je sentais Ian et Marsali se préparer pour une bonne séance de marchandage. Je repris le miroir des mains de Ian. Je n'en aurais pas besoin pour les canines et, le temps que j'en arrive à l'autre molaire, mon neveu serait peut-être de nouveau disponible.

En fait, les canines furent un jeu d'enfant. C'étaient des dents de lait, pratiquement sans racines et prêtes à tomber. J'aurais sans doute pu les extraire avec mes doigts. Une simple torsion et elles sortirent, la gencive saignant à peine. Satisfaite, je tamponnai les trous avec un linge imbibé de whisky puis me concentrai sur la molaire bicuspide.

En renversant la tête de l'enfant en arrière, j'y verrais assez clair pour pouvoir me passer du miroir. Je pris la main de Ian, tellement engagé dans la conversation qu'il le remarqua à peine, et la posai sur le front de la patiente pour qu'il la tienne fermement, puis j'introduisis méticuleusement ma pince dans sa bouche.

Une ombre traversa mon champ de vision, disparut avant de revenir, l'obscurcissant totalement. Agacée, je me retournai et découvris un élégant gentleman regardant derrière la vitre, l'air intéressé.

Je lui fis signe de se pousser. Il cligna des yeux puis comprit et s'écarta avec un petit signe d'excuse. Sans attendre d'être interrompue à nouveau, je m'accroupis, saisis la dent, effectuai une torsion puis tirai, la libérant du premier coup.

Tout en fredonnant, je versai un peu de whisky sur le trou et pressai un morceau de coton sur la gencive pour drainer l'abcès. Je sentis soudain le petit cou se relâcher et me figeai.

Ian le sentit aussi. Il s'interrompit au milieu d'une phrase et m'adressa un regard surpris.

— Détache-la, lui ordonnai-je. Vite.

Il la libéra en deux secondes. Je la soulevai par les aisselles et l'allongeai sur le sol, sa tête ballottant comme celle d'une poupée de chiffon. Sans prêter attention aux exclamations paniquées de sa mère et de Marsali, j'étirai son cou, essuyai sa bouche et, pinçant son nez entre deux doigts, collai mes lèvres contre les siennes et tentai de la ranimer.

C'était comme de souffler dans un ballon de baudruche neuf : un blocage, une résistance puis, enfin, sa poitrine se souleva. Hélas, les cages thoraciques ne sont pas du caoutchouc ; elle n'était pas ranimée pour autant.

Je posai les doigts sur sa gorge, cherchant la carotide. Là... En étais-je sûre ?... Oui ! Son cœur battait toujours, quoique faiblement.

Expiration, pause, expiration, pause... Je sentis le léger courant d'une exhalation puis le petit torse se souleva et s'affaissa. J'attendis, un bourdonnement assourdissant dans mes oreilles, mais il cessa de bouger. Expiration, pause, expiration...

Il bougea à nouveau et, cette fois, continua de se soulever et de s'affaisser de lui-même. Je me redressai sur mes talons, le souffle court et le front couvert de sueur froide.

La mère de la fillette me dévisageait, bouche bée, ce qui me permit de remarquer que sa dentition n'était pas si mauvaise. Dieu seul savait à quoi ressemblait son mari.

Son regard allait et venait de sa fille à moi.

— Elle est... elle est... demanda-t-elle.

— Elle va bien.

Je me relevai lentement, légèrement étourdie.

— Elle ne doit pas bouger avant que le whisky ait fini de faire ses effets. Tout devrait bien se passer mais il se pourrait qu'elle cesse de respirer à nouveau. Quelqu'un devra veiller sur elle jusqu'à ce qu'elle reprenne conscience... Marsali ?

— Oui, je vais la coucher dans le lit d'une des filles. Ah, te voilà, Joanie... Viens m'aider à surveiller cette pauvre petite. On va la mettre dans ton lit.

Les enfants venaient de rentrer, les joues roses et la mine réjouie. Leur chapeau était rempli de pièces et de boutons. Apercevant la fillette étendue sur le sol, ils se précipitèrent pour la voir.

— Hop là ! dit Henri-Christian, impressionné.

Plus pratique, Félicité demanda :

— Elle est morte ?

— Si elle était morte, maman ne me demanderait pas de veiller sur elle, répliqua Joanie. Elle ne va pas vomir dans mon lit, hein ?

— Nous mettrons une serviette, promit Marsali.

Elle s'accroupit pour prendre l'enfant dans ses bras mais Ian la prit de vitesse, la soulevant délicatement. Il se tourna vers la mère.

— On ne vous demandera que deux pennies, l'informa-t-il. Mais vous pourrez garder gratuitement toutes ses dents. Cela vous va ?

Elle acquiesça, l'air hébétée, puis suivit le petit groupe vers l'arrière-boutique. J'entendis leurs pas dans l'escalier mais ne bougeai pas. Mes jambes étaient toutes molles et je me laissai tomber sur un siège.

— Vous ne vous sentez pas bien, madame ?

Relevant les yeux, j'aperçus l'élégant gentleman qui m'avait observée de l'autre côté de la vitre. Je saisis la bouteille de whisky à moitié vide, en bus une longue rasade. Il me brûla la gorge et avait un goût d'os calcinés. Je produisis des sons sifflants et larmoyai mais ne recrachai pas.

— Non, je vais très bien, répondis-je d'une voix rauque. Parfaitement bien.

Je m'éclaircis la gorge et m'essuyai les yeux.

— En quoi puis-je vous être utile ?

Il parut légèrement amusé.

— Je n'ai pas besoin qu'on m'arrache une dent, ce qui est probablement une bonne nouvelle pour vous comme pour moi. Cependant, si je puis me permettre… ?

Il sortit une mince flasque en argent de sa poche, me la tendit puis s'assit.

— Ce sera sans doute plus fortifiant que ce…

Il indiqua la bouteille de whisky en fronçant le nez.

Je débouchai la flasque et le bouquet puissant d'un excellent cognac en sortit tel un génie.

— Merci.

Je bus une gorgée en fermant les yeux.

— Merci infiniment, répétai-je.

Fortifiant, il l'était certes. La chaleur envahit le centre de mon corps et s'enroula telles des volutes de fumée jusqu'au bout de mes membres.

— Tout le plaisir est pour moi, madame, répondit-il avec un sourire.

C'était un vrai dandy, et un dandy riche par-dessus le marché, avec une avalanche de dentelles, des boutons dorés sur le gilet, une perruque poudrée et deux mouches en soie noire sur le visage, l'une en forme d'étoile près de son sourcil gauche, l'autre représentant un cheval ruant sur sa joue droite. Ce n'était pas un accoutrement fréquent en Caroline du Nord, surtout par les temps qui couraient.

En dépit de ces affèteries, c'était un bel homme. Il devait avoir une petite quarantaine, avec des yeux sombres et doux où brillait une étincelle d'humour ; des traits délicats et intelligents. Il parlait parfaitement l'anglais avec un accent nettement parisien.

— Ai-je l'honneur de parler à Mme Fraser ? demanda-t-il.

Je vis son regard s'attarder sur ma tête scandaleusement nue mais il s'abstint poliment de tout commentaire.

— En effet, répondis-je, sur mes gardes. Mais je ne suis peut-être pas celle que vous cherchez. Ma bru s'appelle également Fraser. Son époux et elle possèdent cette imprimerie. Si vous souhaitez faire imprimer quelque chose...

— Madame James Fraser ?

J'hésitai un instant mais il me fallait bien répondre.

— Oui, c'est bien moi. Vous cherchez mon mari, peut-être ?

Beaucoup de gens cherchaient Jamie pour un tas de raisons et il n'était pas toujours souhaitable qu'ils le trouvent.

Il sourit, plissant des yeux avec un air malicieux.

— En effet, madame Fraser. Le capitaine de mon navire m'a appris que M. Fraser était venu le trouver ce matin pour savoir s'il prenait des passagers.

Mon cœur fit un bond.

— Ah ! Vous avez un navire, monsieur... ?

— Beauchamp.

Il s'inclina et me fit un baisemain.

— Percival Beauchamp, pour vous servir, madame. Mon navire s'appelle *Huntress*.

Je crus un instant que mon cœur s'était arrêté.

— Beauchamp... répétai-je. Bitcheume ?

Il avait prononcé son nom à la française. En m'entendant le reprendre à l'anglaise, son sourire s'élargit encore.

— Effectivement, c'est ainsi que le prononcent les Anglais. Vous avez dit votre bru... Donc, le M. Fraser propriétaire de cette boutique est le fils de votre époux ?

— Oui, répondis-je machinalement.

Intérieurement, je me morigénai : Ne sois pas idiote ! C'est un patronyme courant. Il n'a probablement rien à voir avec ta famille. Et pourtant... ce lien anglo-français... Je savais que la famille de mon père était venue de France au cours du

XVIIIe siècle mais j'ignorais tout des détails. Je l'observai avec fascination, cherchant un trait familier, une vague ressemblance avec le peu dont je me souvenais de mes parents, de l'un de mes oncles.

Il avait comme moi la peau pâle mais c'était le cas de la plupart des membres des classes supérieures, chacun prenant grand soin de ne pas exposer son visage au soleil. Ses yeux étaient beaucoup plus sombres que les miens ; très beaux et d'une forme différente, plus ronds. Ses sourcils… Oncle Lamb avait-il eu les mêmes, fournis près de la racine du nez et s'étirant en une arche gracieuse ?

Absorbée par mes pensées, je n'entendis pas ce qu'il me disait.

— Je vous demande pardon ?

Il indiqua la porte par laquelle les enfants avaient disparu.

— Ce petit garçon, je l'ai entendu crier « Hop là ». C'est ce que disent les artistes de rue français. Sa famille a-t-elle quelques liens avec la France ?

Une alarme retentit dans ma tête, quoiqu'un peu tard. Je m'efforçai d'adopter une expression poliment curieuse.

— Non. Il a dû l'entendre dans la rue. Une petite troupe d'acrobates français a traversé les Carolines l'année dernière.

— Ah, voici sans doute qui explique cela.

Il se pencha en avant, le regard concentré.

— Et vous-même, vous les avez vus ?

— Non, mon mari et moi… n'habitons pas ici.

J'avais été sur le point de lui révéler où nous vivions mais j'ignorais ce qu'il savait sur l'histoire de Fergus. Il se redressa sur son siège et pinça les lèvres, l'air déçu.

— Dommage. J'ai pensé que le monsieur que je recherche appartenait peut-être à cette troupe. De toute manière, même si vous les aviez vus, vous ne connaîtriez sans doute pas leurs noms.

— Vous cherchez quelqu'un ? Un Français ?

Je pris mon bol de dents arrachées et entrepris de les trier avec une nonchalance feinte.

— Un certain M. Claudel. Il est né à Paris… dans un bordel.

Il ajouta ce dernier détail en semblant s'excuser d'utiliser un terme aussi indélicat en ma présence.

— Il aurait la quarantaine aujourd'hui. Quarante et un ou quarante-deux ans.

Je tendis l'oreille, guettant les pas de Marsali dans l'escalier.

— Paris, répétai-je. Qu'est-ce qui vous fait penser qu'il se trouve en Caroline du Nord ?

— A vrai dire, rien n'est moins sûr. Je sais qu'il y a environ trente ans, il a été sorti du bordel par un Ecossais qui m'a été décrit comme possédant un physique frappant, très grand avec des cheveux d'un roux flamboyant. Le reste n'est plus que conjectures...

Il esquissa un sourire ironique.

— Selon les sources, ce Fraser était un marchand de vins et spiritueux, un jacobite, un loyaliste, un traître, un espion, un aristocrate, un agriculteur, un importateur... ou un contrebandier, les deux termes étant interchangeables... avec des relations allant du couvent à la cour royale.

C'était un portrait très exact de Jamie mais je comprenais qu'il ne l'ait pas beaucoup aidé à le retrouver. D'un autre côté... Beauchamp était arrivé jusqu'ici.

— J'ai bien découvert un marchand de vins s'appelant Michael Murray qui, quand je lui ai décrit Fraser, m'a dit qu'il ressemblait fortement à son oncle, James Fraser. Ce dernier avait émigré en Amérique dix ans plus tôt.

Les yeux sombres me dévisageaient à présent avec gravité.

— Toutefois, quand je l'ai interrogé sur cet enfant, Claudel, M. Murray m'a répondu qu'il ne savait strictement rien à ce sujet. En des termes assez véhéments.

— Vraiment ?

Je saisis une grosse molaire fortement cariée et l'examinai de près. Bon sang ! Je ne connaissais Michael que de nom. C'était l'un des grands frères de Ian. Il était né après mon départ et, à mon retour à Lallybroch, était déjà parti en France apprendre le métier de marchand de vins auprès de Jared Fraser, un cousin âgé et sans enfants de Jamie. Michael, qui avait grandi à Lallybroch avec Fergus, connaissait son vrai nom. Apparemment, il avait détecté quelque chose de louche dans la démarche de cet inconnu et choisi de se taire.

Je pris un air légèrement incrédule.

— Vous voulez dire que vous avez fait tout ce chemin jusqu'en Amérique en ne connaissant que le nom d'un homme et le fait qu'il était roux ? Doux Jésus, vous devez vraiment tenir à le trouver, ce Claudel !

Il inclina la tête sur le côté et me regarda avec un petit sourire.

— En effet, madame. Dites-moi, votre époux ne serait-il pas roux ?

— Si.

Je pouvais difficilement le nier dans la mesure où n'importe qui à New Bern pourrait le lui confirmer, et l'avait sans doute déjà fait. J'ajoutai nonchalamment :

— Tout comme bon nombre de ses relations et une bonne moitié de la population des Highlands.

C'était un peu exagéré mais il y avait de bonnes chances que M. Beauchamp n'ait pas passé personnellement les Highlands au peigne fin.

J'entendais des voix à l'étage. Marsali redescendrait d'un instant à l'autre et je ne tenais pas à ce qu'elle débarque au beau milieu de cette conversation.

Je me levai d'un air décidé.

— Je suis sûre que vous voudrez parler à mon mari et inversement. Il est sorti, malheureusement, et ne reviendra pas avant demain. Vous avez pris une chambre en ville ?

— Je suis au King's Inn, répondit-il en se levant à son tour. Si vous voulez bien demander à votre époux de passer me voir ? Je vous remercie, madame.

Il s'inclina profondément, prit à nouveau ma main et la baisa. Puis, sans se départir de son sourire, il sortit de l'imprimerie, laissant dans son sillage un parfum à la bergamote et à l'hysope mêlé aux effluves d'un excellent cognac.

En raison du chaos politique, bon nombre de marchands et d'hommes d'affaires avaient quitté New Bern ; en l'absence d'autorité civile, la vie publique s'était arrêtée, à l'exception des transactions commerciales les plus simples, et la violence avait fait fuir de la colonie une grande partie de ses habitants

– loyalistes et sympathisants des rebelles confondus. Il n'y avait que deux bonnes auberges en ville ; le King's Inn et le Wilsey Arms. Fort heureusement, Jamie et moi avions pris une chambre dans la seconde.

— Tu vas aller lui parler ?

Je venais de raconter à Jamie la visite de M. Beauchamp, un récit qui l'avait fortement secoué.

— Fichtre, comment a-t-il découvert tout ça ?

— Il est sans doute parti du fait que Fergus se trouvait dans un bordel et a commencé son enquête par là. Il n'a pas dû lui être très difficile de trouver quelqu'un qui t'y avait vu ou avait entendu parler de l'incident. Tu ne passes pas vraiment inaperçu, tu sais.

En dépit de mon inquiétude, je souris en songeant à Jamie, alors âgé de vingt-cinq ans, réfugié dans un bordel, armé, par pure coïncidence, d'une grande saucisse. Il s'en était ensuite échappé par une fenêtre, emmenant avec lui un pickpocket et prostitué occasionnel âgé de dix ans et baptisé Claudel.

Il haussa les épaules, embarrassé.

— Oui, peut-être. Mais quand même, il en sait beaucoup…

Il se gratta le crâne.

— Pour répondre à ta question, non, je ne compte pas lui parler avant d'en avoir discuté avec Fergus. Je crois que nous avons besoin d'en apprendre un peu plus sur ce M. Beauchamp avant de nous jeter dans la gueule du loup.

— J'aimerais en savoir davantage, moi aussi. Je me demande si… les chances sont très ténues, c'est un nom assez courant… mais je me demandais s'il n'était pas apparenté à ma famille. Je sais qu'elle vivait en France au XVIIIe siècle mais guère plus.

Il me sourit.

— Et que ferais-tu, *Sassenach*, si tu apprenais qu'il était ton ascendant de la sixième génération ?

— Je…

Je m'interrompis brusquement : je n'y avais pas pensé.

— Eh bien… probablement rien, admis-je. De toute manière, on ne peut pas en être sûr puisque je n'ai jamais su le prénom de mes ancêtres. C'est juste que… j'aurais été intéressée d'en apprendre plus.

— Bien sûr, je comprends. Mais pas si, en l'interrogeant sur sa famille, je mettais Fergus en danger, n'est-ce pas ?

— Oh non ! Bien sûr que non !

Je me figeai en entendant toquer à la porte. Je lançai un coup d'œil interrogateur à Jamie, qui hésita un instant puis haussa les épaules et alla ouvrir.

La chambre était petite et, de là où j'étais assise, j'apercevais le couloir. Il semblait avoir été envahi par une délégation de femmes ; je ne voyais qu'une mer de bonnets blancs flottant dans la pénombre tel un banc de méduses.

L'un des bonnets se souleva brièvement.

— Monsieur Fraser ? Je... je m'appelle Abigail Bell. Mes filles...

Elle se tourna et je distinguai deux visages pâles et tendus.

— Lillian et Miriam.

Les deux autres bonnets (elles n'étaient que trois, finalement) s'inclinèrent chacun à son tour.

— Puis-je vous parler un instant ?

Jamie s'effaça pour les laisser entrer et m'adressa un regard perplexe tandis qu'il refermait la porte derrière lui.

— Mon épouse, me présenta-t-il.

Je me levai et échangeai quelques courtoisies. La chambre ne contenant qu'un lit et un tabouret, nous restâmes debout, échangeant des saluts et des sourires gênés.

Mme Bell était petite et corpulente mais avait dû être un jour aussi jolie que ses filles. Ses joues autrefois rondes s'étaient affaissées comme si elle avait perdu du poids brusquement et ses traits étaient creusés par le souci. Ses filles paraissaient inquiètes elles aussi ; l'une d'elles tordait un coin de son tablier et l'autre lançait des regards à Jamie par en dessous comme si elle craignait une réaction violente de sa part.

— Je vous demande pardon, monsieur, de m'imposer de cette manière si cavalière.

Les lèvres de Mme Bell tremblaient. Elle dut s'interrompre un instant avant de pouvoir reprendre :

— J'ai... j'ai entendu dire que vous cherchiez un navire en partance pour l'Ecosse.

Jamie acquiesça, méfiant. Il se demandait visiblement comment cette femme avait appris la nouvelle. Il avait prédit que tout le monde en ville serait au courant au bout de deux jours. Il ne s'était pas trompé. Il demanda :

— Vous connaissez quelqu'un qui envisage de faire le voyage ?

— Non, pas exactement. C'est... en fait... Il s'agit de mon mari.

Sa voix se brisa et elle plaqua une main sur sa bouche. Une de ses filles la prit doucement par le bras et la tira à l'écart ; puis elle se redressa et fit face au redoutable M. Fraser.

— Mon père se trouve en Ecosse, monsieur. Ma mère souhaiterait que vous le retrouviez et l'aidiez à rentrer chez nous.

— Ah, fit Jamie. Et votre père est... ?

— Oh, pardon ! M. Richard Bell, de Wilmington.

Elle esquissa une révérence.

— Il est... il était...

— Il *est* ! rectifia sa sœur avec insistance.

La première lui jeta un regard torve puis reprit :

— Mon père était marchand à Wilmington. Il possédait des affaires dans de nombreux secteurs et, à travers celles-ci... il était en contact avec divers officiers britanniques qui s'adressaient à lui pour leur approvisionnement. Mais il ne s'agissait que de transactions purement commerciales !

Mme Bell, qui avait repris contenance, vint se placer au côté de sa fille.

— Hélas, en des temps aussi troublés, le commerce se mêle à la politique. Ils ont dit... les ennemis de mon mari... ils ont dit qu'il était loyaliste.

— Parce qu'il l'était !

La seconde fille, aussi blonde que sa sœur était brune, ne tremblait pas. Elle toisa Jamie, le menton haut et le regard brillant.

— Mon père était fidèle à son roi ! Personnellement, je ne vois rien là qui mérite des excuses ! Et je ne pense pas qu'il soit honnête de prétendre le contraire uniquement pour s'attirer les bonnes grâces d'un homme qui a violé tous les serments que...

— Oh, Miriam ! s'exclama sa sœur, exaspérée. Tu ne pouvais donc pas te taire rien qu'un instant ? Tu as tout gâché !

— Absolument pas, rétorqua Miriam. De toute façon, ça n'aurait jamais marché ! Pourquoi un homme tel que lui...

— Si, ça aurait marché ! M. Forbes a dit...

— Oh, qu'il aille au diable, ton M. Forbes. Qu'est-ce qu'il en sait, d'abord ?

Mme Bell se mit à gémir doucement dans son tablier.

Jamie leva les mains pour les faire taire.

— Pourquoi votre père est-il allé en Ecosse ?

Prise par surprise, Miriam Bell lui répondit malgré elle :

— Il n'est pas parti en Ecosse de son plein gré. Il a été enlevé dans la rue et jeté sur le pont d'un navire en partance pour Southampton.

Tout en me faufilant à travers la forêt de jupons en direction de la porte, je demandai :

— Enlevé par qui ? Et pourquoi ?

Je sortis la tête dans le couloir et fis signe au garçon qui cirait des chaussures sur le palier de descendre nous chercher une carafe de vin. Compte tenu de l'état de nerfs des Bell, je sentais que nous en aurions tous besoin.

Je refermai la porte juste à temps pour entendre Lillian Bell nous expliquer qu'elles ignoraient qui avait kidnappé leur père.

— En tout cas, je ne connais pas leurs noms. Ces mécréants portaient des capuches. Mais ce sont des Fils de la liberté, ça ne fait aucun doute !

— C'est vrai ! renchérit Miriam. Père avait reçu des menaces de leur part ; des billets cloués sur notre porte, un poisson mort enveloppé dans un morceau de flanelle rouge et abandonné sur notre seuil, ce genre de choses.

A la fin du mois d'août précédent, les menaces avaient été mises à exécution. Alors qu'il rentrait de son entrepôt, un groupe d'hommes encapuchonnés avait surgi d'une allée, l'avait maîtrisé, transporté jusqu'aux quais et jeté à bord d'un navire qui venait de larguer ses amarres, toutes voiles dehors.

J'avais déjà entendu parler de ces « déportations » de loyalistes mais c'était la première fois que j'étais confrontée à un cas précis. Je demandai :

— Si le navire se rendait à Southampton, comment se fait-il que votre père se soit retrouvé en Ecosse ?

Les trois Bell se mirent à parler toutes en même temps, ce qui engendra une certaine confusion. Une fois de plus, ce fut Miriam qui l'emporta.

— Il est arrivé en Angleterre sans un sou, avec uniquement les vêtements qu'il portait sur le dos. Il n'avait pas d'argent pour se nourrir ni payer la traversée. Heureusement, le capitaine du navire s'est lié d'amitié avec lui et l'a conduit de Southampton à Londres. Là, mon père a recherché des hommes avec qui il avait fait commerce par le passé. L'un d'eux lui a prêté de quoi rembourser le capitaine et lui a promis un passage jusqu'en Géorgie à condition qu'il s'occupe du fret d'un navire se rendant d'Edimbourg aux Antilles puis en Amérique. Il a donc accompagné son bienfaiteur à Edimbourg mais, une fois là-bas, a découvert que ce qu'il devait charger aux Antilles était en fait une cargaison d'esclaves.

Mme Bell intervint avec une fierté timide :

— Mon mari est abolitionniste, monsieur Fraser. Il ne peut tolérer l'esclavage ni aider sa pratique, quel qu'en soit le prix à payer.

Lillian reprit, le front barré d'un pli anxieux :

— Quand M. Forbes nous a raconté ce que vous aviez fait pour cette esclave... la camériste de Mme Cameron, nous nous sommes dit que... bien que vous soyez...

— Un rebelle parjure, l'interrompit doucement Jamie. Je vois. Ce M. Forbes... Il ne s'agirait pas de Neil Forbes, l'avocat ?

Il paraissait légèrement incrédule, à juste titre.

Quelques années plus tôt, Neil Forbes, encouragé par Jocasta Cameron, avait demandé la main de Brianna. Elle l'avait éconduit sans beaucoup de délicatesse, il fallait le reconnaître. Il s'était vengé en la faisant enlever par un pirate notoire. Il s'en était suivi une situation confuse, au cours de laquelle Jamie avait à son tour enlevé la mère de l'avocat (la vieille dame s'était follement amusée) et Ian avait tranché une des oreilles de Forbes. Le temps avait peut-être pansé ses plaies extérieures mais je l'imaginais difficilement en train de chanter les louanges de Jamie.

— Oui, c'est bien lui, confirma Miriam.

Je surpris un échange de regards incertains entre Mme Bell et Lillian.

— Et que vous a dit exactement M. Forbes à mon sujet ? demanda Jamie.

Les trois femmes pâlirent et se turent. Il se tourna vers Mme Bell, ayant identifié le maillon faible de la chaîne familiale et répéta sur un ton plus dur :

— Que vous a-t-il dit ?

Elle répondit d'une petite voix faible :

— Que c'était une bonne chose que vous soyez mort.

Sur ce, ses yeux roulèrent dans leurs orbites et elle s'effondra sur le plancher tel un sac de grains d'orge.

Heureusement, je m'étais procuré un flacon d'ammoniaque chez le docteur Fentiman. Il ranima rapidement Mme Bell qui fut prise d'une violente quinte de toux. Ses filles l'aidèrent à s'allonger sur le lit. Le vin arriva à point nommé et j'en servis à tout le monde, me réservant une tasse pleine.

Jamie fixa les trois femmes de son regard froid et pénétrant qui faisait généralement mollir les genoux des scélérats patentés et les faisait tout avouer en bloc.

— A présent, racontez-moi où vous avez entendu M. Forbes dire que j'étais mort.

Mlle Lillian, assise sur le lit, un bras protecteur autour des épaules de sa mère, rassembla son courage.

— C'est moi qui l'ai entendu. C'était dans l'estaminet de M. Symonds. Nous étions encore à Wilmington ; c'était avant que nous venions vivre ici chez ma tante Burton. J'étais allée chercher une cruche de cidre chaud. Nous étions en février et il faisait encore très froid. Quoi qu'il en soit… cette femme… elle s'appelle Phaedre… travaille là-bas. Elle s'est rendue dans la réserve tirer le cidre et le réchauffer pour moi. Entre-temps, M. Forbes est entré et m'a parlé. Il était au courant pour mon père et s'est montré prévenant, me demandant comment nous nous en sortions. Puis Phaedre est revenue avec la cruche.

Naturellement, Forbes l'avait reconnue pour l'avoir vue de nombreuses fois à River Run, la plantation de Jocasta.

Extrêmement surpris par sa présence, il lui avait demandé des explications. Phaedre avait alors fait grand cas de la bonté de Jamie grâce à qui elle avait été affranchie.

Je manquai d'avaler une gorgée de travers. Phaedre savait pertinemment ce qui était arrivé à l'oreille de Forbes. C'était une femme discrète et douce mais elle ne détestait pas lancer des piques aux gens qu'elle n'aimait pas... et je savais qu'elle n'appréciait guère Neil Forbes.

— M. Forbes était tout rouge mais peut-être était-ce à cause du froid, poursuivit Lillian avec tact. Il a déclaré qu'effectivement M. Fraser avait toujours eu un faible pour les nègres...

Elle ajouta en regardant Jamie d'un air contrit :

— Je crains qu'il l'ait dit assez méchamment. Puis il s'est mis à rire, bien qu'il ait tenté de le déguiser avec une petite toux. Il a dit alors que c'était regrettable que vous et votre famille ayez été réduits en cendres et qu'ils avaient dû beaucoup vous pleurer dans les quartiers des esclaves.

Ce fut au tour de Jamie de s'étrangler avec sa gorgée de vin.

— Pourquoi a-t-il dit ça ? demandai-je. Il vous l'a expliqué ?

— Oui, madame. Phaedre lui a posé la question. Elle pensait sans doute qu'il ne l'avait dit que pour la blesser. Il a répondu qu'il l'avait lu dans le journal.

— *La Gazette de Wilmington*, précisa Miriam, qui n'appréciait visiblement pas que sa sœur monopolise le devant de la scène. Nous ne lisons pas les journaux, bien entendu, et depuis que papa est... Disons que nous ne recevons plus beaucoup de visites.

Baissant les yeux, elle tira machinalement sur son tablier pour cacher une tache sur sa jupe. Les Bell étaient propres et soignées. Leurs vêtements étaient de bonne qualité mais commençaient à s'élimer aux ourlets et aux manches. Les affaires de M. Bell avaient dû considérablement pâtir de son absence et de la guerre.

Mme Bell s'était suffisamment remise pour se redresser en position assise, tenant fermement sa tasse de vin des deux mains.

— Ma fille m'a parlé de cette rencontre. Aussi, quand notre voisin m'a appris hier soir qu'il vous avait rencontré sur les quais... je n'ai plus su que penser. J'ai supposé qu'il y avait eu une erreur... On ne peut plus croire ce qu'on lit dans la presse de nos jours, n'est-ce pas ? Les journaux racontent n'importe quoi. Notre voisin a également mentionné que vous cherchiez des places à bord d'un navire pour l'Ecosse. Cela nous a donné des idées...

Elle se tut et fixa le fond de sa tasse, l'air gênée.

Jamie se passa un doigt sur l'arête du nez, songeur.

— Il est vrai que nous cherchons à nous rendre en Ecosse, dit-il lentement. Naturellement, si nous y parvenons, j'essaierai de retrouver votre mari et de l'aider dans la mesure du possible, mais, pour le moment, nous n'avons trouvé aucun moyen d'effectuer la traversée. Le blocus...

— Mais nous pouvons vous trouver un navire ! l'interrompit Lillian. Voilà pourquoi nous sommes là.

— Nous *pensons* pouvoir vous orienter vers un bateau, rectifia Miriam.

Elle examina Jamie d'un œil critique, évaluant le personnage, lequel se soumit à son examen avec un léger sourire. Au bout de quelques instants, elle lui retourna son sourire à contrecœur.

— Vous me rappelez quelqu'un, dit-elle.

Ce devait être quelqu'un qu'elle aimait bien, cependant, car elle se tourna vers sa mère et lui fit signe de parler. Mme Bell poussa un soupir soulagé et laissa retomber ses épaules. Elle déclara avec une pointe de défi :

— J'ai encore quelques amis malgré... tout ce qui s'est passé.

Parmi eux se trouvait un certain DeLancey Hall qui possédait un ketch de pêche et, comme la moitié des habitants de la ville, augmentait ses revenus en faisant un peu de contrebande.

Il avait déclaré à Mme Bell attendre un navire en provenance d'Angleterre. Il devait arriver dans le courant de la semaine suivante, à condition de n'avoir pas été saisi ou coulé en route. Le bateau et sa cargaison appartenant à un membre des Fils de la liberté, il ne pourrait s'aventurer dans le port de Wilmington où deux navires de guerre britanniques montaient la garde. Il resterait donc au large et de petites embarcations locales assureraient discrètement son déchargement. Après quoi, il voguerait vers le nord afin de reprendre une cargaison à New Haven.

— Puis il mettra le cap sur Edimbourg ! lança Lillian, enthousiaste.

Miriam reprit, défiante :

— Mon père y a un parent, Andrew Bell. Je crois qu'il est très connu. C'est un imprimeur et...

Le visage de Jamie s'illumina.

— Le petit Andy Bell ? Celui qui a imprimé la grande encyclopédie ?

— Lui-même, répondit Mme Bell, surprise. Ne me dites pas que vous le connaissez, monsieur Fraser ?

Jamie éclata de rire.

— Quand je pense au nombre de soirées que j'ai passées avec Andy Bell dans une taverne ! C'est lui, l'homme que je compte aller voir en Ecosse. Il a gardé ma presse d'imprimerie à l'abri dans son atelier, du moins je l'espère.

Cette nouvelle, ainsi qu'une nouvelle tournée de vin, eut un effet magique sur les Bell. Lorsqu'elles nous quittèrent, elles caquetaient comme des poules excitées, les joues rosies par l'espoir et l'animation. Je les observai descendre la rue depuis la fenêtre, blotties les unes contre les autres, titubant sous les effets conjugués de l'alcool et de l'émotion. Je demandai à Jamie :

— Tu penses que c'est raisonnable, ce bateau ?

— Mon Dieu, non !

Il déposa un baiser sur le sommet de mon crâne avant de reprendre :

— En faisant abstraction des tempêtes, des termites, d'un mauvais calfatage, des poutres qui lâchent et j'en passe, il y a encore les navires anglais dans le port, les corsaires au large...

— Ce n'est pas ce que j'ai voulu dire. Tout cela fait plus ou moins partie des risques de la traversée, non ? Je voulais parler du propriétaire, ce M. DeLancey Hall. Mme Bell croit connaître ses penchants politiques mais...

L'idée de nous livrer, nous et notre or, à la merci d'inconnus m'angoissait.

— Je sais. J'irai parler à ce M. Hall à la première heure demain matin. Ainsi peut-être qu'à M. Beauchamp. Mais pour le moment...

Il glissa une main le long de mon dos et me caressa une fesse.

— ... Ian et son chien ne seront pas de retour avant une heure au moins. Que dirais-tu d'un autre verre de vin, *Sassenach* ?

Il avait bien l'air d'un Français, c'est-à-dire totalement déplacé dans un lieu comme New Bern. Beauchamp venait de sortir de l'entrepôt de Thorogood Northrup et discutait avec ce dernier devant la porte. La brise marine faisait voleter le ruban de soie qui retenait ses cheveux bruns. « Elégant. » C'était ainsi que Claire l'avait décrit. Elégant à la limite de la préciosité, même. Ses vêtements étaient de bon goût et luxueux. Il avait les moyens, conclut Jamie. Beaucoup de moyens.

— Il a l'air français, déclara Fergus, faisant écho à ses pensées.

Ils étaient assis près de la fenêtre du Whinbush, une taverne un peu louche à la clientèle composée de pêcheurs et d'ouvriers des entrepôts. Il y flottait une odeur de bière, de transpiration, de tabac, de goudron et de poisson pourri.

Fergus indiqua un sloop élancé noir et jaune se balançant au bout de son ancre à quelque distance des quais.

— C'est son bateau ?

— En tout cas, c'est celui sur lequel il est venu. J'ignore qui en est le propriétaire. Son visage te dit quelque chose ?

Fergus se pencha et colla son nez contre un des épais carreaux pour tenter de mieux voir M. Beauchamp.

Une bière à la main, Jamie, lui, examinait Fergus. Bien qu'ayant vécu en Ecosse depuis l'âge de dix ans et qu'il soit en Amérique depuis une dizaine d'années au moins, il paraissait lui aussi très français. Cela ne venait pas uniquement de son physique ; ce devait être dans sa nature.

Fergus avait des traits saillants, une mâchoire pointue comme une lame, un nez aquilin et des yeux profondément enfoncés dans leurs orbites sous un front haut. Ses épais cheveux noirs étaient striés de fils d'argent, ce qui donna à Jamie un petit pincement au cœur. Il portait en lui l'image du petit orphelin pickpocket de dix ans qu'il avait sorti d'un bordel parisien ; une image qui cadrait mal avec le beau visage émacié et viril qui lui faisait face.

Fergus se cala à nouveau sur sa chaise et conclut :

— Non, je ne l'ai jamais vu.

Ses yeux noirs brillaient de curiosité et de suppositions.

— Personne d'autre ne le connaît en ville mais j'ai entendu dire qu'il avait également interrogé des gens à propos de Claudel Fraser à Halifax et Edenton.

Il avait prononcé « Claudel » avec une pointe d'amusement. Son nom de baptême n'avait probablement jamais été utilisé depuis trente ans et encore, jamais en dehors de Paris.

Jamie espérait qu'il avait fait preuve de prudence dans son enquête. Il s'apprêtait à lui poser la question mais se ravisa et but une gorgée de bière. Fergus n'avait pas survécu toutes ces années comme imprimeur en des temps si troublés en manquant de discrétion. Il demanda plutôt :

— Il ne te rappelle pas quelqu'un ?

Fergus parut surpris puis étira le cou pour regarder à nouveau au-dehors.

— Non. Il devrait ? demanda-t-il enfin.

— Je ne crois pas.

Il était soulagé. Quand Claire lui avait confié que le Français pouvait être de sa famille, voire un ancêtre direct, il avait lu la lueur avide dans son regard, même si elle avait affecté un ton détaché. Le fait qu'elle n'ait eu aucun parent proche dans son propre temps lui avait toujours paru une chose terrible. Il était également conscient que cela expliquait en partie sa dévotion à son égard.

Il avait examiné le visage et l'allure de Beauchamp du mieux qu'il le pouvait mais n'avait rien vu qui lui rappelât Claire, et encore moins Fergus.

Il doutait que cette dernière idée – que Beauchamp puisse lui être apparenté – ait traversé l'esprit de Fergus. Il était raisonnablement certain que ce dernier considérait les Fraser de Lallybroch comme sa seule famille, avec Marsali et les enfants qu'il aimait avec toute l'ardeur de son tempérament passionné.

Beauchamp était justement en train de prendre congé de Northrup avec une courbette toute parisienne et un petit geste gracieux de son mouchoir en dentelle. De l'apercevoir ainsi alors qu'il sortait de l'entrepôt avait été un pur hasard. Cette apparition fortuite leur avait épargné de le rechercher.

— C'est un beau vaisseau, observa Fergus.

Il contemplait le *Huntress*.

— Vous êtes sûr de ne pas vouloir vous renseigner sur la possibilité de voyager avec M. Beauchamp ?

— Sûr et certain, répliqua Jamie. Mettre ma femme et moi entre les mains d'un inconnu dont les intentions sont suspectes, sur un tout petit bateau au milieu d'une mer très grande ? Même un homme ayant le pied marin hésiterait, tu ne crois pas ?

Fergus lui adressa un large sourire.

— Milady a l'intention de vous transformer à nouveau en pelote d'épingles ?

— En effet.

L'idée d'être transpercé de part en part et d'apparaître en public hérissé d'aiguilles tel un porc-épic extravagant lui faisait horreur. S'il se pliait à cette torture humiliante, c'était uniquement pour éviter de passer toute la traversée à vomir par-dessus le bastingage.

Fergus ne sembla pas remarquer sa mauvaise humeur ; il était de nouveau tourné vers la fenêtre, l'air inquiet.

— *Nom de nom*[1] !

Jamie se pencha à son tour.

Beauchamp s'était éloigné dans la rue mais était toujours visible. Il venait de s'arrêter et exécutait un étrange pas de danse. C'était déjà déconcertant en soi mais le plus bizarre, c'était que Germain, le fils de Fergus, était accroupi juste devant lui et faisait de petits sauts d'un côté et de l'autre.

Cet étrange manège dura encore quelques secondes puis Beauchamp s'immobilisa, semblant protester en agitant les bras tandis que Germain rampait à ses pieds. L'enfant se

1. En français dans le texte. *(N.d.T.)*

releva, glissa quelque chose sous sa chemise puis, après une brève conversation, Beauchamp se mit à rire. Ils échangèrent une courbette, se serrèrent la main, et le Français poursuivit son chemin tandis que Germain se dirigeait vers le Whinbush.

Il entra, les aperçut et se glissa sur le banc à côté de son père, l'air très satisfait de lui-même.

— Je l'ai rencontré, déclara-t-il sans préambule. L'homme qui veut papa.

— C'est ce que nous avons remarqué, répondit Jamie. A quoi diable jouiez-vous tous les deux ?

— Eh bien, je l'ai vu venir vers moi mais je ne savais pas comment faire pour qu'il s'arrête et me parle. Alors je lui ai lancé Simon et Peter dans les pattes.

— Qui... commença Jamie.

Il s'interrompit en voyant Germain fouiller dans les profondeurs de sa chemise. Il en sortit deux grenouilles de bonne taille, une verte et l'autre d'un horrible jaune sale. Elles se blottirent l'une contre l'autre sur la table, roulant de gros yeux inquiets.

Fergus donna une tape sur la tête de son fils.

— Veux-tu ôter ces maudites bestioles de la table avant qu'on nous jette dehors ? Je comprends maintenant que tu sois couvert de verrues à force de frayer avec des *grenouilles* [1] !

— C'est grand-mère qui m'a dit de le faire, protesta Germain.

Il récupéra néanmoins ses amies et les replaça sous sa chemise.

— Vraiment ? demanda Jamie.

Il était rarement surpris par les remèdes de sa femme mais, même selon les critères de Claire, celui-ci paraissait étrange.

— Oui, elle a dit qu'il n'y avait rien à faire pour la verrue sur mon coude à part la frotter avec un crapaud mort puis l'enterrer, le crapaud bien sûr, à un croisement de chemins à minuit.

— Ah ! M'est avis qu'elle plaisantait. Que t'a dit le Français, alors ?

— Il n'est pas français, grand-père.

---

1. En français dans le texte. *(N.d.T.)*

Jamie tressaillit.

— Comment ? Tu en es sûr ?

— Oh oui ! Quand Simon a atterri sur sa chaussure, il a dit un très très gros mot mais pas comme ceux de papa.

Il lança un regard innocent vers son père qui sembla sur le point de lui administrer une autre tape mais changea d'avis sur un signe de Jamie.

— C'est un Anglais, j'en suis sûr, reprit l'enfant.

— Il a juré en *anglais* ? demanda Jamie.

Les Français utilisaient souvent des parties du corps dans leurs jurons, le plus souvent associées à des références sacrées. Les jurons anglais n'avaient généralement rien à voir avec les saints, les sacrements ou les oiseaux mais avaient trait à Dieu, aux prostituées et aux excréments.

— Oui, mais je ne peux pas répéter ce qu'il a dit car papa serait offensé. Il a les oreilles très chastes, papa.

Il adressa un sourire angélique à son père.

— Arrête d'asticoter ton père et dis-moi plutôt ce que cet homme t'a dit d'autre.

— Quand il a vu que ce n'était que des grenouilles, il a ri puis m'a demandé si je comptais en faire mon dîner. J'ai répondu non, que c'étaient mes amies, puis je lui ai demandé si le bateau là-bas était à lui. Parce que tout le monde le disait et qu'il était très beau.

Au cas où son grand-père n'aurait pas compris son stratagème, il précisa :

— C'est que j'essayais de me faire passer pour un simplet, tu vois ?

Jamie réprima un sourire.

— C'était très malin de ta part. Quoi d'autre ?

— Il a dit que le bateau appartenait à un aristocrate français. Alors j'ai dit : « Oh ! Qui donc ? » Il a répondu qu'il s'agissait du baron Amandine.

Jamie lança un regard interrogateur à Fergus mais celui-ci n'avait jamais entendu ce nom.

— Je lui ai demandé combien de temps il resterait chez nous parce que je voulais amener mon petit frère voir le bateau. Il a dit qu'il partait demain avec la marée du soir et m'a demandé en blaguant si je voulais partir avec lui comme garçon de cabine. Je lui ai répondu que je ne pouvais pas parce que mes grenouilles avaient le mal de mer, comme mon grand-père.

Il tourna son sourire satisfait vers Jamie qui lui adressa un regard noir.

— Ton père ne t'a pas appris qu'il ne fallait pas *péter plus haut que son cul*[1] ?

Germain prit un air vertueux.

— Maman te lavera la bouche avec du savon si elle t'entend dire des choses comme ça. Vous voulez que je lui fasse les poches ? Je l'ai vu entrer dans la taverne de Cherry Street. Je pourrais...

— Certainement pas ! l'interrompit précipitamment Fergus. Et ne dis jamais ce genre de choses là où on pourrait nous entendre. Ta mère nous étriperait.

Jamie sentit un frisson glacé lui parcourir l'échine et lança un regard à la ronde pour s'assurer que personne n'écoutait.

— Tu lui as appris à...

Fergus parut mal à l'aise.

— J'ai pensé qu'il était dommage de laisser se perdre un tel savoir-faire. Après tout, c'est une tradition familiale. Naturellement, je ne le laisse rien voler. On remet tout à sa place.

Jamie les dévisagea tous les deux d'un regard menaçant.

— Il va falloir qu'on en discute plus tard en privé.

Morbleu, si Germain se faisait prendre... Il avait intérêt à les sermonner vertement avant qu'ils finissent tous les deux au pilori, voire pendus à un arbre.

Cherchant à changer de sujet de conversation, Fergus demanda à son fils :

— Et l'homme qu'on t'avait envoyé chercher ?

— Je l'ai trouvé, répondit Germain en indiquant la porte. Le voilà.

DeLancey Hall était un petit homme soigné, discret et pincé, qui faisait penser à un bigot. On aurait difficilement pu imaginer quelqu'un ressemblant moins à un contrebandier, ce qui était sans doute une qualité précieuse dans ce secteur d'activité.

---

1. En français dans le texte. *(N.d.T.)*

Il définit sa profession d'un laconique « exportateur d'articles de mercerie ».

— Je facilite également la recherche de navires pour des cargaisons spécifiques. Ce qui n'est pas simple de nos jours, comme vous pouvez l'imaginer.

— En effet, répondit Jamie avec un sourire. Je n'ai pas de chargement à acheminer mais j'espère néanmoins que vous pourrez m'aider. Mon épouse, mon neveu et moi-même souhaitons nous rendre à Edimbourg.

Tout en parlant, il fouillait dans son *sporran* sous la table. Il avait aplati au marteau plusieurs billes d'or jusqu'à obtenir des disques irréguliers. Il en saisit trois et les déposa discrètement sur les genoux de Hall.

L'homme conserva un visage de marbre mais Jamie sentit sa main se refermer sur les pièces, les soupeser puis les glisser dans une poche.

— Cela devrait pouvoir se faire, déclara Hall comme si de rien n'était. Je connais justement un capitaine qui quitte Wilmington dans environ deux semaines et pourrait être persuadé d'emmener des passagers… moyennant compensation.

Quelque temps plus tard, Jamie et Fergus reprirent le chemin de l'imprimerie, discutant des probabilités de trouver un navire par l'intermédiaire de Hall. Germain marchait devant, zigzaguant dans la rue au gré des inventions de son esprit remarquablement fécond.

L'esprit de Jamie était lui aussi fort occupé. Le baron Amandine. Ce nom lui disait quelque chose mais il ne pouvait mettre un visage dessus. Il était sûr de l'avoir rencontré mais dans quel contexte ? C'était à Paris, mais quand ? Lorsqu'il était à l'université ? Non, plus tard, lorsqu'il y était retourné avec Claire. Oui, voilà ! Il avait entendu ce nom à la cour… Il eut beau fouiller sa mémoire, il n'y trouva rien de plus.

Il demanda brusquement à Fergus :

— Tu veux que j'aille parler à ce Beauchamp ? Je pourrais peut-être découvrir ce qu'il te veut.

Fergus serra les lèvres, réfléchit, puis fit non de la tête.

— Je vous ai dit que cet homme avait posé des questions sur Claudel Fraser à Edenton ?

— Oui, mais... tu es bien sûr qu'il s'agit de toi ?

Non pas que la Caroline du Nord grouillât de Claudel mais enfin...

Fergus acquiesça tout en surveillant Germain qui s'était mis à coasser doucement, conversant vraisemblablement avec ses grenouilles.

— La personne qui me l'a rapporté m'a dit que Beauchamp savait également que Claudel Fraser avait été trouvé dans une maison close parisienne par un grand Ecossais roux du nom de James Fraser. Voilà pourquoi je pense que vous ne devriez pas lui parler.

— Effectivement, il ne tarderait pas à faire le rapprochement. Mais nous ignorons ce qu'il veut. Et s'il avait une bonne nouvelle à t'annoncer ? Pourquoi quelqu'un en France se donnerait le mal et les moyens d'envoyer un homme tel que lui à ta recherche uniquement pour te nuire ? Il pourrait se contenter de te savoir au loin en Amérique.

Il hésita, puis demanda :

— Et si... le baron Amandine était de ta famille ?

Cette idée semblait sortie tout droit d'un roman, mais Jamie ne voyait aucune raison logique pour laquelle un aristocrate français traquerait à travers deux continents un gamin né dans un bordel.

Fergus ne répondit pas tout de suite. Il portait son crochet et non le gant bourré de son qu'il ne mettait que pour les grandes occasions. Il se gratta délicatement le nez puis déclara enfin :

— Quand j'étais petit, je m'étais convaincu d'être le bâtard d'un grand homme. Je suppose que tous les orphelins rêvent la même chose. Cela rend la vie plus supportable de se dire qu'elle changera un jour, que quelqu'un viendra et vous rendra votre juste place dans le monde. Ensuite j'ai grandi et j'ai abandonné mes illusions. Personne ne viendrait me sauver. Puis...

Il se tourna vers Jamie avec un sourire d'une profonde tendresse.

— ... J'ai encore grandi et j'ai découvert qu'après tout j'étais bien le fils d'un grand homme.

Il effleura la main de Jamie du bout de son crochet.

— Je n'en demande pas plus.

19

Juste un baiser

Wilmington, colonie de Caroline du Nord, 18 avril 1777

Le quartier général de *La Gazette de Wilmington* était facile à trouver. Les décombres avaient refroidi mais une forte odeur de brûlé, hélas familière, flottait encore dans l'air. Un homme portant une veste informe et un chapeau mou fouillait les gravats sans grande conviction. En entendant Jamie l'appeler, il sortit des ruines, levant haut les pieds.

Jamie lui tendit la main pour l'aider à franchir une haute pile de livres à demi calcinés.

— Vous êtes le propriétaire du journal, monsieur ? Dans ce cas, toutes mes condoléances.

L'homme essuya ses doigts noirs de suie sur un grand mouchoir qu'il tendit ensuite à Jamie.

— Non, le journal appartenait à Amos Crupp, l'imprimeur. Il s'est envolé quand son atelier a pris feu. Je m'appelle Herbert Longfield, je suis le propriétaire du terrain…

Il ajouta en regardant derrière lui d'un air lugubre :

— … ainsi que des murs. Vous ne seriez pas un récupérateur, par hasard ? J'ai là un beau morceau de ferraille.

La presse de Fergus et de Marsali était à présent la seule en opération entre Charleston et Newport. Celle de *La Gazette de Wilmington* gisait au milieu des décombres, tordue et noircie : reconnaissable mais irréparable.

— Quand est-ce arrivé ? demandai-je.

— Avant-hier, peu après minuit. Tout était parti en fumée longtemps avant l'arrivée de la carriole des pompiers.

Jamie se pencha et ramassa un des pamphlets éparpillés autour des ruines.

— Un accident avec le four ?

Longfield eut un petit rire cynique.

— Vous n'êtes pas d'ici, hein ? Vous disiez que vous cherchiez Amos ?

Son regard méfiant allait de Jamie à moi. Il n'avait pas l'intention de faire des confidences à des inconnus dont il ignorait les sympathies politiques.

Jamie tendit la main et serra fermement la sienne.

— James Fraser. Et voici mon épouse, Claire. Qui était-ce ? Les Fils de la liberté ?

Longfield haussa les sourcils puis sourit avec lassitude.

— Effectivement, on voit bien que vous n'êtes pas du coin. Amos était du côté des Fils. Il n'en faisait pas partie mais partageait leurs idées. Je l'avais prévenu de faire attention à ce qu'il écrivait et publiait dans son journal et, généralement, il était prudent. Mais de nos jours, il n'en faut pas beaucoup. Au moindre soupçon de trahison, on est roué de coups, on se retrouve enduit de goudron et de plumes, on se fait incendier sa maison ; on peut même se faire tuer.

Il dévisagea Jamie attentivement.

— Puis-je demander ce que vous voulez à Amos puisque vous ne le connaissiez pas ?

— Juste l'interroger au sujet d'une notice parue dans *La Gazette*. Vous ne sauriez pas où je peux le trouver ? Je vous assure que nous ne lui voulons aucun mal.

M. Longfield me regarda d'un air songeur, se demandant sans doute si un homme animé d'intentions belliqueuses se ferait accompagner par sa femme. Je lui souris, tâchant de paraître le plus respectable possible, et il me répondit d'un sourire incertain. Sa lippe le faisait ressembler à un chameau inquiet, une image que n'améliorait en rien sa dentition excentrique.

Il se tourna enfin vers Jamie d'un air décidé.

— Non, je l'ignore, mais il avait un associé ainsi qu'un apprenti. Peut-être que l'un d'eux pourra vous renseigner ?

Ce fut au tour de Jamie de jauger Longfield. Il prit sa décision en un clin d'œil et me tendit le pamphlet.

— C'est possible. Il s'agit d'un encart concernant l'incendie d'une maison dans les montagnes. Il a été publié l'année dernière. J'aimerais savoir qui a transmis l'information au journal.

Longfield réfléchit, perplexe, et gratta sa lippe, laissant une traînée de suie sur son menton.

— Je ne m'en souviens pas mais… Tenez, j'allais justement voir George Humphries, l'associé d'Amos. Pourquoi ne m'accompagneriez-vous pas ? Vous pourrez lui poser la question.

— C'est très aimable de votre part, monsieur.

Jamie me lança un bref regard signifiant qu'il n'avait plus besoin de moi pour jouer les potiches et que je pouvais vaquer à mes occupations. Je saluai courtoisement M. Longfield et m'éloignai pour aller explorer les charmes de Wilmington.

Les affaires ici semblaient plus prospères qu'à New Bern. Wilmington était un port en eaux profondes et, bien que le blocus anglais affectât gravement les mouvements de marchandises, il était encore utilisé par les bateaux locaux et les caboteurs. La ville était également plus grande et jouissait d'un marché florissant sur la place centrale. J'y passai une heure fort plaisante à glaner des herbes et des potins locaux, puis m'achetai un friand au fromage et me dirigeai vers le port pour le manger.

Je m'assis sur une bitte d'amarrage, attirant une foule de mouettes intéressées qui voletaient autour de moi.

J'agitai un doigt vers l'une d'elles, particulièrement entreprenante, qui s'avançait à petits bonds discrets vers mon panier.

— Toi, je t'ai à l'œil ! C'est *mon* déjeuner.

J'avais encore le pamphlet à moitié brûlé que m'avait donné Jamie et l'agitai vigoureusement vers ses consœurs. Elles s'envolèrent en poussant des cris d'alarme mais se reposèrent bientôt autour de moi, à une distance à peine plus respectueuse, leurs petits yeux ronds concentrés sur mon friand.

Je coinçai mon panier entre mes jambes, au cas où. Tenant fermement mon friand, je contemplai le port. Un navire de guerre britannique était ancré à une certaine distance. La vue de l'Union Jack flottant à sa proue me procurait des sentiments contradictoires, mélange de fierté et d'angoisse.

J'avais toujours été anglaise. J'avais servi la Grande-Bretagne dans les hôpitaux, sur les champs de bataille, faisant honorablement mon devoir. J'avais également vu un grand nombre de mes compatriotes tomber au cours de ces années, des hommes comme des femmes. Si l'Union Jack que j'avais sous les yeux était légèrement différent du drapeau que j'avais connu autrefois, il n'en était pas moins reconnaissable et je ressentais toujours le même élan d'orgueil en le voyant.

Parallèlement, j'étais ô combien consciente de la menace qu'il représentait à présent pour les miens. Les sabords du pont supérieur du navire étaient ouverts. Des manœuvres devaient être en cours car je vis des bouches de canon apparaître et disparaître en succession rapide, leur gueule noire pointant hors de la coque puis se rétractant tels des museaux craintifs. La veille, il y avait eu deux vaisseaux de guerre dans ces mêmes eaux. Où était passé l'autre ? Parti en mission ou montant la garde à l'entrée du port, prêt à aborder, saisir, canonner ou saborder tout navire suspect ?

Rien ne paraîtrait plus suspect que le navire du contrebandier ami de M. Hall.

Mes pensées revinrent au mystérieux M. Beauchamp. La France était toujours neutre. Il serait nettement plus sûr de voyager à bord d'un navire battant pavillon français. Du moins, nous serions à l'abri des déprédations de la marine anglaise. Quant aux motivations de Beauchamp… Je respectais la décision de Fergus de ne rien savoir sur cet homme mais ne pouvais m'empêcher de me demander ce qu'il lui voulait.

En outre, l'idée qu'il puisse avoir un lien avec les Beauchamp de ma famille me hantait. Je n'avais aucun moyen de m'en assurer. Oncle Lamb avait autrefois établi un arbre généalogique rudimentaire, principalement à mon intention, mais je n'y avais pas accordé d'importance. Où se trouvait-il à présent ? Il me l'avait offert lorsque je m'étais mariée avec Frank, soigneusement tapé à la machine et rangé dans une chemise en papier kraft.

Peut-être en parlerais-je à Brianna dans ma prochaine lettre. Elle devait posséder toutes nos archives familiales, les cartons remplis de vieilles déclarations d'impôts, de ses cahiers d'écolière et de ses dessins d'enfant... Je souris en me souvenant du dinosaure en pâte à modeler qu'elle avait réalisé à l'âge de huit ans, une créature toute en dents qui penchait d'un côté tel un vieux soûlard et tenait un objet cylindrique entre ses mâchoires.

« C'est un mammifère qu'il est en train de dévorer, m'avait-elle expliqué.

— Qu'est-il arrivé aux pattes de ton mammifère ? avais-je demandé.

— Elles sont tombées quand le dinosaure lui a marché dessus. »

Ce souvenir m'avait distraite un instant et une mouette effrontée en profita pour plonger en piqué, heurter ma main et faire tomber les restes de mon friand sur le sol. Il fut aussitôt encerclé par un groupe de volatiles excités.

Je lâchai un juron en constatant que la voleuse m'avait écorché le dos de la main. Je saisis le pamphlet et le lançai dans la mêlée. Il atterrit sur la tête d'une mouette qui tituba dans un battement d'ailes paniqué. Cela dispersa la curée et ses consœurs s'envolèrent en piaillant des insultes de mouettes, ne laissant pas une miette derrière elles.

— Ha ! fis-je avec une sombre satisfaction.

Avec l'obscure aversion du XXe siècle pour les détritus sur la voie publique (un concept inexistant ici), j'allai récupérer le pamphlet qui s'était désagrégé en plusieurs morceaux et le rassemblai tant bien que mal.

Il était intitulé *Un examen de la miséricorde* et avait pour sous-titre : *Pensées sur la nature de la compassion divine, sur ses manifestations dans le cœur humain et sur ses enseignements pour l'élévation de l'individu et de l'humanité.* Ce ne devait pas être le titre le plus vendu de M. Crupp.

Tout en le rangeant dans mon panier, il me vint une autre pensée. Roger le retrouverait peut-être un jour dans des documents anciens.

Cela voulait-il dire que nous devions faire en sorte d'apparaître nous aussi le plus souvent possible dans les archives ?

Dans la mesure où la plupart des sujets publiés dans la presse traitaient de la guerre, de la criminalité, de tragédies et autres catastrophes, sans doute pas. Mes fugitifs éclairs de notoriété n'avaient guère été plaisants et je ne tenais pas à ce que Roger découvre que j'avais été exécutée pour avoir braqué une banque, brûlée pour sorcellerie ou picorée à mort par une bande de mouettes assassines.

Non, conclus-je. Je me contenterai de mentionner à Bree M. Beauchamp et l'arbre généalogique d'oncle Lamb et, si Roger décidait d'enquêter là-dessus, grand bien lui fasse. Certes, je ne saurais jamais s'il avait trouvé un Percival dans la liste mais, le cas échéant, Jem et Mandy en sauraient un peu plus sur leurs ancêtres.

Mais où était donc cette chemise en papier kraft ? La dernière fois que je l'avais vue, c'était dans le bureau de Frank, sur son classeur. Je m'en souvenais très bien car oncle Lamb avait malicieusement dessiné dessus ce que je présumais être des armoiries fami...

— Je vous demande pardon, madame, dit une voix respectueuse derrière moi. Je constate que vous...

Arrachée à mes souvenirs, je me retournai avec la vague impression d'avoir déjà entendu cette voix quelque part...

— Putain de bordel de merde !

Je fis un bond en arrière, trébuchai sur mon panier et manquai de tomber à la renverse dans le port, sauvée in extremis par Tom Christie qui me retint par le bras.

Il me tira vers lui et je m'effondrai contre sa poitrine. Il recula précipitamment comme si j'étais un métal en fusion puis me saisit fermement par les épaules, m'attira à nouveau à lui et m'embrassa fougueusement sur la bouche.

Il me libéra enfin, me dévisagea et dit, le souffle court :

— Vous êtes morte !

— Euh... eh bien, non.

— Pardonnez-moi ! Pardonnez-moi ! Je... Je...

Il laissa retomber ses bras. Il était pâle comme un linge et je crus un instant que c'était lui qui allait tomber dans le port. Je ne devais pas avoir l'air plus fraîche mais au moins je tenais sur mes deux jambes.

— Vous feriez mieux de vous asseoir, lui dis-je.

— Je... non, pas ici.

Il avait raison. Nous étions dans un lieu *très* public et notre petite « rencontre » n'était pas passée inaperçue. Plusieurs badauds nous observaient ouvertement, se donnant des coups de coude, et nous étions en train de nous attirer des regards de biais de la foule de marchands, de marins et de débardeurs qui travaillaient sur les quais. Je commençais à me remettre du choc, suffisamment pour réfléchir.

— Vous avez une chambre ? demandai-je. Oh non... ce n'est pas une bonne idée.

J'imaginais déjà les histoires qui circuleraient à peine aurions-nous quitté le quai. Si l'on nous voyait nous diriger vers les quartiers de M. Christie... (Je ne pouvais penser à lui autrement que comme « monsieur » Christie.)

— A l'estaminet ! dis-je fermement. Suivez-moi.

L'estaminet de M. Symonds se trouvait à quelques minutes à pied, des minutes durant lesquelles nous n'échangeâmes pas un mot. J'en profitai pour lui jeter des coups d'œil en douce, tant pour m'assurer qu'il n'était pas un fantôme que pour évaluer sa situation présente.

Elle ne paraissait pas mauvaise. Il portait un costume gris sombre et du linge propre qui, sans être à la mode (Je me mordis la lèvre à l'idée de Tom Christie « à la mode »), n'était pas miteux.

Pour le reste, il n'avait pas beaucoup changé... Enfin, si, rectifiai-je. Il paraissait en bien meilleure forme que lors de notre dernière rencontre. Il avait été alors écrasé de douleur, déchiré par la mort de sa fille et l'embrouillamini qui s'en était suivi. C'était à bord du *Cruizer*, le navire britannique sur lequel s'était réfugié le gouverneur Martin après avoir été chassé de la colonie. Cela remontait à près de deux ans.

A cette occasion, M. Christie avait déclaré, primo, son intention d'avouer être l'assassin de sa fille, ce dont on m'accusait ; secundo, son amour pour moi ; et tertio, son souhait d'être exécuté à ma place. Tout cela rendait sa résurrection soudaine non seulement surprenante mais également un peu délicate.

Pour ne rien arranger, je connaissais le sort de son fils, Allan, le vrai meurtrier de Malva Christie. Ce n'était pas un récit qu'un père devrait entendre et je fus prise de panique à l'idée que je serais peut-être contrainte de lui dire la vérité.

Je l'observai à nouveau. Son visage était profondément ridé, mais ni émacié ni particulièrement hanté. Il ne portait pas de perruque et ses cheveux rêches couleur poivre et sel étaient coupés court, s'accordant avec sa barbe impeccablement taillée. Mon visage me picotait et je dus me retenir de me frotter les lèvres pour effacer cette sensation. Il était visiblement troublé – je l'étais moi aussi – mais maître de lui. Il ouvrit la porte de l'estaminet et me laissa passer avec galanterie. Seul un muscle tressautant sous son œil gauche trahissait son émotion.

J'étais moi-même très tendue mais Phaedre, qui servait en salle, me salua d'un petit signe de tête cordial sans me prêter plus d'attention. Elle ne connaissait pas Thomas Christie et, si elle avait sûrement entendu parler du scandale qui avait suivi mon arrestation, ne ferait pas le rapprochement avec l'homme qui m'accompagnait.

Nous nous assîmes à une table près de la fenêtre et je demandai de but en blanc :

— Je vous croyais mort mais, *vous*, pour quelle raison pensiez-vous que j'étais morte moi aussi ?

Il ouvrit la bouche mais fut interrompu par Phaedre.

— Je peux vous servir quelque chose, monsieur, madame ? A manger ? Nous avons un bon jambon aujourd'hui, accompagné de pommes de terre au four et de la sauce spéciale Mme Symonds à la moutarde et aux raisins.

— Non, merci, répondit M. Christie. Juste une chope de cidre, s'il vous plaît.

— Du whisky, demandai-je. Un grand verre.

M. Christie parut scandalisé mais Phaedre se contenta de rire et s'éloigna, sa grâce attirant l'admiration discrète de la plupart des clients masculins.

— Vous n'avez pas changé, déclara-t-il.

Son regard se promena sur moi, intense, absorbant les moindres détails.

— J'aurais dû vous reconnaître à vos cheveux.

Son ton était réprobateur mais teinté d'amusement. Il avait toujours critiqué vertement mon refus de porter un bonnet ou d'attacher ma chevelure qu'il qualifiait de « dévergondée ». L'incident sur le quai m'avait laissée encore plus échevelée que d'ordinaire et je tentai d'y remettre un peu d'ordre du bout des doigts.

— C'est vrai, vous ne m'avez reconnue que lorsque je me suis retournée. Pourquoi m'avez-vous donc abordée ?

Il hésita puis indiqua le panier que j'avais posé sur le sol près de ma chaise.

— J'ai vu que vous étiez en possession d'un de mes textes.

— Pardon ?

Je suivis son regard et aperçus le pamphlet aux contours brûlés qui dépassait sous un chou. Je le sortis et remarquai effectivement le nom de l'auteur : *Maître T. W. Christie, Université d'Edimbourg.*

Je le reposai en demandant :

— A quoi correspond le « W » ?

Il cligna des yeux.

— A Warren, répondit-il d'un ton bourru. Mais pour l'amour de Dieu, d'où sortez-vous ?

— Mon père me disait toujours qu'il m'avait trouvée sous une feuille de chou dans le potager, plaisantai-je. Oh, vous voulez dire aujourd'hui ? Du Wilsey Arms.

A mesure qu'il se remettait du choc, son irritation coutumière devant mon manque de bienséance féminine reprenait le dessus et il retrouvait son masque austère d'autrefois.

— Epargnez-moi vos facéties. On m'a dit que vous étiez morte ; que vous et toute votre famille aviez péri dans un incendie.

Phaedre, qui était en train de nous servir nos boissons, déclara d'un air narquois :

— Pourtant, elle n'a pas l'air trop roussie aux entournures, si je peux me permettre.

— Je vous remercie, ce sera tout, rétorqua Christie.

Phaedre me lança un regard amusé avant de s'éloigner.

— Qui vous a raconté ça ? demandai-je.

— Un certain McCreary.

Devant mon absence de réaction, il précisa :

Il se rembrunit, puis rassembla ses forces et hocha la tête, prêt à se lancer :

— Votre départ plutôt précipité du *Cruizer* avait laissé le gouverneur Martin sans secrétaire. Découvrant que je n'étais pas totalement illettré, poursuivit-il en esquissant un petit sourire, et que, grâce à vos bons soins, mon écriture était lisible, il m'a fait venir du brick.

Je n'étais pas surprise. Chassé de sa colonie, le gouverneur Martin était contraint de diriger ses affaires depuis la minuscule cabine de capitaine du navire britannique à bord duquel il s'était retranché. Lesdites affaires consistaient exclusivement à écrire des lettres, lesquelles devaient être composées, ébauchées sur le papier, rédigées proprement puis copiées en plusieurs exemplaires, un pour les archives du gouverneur et un autre pour toutes les personnes ou entités concernées par le sujet abordé. Lorsque la lettre devait être envoyée en Europe, il fallait en faire toute une série de copies supplémentaires qui seraient acheminées par différents navires afin que l'une d'elles, au moins, parvienne à son destinataire au cas où les autres couleraient avec le bateau, seraient saisies par des pirates ou simplement perdues en route.

J'avais la main endolorie rien qu'au souvenir de toutes ces heures d'écriture. Les exigences de la bureaucratie à une époque qui ne connaissait pas la magie de la photocopieuse m'avaient évité de moisir en prison ; il n'y avait rien d'étonnant à ce qu'elles aient sorti Thomas Christie des geôles.

— Vous voyez ? dis-je, satisfaite. Si je n'avais pas opéré votre main, il vous aurait probablement fait exécuter ou, au mieux, expédié sur la terre ferme pour y être emmuré dans un cachot.

— Vous m'en voyez reconnaissant, répliqua-t-il d'un ton caustique. Même si, sur le moment, je ne l'étais pas.

Christie avait passé plusieurs mois comme secrétaire de facto de Martin. Puis, à la fin novembre, un navire était arrivé d'Angleterre, apportant ses ordres au gouverneur ; à savoir reprendre la colonie sans pour autant lui offrir de troupes, d'armements, ni de conseils pour y parvenir. On lui adjoignait cependant un secrétaire officiel.

— Le gouverneur devait donc se débarrasser de moi. Nous... nous nous étions habitués l'un à l'autre, à force de vivre dans des quartiers si exigus.

— En outre, vous n'étiez plus un assassin anonyme. Il ne pouvait pas vous arracher la plume des mains pour vous faire pendre au bout de la grand-vergue. Je sais... au fond, c'est un homme assez bon.

— En effet, dit Christie, songeur. Il n'a pas eu une vie facile, le pauvre.

— Il vous a parlé de ses fils ?

— Oui.

Il pinça les lèvres... non sous l'effet de la colère mais pour juguler ses émotions. Martin et sa femme avaient perdu trois petits garçons, emportés par les épidémies qui avaient ravagé la colonie. D'écouter le chagrin du gouverneur avait dû raviver les plaies de Tom Christie.

— Je... je lui avais parlé un peu de... de ma fille.

Il saisit son cidre et vida la moitié de la chope d'une traite, semblant soudain mort de soif.

— Je lui ai avoué en privé que ma confession était fausse. Naturellement, je lui ai également déclaré que j'étais convaincu de votre innocence et que, si vous veniez à être arrêtée à nouveau pour le même crime, je réitérerais mes aveux.

— Je vous en remercie.

Avec un certain malaise, je me demandais s'il savait qui avait tué Malva. Il devait avoir des soupçons mais cela ne signifiait en rien qu'il voulait savoir, et encore moins savoir pourquoi. Mis à part Jamie, Ian et moi, tout le monde ignorait où était Allan à présent.

Le gouverneur Martin avait accueilli avec soulagement sa déclaration et décidé que la seule chose à faire était de le renvoyer à terre où son cas serait examiné par les autorités civiles.

— Mais il n'y a plus d'autorités civiles, déclarai-je. N'est-ce pas ?

Il confirma d'un signe de tête.

— Aucune capable de régler une telle affaire. Certes, il y a toujours des geôles et des shérifs mais plus de tribunaux ni de magistrats. Compte tenu des circonstances, chercher quelqu'un à qui me rendre m'a paru une perte de temps.

Il sourit presque en dépit de son expression amère.

— Mais vous m'avez dit avoir fait parvenir une copie de vos aveux au journal. N'avez-vous pas été accueilli un peu froidement à New Bern ?

— Par la grâce de la divine Providence, le journal avait cessé de paraître avant que ma confession lui parvienne, l'imprimeur étant un loyaliste. Je crois savoir que M. Ashe et ses amis lui ont rendu une petite visite à l'issue de laquelle il a jugé préférable de changer d'activité.

— Très sage de sa part, en effet.

John Ashe était un ami de Jamie et l'une des sommités de la branche locale des Fils de la liberté. C'était lui l'instigateur de l'incendie de Fort Johnston et lui encore qui avait contraint le gouverneur à fuir par la voie des eaux.

Détournant à nouveau les yeux, il poursuivit :

— Des rumeurs ont couru sur mon compte mais elles ont été balayées par le déferlement d'événements. Personne ne savait au juste ce qui s'était passé à Fraser's Ridge et, après un temps, les gens se sont simplement dit qu'il avait dû m'arriver une tragédie. On me considérait avec une sorte de... compassion.

Sa bouche se tordit. Il n'était pas du genre à accepter la pitié d'autrui.

J'indiquai son costume.

— Vous avez pourtant l'air prospère. En tout cas, on voit bien que vous ne dormez pas dans le caniveau et ne vous nourrissez pas de têtes de poisson. J'ignorais que rédiger des pamphlets était aussi lucratif.

Il parut agacé.

— Ça ne l'est pas, rétorqua-t-il. J'ai des élèves. Et... je prêche le dimanche.

— Je ne peux imaginer quelqu'un de mieux adapté à cette tâche, dis-je, amusée. Vous avez toujours eu l'art d'expliquer aux autres ce qui clochait chez eux en termes bibliques. Vous êtes donc entré dans les ordres ?

Sa gêne s'accentua mais il me répondit sur un ton calme :

— Lorsque je suis arrivé ici, j'étais pratiquement indigent. Des têtes de poisson, oui, comme vous dites, et parfois un morceau de pain et une soupe offerts par la congrégation de la Nouvelle Lumière. J'y suis allé pour manger et suis resté pour assister à leur messe, par courtoisie. C'est ainsi que j'ai entendu un sermon prêché par le révérend Peterson. Il m'a profondément touché. Je suis allé le trouver et nous avons... discuté. Une chose entraînant l'autre...

Il releva vers moi des yeux ardents.

— Vous savez, le Seigneur répond à nos prières.

— Et qu'aviez-vous demandé dans vos prières ?

Il fut pris de court.

— Je... je... Vous êtes vraiment une femme impossible !

— Vous n'êtes pas le premier à le penser, l'assurai-je. Je ne voulais pas être indiscrète. Je suis seulement intriguée.

Je le sentais tiraillé entre l'envie de partir et le besoin de raconter ce qu'il avait vécu. C'était un homme têtu, il ne bougea pas.

— Je lui ai demandé... pourquoi, répondit-il enfin. C'est tout.

— Ça a marché pour Job, observai-je.

Il sursauta, manquant de me faire rire. Il était toujours stupéfait que quelqu'un d'autre que lui ait lu la Bible. Il se ressaisit aussitôt et reprit d'un ton presque accusateur :

— Et maintenant, vous êtes là. Je suppose que votre mari a formé une milice ou en a rejoint une. J'en ai assez de la guerre. Je m'étonne que votre époux ne s'en soit pas lassé lui aussi.

— Ce n'est pas qu'il aime la guerre, répondis-je, sur la défensive. Mais il a le sentiment d'être né pour ça.

Une lueur étrange brilla au fond des yeux de Tom Christie.

— Oui, sans doute, dit-il doucement. Mais pourtant...

Il n'acheva pas sa pensée, demanda plutôt :

— Mais au fait, que faites-vous ici ? A Wilmington ?

— Nous cherchons un navire. Nous partons pour l'Ecosse.

J'avais toujours eu le don de le surprendre mais, cette fois, je venais de battre un record. Il s'étrangla et recracha le cidre qu'il était en train de boire. La quinte de toux qui s'ensuivit attira considérablement l'attention et je tentai de me faire la plus petite possible.

— Euh... Nous allons à Edimbourg chercher la presse d'imprimerie de mon mari. Y a-t-il là-bas quelqu'un à qui vous voudriez que je transmette un message ? Je crois me souvenir que vous y avez un frère ?

Les yeux larmoyants, il redressa brusquement la tête et me fusilla du regard. Le souvenir me revint d'un coup et un frisson d'horreur me parcourut. J'aurais pu me mordre la langue jusqu'au sang. Lorsque Tom était en prison dans les Highlands à la suite du Soulèvement, son frère avait eu une liaison avec sa femme. Celle-ci avait par la suite empoisonné son amant et été exécutée pour sorcellerie.

— Je suis désolée, dis-je à voix basse. Pardonnez-moi, je n'ai pas voulu...

Il saisit ma main dans les siennes, la pressant si fort que je poussai un petit cri étouffé qui fit se tourner quelques têtes dans notre direction. Il n'y prêta pas attention et se pencha vers moi au-dessus de la table, déclarant d'une voix sourde et féroce :

— Ecoutez-moi bien. J'ai aimé trois femmes dans ma vie. La première était une sorcière et une putain ; la deuxième n'était que putain. Il se peut que vous soyez une sorcière mais peu m'importe. L'amour que j'ai pour vous m'a conduit au salut et à ce que je pensais être la paix intérieure tant que je vous croyais morte.

Il me dévisagea fixement et secoua la tête, ses lèvres disparaissant un instant dans les poils de sa barbe.

— Et voici que vous êtes là.

— Euh... oui.

J'avais l'impression de devoir m'excuser d'être en vie.

Il inspira profondément puis poussa un long soupir.

— Je ne connaîtrai pas la paix tant que tu vivras, femme.

Il baisa ma main, puis il se leva et partit.

Sur le pas de la porte, il se retourna et ajouta :

— Ce qui ne signifie pas que je le regrette.

Je pris mon verre de whisky et le vidai d'un trait.

Je retournai à mes emplettes dans un état d'hébétude qui n'était pas uniquement dû au whisky. Je ne savais que penser de la résurrection de Tom Christie mais elle m'avait profondément perturbée. Néanmoins, comme je n'y pouvais rien, je me dirigeai vers l'échoppe de Stephen Moray, un orfèvre originaire de Fife, afin de lui commander une paire de ciseaux chirurgicaux. Fort heureusement, c'était un homme intelligent qui comprit exactement ce que je voulais et pourquoi. Il me promit de me les réaliser en trois jours. Encouragée, j'osai lui passer une commande un peu plus délicate.

— Des aiguilles ? s'étonna-t-il. Vous n'avez pas besoin d'un orfèvre pour…

— Ce ne sont pas des aiguilles de couture. Elles sont plus longues, très fines et sans chas. Elles sont à usage médical. Et je voudrais que vous les réalisiez avec ça.

Il écarquilla les yeux quand je posai sur son comptoir une pépite d'or de la taille d'une noix. C'était un fragment de lingot, prélevé dans le trésor du Français, taillé, martelé en un amas informe puis frotté avec de la terre.

— Mon mari l'a gagné aux cartes.

Je pris l'air à la fois fière et navrée qui me paraissait approprié. Je ne voulais pas que l'on pense qu'il y avait de l'or à Fraser's Ridge et la réputation de Jamie au jeu n'était plus à faire. Moray fronça les sourcils en examinant mes spécifications écrites pour les aiguilles d'acupuncture mais accepta de les réaliser. Heureusement, il ne semblait pas avoir entendu parler des poupées vaudoues ou j'aurais peut-être rencontré quelques problèmes.

Entre la visite chez l'orfèvre et un bref détour au marché pour acheter de la ciboule, du fromage, de la menthe poivrée et tout ce que je pouvais encore trouver comme herbes pour confectionner mes remèdes, il était tard dans l'après-midi quand je rentrai enfin au Wilsey Arms.

Jamie jouait aux cartes dans la salle de restaurant, Ian suivant la partie par-dessus son épaule. Quand il me vit entrer, il tendit son jeu à son neveu et vint prendre mon panier avant de me suivre à l'étage dans notre chambre.

Dès que j'eus refermé la porte derrière lui, il déclara :

— Je sais que Tom Christie est vivant. Je l'ai rencontré dans la rue.

— Il m'a embrassée, lâchai-je.

— Oui, c'est ce que j'ai entendu dire.

Pour une raison obscure, son expression amusée m'agaça au plus haut point. Il le sentit et son amusement s'accrut encore.

— Ça t'a plu, hein ?

— Ce n'est pas drôle !

Son sourire narquois s'effaça un peu sans pour autant disparaître.

— Alors, ça t'a plu ? répéta-t-il, cette fois plus curieux que taquin.

— Non.

Je lui tournai le dos, puis ajoutai :

— Je… je n'ai pas eu le temps d'y réfléchir.

Il posa soudain une main sur ma nuque, me retourna et m'embrassa. Par pur réflexe, je le giflai. Pas fort, j'avais tenté de retenir ma main en sentant le coup partir et je ne lui avais pas fait mal. Pourtant, j'étais aussi surprise et déconfite que si je l'avais envoyé au tapis.

Il recula et m'observa avec intérêt.

— Ça ne t'a pas demandé beaucoup de réflexion, n'est-ce pas ?

— Je suis désolée.

J'étais à la fois mortifiée et en colère… et rendue encore plus furieuse par le fait que la raison de ma colère m'échappait.

— Je… je ne voulais pas… Pardon.

Il inclina la tête sur le côté, songeur.

— Dois-je me lancer à sa recherche et le tuer ?

— Mais non, ne sois pas ridicule !

— C'était une question honnête, *Sassenach*, dit-il calmement. Peut-être pas sérieuse mais sincère. Je crois que tu me dois une réponse honnête.

— Bien sûr que je ne veux pas que tu le tues !

— Veux-tu que je te dise plutôt pourquoi tu m'as giflé ?

— Que…

Je restai la bouche ouverte quelques secondes puis la fermai.

— Oui, dis-moi.

— Je t'ai touchée contre ton gré. Ce n'est pas ça ?

— Si. Tom Christie aussi, et non, ça ne m'a pas plu.

— Mais pas à cause de Tom. Le pauvre !

— Il ne voudrait pas de ta pitié.

Mon ton acerbe le fit sourire.

— Sans doute pas mais il l'a quand même. En tout cas, je suis content.

— Content de quoi ? Qu'il soit en vie ? Mais certainement pas qu'il s'imagine être toujours amoureux de moi ?

— Ne méprise pas ses sentiments, *Sassenach*. Il a un jour offert sa vie pour sauver la tienne. Je suis sûr qu'il le referait.

— Je n'en voulais pas la première fois !

— Tu es perturbée, dit-il avec un détachement clinique.

— Un peu que je suis perturbée ! Et toi aussi, d'ailleurs !

Cette dernière pensée m'était venue soudain et je lui lançai un regard noir. Je me souvins qu'il avait dit avoir rencontré Tom Christie dans la rue. Que lui avait raconté ce dernier ?

Il prit un air innocent mais ne nia pas.

— Je ne peux pas dire que j'aime Tom Christie, déclara-t-il. Mais je le respecte. Et je suis effectivement très content qu'il soit en vie. Tu as eu raison d'avoir de la peine pour lui, *Sassenach*. Moi aussi, j'en ai eu.

Sous le choc de notre rencontre, je n'y avais pas songé mais, effectivement, j'avais pleuré pour lui et ses enfants.

— Je ne le regrette pas, dis-je.

— Le problème de Tom Christie, reprit-il, c'est qu'il te veut, de tout son cœur, mais qu'il ne sait rien de toi.

— Et toi si.

Je laissai ma phrase en suspens, entre question et défi, ce qui le fit sourire. Il poussa le verrou de la porte, traversa la pièce et ferma le rideau en calicot devant la petite fenêtre, plongeant la chambre dans une agréable pénombre bleutée.

— Oh, ce n'est pas le besoin ni l'envie de toi qui me manquent… mais je te connais, oui.

Il se tenait tout près de moi, si près que je devais lever la tête pour le regarder.

— Je ne t'ai jamais embrassée sans savoir qui tu étais… et c'est une chose que ce pauvre Tom ne connaîtra jamais.

Seigneur, mais qu'est-ce que Christie avait pu lui raconter ?

Mon pouls erratique se stabilisa en une pulsation rapide et légère que je pouvais sentir jusqu'au bout de mes doigts.

— Tu ne savais absolument rien de moi quand nous nous sommes mariés.

Sa main se referma doucement sur ma fesse.

— Ah non ?

— Je veux dire, en dehors de ça !

Un drôle de son sortit du fond de sa gorge.

— Sage est l'homme qui sait ce qu'il ignore… et j'apprends vite, *a nighean.*

Il m'attira à lui et m'embrassa, avec prévenance et tendresse, en connaissance de cause… et avec mon plein consentement. Cela n'effaça pas le souvenir du baiser passionné et maladroit de Tom Christie mais telle n'était pas son intention. Il voulait me montrer la différence.

— Tu ne peux quand même pas être jaloux, dis-je quelques instants plus tard.

— Si, je le peux.

Il était sérieux.

— Tu ne crois tout de même pas que…

— Non.

— Alors ?

— Alors.

Dans la pénombre, ses yeux étaient aussi sombres que le fond de l'océan mais on ne pouvait se méprendre sur leur expression. Mon pouls s'accéléra encore un peu.

— Je sais ce que tu ressens pour Tom Christie, dit-il. Et il m'a dit on ne peut plus clairement ce qu'il ressentait pour toi. Tu ne sais donc pas que l'amour n'a rien à voir avec la logique, *Sassenach* ?

Plutôt que de lui répondre, je déboutonnai sa chemise. Je n'avais rien à dire sur les sentiments de Tom Christie, mais je possédais mon propre langage pour exprimer les miens. Son cœur battait vite, je pouvais le sentir comme si je le tenais dans le creux de ma main. J'inspirai profondément, puisant du réconfort dans la familiarité et la chaleur de son corps, dans la douce toison cannelle de son torse, dans la chair de poule qui naissait sous mes doigts. Il passa une main dans mes cheveux, isolant une mèche qu'il examina attentivement.

— Ils ne sont pas encore blancs. Il me reste donc encore un peu de temps avant qu'il devienne dangereux pour moi de t'emmener dans mon lit.

— Dangereux ? Peuh !

Je m'attaquai aux boutons de ses culottes. Je regrettai qu'il ne porte pas son kilt.

— Que crains-tu exactement que je te fasse au lit ?

Il se gratta le crâne, pensif, puis frotta d'un air absent la petite cicatrice noueuse qu'il s'était faite tout seul en découpant la marque au fer rouge de Jack Randall.

— Jusqu'à présent, tu m'as griffé, mordu, transpercé le corps... à maintes reprises... et...

— Je ne t'ai jamais transpercé le corps !

— Si ! Tu m'as enfoncé tes vilaines petites aiguilles dans les fesses... quinze fois ! J'ai compté !... Et puis encore une dizaine de fois dans la jambe avec des crocs de serpent à sonnette.

— C'était pour te sauver la vie !

— Ai-je dit le contraire ? Cela dit, tu ne nieras pas que tu y as pris du plaisir, n'est-ce pas ?

— Eh bien... pas avec les crocs de serpent à sonnette. Quant à ma seringue hypodermique... tu l'avais mérité !

Il me dévisagea avec un profond cynisme.

— Mais bien sûr !

— Et puis, tu énumérais ce que je t'avais fait au lit. Les piqûres ne comptent pas.

— Mais j'étais au lit !

— Moi pas !

— Tu as profité de ma faiblesse.

Il m'avait ôté ma veste et, tête baissée, était occupé à dénouer les lacets de mon corset. Je demandai au sommet de son crâne :

— Que dirais-tu si j'étais jalouse, moi ?

— Ça ne me déplairait pas.

Son souffle chaud caressa ma peau nue.

— D'ailleurs, tu l'as été, reprit-il. De Laoghaire. Peut-être l'es-tu encore ?

Cette fois, la gifle que je lui donnai ne m'avait pas échappé. Il aurait pu arrêter ma main mais ne le fit pas.

— Oui, c'est bien ce qu'il me semblait, dit-il en se frottant la joue. Veux-tu bien venir au lit avec moi, *Sassenach* ? Il n'y aura que nous deux.

Il était tard quand je me réveillai. Il faisait sombre dans la chambre, bien qu'un fragment de ciel gris soit encore visible au-dessus des rideaux. Le feu n'avait pas encore été allumé et il faisait frisquet mais j'étais douillettement blottie contre Jamie sous les couvertures. Il s'était tourné sur le flanc et je m'étais lovée en chien de fusil contre lui, un bras par-dessus son torse, le sentant se soulever et s'affaisser au rythme de sa respiration.

Effectivement, nous n'avions été que tous les deux. J'avais d'abord craint que le souvenir de Tom Christie et de sa passion encombrante ne se mette entre nous mais Jamie, s'étant sans doute dit la même chose et déterminé à éviter tout écho du baiser de Tom, avait commencé par l'autre extrémité, me suçant les orteils.

Compte tenu de l'exiguïté de la chambre et du fait que le lit était poussé dans un angle, il avait dû se mettre à califourchon sur moi. Entre mes orteils mordillés et la vue en gros plan et par-dessous d'un grand Ecossais nu, je n'avais plus pensé à rien.

Calmée et confortablement installée, je pouvais à présent réfléchir à ma rencontre avec Tom Christie sans me sentir menacée. Parce que je *m'étais* sentie menacée, Jamie l'avait bien perçu. *Veux-tu que je te dise pourquoi tu m'as giflé ? Parce que je t'ai touchée contre ton gré.*

Il avait raison. C'était là un des effets secondaires mineurs de ce qui m'était arrivé lorsque j'avais été enlevée. Les rassemblements d'hommes me rendaient nerveuse et qu'on m'agrippe par surprise me faisait bondir et paniquer. Pourquoi ne l'avais-je pas compris plus tôt ?

Parce que je n'avais pas voulu y penser, tout simplement. Et que je ne le voulais toujours pas. A quoi bon ? Il valait mieux laisser les plaies guérir toutes seules, si elles le pouvaient.

Mais même les plaies guéries laissaient des cicatrices. J'en avais la preuve sous le nez… pressée contre mon nez, à vrai dire.

Les zébrures sur le dos de Jamie s'étaient estompées en un pâle réseau de lignes avec à peine, ici et là, un bourrelet que je sentais sous mes doigts quand nous faisions l'amour, tel du fil de fer barbelé sous sa peau. Je me souvins que Tom Christie s'en était moqué un jour et mes mâchoires se crispèrent.

Je posai doucement une main sur son dos, suivant une courbe blanchâtre du bout de mon pouce. Il remua dans son sommeil et je m'arrêtai.

De quoi demain serait-il fait ? Pour lui. Pour moi. J'entendis à nouveau la voix sarcastique de Tom Christie : *J'en ai assez de la guerre. Je m'étonne que votre époux ne s'en soit pas lassé lui aussi.* Je marmonnai dans ma barbe :

— C'est facile à dire pour toi, espèce de lâche !

Christie avait été emprisonné comme jacobite, ce qu'il était, mais pas comme soldat. Il avait été officier d'intendance dans l'armée de Charles-Edouard Stuart. Il avait risqué sa richesse et sa position – et les avait perdues toutes les deux – mais ni son corps ni sa vie.

Néanmoins, Jamie le respectait, ce qui n'était pas rien car il était fin psychologue. Pour avoir observé Roger, je savais qu'entrer dans les ordres n'était pas le chemin semé de pétales de rose que certains imaginaient. Roger n'était pas un lâche, lui non plus. Comment trouverait-il sa voie dans le futur ?

Je me retournai, énervée. On préparait le dîner ; je sentais le riche bouquet iodé des huîtres frites monter de la cuisine. Il s'accompagnait d'une odeur de feu de bois et de pommes de terre rôties.

Jamie remua légèrement puis se tourna sur le dos sans se réveiller. Il nous restait assez de temps. Il rêvait ; je pouvais voir ses yeux s'agiter sous ses paupières et ses lèvres trembler légèrement.

Soudain, tout son corps se tendit et je sursautai, surprise. Il émit un grondement sourd et cambra les reins, les muscles bandés par l'effort. Il faisait des bruits étranglés, comme s'il criait ou hurlait dans son rêve.

— Jamie, réveille-toi !

J'évitai soigneusement de le toucher, sachant que c'était à éviter lorsqu'il était en proie à un violent cauchemar. Il avait déjà failli me briser le nez une ou deux fois.

— Réveille-toi !

Il haleta, retint son souffle et ouvrit les yeux, le regard flou. Il ne savait visiblement pas où il était. Je lui parlai doucement, répétant son nom, le rassurant. Il battit des paupières, déglutit puis tourna la tête et me vit.

— C'est moi, Claire.

— Tant mieux.

Il ferma les yeux, secoua la tête et les rouvrit.

— Tu vas bien, *Sassenach* ?

— Oui. Et toi ?

Il acquiesça.

— J'ai rêvé de l'incendie de la maison. On se battait.

Il huma l'air.

— Il y a quelque chose qui brûle ?

— Le dîner, peut-être.

Les effluves appétissants qui étaient montés du rez-de-chaussée avaient effectivement cédé la place à une odeur âcre de fumée et de nourriture brûlée.

— Je crois que quelqu'un a oublié la marmite sur le feu.

— On ferait mieux d'aller dîner ailleurs ce soir.

— A midi, Phaedre a dit que Mme Symonds avait préparé du jambon avec une sauce à la moutarde et aux raisins. Il en reste peut-être. Tu es sûr que tu vas bien ?

En dépit du froid dans la chambre, son front et son torse luisaient de transpiration.

— Oui.

Il se redressa en position assise et se frotta vigoureusement le crâne.

— Ce genre de cauchemars, c'est encore tolérable.

Il écarta ses mèches de devant ses yeux et me sourit.

— Tu ressembles à un laiteron des champs avec tes cheveux dressés sur la tête, *Sassenach.* Toi aussi tu as eu un sommeil agité ?

J'enfilai ma chemise et cherchai ma brosse à cheveux.

— Non, c'est plutôt à cause de l'agitation avant qu'on s'endorme. Tu as oublié cette partie ?

Il se mit à rire et se leva à son tour pour utiliser le pot de chambre et s'habiller.

— Et les autres cauchemars ? demandai-je.

Sa tête surgit du col de sa chemise.

— Pardon ?

— Tu as dit : « Ce genre de cauchemars est encore tolérable. » Qu'en est-il des autres, les intolérables ?

Je vis les lignes de son visage frémir comme la surface de l'eau dans laquelle on a lancé un caillou. D'instinct, je saisis son poignet.

— Ne te cache pas, murmurai-je.

Je soutins son regard, l'empêchant d'enfiler son masque.

— … Fais-moi confiance.

Il détourna les yeux le temps de se ressaisir. Il ne se cacha pas. Lorsqu'il se tourna à nouveau vers moi, tout était encore là, au fond de son regard : la confusion, la gêne, l'humiliation et les vestiges d'une douleur longtemps refoulée. Il commença d'une voix saccadée :

— Parfois… je rêve… de choses, de choses qu'on m'a faites contre mon gré. (Il poussa un soupir exaspéré.) Puis je me réveille avec la bite au garde-à-vous et les couilles en feu… et ça me donne envie de tuer quelqu'un, à commencer par moi-même.

Il grimaça avant de reprendre :

— Ça n'arrive pas souvent. Et jamais… jamais je ne chercherai à te prendre en me réveillant d'un de ces rêves. Je tiens à ce que tu le saches.

Je serrai son poignet un peu plus fort. J'avais envie de lui répondre : « Tu pourrais… je ne t'en voudrais pas », car c'était la vérité. Il fut un temps où je le lui aurais dit sans hésiter mais j'en savais beaucoup plus à présent. Si j'avais été à sa place, si j'avais rêvé de Harley Boble ou de l'autre homme au corps lourd et mou et si je m'étais réveillée sexuellement excitée… (Dieu soit loué, cela ne m'était jamais arrivé) non, je ne me serais jamais tournée vers Jamie pour chercher à me purger.

— Merci, dis-je doucement. Merci de me l'avoir dit… et pour le couteau.

Il hocha la tête puis ramassa ses culottes.

— J'aime bien le jambon, dit-il.

20

Je regrette…

Long Island, colonie de New York, septembre 1776

William aurait aimé pouvoir parler à son père. Non pas qu'il aurait voulu que lord John fasse jouer de son influence, certainement pas ! Il aurait juste souhaité quelques conseils pratiques. Mais lord John était rentré en Angleterre et il se retrouvait seul.

Enfin, pas complètement seul. Il était à la tête d'un détachement de soldats gardant le poste de douane à l'entrée de Long Island. Il donna une claque sur son poignet sur lequel un moustique venait de se poser et, une fois n'était pas coutume, le tua. Si seulement il avait pu en faire autant avec Clarewell !

Le lieutenant Edward Markham, marquis de Clarewell, également connu de William et de quelques-uns de ses intimes comme « Ned la Chiffe Molle » ou « le Planqué ». Sentant un chatouillis suspect sur son menton, William s'administra une nouvelle tape, remarqua que deux de ses hommes avaient disparu et se dirigea vers la carriole qu'ils étaient censés inspecter, criant leurs noms.

Le première classe Welch surgit de derrière le véhicule tel un diable à ressort, s'essuyant la bouche d'un air surpris. William se pencha vers lui, huma son haleine et déclara :

— Aux arrêts ! Où est Launfal ?

Ce dernier était dans la carriole, négociant hâtivement avec son propriétaire l'échange de trois bouteilles d'eau-de-vie importées illégalement contre un laissez-passer. William, sans cesser de chasser les hordes de moustiques assoiffés de sang qui arrivaient en masse des marécages voisins, arrêta le contrebandier, appela trois autres membres de son détachement et leur ordonna d'escorter le marchand, Welch et Launfal chez le sergent. Puis il saisit un mousquet et se planta au milieu de la route, seul et féroce, défiant quiconque de passer.

Cependant, alors que la circulation avait été dense toute la matinée, la route était déserte et il eut donc tout loisir de recentrer sa mauvaise humeur sur Clarewell.

Héritier d'une famille *très* influente qui entretenait des liens étroits avec lord North, Ned la Chiffe Molle était arrivé à New York une semaine avant William et, comme lui, avait été affecté à l'état-major du général Howe. Là, il s'était confortablement fondu dans les boiseries, ne s'en détachant que pour lécher les bottes de Howe (qui clignait des yeux et le dévisageait en se demandant qui il pouvait bien être) et son aide de camp, le capitaine Pickering, un homme vaniteux beaucoup plus sensible à la flagornerie.

Ainsi le Planqué s'appropriait-il toutes les missions les plus intéressantes, accompagnant le général lors de brèves expéditions d'exploration, l'assistant au cours de rencontres avec des dignitaires indiens ou autres, tandis que William et d'autres jeunes officiers se coltinaient la paperasserie et les corvées de garde. Après la liberté et les sensations fortes de sa mission de renseignements, William broyait du noir.

Les contraintes de la vie de caserne et de la bureaucratie militaire n'étaient pas ce qu'il y avait de pire. Son père l'avait dûment préparé à la nécessité de faire preuve de retenue dans des situations éprouvantes, à combattre l'ennui, à traiter avec des imbéciles ainsi qu'à user d'une politesse glaciale comme d'une arme. Un camarade qui n'avait pas sa force de caractère avait fini par craquer et, inspiré par le profil de Ned, avait réalisé une caricature. On y voyait Pickering, ses culottes autour des chevilles, sermonnant de jeunes officiers tandis que le Planqué sortait la tête de son cul avec un large sourire.

William n'y était pour rien, même s'il aurait aimé l'avoir dessinée, mais il avait été surpris par Ned en personne en train de s'esclaffer devant la caricature. Dans un rare élan de virilité, la Chiffe Molle lui avait envoyé son poing dans le nez.

La bagarre qui s'en était suivie avait vidé le quartier des officiers, réduit en miettes quelques meubles sans importance et conduit William, la chemise maculée de sang, au garde-à-vous devant le capitaine Pickering, le dessin calomnieux posé sur son bureau.

Naturellement, William avait nié en être l'auteur tout en refusant de désigner l'artiste. Il avait eu recours à la fameuse politesse glaciale, laquelle avait plutôt bien fonctionné puisqu'il n'avait pas été envoyé au trou. Uniquement à Long Island.

— Sale lèche-cul, marmonna-t-il.

Il fixa avec une telle hargne une jeune laitière qui approchait qu'elle s'arrêta net puis le contourna prudemment en roulant des yeux affolés. Il lui montra les dents et elle poussa un petit cri avant de partir en courant, du lait se renversant des seaux qu'elle portait à chaque extrémité de sa palanche.

Pris de remords, il songea à la rattraper pour s'excuser mais n'en eut pas le temps car deux conducteurs de bestiaux approchaient avec un troupeau de cochons. William lança un regard vers la masse bruyante de chair rose tachetée de brun, l'océan d'oreilles déchiquetées et de flancs maculés de boue, et sauta lestement sur le seau retourné qui lui servait de poste de commandement. Les deux hommes agitèrent gaiement la main, lui adressant ce qui pouvait être des salutations ou des insultes dans une langue qu'il ne sut reconnaître.

Les cochons s'éloignèrent en le laissant au milieu d'une mer de boue copieusement parsemée d'excréments. Il chassa le nuage de moustiques qui s'était reformé autour de son visage et se dit qu'il avait eu son compte. Il était à Long Island depuis deux semaines, soit treize jours et demi de trop. Mais pas encore assez pour qu'il présente ses excuses à Chiffe Molle ou au capitaine.

— Fayot ! répéta-t-il.

Il avait pourtant une autre solution et, plus il passait de temps dans ce trou perdu au milieu des moustiques, plus elle lui paraissait alléchante.

La route du poste de douane au quartier général était trop longue pour qu'il la parcoure deux fois par jour. En conséquence, il était cantonné chez un fermier nommé Culper qui vivait avec ses deux sœurs. Culper n'était pas franchement ravi de cet arrangement et un tic agitait son œil gauche dès qu'il apercevait William, mais les deux femmes d'âge respectable le choyaient. Il les remerciait de leur prévenance en leur apportant des biens confisqués, tantôt un jambon, tantôt un rouleau de batiste.

Quand il était rentré la veille avec une flèche de bon bacon, Mlle Abigail Culper l'avait informé qu'il avait un visiteur.

— Il est en train de fumer dans le jardin. Ma sœur ne supporte pas l'odeur du tabac dans la maison.

Il s'attendait à trouver l'un de ses amis venu lui tenir compagnie ou l'informer qu'il avait été pardonné et que son exil à Long Island était terminé. Il découvrit à la place le capitaine Richardson, la pipe à la main, en train d'observer le coq des Culper monter une poule.

— Ah, les plaisirs bucoliques ! s'extasia-t-il.

Le coq tomba à la renverse puis se redressa et chanta triomphalement tandis que la poule secouait ses plumes et se remettait à picorer comme si de rien n'était.

— C'est très calme ici, observa encore le capitaine. N'est-ce pas ?

— Un peu trop, répondit William. A votre service, mon capitaine.

En réalité, le calme était très relatif. Mlle Beulah Culper élevait une demi-douzaine de chèvres qui bêlaient nuit et jour ; elle affirmait à William qu'elles éloignaient les intrus du séchoir à maïs. L'une d'elles poussa soudain un bêlement dément, faisant sursauter le capitaine qui en laissa tomber sa blague à tabac. Aussitôt, plusieurs autres biques se mirent à brailler joyeusement, semblant se gausser du poltron.

William ramassa la blague, conservant un visage impassible bien que son pouls se fût accéléré. Richardson ne s'était pas déplacé pour rien.

Le capitaine lança un coup d'œil furieux aux chèvres en lâchant un juron. Puis il indiqua la route.

— Si nous marchions un peu, lieutenant ?

William accepta volontiers.

— J'ai entendu parler de votre petite mésaventure, déclara Richardson en souriant. Si vous voulez, j'en parlerai au capitaine Pickering.

— C'est très aimable à vous, mon capitaine, mais je ne présenterai pas des excuses pour ce que je n'ai pas fait.

Richardson chassa cette idée d'un geste de sa pipe.

— Pickering a un sale caractère mais il n'est pas rancunier. Je m'en occuperai.

— Merci, mon capitaine.

En échange de quoi ?

Richardson reprit sur un ton détaché :

— Il y a ce capitaine Randall-Isaacs qui part ce mois-ci pour le Canada où il doit régler quelques questions militaires. Lors de son séjour, il est possible qu'il rencontre un... certain gentleman qui aurait des informations précieuses à transmettre à l'armée. J'ai de bonnes raisons de penser que ce monsieur maîtrise fort mal notre langue et le capitaine Randall-Isaacs, hélas, ne parle pas le français. Il serait donc... utile qu'il soit accompagné dans son voyage par quelqu'un le parlant couramment.

William acquiesça sans poser de questions. Il serait toujours temps... s'il acceptait la mission.

Ils poursuivirent leur promenade en échangeant des banalités. Une fois revenus à leur point de départ, Richardson déclina poliment l'offre de Mlle Beulah de rester dîner et prit congé en réitérant sa promesse de parler au capitaine Pickering.

Ce soir-là, alors qu'il écoutait les ronflements sonores d'Abel Culper à l'étage au-dessous, William se demanda s'il devait accepter. La lune était pleine et, bien qu'il ne puisse pas la voir dans le grenier sans lucarne, il sentait son appel ; il ne pouvait fermer l'œil les nuits de pleine lune.

Devait-il rester à New York dans l'espoir d'obtenir de l'avancement ou, à tout le moins, de voir un peu d'action ? Ou faire la part du feu et accepter la proposition de Richardson ?

Son père lui aurait sûrement conseillé la première option : un officier avait bien plus de chances de progresser dans sa carrière en s'illustrant au combat qu'en prêtant la main à des activités troubles (et mal considérées) d'espionnage. D'un autre côté, après ses semaines de liberté, la routine et les contraintes de la vie militaire lui pesaient terriblement. En outre, sa mission précédente avait été utile, il le savait.

Quelle différence pouvait faire un petit lieutenant écrasé par ses officiers supérieurs ? Certes, on lui avait confié le commandement d'une compagnie, mais les ordres restaient les ordres et il ne pouvait agir en se fiant à son seul jugement... Il sourit en direction des poutres, à peine visibles trente centimètres au-dessus de lui, en songeant à ce qu'oncle Hal aurait à dire sur le bon jugement des officiers subalternes.

Mais oncle Hal était beaucoup plus qu'un simple militaire de carrière. Il aimait passionnément son régiment, défendant corps et âme son bien-être, son honneur et ses hommes. William n'avait pas encore réfléchi à son avenir dans l'armée. La campagne américaine ne durerait pas longtemps. Que se passerait-il ensuite ?

Il était riche, du moins le serait une fois la majorité atteinte, à savoir très bientôt, même si cela ressemblait à une de ces images tant prisées par son père : une perspective entraînant le regard vers l'infini. Une fois en possession de sa fortune, il pourrait s'acheter une meilleure commission, peut-être un grade de capitaine dans les lanciers... Peu importerait alors qu'il se soit illustré ou pas à New York.

Il lui semblait entendre son père lui rétorquer qu'une réputation dépendait souvent des gestes les plus simples, des décisions prises au jour le jour avec honneur et responsabilité plutôt que de la participation à des batailles héroïques. Il se couvrit le visage de son oreiller pour étouffer sa voix. Il se fichait pas mal des responsabilités quotidiennes.

Il étouffait sous l'oreiller et le rejeta avec un grognement irrité.

— Je m'en moque, répondit-il à voix haute à son père. Je pars au Canada.

Il se laissa retomber sur son lit moite, fermant les yeux et les oreilles pour ne pas entendre d'autres conseils avisés.

Une semaine plus tard, les nuits s'étaient rafraîchies et William commença à apprécier les feux de cheminée et le ragoût aux huîtres de Mlle Beulah. En outre, Dieu merci ! les moustiques n'aimaient pas le froid. Cependant, il faisait encore très chaud durant la journée et il se réjouit presque quand son détachement reçut l'ordre de passer la grève au peigne fin à la recherche d'une cachette de contrebandier dont le capitaine Hanks avait eu vent.

— Une cachette de quoi ? demanda Perkins, la bouche ouverte comme à son habitude.

— De homards, plaisanta William avant de se reprendre en voyant l'air perplexe du soldat : Je l'ignore mais vous le saurez certainement quand vous la trouverez. Et ne buvez pas ce qu'il y a dedans ! Venez me chercher.

Les barques de contrebandiers débarquaient tout et n'importe quoi sur Long Island mais il était peu probable que la cachette en question recèle des draps et de la vaisselle hollandaise comme le laissait entendre la rumeur. Il s'agirait plutôt de whisky, de bière, l'alcool étant de loin le plus lucratif. William organisa ses hommes en binômes puis attendit qu'ils soient tous à une certaine distance avant de s'adosser à un arbre avec un profond soupir.

Sur cette partie de la côte ne poussaient que des pins aux troncs tourmentés mais la brise marine qui agitait leurs aiguilles produisait un son doux et apaisant. Il soupira à nouveau, un soupir d'aise cette fois, se souvenant à quel point il aimait la solitude. Il n'avait guère eu l'occasion d'en jouir ces derniers temps. S'il acceptait l'offre de Richardson… Certes, il y aurait ce Randall-Isaacs mais cela signifiait néanmoins des semaines sur la route, loin des contraintes militaires. Le silence pour s'entendre penser. Plus de Perkins !

Il se demanda s'il parviendrait à se glisser dans le quartier des officiers subalternes et réduire en bouillie la face de rat de Chiffe Molle avant de disparaître dans la nature tel un Peau-Rouge. Lui faudrait-il se déguiser ? Pas s'il agissait de nuit. Ned le soupçonnerait peut-être mais ne pourrait rien prouver. Quant à la lâcheté qu'il pouvait y avoir à attaquer Ned dans son sommeil, cela pouvait s'arranger : il lui jetterait le contenu de son pot de chambre à la figure pour le réveiller avant de lui donner sa raclée.

Une sterne passa à quelques centimètres de son crâne, l'arrachant à ses agréables pensées. Son mouvement effraya l'oiseau qui, découvrant qu'il n'était pas comestible, s'enfuit vers le large en poussant des cris indignés. Il saisit une pomme de pin et la lança vers le volatile, le ratant de beaucoup. Il avait envoyé un billet à Richardson le matin même, acceptant son offre. Cette seule idée le rendait euphorique et il se sentait aussi léger que la sterne.

Il essuya ses mains couvertes de sable sur ses culottes et se raidit en apercevant un mouvement sur l'eau. Un sloop se balançait sur les vagues à quelques dizaines de mètres du rivage. Puis il le reconnut et se détendit. Ce n'était que ce vaurien de Rogers.

— Qu'est-ce que tu viens faire par ici ? marmonna-t-il dans sa barbe.

Il s'avança sur la plage et se tint au milieu des oyats, les poings sur les hanches, exhibant son uniforme au cas où Rogers n'aurait pas aperçu ses hommes : de petits points rouges s'affairant sur les dunes telles des punaises. Si Rogers avait lui aussi entendu parler de la cache du contrebandier, William tenait à ce qu'il sache que ses hommes avaient des droits sur le butin.

Robert Rogers était un individu louche qui était apparu à New York quelques mois plus tôt. En ce court laps de temps, il était parvenu à convaincre le général Howe de lui donner une commission de major et son frère l'amiral de lui confier un sloop. Il affirmait être un éclaireur et ne détestait pas s'habiller comme tel. Il était plutôt efficace : il avait recruté suffisamment d'hommes pour former dix compagnies de patrouilleurs parés de beaux uniformes mais continuait à rôder le long de la côte dans son sloop avec un petit groupe d'hommes à la mine tout aussi patibulaire, à la recherche de recrues, d'espions, de contrebandiers et, William en était convaincu, de tout ce qui n'était pas solidement fixé au sol.

Le sloop s'approcha et il reconnut Rogers sur le pont ; un homme d'une bonne quarantaine d'années à la peau mate, le visage buriné et balafré et un pli mauvais au front. Il repéra

William et agita chaleureusement la main. William lui répondit d'un petit signe. Si ses hommes découvraient la cache, il aurait peut-être besoin de Rogers pour emporter le butin à New York... accompagné d'un garde pour éviter qu'il ne disparaisse en route.

Beaucoup d'histoires circulaient sur Rogers, certaines manifestement répandues par ses propres soins. Toutefois, pour autant que William le sache, son principal mérite était d'avoir tenté de présenter ses respects au général Washington qui non seulement avait refusé de le voir mais l'avait fait expulser du camp des continentaux avec interdiction d'y revenir. Pour William, c'était la preuve que le Virginien était un homme plein de bon sens.

Que mijotait donc Rogers ? Sur le sloop, ils avaient affalé les voiles et mis un canot à la mer. C'était Rogers, ramant seul vers la berge. La méfiance de William ne fit que croître mais il entra dans l'eau, saisit le plat-bord et aida Rogers à tirer l'embarcation sur la grève.

Rogers lui sourit, sûr de lui en dépit de ses dents écartées. William lui adressa un salut militaire formel.

— Ravi de vous voir, lieutenant.

— Major.

— Vos hommes ne seraient pas en train de rechercher une cargaison illégale de vin français, par hasard ?

Fichtre, il l'avait découverte avant eux !

— Nous avons entendu dire que des activités de contrebande se déroulaient dans le voisinage, répondit William d'un ton sec. Nous enquêtons.

— Oui, naturellement, déclara Rogers, cordial. Si vous voulez gagner un peu de temps, cherchez plutôt de l'autre côté, là-bas...

Il pointa le menton vers un groupe de cabanes de pêcheurs à environ cinq cents mètres.

— Il est...

— Nous avons déjà fouillé par là, le coupa William.

— ... enfoui dans le sable derrière les cabanes, acheva Rogers sans sourciller.

— Je suis votre obligé, major, dit William avec toute l'amabilité dont il était capable.

— J'ai vu deux hommes enterrer des caisses hier soir, expliqua Rogers. Je ne pense pas qu'ils soient déjà revenus les chercher.

— Je vois que vous surveillez attentivement la côte. Vous cherchez quelque chose de particulier, major ?

Rogers sourit.

— Justement, puisque vous en parlez, lieutenant… Il y a un individu qui se promène dans la région en posant des questions diablement indiscrètes. J'aimerais beaucoup lui toucher deux mots. Si vous ou l'un de vos hommes l'apercevez… ?

— Mais certainement, major. Vous savez son nom ou de quoi il a l'air ?

— Les deux, à dire vrai. C'est un grand gaillard avec des cicatrices sur la figure dues à une explosion de poudre. Si vous le voyez, vous le reconnaîtrez forcément. C'est un rebelle, issu d'une famille de séditieux du Connecticut. Il s'appelle Hale.

William se raidit et le regard sombre de Rogers se fit perçant.

— Ah ! Il ne vous est donc pas inconnu ?

Agacé de s'être trahi si facilement, William acquiesça.

— Il a franchi notre poste de douane hier. Un homme volubile.

Il essaya de se remémorer des détails de la rencontre. Il avait effectivement remarqué les cicatrices qui parsemaient son front et ses joues.

— Il était nerveux. Il transpirait à grosses gouttes et sa voix tremblait. Le soldat qui l'a arrêté a pensé qu'il cachait du tabac ou quelque chose d'autre. Il lui a fait retourner ses poches mais elles étaient vides.

William ferma les yeux, fouillant sa mémoire.

— Ah, si ! Il avait des papiers, je les ai vus.

Il les avait bien vus en effet mais ne les avait pas examinés. Il était occupé avec un marchand conduisant une carriole de fromages destinés, soutenait-il, au bureau de l'intendance britannique. Le temps d'en finir avec lui, l'homme avait passé son chemin.

Rogers se tourna vers les soldats qui inspectaient les dunes.

— L'homme qui l'a interrogé, lequel est-ce ?

— Un première classe du nom de Hudson. Je peux l'appeler, si vous le souhaitez. Mais il ne vous sera guère utile, il ne sait pas lire.

Rogers parut contrarié mais lui fit néanmoins signe de faire venir Hudson. Ce dernier confirma le récit de William mais ne put rien leur dire au sujet des papiers, mis à part qu'ils étaient couverts de chiffres.

— Et il y avait un dessin, je crois, ajouta-t-il. Mais je n'ai pas bien regardé, désolé.

Rogers se frotta les mains, l'air plus satisfait.

— Des chiffres, hein ? Fort bien, fort bien ! Il vous a dit où il allait ?

— Rendre visite à un ami qui vit près de Flushing, major.

Hudson examinait Rogers avec curiosité. Ce dernier était pieds nus et portait des culottes miteuses en lin ainsi qu'un gilet en fourrure de rat musqué.

— Je n'ai pas demandé le nom de son ami, major. J'ignorais que c'était important.

— Oh, ça ne l'était probablement pas. Je doute que cet ami existe.

Rogers ricana, manifestement enchanté de la nouvelle. Il fixa un point au loin, plissant les yeux comme s'il espérait apercevoir l'espion dans les dunes, puis il hocha la tête.

— Fort bien, murmura-t-il encore avant de tourner les talons.

William l'arrêta.

— Je vous remercie pour l'information sur la cache du contrebandier, major.

Pendant que Rogers et William interrogeaient Hudson, Perkins avait dirigé l'excavation. Il harcelait à présent un petit groupe de soldats qui faisaient rouler les caisses en bas des dunes. L'une d'elles percuta une pierre, rebondit avant d'atterrir lourdement sur un angle.

William tiqua. Si le vin survivait à son sauvetage, il ne serait pas buvable avant quinze jours au moins. Non pas que cela empêcherait quiconque d'y goûter.

Il se tourna à nouveau vers Rogers.

— Je vous demande la permission de charger la saisie à bord de votre sloop. Je l'accompagnerai et la livrerai moi-même au quartier général.

— Mais bien sûr.

Rogers semblait amusé. Il se gratta le nez, pensif.

— Cependant, nous ne mettrons pas les voiles avant demain. Pourquoi ne pas nous accompagner ce soir ? Vous pourrez nous aider puisque vous avez vu l'homme que nous recherchons.

Le cœur de William fit un bond. Le ragoût de Mlle Beulah faisait soudain pâle figure face à la traque palpitante d'un dangereux espion. En outre, contribuer à sa capture pouvait ne faire que du bien à sa réputation même si le plus gros du mérite reviendrait à Rogers.

— Je serai plus que ravi de vous assister, major !

Rogers sourit tout en l'examinant des pieds à la tête.

— Parfait, mais vous ne pouvez pas partir en chasse dans cette tenue, lieutenant. Venez à bord, nous allons vous trouver quelque chose à mettre.

William mesurant quinze centimètres de plus que le plus grand des hommes de Rogers, il se retrouva affublé d'une chemise en lin grossier, les pans sortis pour cacher les premiers boutons ouverts de sa braguette, et d'une culotte en toile qui menaçait de l'émasculer au moindre mouvement brusque. William préféra imiter Rogers et marcher nu-pieds plutôt que de subir l'indignité de porter des bas rayés s'arrêtant sous le genou et révélant une vingtaine de centimètres de peau velue.

Le sloop les mena jusqu'à Flushing où Rogers, William et quatre autres hommes débarquèrent. Rogers possédait un bureau de recrutement informel dans l'arrière-boutique d'un marchand de la rue principale. Il disparut momentanément dans l'établissement pour en sortir avec la nouvelle que personne n'avait vu Hale dans le village. Il s'était donc probablement arrêté dans l'une des deux auberges d'Elmsford, à environ cinq kilomètres de là.

Les hommes se mirent en route, par petits groupes pour ne pas attirer l'attention. William marchait aux côtés de Rogers, un châle miteux autour des épaules pour se protéger de la fraîcheur.

Il ne s'était pas rasé pour l'occasion et trouvait qu'il formait une belle paire avec le major. Ce dernier avait ajouté à sa panoplie un grand chapeau mou orné d'un poisson séché.

— Que sommes-nous censés être ? demanda-t-il. Des pêcheurs d'huîtres ou des charretiers ?

Rogers claqua la langue.

— Vous ne passerez ni pour l'un ni pour l'autre si on vous entend, mon garçon. N'ouvrez la bouche que pour boire ou manger. Mes hommes et moi réglerons cette affaire. Tout ce que vous avez à faire, c'est hocher la tête si vous reconnaissez Hale.

Le vent marin poussait dans leur direction des relents de marécage relevés d'une vague et lointaine odeur de feu de cheminée. On ne voyait encore aucune habitation et le paysage alentour était désert. La poussière sablonneuse et froide de la route était agréable sous les pieds de William. L'environnement austère ne lui paraissait pas déprimant ; il était trop excité par ce qui l'attendait.

Rogers, silencieux, marchait à grands pas, la tête baissée contre le vent. Au bout d'un moment, il annonça sur un ton détaché :

— C'est moi qui ai amené le capitaine Richardson de New York. Et qui l'ai ramené.

William envisagea un instant de demander qui était ce capitaine, avant de comprendre rapidement que Rogers ne se laisserait pas berner.

— Vraiment ? dit-il simplement.

Rogers se mit à rire.

— On est une vraie tombe, à ce que je vois ! Finalement, il a sans doute eu raison de vous choisir.

— Il vous a dit qu'il m'avait choisi pour… quelque chose ?

— C'est bien, mon garçon. Donnant donnant. Cependant, il est parfois payant de mettre un peu d'huile dans les rouages. Non, Richardson est un vieux renard. Il ne m'a pas dit un mot à votre sujet. Mais je sais qui il est et ce qu'il fait. Je sais également où je l'ai débarqué. Je doute fort qu'il soit venu jusqu'ici pour rendre visite aux Culper.

William produisit un son vaguement intéressé. Rogers avait visiblement l'intention de lui confier quelque chose. Qu'il se confie donc.

— Quel âge avez-vous, mon garçon ?

William répondit avec une pointe de défi :

— Dix-neuf ans, pourquoi ?

Rogers haussa les épaules.

— Vous êtes sans doute assez grand pour risquer votre peau mais vous devriez y réfléchir à deux fois avant de dire oui à tout ce que Richardson vous propose.

— En supposant qu'il m'ait effectivement proposé quelque chose, je vous repose la question : Pourquoi ?

Rogers lui donna une tape dans le dos, l'incitant à avancer.

— Vous n'allez pas tarder à le découvrir par vous-même. Venez.

L'atmosphère chaude et enfumée et les odeurs de cuisine lui firent l'effet d'une caresse. Absorbé par son aventure, William n'avait pas prêté attention au froid, à l'obscurité ou à la faim. Il inspira une grande goulée d'air parfumé au pain frais et au poulet rôti, avec l'impression de revivre.

Sa seconde inspiration resta toutefois coincée dans sa gorge. Une décharge électrique lui parcourut le corps. A ses côtés, Rogers le rappela à l'ordre avec un léger grognement puis lança un regard nonchalant à la ronde avant de se diriger vers une table.

L'homme, l'espion, était assis près du feu, mangeant et bavardant avec deux fermiers. La plupart des clients de la taverne jetèrent un regard curieux aux nouveaux venus, notamment à William, mais l'espion, tout occupé à son repas et à la conversation, ne leva pas le nez.

Bien qu'il l'eût à peine regardé lors de leur première rencontre, William le reconnut sur-le-champ. Il était moins grand que lui mais mesurait quelques centimètres de plus que la moyenne. Il ne passait pas inaperçu avec ses cheveux couleur paille et son haut front couvert de cicatrices. Un chapeau rond à larges bords était posé sur la table à côté de son assiette et il portait un costume marron insignifiant.

Rogers s'installa à la table voisine et, après avoir fait signe à William de s'asseoir sur le tabouret d'en face, arqua des sourcils interrogateurs. William lui répondit d'un hochement de tête en évitant de regarder à nouveau vers Hale.

Une fois servi, William se consacra à son repas, soulagé de ne pas avoir à participer à la conversation. Hale, détendu et bavard, expliquait à ses compagnons qu'il était un instituteur hollandais établi à New York.

Il secoua la tête d'un air navré, déclarant :

— Hélas, les conditions là-bas sont devenues tellement difficiles que la majorité de mes élèves sont partis. Ils se sont réfugiés avec leur famille chez des parents dans le Connecticut ou le New Jersey. Je suppose qu'il en va de même ici ?

Un des compagnons de tablée se contenta de grogner mais son voisin fit claquer ses lèvres d'un air dégoûté.

— Ça, on peut le dire ! Ces ordures de grivetons anglais saisissent tout ce qu'on n'a pas pu enterrer. Tory, whig ou rebelle, ces rapaces ne font aucune différence. Quand on ose protester, on se prend un coup de gourdin sur le crâne ou on se retrouve derrière les barreaux pour qu'ils puissent mieux vous dévaliser. Tenez, la semaine dernière, au poste de douane, une grande brute m'a piqué tout mon chargement de cidre et ma carriole avec ! Il…

William s'étrangla avec sa bouchée de pain mais n'osa pas la recracher. Bigre, il n'avait pas reconnu l'individu qui lui tournait le dos mais il se souvenait fort bien de son cidre. Une grande brute ?

Il avala une gorgée de bière pour tenter de déloger le morceau de pain, en vain. Il toussa dans son poing, sentant son visage s'empourprer. Rogers le fusilla du regard. William indiqua discrètement du coude le fermier en colère, se donna une tape sur la poitrine puis se leva et sortit de la salle le plus calmement possible. Son déguisement, si excellent soit-il, ne pouvait cacher sa taille. Si l'homme le reconnaissait et l'identifiait comme un soldat britannique, tout leur plan tombait à l'eau.

Il parvint à retenir sa respiration jusqu'à ce qu'il soit dehors puis toussa au point que son estomac manqua lui remonter dans la gorge. Quand sa toux cessa enfin, il s'adossa au mur de la taverne et inspira profondément. Il aurait aimé avoir eu la présence d'esprit d'emporter son verre de cidre au lieu de la cuisse de poulet qu'il tenait à la main.

Le dernier groupe d'hommes de Rogers venait d'arriver. Après lui avoir lancé un regard perplexe, ils entrèrent dans la taverne. William s'essuya la bouche du dos de la main, se redressa puis longea le bâtiment jusqu'à une fenêtre d'où observer la salle.

Les nouveaux arrivants s'installèrent à une table près de celle de Hale. William constata que Rogers était parvenu à s'immiscer dans la conversation. Il dut leur raconter une blague car l'homme au cidre s'esclaffa en tapant sur la table. Hale, lui, esquissa un sourire mais paraissait franchement choqué. La plaisanterie avait dû être salée.

Rogers se redressa et, avec un grand geste de la main qui englobait la tablée, déclara quelque chose auquel les hommes répondirent par des hochements de tête et des assentiments murmurés. Puis il se pencha en avant sur la table, l'air concentré, et posa une question à Hale.

William n'entendait que des bribes de leur conversation pardessus le brouhaha ambiant et le vent qui sifflait à ses oreilles. Pour autant qu'il puisse comprendre, Rogers se faisait passer pour un rebelle. Ses hommes hochaient la tête à ses propos depuis leur table et se rapprochèrent. On aurait dit qu'ils tenaient conciliabule. Hale semblait captivé, excité et sincère. Il aurait fort bien pu être instituteur. Rogers affirmait qu'il était capitaine dans l'armée continentale mais, aux yeux de William, il n'avait rien d'un soldat.

Il ne ressemblait pas non plus à un espion, repérable comme il l'était avec ses traits séduisants, ses cicatrices, sa… taille.

William sentit son sang se figer. Bigre ! Etait-ce ce que Rogers avait voulu dire en le mettant en garde contre les missions de Richardson ? Puis en ajoutant qu'il le constaterait par lui-même ce soir ?

William était habitué à sa taille et à l'effet qu'elle produisait. Il ne détestait pas être admiré. Lors de sa première expédition pour Richardson, il ne lui était pas venu à l'esprit que les gens se souviendraient de lui parce qu'il était plus grand que la normale. « Grande brute » n'était guère une étiquette flatteuse mais le fait était indéniable.

Incrédule, il entendit Hale révéler non seulement son nom et ses sympathies pour les rebelles mais confier qu'il cherchait à s'informer sur l'étendue de la présence britannique. Après quoi il demanda à ses compagnons s'ils avaient remarqué des soldats anglais dans le voisinage.

William fut si choqué par une telle imprudence qu'il colla son œil contre la vitre. A cet instant, Rogers roula des yeux exagérément inquiets puis se pencha vers Hale, lui tapota l'avant-bras et déclara :

— Effectivement, j'en ai vu mais faites attention à ce que vous dites dans un lieu public. N'importe qui pourrait vous entendre.

— Peuh ! fit Hale en riant. Nous sommes entre amis. Ne venons-nous pas de boire à la santé du général Washington et à la déroute du roi ?

Il écarta son chapeau et fit signe au tavernier d'apporter un nouveau pichet de bière.

— Laissez-moi vous offrir une autre tournée et racontez-moi ce que vous avez vu.

William eut envie de lui crier : « Mais vas-tu te taire, pauvre imbécile ! » ou de lui lancer quelque chose à travers la fenêtre, mais il était déjà beaucoup trop tard. Il remarqua qu'il tenait toujours le pilon de poulet et le jeta au loin. Son estomac était noué et il avait un goût de bile au fond de la gorge.

Hale continuait à s'enfoncer dans la gueule du loup, encouragé par les commentaires admiratifs et les exclamations patriotiques des hommes de Rogers qui, il fallait le reconnaître, jouaient leur rôle à merveille. Jusqu'où Rogers le laisserait-il aller ? L'arrêteraient-ils dans la taverne ? Probablement pas. Sans doute y avait-il parmi les clients des sympathisants des rebelles qui prendraient sa défense.

Rogers ne semblait pas pressé. Il s'ensuivit près d'une demi-heure d'échange, Rogers faisant des aveux sans conséquence, Hale en faisant de bien plus graves en retour, très excité par les informations qu'on lui donnait et échauffé par la bière. Les jambes, les pieds et les mains de William étaient engourdis et ses épaules endolories par la tension. Un craquement proche détourna un instant son attention et il prit soudain conscience d'une odeur pénétrante qui flottait autour de lui depuis un certain temps déjà.

— Foutre !

Il fit un bond en arrière, manquant briser la vitre d'un coup de coude, et percuta le mur de la taverne avec un bruit sourd.

La moufette, dérangée dans sa dégustation de la cuisse de poulet, dressa aussitôt la queue, sa raie blanche la rendant parfaitement visible. William se figea.

— Qu'est-ce que c'était que ça ? demanda quelqu'un à l'intérieur.

William entendit le crissement d'un banc qu'on repoussait. Retenant son souffle, il avança un pied sur le côté et s'immobilisa à nouveau en entendant un léger battement sourd. La raie blanche oscillait dans le noir. Merde, cette maudite bestiole grattait le sol, signe d'une attaque imminente, lui avait-on dit (des gens dont l'air dépité indiquait qu'ils se fondaient sur une expérience vécue).

Des pas se dirigeaient vers la porte de la taverne ; quelqu'un venait voir ce qui se passait. Qu'arriverait-il si on le trouvait en train d'espionner à la fenêtre ? Il serra les dents, rassemblant son courage pour accomplir un geste d'autosacrifice en plongeant hors de vue. Mais ensuite ? Il ne pouvait pas retrouver Rogers et les autres en empestant comme un putois. Toutefois si…

La porte qui s'ouvrait mit un terme à ses tergiversations ; par réflexe, il bondit vers l'angle du bâtiment. La moufette réagit également par réflexe mais, surprise par le bruit, ajusta son tir. William trébucha contre une branche et s'affala de tout son long dans un monceau d'ordures tout en entendant derrière lui un long cri d'horreur.

William toussa, s'étrangla puis tenta de retenir son souffle jusqu'à être parvenu hors de portée. Quand il fut contraint d'inspirer, ses poumons se remplirent d'une substance qui dépassait tant le concept d'odeur qu'elle aurait nécessité une épithète totalement nouvelle. Haletant et crachant, les yeux brûlants et larmoyants, il parvint en chancelant à rejoindre l'autre côté de la route. Depuis cette position stratégique, il put voir la moufette s'éloigner d'un air outré tandis que de sa victime, écroulée sur le seuil de la taverne, s'échappaient des sons qui traduisaient un désarroi extrême.

Il espérait que ce n'était pas Hale. Au-delà du problème pratique consistant à arrêter et transporter un homme puant de façon abominable, pendre la victime d'un tel outrage aurait été le comble de la cruauté.

Ce n'était pas lui. A la lueur de la torche accrochée près de l'entrée, il aperçut sa chevelure blonde dans le groupe de curieux qui s'étaient précipités dehors avant de battre en retraite aussitôt.

Il entendit des voix discuter de la meilleure manière de procéder. Il fallait du vinaigre, et en grande quantité. Entretemps, la victime s'était suffisamment remise pour ramper vers les hautes herbes et vomir copieusement. Ajoutés à l'odeur qui infectait toujours l'atmosphère, les râles du pauvre homme firent rendre leurs tripes à plusieurs autres messieurs. William sentit la bile lui remonter dans la gorge mais il la refoula en se pinçant fermement le nez.

Le temps que le malheureux soit emmené par ses amis – telle une vache au bout de sa longe, personne ne voulant l'approcher –, William était transi. Fort heureusement, la taverne se vida rapidement, l'infection ayant fait passer aux clients toute envie de manger ou de boire. Grommelant des imprécations, le tavernier décrocha la torche qui brûlait près de son enseigne et la plongea dans le tonneau d'eau de pluie.

Hale salua à la ronde, sa voix cultivée reconnaissable dans l'obscurité, puis s'engagea sur la route en direction de Flushing où il avait sans doute l'intention de chercher un lit. Rogers, que William reconnut à son gilet en fourrure, s'attarda un instant, rassemblant ses hommes en silence pendant que les derniers clients se dispersaient. William attendit qu'il n'y ait plus personne pour les rejoindre.

— C'est bon ? demanda Rogers en l'apercevant. Nous sommes tous là ? Alors allons-y.

Ils se mirent en route telle une meute silencieuse sur les traces d'une proie qui ne se doutait de rien.

Ils aperçurent les flammes depuis la mer. La ville brûlait, notamment le quartier bordant l'East River, et le vent propageait rapidement l'incendie. A bord du sloop, les hommes de Rogers, surexcités, émettaient des hypothèses à qui mieux mieux. Les rebelles avaient-ils mis le feu à New York ?

Rogers répondit d'une voix indifférente :

— Ce pourrait aussi bien être des soldats ivres.

William observait le ciel rougeoyant avec un certain malaise. Le prisonnier ne pipait mot.

Ils finirent par trouver le général Howe dans son quartier général de Beekman House, les yeux rougis par la fumée, le manque de sommeil et une rage profonde que fort heureusement il contenait encore. Il convoqua Rogers et son prisonnier dans la bibliothèque qui lui tenait lieu de bureau et, après un bref regard surpris à la tenue de William, envoya ce dernier se coucher.

Fortnum était dans le grenier, contemplant l'incendie depuis la lucarne. Il n'y avait rien à faire. William le rejoignit, se sentant étrangement vide et désincarné. Il grelottait, bien que le parquet soit chaud sous ses pieds nus.

De temps à autre, un tourbillon d'étincelles s'élevait dans le ciel quand le feu atteignait quelque chose de particulièrement inflammable. Toutefois, ils étaient trop loin pour distinguer autre chose que cette lueur sanglante dans la nuit.

Au bout d'un moment, Fortnum déclara :

— Ils diront que c'est de notre faute, tu sais.

A midi le lendemain, l'air était encore saturé de fumée.

William ne pouvait quitter des yeux les mains de Hale. Elles s'étaient crispées involontairement quand un soldat les lui avait liées, mais il les avait tendues derrière son dos sans rechigner. A présent, il entrecroisait ses doigts, si fort que ses phalanges étaient blanches.

La chair protestait même si l'esprit s'était résigné. Celle de William s'indignait d'être ici : des tics contractaient sa peau, ses entrailles se convulsaient dans une compassion horrifiée. On disait que les viscères d'un pendu se relâchaient. Serait-ce le cas de Hale ? Cette idée lui glaça le sang et il baissa les yeux.

Des voix lui firent redresser la tête. Le capitaine Moore était en train de demander au condamné s'il avait quelque chose à dire. Hale acquiesça ; de toute évidence, il s'y était préparé.

William se fit la réflexion qu'il aurait dû être prêt lui aussi. Hale avait passé les deux heures précédentes dans la tente du capitaine Moore, écrivant des lettres à transmettre à sa famille pendant que les hommes assemblés pour l'exécution hâtive faisaient le pied de grue. Pourtant, il n'était pas prêt du tout.

Pourquoi était-ce différent ? Il avait déjà vu des hommes mourir, certains d'une manière atroce. Mais cette courtoisie, cette formalité, cette… civilité obscène ; tout cela menant à une mort imminente et honteuse. Le côté réfléchi, délibéré. Oui, c'était ça, le côté délibéré.

— Enfin ! marmonna Clarewell à ses côtés. Qu'on en finisse, bon Dieu ! Je crève de faim !

Billy Richmond, un jeune soldat noir que William connaissait vaguement, grimpa à l'échelle pour attacher la corde à une branche. Il en redescendit et fit un signe à l'officier.

Ce fut au tour de Hale de grimper à l'échelle, le sergent-major la tenant pour lui. Le nœud avait été passé autour de son cou. C'était une corde épaisse qui paraissait neuve. Ne disait-on pas que les cordes neuves s'étiraient ? Mais c'était une si grande échelle…

William transpirait abondamment en dépit de l'air frais. Il ne devait pas fermer les yeux ni détourner le regard, pas avec Clarewell qui l'observait.

Il serra les mâchoires et se concentra à nouveau sur les mains de Hale. Ses doigts se tordaient alors que son visage était calme. Ils laissaient des traces moites sur les pans de sa veste.

Il y eut un grognement d'effort et un raclement. On venait d'enlever l'échelle. Hale perdit pied en lâchant un râle surpris. Peut-être parce que la corde était neuve, son cou ne se brisa pas net.

Il avait refusé la cagoule si bien que les spectateurs furent contraints de regarder son visage pendant le quart d'heure que dura son agonie. William refoula un horrible rire nerveux en voyant les yeux bleus saillir de leurs orbites, la langue qui pendait. Hale semblait perplexe, tellement surpris…

Les hommes rassemblés pour l'exécution étaient peu nombreux. William aperçut Richardson non loin, contemplant la scène d'un air absent. Comme s'il avait senti son regard, il tourna les yeux vers lui et William détourna rapidement la tête.

21

Le chat du révérend

Lallybroch, octobre 1980

Elle se leva de bonne heure, avant les enfants, même si elle savait que c'était inutile. Quelle que soit la démarche de Roger à Oxford, il y avait au moins quatre ou cinq heures de route pour y arriver et autant pour en revenir. Même s'il était parti à l'aube, il ne serait pas à la maison avant la mi-journée. Elle avait mal dormi, son sommeil perturbé par un de ces rêves répétitifs et déplaisants. Cette fois, c'était une marée montante dont les vagues clapotantes se rapprochaient inexorablement, vague après vague après vague… Elle s'était réveillée dès les premières lueurs du jour, légèrement étourdie et nauséeuse.

L'espace d'un instant cauchemardesque, elle se crut enceinte. Puis elle se redressa dans son lit et le monde reprit sa place normale. Disparue, cette sensation d'avoir mis un pied de l'autre côté du miroir, typique des débuts de grossesse. Elle posa précautionneusement un pied sur le sol et son estomac ne broncha pas. Bon, tout allait donc bien.

Néanmoins, que ce soit à cause du rêve, de l'absence de Roger ou du spectre de la grossesse, son malaise perdura. Elle vaqua à ses occupations ménagères, l'esprit distrait.

Vers midi, alors qu'elle était en train de trier des chaussettes, elle se rendit compte que la maison était très calme. Un calme qui donnait la chair de poule.

— Jem ? Mandy ?

Silence total. Elle sortit de la buanderie, tendant l'oreille, guettant le raffut habituel à l'étage, les cris... Pas le moindre bruit de cubes renversés, de pas de course, de cris haut perchés, le vacarme ordinaire de la guerre continue entre frère et sœur.

— Jem ? cria-t-elle encore. Où es-tu ?

Pas de réponse.

La dernière fois que cela s'était produit, deux jours plus tôt, elle avait retrouvé le réveille-matin au fond de la baignoire, minutieusement démonté, et les enfants à l'autre bout du jardin, rayonnants d'une innocence suspecte.

Traîné dans la maison et mis devant l'objet du délit, Jem nia avec véhémence :

— Ce n'est pas moi ! Et Mandy est trop petite !

Mandy confirma, acquiesçant vigoureusement en faisant retomber ses boucles brunes devant son visage et répétant :

— T'op p'tite !

— Je doute que ce soit papa qui ait fait ça, déclara Brianna. Et je suis sûre que ce n'est pas Annie Mac non plus. Il ne reste donc pas beaucoup de suspects, tu ne trouves pas ?

— Des soupets, des soupets ! s'exclama Mandy, ravie d'avoir appris un nouveau mot.

Jem contempla les rouages et les aiguilles éparpillés puis haussa les épaules d'un air résigné.

— C'est qu'on doit avoir des *piskies*, maman.

— Picsiz, picsiz ! gazouilla Mandy.

Elle releva sa jupe par-dessus sa tête et tira sur l'élastique de son slip à froufrous.

— Maman, j'ai picsiz !

Jem profita de l'urgence provoquée par cette déclaration pour s'éclipser adroitement. Il ne réapparut pas avant le dîner, une fois l'affaire étouffée par l'enchaînement rapide et inexorable des tâches quotidiennes. Elle ne resurgit qu'à l'heure du coucher, quand Roger s'aperçut de la disparition de son réveil. Brianna lui raconta l'histoire et lui montra le petit pot en terre cuite contenant les restes de l'appareil.

— C'est drôle, d'ordinaire Jem ne ment pas, déclara-t-il, songeur.

Brianna, occupée à se brosser les cheveux, lui lança un regard torve.

— Quoi, toi aussi tu crois qu'il y a des *pixies* dans la maison ?

Il remuait l'amas de rouages du bout du doigt.

— On dit des *piskies*, répondit-il d'un ton absent.

— Comment ? Tu veux dire qu'on les appelle vraiment des *piskies* ici ? Je croyais que Jem prononçait mal.

— Non en fait, *pisky* est le terme cornouaillais ; on les appelle des *pixies* dans d'autres régions de l'Ouest.

— Comment les appelle-t-on en Ecosse ?

Il saisit une pincée de mécanismes et les laissa retomber dans le pot avec un tintement.

— Nous n'en avons pas vraiment. Ce ne sont pourtant pas les fées et autres lutins qui manquent dans notre folklore mais les Ecossais ont une prédilection pour les êtres surnaturels un peu plus sinistres, les chevaux des eaux, les banshees, les sorcières bleues et le Nuckelavee…

Il lui prit la brosse des mains tout en poursuivant :

— Les *piskies* sont un peu trop frivoles pour les Ecossais. Nous avons bien des *brownies* mais ils tiennent davantage de la fée du logis ; ils ne sont pas aussi espiègles et farceurs que les *piskies*. Tu crois pouvoir remonter le réveil ?

— Bien sûr, à condition que les *piskies* n'en aient pas égaré des pièces. Qu'est-ce que c'est encore qu'un Nuckelavee ?

— Une créature qui vient des Orcades, mais ce n'est pas une histoire que tu as envie d'entendre avant d'aller te coucher.

Il se pencha vers elle et lui déposa un baiser dans le cou, juste sous le lobe de l'oreille.

Le léger picotement à cet endroit né du souvenir de ce qu'ils avaient fait ensuite repoussa provisoirement ses soupçons sur ce que tramaient les enfants ; puis la sensation passa, remplacée par une inquiétude croissante.

Il n'y avait aucun signe de Jem et de Mandy nulle part dans la maison. Annie MacDonald ne venait pas le samedi et la cuisine… A première vue, elle paraissait en ordre mais elle connaissait les méthodes de son fils.

Effectivement, la boîte de biscuits au chocolat et une bouteille de limonade avaient disparu. Tout le reste sur l'étagère était à sa place. L'étagère en question se trouvait à un mètre quatre-vingts du sol. Jem aurait toujours un débouché en tant que monte-en-l'air. Au moins, il aurait un métier s'il se faisait exclure de l'école une fois pour toutes à force de raconter à ses camarades des épisodes particulièrement pittoresques de sa vie au XVIIIe siècle.

Elle était néanmoins soulagée. S'ils avaient pris de la nourriture, ils devaient être dehors en train de pique-niquer. Mandy ne pouvant marcher bien loin, ils étaient sûrement quelque part dans un rayon de huit cents mètres tout au plus.

C'était une très belle journée et, en dépit du besoin de retrouver les petits chenapans, elle n'était pas fâchée de se trouver au soleil. Les chaussettes pouvaient attendre. Tout comme le bêchage de ses plants de légumes. Ou le coup de fil au plombier pour qu'il vienne réparer le chauffe-eau de la salle de bains du premier étage. Ou encore…

A la campagne, tu as beau te démener comme un diable, ton travail n'est jamais terminé. J'ai parfois l'impression que l'endroit va m'engloutir comme Jonas par la baleine.

L'espace d'un instant, elle entendit la voix résignée de son père tandis qu'il se découvrait une nouvelle corvée. Elle s'arrêta un instant, sentant l'émotion l'envahir, puis elle sourit et reprit son chemin, à pas plus lents, ne voyant plus la carcasse d'une grande maison un peu délabrée mais un organisme vivant, vibrant de l'énergie de tous ceux de son sang qui en avaient fait partie… et qui étaient encore présents.

Les Fraser et les Murray avaient investi leur sueur, leur sang et leurs larmes dans les bâtiments et la terre de Lallybroch ; ils avaient tissé leur vie dans celle du domaine. Oncle Ian, tante Jenny, les hordes de cousins qu'elle n'avait connus que brièvement. Le petit Ian. Tous étaient morts aujourd'hui… mais étrangement, ils n'étaient pas partis.

— Pas partis du tout ! dit-elle à voix haute, éprouvant un certain réconfort à prononcer ces paroles.

Elle avait atteint la porte au fond du potager et s'arrêta à nouveau, contemplant la colline surmontée du broch[1] qui avait donné son nom au domaine. Le cimetière se trouvait non loin, la plupart de ses stèles tellement usées par les intempéries que les noms et les dates étaient indéchiffrables, les tombes elles-mêmes à demi englouties par les ajoncs et les genêts. Là-bas, parmi les taches grises, vert sombre et jaune vif, deux petits points rouges et bleus se déplaçaient.

Le sentier était envahi par les mauvaises herbes et les ronces qui griffaient ses jeans. Elle découvrit ses enfants à quatre pattes, suivant une colonne de fourmis, celles-ci suivant une piste de miettes de biscuit soigneusement placées le long d'un parcours d'obstacles formés de cailloux et de brindilles.

Concentré sur le spectacle, Jem lui jeta à peine un coup d'œil.

— Regarde, maman !

Il lui indiquait le sol où il avait enfoncé une vieille tasse à thé et l'avait remplie d'eau. Un groupe de fourmis leurrées par les miettes s'y débattaient.

— Jem ! C'est cruel ! On ne tue pas les insectes.

Se souvenant d'une récente infestation dans le garde-manger, elle ajouta :

— Sauf quand ils entrent dans la maison.

— Mais, maman, elles ne sont pas en train de se noyer. Tu vois ce qu'elles font ?

Elle s'accroupit près de lui. Effectivement, les fourmis isolées qui tombaient dans l'eau se dirigeaient vers le centre de la tasse où leurs consœurs, s'accrochant les unes aux autres, formaient une masse flottante effleurant à peine la surface. Les fourmis de ce radeau improvisé bougeaient lentement de façon à changer de place constamment tandis qu'une ou deux d'entre elles, en périphérie, restaient immobiles. Ces dernières étaient peut-être mortes mais les autres ne couraient pas de danger immédiat, soutenues par le corps de leurs congénères. Le radeau se déplaçait progressivement vers le bord de la tasse,

1. Tour fortifiée datant de la fin de l'âge de fer que l'on trouve en grand nombre dans le nord de l'Ecosse et aux Orcades. *(N.d.T.)*

propulsé par les mouvements des individus qui le composaient.

— Incroyable ! s'émerveilla-t-elle.

Elle resta assise un moment près de son fils à regarder les fourmis jusqu'à ce que, faisant acte de clémence, ils décident qu'elles en avaient fait assez. Jem les repêcha sur une feuille et les déposa sur le sol où elles reprirent aussitôt leur travail.

— Tu penses qu'elles se regroupent ainsi consciemment ou qu'elles s'accrochent simplement à la première chose qui flotte ? demanda Brianna.

— Je ne sais pas. Faudra que je regarde dans mon livre sur les fourmis.

Elle ramassa les vestiges du pique-nique, laissant aux fourmis quelques biscuits bien mérités. Mandy s'était éloignée pendant que Brianna et Jem observaient les insectes. Elle était assise à l'ombre d'un gros buisson un peu plus haut sur la colline, engagée dans une conversation animée avec un compagnon invisible. Jem déclara :

— Mandy voulait parler avec grand-père. C'est pour ça qu'on est montés ici.

— Ah ? Et pourquoi ici plutôt qu'ailleurs ?

Jem lança un regard surpris vers les vieilles stèles inclinées du cimetière.

— Il n'est pas ici ?

Une décharge électrique remonta la colonne vertébrale de Brianna, beaucoup trop puissante pour être qualifiée de frisson. C'était autant le ton détaché de son fils que la possibilité qu'il ait raison qui la sidérait.

— Je... je ne sais pas. Si, peut-être.

Bien qu'elle s'efforçât généralement de ne pas penser au fait que ses parents étaient morts, elle avait toujours supposé qu'ils étaient enterrés quelque part en Caroline du Nord ou ailleurs dans les colonies si la guerre les avait éloignés de Fraser's Ridge.

Elle se souvint soudain des lettres. Son père avait écrit qu'ils comptaient se rendre en Ecosse. Jamie Fraser étant un homme entêté, ils l'avaient probablement fait. Etait-il reparti ensuite en Amérique ? Et, dans le cas contraire, sa mère reposait-elle ici elle aussi ?

Elle se dirigea vers le haut de la colline, dépassa le vieux broch et s'avança entre les tombes. Elle y était déjà venue une fois avec sa tante Jenny. C'était en début de soirée ; une brise douce murmurait dans les herbes et le paysage baignait dans une atmosphère paisible. Jenny lui avait montré les sépultures de ses grands-parents, Brian et Ellen, reposant sous une même stèle. Oui, elle pouvait encore la distinguer enfouie sous la mousse, les noms rongés par le temps. L'enfant mort avec Ellen était enterré avec eux, son troisième fils, Robert. Son père, Brian, avait tenu à ce qu'il soit baptisé.

Elle se tenait au milieu des tombes. Il y en avait tant ! Bon nombre des plus récentes étaient encore lisibles, celles de la fin du XIXe siècle. Il s'agissait pour la plupart de McLachlan et de MacLean, avec, ici et là, un Fraser et un MacKenzie.

Les plus anciennes étaient trop abîmées pour qu'on puisse lire ce qui y était écrit. On ne distinguait plus que l'ombre de lettres sous les taches noires du lichen et la couche de mousse. Près de la tombe d'Ellen se trouvait une petite dalle carrée sous laquelle était ensevelie Caitlin Maisri Murray, le sixième enfant de Jenny et de Ian, qui n'avait vécu qu'une journée. Jenny l'avait montrée à Brianna puis s'était baissée pour la caresser doucement de la main et y déposer une rose jaune cueillie sur le sentier. Autrefois, il y avait eu un petit cairn... des cailloux empilés par ceux venus se recueillir. Ils avaient été dispersés depuis longtemps mais Brianna trouva une jolie pierre et la plaça près de la petite tombe.

Il y en avait une autre à côté, tout aussi petite et donc abritant sans doute également un enfant. La pierre était moins abîmée bien qu'aussi ancienne. Elle ne comportait que deux mots. Brianna ferma les yeux et passa lentement les doigts sur la stèle, tentant de déchiffrer les lettres érodées. Il y avait un E dans la première ligne ; un Y dans la seconde, et peut-être un K.

Quel nom dans les Highlands commence par un Y ? s'étonna-t-elle. Il y a bien McKay mais les lettres sont à l'envers.

Elle demanda à Jem sur un ton hésitant :

— Tu... euh... tu sais quelle est la tombe de grand-père ?

Elle avait presque peur d'entendre la réponse.

— Non.

Il parut surpris et suivit son regard. Apparemment, il n'avait pas fait le rapprochement entre les stèles et son grand-père.

— Il a juste dit qu'il aimerait être enterré ici et que, si j'y venais, je devais lui laisser un caillou. Alors c'est ce que j'ai fait.

— Où ?

— Là-haut. Il aime bien être en hauteur, là d'où il peut voir.

Il pointait le doigt vers la colline. Juste au-delà de l'ombre du broch, elle apercevait un passage qui n'était plus vraiment un sentier à travers une masse d'ajoncs, de bruyères et de pierres affleurantes. Tout au bout, au sommet, se dressait un gros rocher irrégulier et, sur le côté, à peine visible, une pyramide de pierres.

— Tu les as toutes empilées aujourd'hui ?

— Non, j'en rajoute chaque fois que je viens. C'est pas ce qu'on doit faire ?

Elle déglutit pour dénouer le nœud dans sa gorge et sourit.

— Si, je vais aller en mettre une moi aussi.

Mandy s'était assise sur une stèle couchée et avait disposé autour d'elle une dînette improvisée en feuilles de bardane. Au centre, elle avait placé la vieille tasse à thé qu'elle était allée déterrer. Elle papotait poliment avec les invités invisibles de son goûter. Brianna décida qu'il était inutile de la déranger et suivit Jem le long du chemin escarpé, gravissant la dernière partie pratiquement à quatre pattes.

Si près du sommet, le vent était plus fort et les moucherons moins nombreux. Moite de transpiration, elle ajouta cérémonieusement sa pierre au cairn puis s'assit pour admirer la vue. De là, on pouvait voir la quasi-totalité du domaine de Lallybroch ainsi que la route qui menait à l'autoroute. Elle la fixa un moment mais ne vit aucun signe de la Mini Morris orange de Roger.

C'était agréable, si haut. Paisible, avec juste le soupir du vent frais et le bourdonnement des abeilles s'affairant dans les fleurs jaunes. Pas étonnant que son père ait aimé…

— Jem ?

Il était confortablement affalé contre le rocher, contemplant les collines environnantes.

— Oui ?

Elle hésita mais la question lui brûlait les lèvres.

— Tu… tu ne vois pas *vraiment* ton grand-père, n'est-ce pas.

Il lui adressa un regard surpris.

— Non. Il est mort.

— Ah.

Elle était à la fois soulagée et un peu déçue.

— Je sais. Je… je me demandais simplement.

— Je crois que Mandy, elle, elle peut.

Il pointa le menton vers sa petite sœur, point rouge vif dans la végétation en contrebas.

— Mais c'est difficile à dire. Les bébés discutent avec un tas de gens que les autres ne voient pas. C'est grand-mère qui le dit.

Elle ne savait pas si elle aurait préféré qu'il cesse de parler de ses grands-parents au présent ou pas. C'était assez déconcertant mais, puisqu'il avait déclaré ne pas voir Jamie… Elle ne voulait pas lui demander s'il voyait Claire… sans doute pas. Cependant, elle sentait ses parents tout proches chaque fois que Jem ou Mandy les mentionnaient et elle tenait à ce qu'ils les sentent eux aussi.

Roger et elle leur avaient expliqué les choses tant bien que mal. De toute évidence, son père avait eu des discussions en tête à tête avec Jem, ce qui était aussi bien. Sa conception de la vie, de la mort et des mondes invisibles façonnée par un mélange de profonde foi catholique et de fatalisme écossais était bien mieux adaptée pour faire comprendre, entre autres, comment on pouvait être mort d'un côté des pierres et vivant de l'autre.

Jem se tourna vers elle.

— Grand-père a dit qu'il veillerait sur nous.

Elle se mordit la lèvre. Non, il ne lisait pas dans ses pensées, c'était juste qu'ils venaient de parler de Jamie et que Jem avait choisi ce site particulier pour lui rendre hommage. Il était donc tout naturel que son grand-père occupe ses pensées.

— Bien sûr qu'il veille sur nous.

Elle passa un bras autour de ses épaules et caressa du bout du pouce les vertèbres noueuses à la base de sa nuque. Il gloussa et se libéra, puis bondit sur le chemin et le dévala, dont une bonne partie sur les fesses au détriment de son jean.

Brianna s'attarda quelques instants pour un dernier regard à la ronde avant de suivre son fils. Elle remarqua un amas de rochers au sommet d'une colline à cinq cents mètres. Cela n'avait rien d'inhabituel dans les Highlands mais il y avait quelque chose de différent dans l'assortiment de pierres. Elle mit sa main en visière et plissa les yeux. Il était possible qu'elle se trompe mais elle était ingénieur. Elle savait reconnaître une construction humaine.

Une forteresse de l'âge de pierre, peut-être ? Elle était prête à parier qu'il y avait des blocs ordonnés sous cet amas informe. Des fondations ? Un de ces jours, elle grimperait là-haut pour y regarder de plus près. Demain, par exemple, si Roger... Elle lança à nouveau un regard vers la route. Toujours déserte.

Mandy s'était lassée de son goûter et était prête à rentrer. Tenant fermement sa fille d'une main et la tasse de l'autre, Brianna redescendit le versant vers la grande maison blanche dont les carreaux fraîchement lavés brillaient au soleil.

Annie avait fait les vitres ? Elle n'avait rien remarqué, et pourtant, compte tenu du nombre de fenêtres, c'était un véritable travail de force. D'un autre côté, elle avait été distraite, accaparée par son futur travail. Son cœur fit un petit bond quand elle se dit que, dès le lundi suivant, elle recollerait un des morceaux de ce qu'elle avait été autrefois, poserait une nouvelle pierre de la fondation de ce qu'elle était à présent.

Elle déclara en riant :

— Ce sont peut-être les *piskies* qui s'en sont chargés !

— C'est les piksies ! répéta Mandy.

Jem était presque arrivé au pied de la colline. Il se retourna vers elles d'un air impatient. Quand elles arrivèrent à sa hauteur, Brianna lui demanda :

— Au fait, Jem, tu sais ce qu'est un Nuckelavee ?

L'enfant écarquilla les yeux puis plaqua ses mains sur les oreilles de Mandy. Brianna eut l'impression qu'un mille-pattes lui remontait le long de l'échine.

— Oui, dit-il d'une petite voix faible.

— Qui t'en a parlé ?

Annie MacDonald méritait d'être étranglée ! Jem lança un regard craintif par-dessus son épaule vers le broch.

— Lui, chuchota-t-il.

— Qui ça, lui ?

Elle retint Mandy par le bras. La petite s'était libérée et tentait de donner des coups de pied à son frère.

— Mandy ! Ne frappe pas ton frère. De qui parles-tu, Jem ?

L'enfant se mordit la lèvre.

— De lui, lâcha-t-il. Le Nuckelavee.

La créature vivait au fond des mers mais s'aventurait sur terre pour dévorer des humains. Le Nuckelavee chevauchait alors un cheval dont le corps se fondait dans le sien. Sa tête était dix fois plus grosse que celle d'un homme et sa bouche énorme et large pointait en avant comme le groin d'un porc. Le monstre n'avait pas de peau et ses veines jaunes, ses muscles et ses tendons étaient clairement visibles, juste recouverts d'une pellicule rouge et gluante. Il était armé de son haleine vénéneuse et de sa force colossale. Il avait toutefois une faiblesse : une aversion pour l'eau douce. Sa monture est décrite comme possédant un gros œil rouge, une gueule de la taille de celle d'une baleine et des nageoires autour de ses pattes antérieures.

— Beurk ! fit Brianna.

Elle reposa le livre de folklore écossais de Roger et se tourna vers son fils.

— Tu as vu un de ces monstres ? Là-haut près du broch ?

Jem se balançait d'un pied sur l'autre.

— Il a dit qu'il en était un et que si je ne décampais pas, il reprendrait son véritable aspect. Alors, j'ai couru.

— J'aurais fait pareil.

Les battements de cœur de Brianna s'étaient ralentis. Soit, il avait rencontré un être humain, pas un monstre. Non pas qu'elle eût cru en… Mais le fait qu'un individu rôdait autour du broch était déjà suffisamment inquiétant en soi.

— Cet homme, à quoi ressemblait-il ?

— Ben… il était grand.

Jem n'ayant que neuf ans, la plupart des hommes étaient grands, en effet.

— Aussi grand que papa ?

— Peut-être.

L'interrogatoire ne parvint à lui arracher que quelques détails. Jem savait ce qu'était un Nuckelavee ; il avait lu la plupart des contes les plus sensationnels de la collection d'ouvrages de son père. Terrifié de se trouver face à un être capable à tout moment de l'éplucher et de le dévorer, il n'avait gardé qu'une image vague de l'intrus. Grand, avec une barbe courte, des cheveux qui n'étaient pas très foncés et des habits « comme ceux de M. MacNeil ». Des vêtements de travail, donc. Un fermier.

— Pourquoi n'en as-tu pas parlé à papa ou à moi ?

Jem semblait sur le point de fondre en larmes.

— Il a dit que si je parlais, il reviendrait et mangerait Mandy.

— Oh !

Elle glissa un bras autour de lui et l'attira contre elle.

— Je comprends. N'aie pas peur, mon chéri. Tout va bien.

Elle caressa ses cheveux en un geste apaisant. Il s'agissait sans doute d'un vagabond. Campant dans le broch ? Il était sûrement parti à présent. D'après ce qu'elle avait pu soutirer à Jem, la rencontre avait eu lieu plus d'une semaine auparavant.

— Dis-moi, Jem. Pourquoi êtes-vous remontés là-haut, aujourd'hui ? Tu n'as pas eu peur qu'il soit toujours là ?

Il releva des yeux surpris.

— Non. L'autre jour, j'ai décampé, mais ensuite je me suis caché pour l'observer. Il est parti vers l'est. C'est là-bas qu'il habite.

— Il te l'a dit ?

Il lui indiqua le livre.

— Non, mais ces monstres vivent tous à l'est. Et quand ils partent là-bas, ils ne reviennent pas. Et puis, je ne l'ai plus jamais revu. Pourtant, je l'ai guetté.

Si Brianna n'avait pas été aussi inquiète, elle aurait ri. Effectivement, bon nombre de contes de fées des Highlands se terminaient avec une créature surnaturelle partant vers l'est, ou retournant dans les rochers ou les eaux d'où elle était sortie.

Naturellement, elle ne revenait pas puisque l'histoire était finie.

— Ce n'était qu'un vilain vagabond, dit-elle fermement.

Elle lui tapota le dos avant de le relâcher.

— N'y pense plus.

— Tu es sûre ?

Il avait visiblement envie de la croire mais n'était pas encore tout à fait convaincu.

— Sûre et certaine, confirma-t-elle.

— D'accord.

Il poussa un grand soupir et s'écarta d'elle. Puis, l'air plus détendu, il ajouta :

— Et puis grand-père ne le laisserait jamais nous manger, Mandy ou moi. J'aurais dû y penser.

Le soleil était presque couché quand Brianna entendit la Mini Morris cahoter sur le chemin de terre de la ferme. Elle se précipita dehors. Roger était à peine descendu de voiture qu'elle se jeta dans ses bras.

Il ne perdit pas de temps en questions inutiles. Il l'étreignit fougueusement et l'embrassa avec une passion qui indiquait clairement que la querelle était terminée. Les excuses réciproques pouvaient attendre. L'espace d'un instant, elle s'abandonna totalement, comme en apesanteur, humant les effluves d'essence, de poussière et de bibliothèques remplies de vieux livres qui recouvraient son odeur naturelle, l'indéfinissable parfum de musc d'une peau mâle chauffée au soleil, même s'il n'avait pas été au soleil.

Revenant sur terre à contrecœur, elle déclara :

— On dit que les femmes ne peuvent pas reconnaître leur mari à leur odeur. C'est faux. Je pourrais te repérer les yeux fermés dans la foule du métro à King's Cross à l'heure de pointe.

— Je me suis pourtant douché ce matin.

— Oui, et tu as pris une chambre à l'université. Je reconnais cet horrible savon industriel qu'ils distribuent là-bas. D'ailleurs, je m'étonne que ta peau ne parte pas avec. Et tu as mangé du boudin noir au petit déjeuner. Avec des tomates frites.

— Exact, Lassie, répondit-il avec un sourire. Ou peut-être devrais-je t'appeler Rintintin ? As-tu sauvé des petits enfants ou traqué des voleurs jusque dans leur repaire aujourd'hui ?

— Eh bien, en fait, plus ou moins.

Elle lança un regard vers la colline derrière la maison. L'ombre du broch était longue et noire.

— Mais j'ai pensé qu'il valait mieux attendre le retour du shérif avant de pousser mon enquête plus loin.

Muni d'une robuste canne en prunellier et d'une lampe torche, Roger approcha du broch, en colère mais prudent. L'intrus, s'il était toujours là, n'était probablement pas armé. Brianna se tenait devant la porte de la cuisine, le téléphone à la main (son fil étiré au maximum), prête à composer le numéro de la police. Elle avait voulu l'accompagner mais il l'avait convaincue de rester auprès des enfants. Néanmoins, il aurait été réconfortant de l'avoir à ses côtés. Elle était grande, forte et ne reculait pas devant la violence physique.

La porte du broch était entrebâillée. Les anciens gongs en cuir s'étaient décomposés depuis longtemps et avaient été remplacés par d'autres en fer bon marché qui avaient rouillé à leur tour. L'épais panneau de bois fendillé de toute part tenait toujours au chambranle mais tout juste. Il souleva le loquet et poussa doucement la porte pour éviter qu'elle ne frotte contre le sol.

Dehors, il faisait encore jour ; la nuit ne tomberait pas avant une demi-heure. Cependant, à l'intérieur, il faisait aussi noir qu'au fond d'un puits. Il dirigea sa torche vers le sol et vit des traînées fraîches dans la poussière qui recouvrait les pavés. Oui, quelqu'un était venu ici. Jem aurait peut-être été capable de pousser la porte mais les enfants n'avaient pas le droit de s'aventurer dans le broch sans la présence d'un adulte et il avait juré ne pas y être entré.

— Il y a quelqu'un ? cria-t-il.

Un mouvement brusque haut au-dessus de sa tête lui répondit. Il brandit sa canne par réflexe mais il avait déjà reconnu le battement d'ailes. Des chauves-souris, suspendues au plafond conique. Il balaya à nouveau le sol du faisceau de sa torche et aperçut des bouts de papier journal froissés et tachés dans un coin. Il en ramassa un et le renifla. Il était vieux mais l'odeur de poisson et de vinaigre était encore discernable.

Il n'avait pas soupçonné Jem d'avoir inventé l'histoire du Nuckelavee mais cette preuve d'une occupation humaine raviva sa colère. Qu'un individu rôde sur sa propriété, passe encore, mais qu'il menace son fils ! Il espérait presque qu'il serait encore là. Il avait deux mots à lui dire.

Il n'y avait personne. Aucun être doué de raison n'aurait cherché à grimper aux étages : les planches étaient complètement pourries. Dans la faible lumière filtrant des meurtrières au sommet de la tour, il distinguait de grands trous dans le plancher. Il n'y avait pas un bruit mais le besoin d'en avoir le cœur net le poussa à gravir l'étroit escalier en pierre qui bordait le mur intérieur, testant chaque marche du bout du pied avant d'y reposer son poids.

Parvenu au dernier étage, il sema la panique dans un groupe de pigeons qui s'envolèrent à l'intérieur de la tour dans une tornade de plumes avant de trouver une sortie. Il se plaqua contre le mur, le cœur battant, les sentant frôler son visage. Quelque chose – un rat, une souris, un campagnol – lui courut sur le pied et il sursauta, manquant de lâcher sa torche.

Le broch était bien vivant. Les chauves-souris s'agitaient au-dessus de sa tête, dérangées par le raffut des pigeons. Mais aucun signe d'un intrus, humain ou autre.

Une fois ressorti, il fit de grands signes à Brianna pour la rassurer puis referma la porte et redescendit vers la maison, chassant la poussière et les plumes sur ses vêtements.

Adossé au vieil évier en pierre alors que Brianna préparait le dîner, il déclara :

— Je vais poser un nouveau moraillon et un cadenas sur cette porte mais je doute qu'il revienne. Sans doute ne faisait-il que passer.

Elle était rassurée mais un pli inquiet lui barrait le front.

— Il venait peut-être des Orcades. Tu n'as pas dit que c'était de là-bas que venaient les histoires de Nuckelavee ?

— C'est possible. Le Nuckelavee n'est pas aussi connu ici que les soyeux et les fées mais n'importe qui peut en avoir lu une description dans un livre. Qu'est-ce que c'est que ça ?

Elle venait d'ouvrir le réfrigérateur pour sortir le beurre et il avait aperçu l'étiquette brillante de la bouteille de champagne sur l'étagère.

— Ah, ça...

Elle se tourna vers lui, souriante, avec cependant une certaine appréhension dans le regard.

— J'ai... euh... décroché le poste. J'ai pensé que nous pourrions... fêter ça ?

Son hésitation lui fendit le cœur et il se frappa le front.

— Bon sang ! Ça m'était sorti de la tête ! C'est formidable, Bree !

Il sourit, s'efforçant d'y mettre le plus de chaleur et de conviction possible, avant d'ajouter :

— Cela dit, je n'en ai jamais douté un instant.

Il pouvait voir la tension quitter le corps de Brianna et son visage s'illumina, lui procurant une sensation de paix à lui aussi. Cette agréable sensation dura tout le temps de leur longue étreinte passionnée et de l'excellent baiser qui s'ensuivit mais s'évapora quand elle s'écarta et, saisissant sa poêle, demanda avec un détachement feint :

— Au fait... tu as trouvé ce que tu cherchais, à Oxford ?

— Ouais... répondit-il dans un croassement rauque.

Il s'éclaircit la gorge puis reprit :

— Plus ou moins. Ecoute, le dîner peut peut-être attendre un peu. Je crois que j'aurai plus d'appétit si je te raconte d'abord.

— Bien sûr.

Elle le dévisagea d'un air intéressé teinté d'inquiétude.

— J'ai fait manger les enfants avant que tu arrives. Si tu n'es pas mort de faim...

Il avait sauté le déjeuner et son estomac gargouillait mais peu importait. Il lui prit la main.

— Viens, sortons. La soirée est agréable.

Et puis, si elle le prenait mal, elle n'aurait pas de poêle à frire sous la main.

Dès qu'ils furent dehors, il annonça :

— Je suis passé voir le professeur Weatherspoon, le recteur de Saint Stephen. C'était un ami du révérend, il me connaît depuis que je suis gamin.

— Et… ?

— Eh bien… j'ai moi aussi décroché un travail. Assistant chef de chœur.

Elle s'était attendue à tout sauf à ça. Son regard se posa machinalement sur son cou et il devina sa pensée.

La première fois qu'ils s'étaient apprêtés à aller faire des courses à Inverness, elle avait demandé :

« Tu vas porter *ça* ?

— Oui, pourquoi, j'ai une tache ? »

Il avait étiré le cou pour examiner sa chemise blanche. Il n'aurait pas été étonné qu'elle soit sale. Mandy s'était précipitée pour l'accueillir couverte de terre. Il l'avait époussetée avant de la prendre dans ses bras mais quand même…

Brianna avait pincé les lèvres.

« Ce n'est pas ça. C'est juste que… que vont-ils dire en voyant *ça* ? »

Elle s'était passé un doigt sur la gorge.

Il avait porté la main au col ouvert de sa chemise, touchant la ligne courbe laissée par la corde. La cicatrice s'était estompée mais était toujours visible.

« Rien.

— Mais que vont-ils penser ?

— Ils supposeront que je suis porté sur l'autoasphyxie érotique et qu'un jour j'ai été un peu trop loin. »

Connaissant la mentalité dans la campagne des Highlands, il savait que ce n'était pas l'idée la plus saugrenue qui traverserait l'esprit des gens. Sa congrégation putative pouvait sembler très convenable à première vue mais il n'y avait pas plus dépravé qu'un Ecossais presbytérien dévot.

« Ecoute, Bree… avait-il repris ce même jour. Soit on raconte à tout le monde toute la vérité, soit on ne dit rien, ou le moins possible. Ils penseront ce qu'ils voudront. Inventer une histoire ne servirait à rien, tôt ou tard on finirait par se trahir. »

Même si elle n'était pas satisfaite, elle avait dû reconnaître qu'il avait raison. Ils avaient donc décidé de ne rien expliquer et de ne rien justifier. Ils avaient bien dû mentir un peu, ne serait-ce que pour légaliser l'existence de Jem et de Mandy. Mais c'était la fin des années soixante-dix. Les communautés abondaient aux Etats-Unis et des hordes de « nomades » sillonnaient l'Europe à bord de bus rouillés et de camionnettes customisées. Ils avaient emporté fort peu de choses en franchissant les pierres mais parmi les petits trésors que Brianna avait enfouis dans ses poches se trouvaient deux certificats de naissance rédigés à la main par le docteur Claire Beauchamp Randall.

Tout en traçant minutieusement les boucles de sa signature, sa mère avait expliqué :

« C'est la formule consacrée pour une naissance à la maison. Et je suis... ou plutôt j'étais... un médecin assermenté, agréé par l'Ordre du Commonwealth du Massachusetts. »

Brianna réfléchit un instant puis demanda :

— As-tu... euh... expliqué au professeur Weatherspoon... Que lui as-tu raconté, au juste ? Il a forcément remarqué ton cou.

— Oui. Mais je n'ai rien dit et lui non plus.

— Assistant chef de chœur... répéta-t-elle, songeuse.

L'air frais du soir était pur et doux mais commençait à attirer les moucherons. Il chassa un nuage de devant son visage.

— Je ne suis pas allé le voir pour un travail mais... pour m'éclaircir les idées. Au sujet de ma vocation de pasteur.

— Et... ?

Il la prit à nouveau par la main et l'entraîna.

— Viens. Si nous ne bougeons pas, nous allons être dévorés vivants par ces maudites bestioles.

Ils traversèrent le potager puis dépassèrent la grange, suivant le sentier qui menait aux pâturages. Il avait déjà trait les deux vaches, Milly et Blossom, dont les deux silhouettes sombres ruminaient, parées pour la nuit.

— Je t'ai déjà parlé de la Confession de Westminster, n'est-ce pas ? C'est l'équivalent presbytérien du Credo de

Nicée catholique ; une profession de foi de la doctrine officielle.

— Hmm…

— Eh bien, pour être pasteur presbytérien, je dois jurer que j'adhère entièrement à la Confession de Westminster. Ce qui était le cas… enfin, je veux dire, avant.

Il était passé à deux doigts. Il avait été sur le point d'être ordonné pasteur quand le sort était intervenu en la personne de Stephen Bonnet. Roger avait dû tout abandonner pour aller sauver Brianna dans le repaire du pirate sur l'île d'Ocracoke. Il ne le regrettait pas…

Elle marchait à ses côtés, avançant à grands pas avec une grâce féline… L'idée qu'elle aurait pu si facilement disparaître de sa vie… et qu'il aurait pu ne jamais connaître sa fille…

Il toussa puis se racla la gorge, touchant sa cicatrice d'un air absent.

— J'y crois peut-être encore mais je ne suis plus si sûr. Or, il faudrait que je le sois.

— Qu'est-ce qui a changé ? Que pouvais-tu accepter alors que tu ne peux plus aujourd'hui ?

Bonne question, pensa-t-il avec ironie.

— La prédestination… Enfin, façon de parler.

Il y avait encore suffisamment de lumière pour qu'il voie la lueur légèrement moqueuse dans son regard. Ils n'avaient jamais discuté de leurs fois respectives – un terrain bien trop glissant –, mais chacun était conscient des convictions générales de l'autre.

Il lui avait expliqué le concept de la prédestination en termes simples. Il ne s'agissait pas d'un sort inexorable décidé par Dieu ni de l'idée que Dieu avait planifié jusque dans le moindre détail la vie de chaque être avant sa naissance (même si bon nombre de presbytériens de sa connaissance le voyaient de cet œil). Il s'agissait du salut et de l'idée que Dieu choisissait une voie qui menait à la rédemption.

— Pour certains, avait-elle répliqué, sceptique. Et Il choisit d'envoyer tous les autres à la damnation ?

Beaucoup étaient de cet avis et des penseurs s'étaient attelés à contredire cette notion.

— Il y a un tas de livres sur le sujet mais l'idée de base est que le salut ne résulte pas uniquement de tes choix… Dieu agit en premier. Puis il nous tend la main, si l'on peut dire, et nous donne une chance de réagir. Mais nous avons toujours notre libre arbitre. Au fond, la seule condition qui ne soit pas facultative pour être presbytérien, c'est de croire en Jésus-Christ. Ça, je ne l'ai pas perdu.

— Tant mieux. Mais pour être pasteur ?

— Tiens… Lis ça.

Il fouilla dans sa poche et en sortit une photocopie pliée. S'efforçant à parler d'un ton badin, il déclara :

— J'ai jugé préférable de ne pas voler le bouquin. Au cas où je décide de devenir pasteur, ce serait un mauvais exemple pour mes ouailles.

Elle lut la page puis redressa la tête, arquant un sourcil.

— C'est…

Elle relut le feuillet, son front s'assombrissant progressivement. Puis elle le regarda à nouveau, toute pâle.

— Ce n'est pas la même date.

Il sentit la tension qui l'oppressait depuis les dernières vingt-quatre heures se relâcher légèrement. Il n'était donc pas devenu fou. Il tendit la main et elle lui rendit la copie de la coupure de *La Gazette de Wilmington* ; le faire-part de décès des Fraser de Fraser's Ridge.

— Il n'y a que la date qui ait changé, reprit-il. Le texte me semble le même. Il est tel que tu t'en souviens ?

Des années plus tôt, elle avait découvert la même information alors qu'elle effectuait des recherches sur le passé de sa famille. C'était sans doute ce qui l'avait incitée à traverser les pierres, et lui à la suivre. Ce petit bout de papier a tout changé, pensa-t-elle. Merci, Robert Frost.

Elle se serra contre lui et ils le relurent ensemble. Une fois, deux fois, une troisième pour faire bonne mesure. Puis elle hocha la tête.

— Oui, il n'y a que la date qui n'est plus la même, dit-elle, le souffle court.

— Quand j'ai commencé à me poser des questions… Il fallait d'abord que je vérifie avant de t'en parler. Je devais le voir de mes propres yeux parce que la coupure de presse que j'avais lue dans un livre… ce ne pouvait être vrai.

Elle acquiesça, toujours aussi pâle.

— Tu crois que si je vais aux archives à Boston, là où j'avais trouvé une reproduction du journal, la date aura changé également ?

— Oui, j'en suis certain.

Elle resta silencieuse un long moment, fixant le papier. Puis elle releva les yeux vers lui.

— Tu as dit tout à l'heure : « Quand j'ai commencé à me poser des questions… » Qu'est-ce qui t'a mis la puce à l'oreille ?

— Ta mère.

Cela s'était passé quelques mois avant qu'ils ne quittent Fraser's Ridge. Une nuit qu'il ne pouvait trouver le sommeil, il était sorti et s'était promené dans la forêt, marchant sans but jusqu'à ce qu'il tombe sur Claire agenouillée dans une combe remplie de fleurs blanches qui formaient comme une brume autour d'elle.

Il s'était assis et l'avait observée couper des tiges et cueillir des feuilles qu'elle laissait tomber dans son panier. Elle ne touchait pas aux fleurs mais tirait sur quelque chose qui poussait sous les pétales.

Au bout d'un moment, elle lui expliqua :

— Il faut les cueillir de nuit, de préférence quand il n'y a pas de lune.

— Je n'aurais jamais pensé que…

Il s'interrompit brusquement.

— Tu n'aurais jamais pensé que je m'adonnais à ce genre de superstitions ? Attends un peu, mon garçon. Quand tu auras vécu aussi longtemps que moi, tu changeras peut-être d'avis. Quant à ça…

Elle avança la main, ombre floue dans l'obscurité, et coupa une tige d'un petit geste sec. Un puissant arôme âcre s'éleva soudain, recouvrant le parfum plus doux des fleurs.

— Les insectes pondent leurs œufs sur certaines plantes. Pour les repousser, elles sécrètent des substances odorantes et plus la nécessité de les refouler se fait sentir, plus ces sécrétions insecticides sont concentrées. Il se trouve que ces substances ont également de puissantes vertus médicinales.

Elle passa une tige duveteuse sous le nez de Roger, poursuivit :

— Or, ce qui dérange particulièrement cette espèce de plante, ce sont les larves de phalènes.

— J'en déduis donc qu'elle sécrète davantage de substance tard la nuit car c'est à ce moment que les chenilles se nourrissent ?

— Exactement.

Elle déposa la tige dans son panier dans un froissement de mousseline puis se pencha à nouveau sur sa tâche.

— D'un autre côté, les phalènes fertilisent également certaines plantes. Ces dernières, naturellement...

— ... fleurissent de nuit.

— Toutefois, la plupart des plantes sont dérangées par les insectes diurnes. Elles commencent donc à sécréter leur substance à l'aube. Sa concentration s'élève au fil du jour mais, quand le soleil devient trop chaud, certaines des huiles s'évaporent et la plante cesse de les produire. C'est pourquoi on cueille la plupart des espèces très aromatiques en fin de matinée. Le chaman et l'herboriste enseignent donc à leurs élèves de cueillir telle plante par les nuits sans lune et telle autre à midi... d'où la superstition, hmmm ?

Son ton était sec mais amusé.

Roger s'assit sur ses talons et la regarda travailler. A présent que ses yeux s'étaient accoutumés à l'obscurité, il distinguait bien sa silhouette, même si les détails de son visage restaient cachés. Elle poursuivit sa cueillette encore un moment, puis s'assit à son tour et s'étira. Il entendit ses os craquer.

— Je l'ai vu un jour, tu sais.

Sa voix était étouffée. Elle venait de se tourner, cherchant quelque chose sous les branches lourdes d'un rhododendron.

— Vu qui ?

— Le roi.

Elle avait trouvé. Il entendit un bruissement de feuilles suivi du craquement d'une tige.

— Il est venu à l'hôpital de Pembroke pour rendre visite aux soldats. Il nous a parlé à tous séparément, aux infirmières et aux médecins. C'était un homme calme, très digne mais chaleureux. Je ne saurais te répéter ce qu'il a dit mais rien que le fait qu'il soit là était… incroyablement stimulant.

— Mmphm…

Etait-ce l'approche de la guerre qui lui faisait penser à cette époque ?

— Un journaliste a demandé à la reine si elle comptait envoyer les enfants à l'abri à la campagne. C'était ce que faisaient la plupart des gens.

— Je sais.

Roger revit soudain deux enfants, un garçon et une fille, silencieux et les traits tirés, blottis l'un contre l'autre devant une cheminée qu'il connaissait bien.

— Nous en avons accueilli deux, chez nous à Inverness, déclara-t-il. C'est drôle, je les avais oubliés jusqu'à aujourd'hui.

Elle ne lui prêta pas attention et continua :

— Elle a répondu… Je ne me souviens pas exactement de ses mots mais cela revenait plus ou moins à cela : « Les enfants ne peuvent pas se séparer de moi, je ne peux pas me séparer du roi et, naturellement, le roi ne peut pas partir. » Quand ton père a-t-il été tué, Roger ?

Il fut pris de court. L'espace d'un instant, sa question lui parut tellement incongrue qu'il ne fut pas sûr de l'avoir comprise.

— Pardon ? Ah, en octobre 1941. Je ne me souviens pas du jour exact. Oh, si ! Le révérend l'avait inscrit dans son arbre généalogique. Le 31 octobre 1941. Pourquoi ?

Qu'est-ce qui lui prenait ?

— Tu m'as bien dit qu'il avait été abattu en Allemagne ?

— Au-dessus de la Manche alors qu'il volait vers l'Allemagne. Enfin, c'est ce qu'on m'a dit.

— Tu te souviens qui te l'a dit ?

— Le révérend, sans doute. A moins que ce soit ma mère.

L'effet de surprise s'estompant, il commençait à être agacé.

— Quelle importance ?

— Ça n'en a peut-être pas. Quand on t'a rencontré la première fois, Frank et moi, à Inverness, le révérend nous a raconté que ton père avait été abattu au-dessus de la Manche.

— Ah bon ? Et...

Son impatience transparaissait dans son ton et un petit bruit qui n'était pas tout à fait un rire s'éleva parmi les rhododendrons.

— Tu as raison, ça n'a pas d'importance. Mais le révérend et toi avez bien dit qu'il pilotait un Spitfire, non ?

— En effet.

Sans vraiment savoir pourquoi, Roger ressentit un certain malaise, comme s'il y avait une présence derrière lui. Il toussota, une excuse pour se retourner, mais ne vit rien que la forêt obscure. Il reprit, légèrement sur la défensive :

— J'en suis sûr. Ma mère avait une photo de lui dans son avion. Il s'appelait *Rag Doll* et il y avait une poupée de chiffon avec une robe rouge et des boucles noires peinte sur le nez de l'appareil.

Il était bien placé pour le savoir. Il avait dormi avec cette photo sous son oreiller pendant des années après la mort de sa mère. Le portrait en studio de cette dernière était trop grand et il avait craint qu'on remarque son absence s'il le subtilisait.

— *Rag Doll*, répéta-t-il comme s'il venait de réaliser quelque chose.

— Quoi ? Qu'y a-t-il ?

Il agita une main, mal à l'aise.

— Rien. C'est juste que... je viens de me rendre compte que « Rag Doll » était probablement le surnom que mon père avait donné à ma mère. J'ai lu quelques-unes des lettres qu'il lui avait envoyées ; il l'appelait Dolly. Ce n'est que maintenant, en repensant aux boucles noires et au portrait de ma mère que... Mandy. Mandy a les cheveux de ma mère.

— Ah, tant mieux, dit Claire d'un ton pince-sans-rire. Je suis soulagée de savoir que je n'en suis pas entièrement responsable. Tu le lui diras quand elle sera plus grande, hein ? Les filles qui ont les cheveux très bouclés se trouvent affreuses, surtout à l'adolescence quand elles veulent ressembler à tout le monde.

Il perçut la petite note de tristesse dans sa voix et tendit la main vers elle, oubliant qu'elle tenait toujours une plante.

— Je le lui dirai, promit-il doucement. Je lui raconterai tout. Ne croyez surtout pas que nous laisserons les enfants vous oublier.

Elle serra sa main, fort, faisant tomber de petites fleurs blanches odorantes dans le creux de sa jupe.

— Merci.

Il l'entendit renifler puis elle s'essuya les yeux de sa main libre.

— Merci, répéta-t-elle un peu plus fermement.

Elle se redressa et ajouta :

— Il est important de se souvenir. Si je n'en étais pas convaincue, je ne te le dirais pas.

— Me dire quoi ?

Ses mains, petites, froides et sentant le médicament, se refermèrent sur les siennes.

— Je ne sais pas ce qui est arrivé à ton père, mais ce n'est pas ce qu'on t'a raconté.

— J'étais *là*, Roger, répéta-t-elle patiemment. J'ai lu les journaux, je soignais des pilotes, je leur parlais, j'ai vu les avions. Les Spitfire étaient petits et légers, conçus pour la défense. Ils n'ont jamais traversé la Manche. Ils n'avaient pas suffisamment de portée pour faire l'aller et retour entre l'Angleterre et le continent, même si on en a envoyé certains plus tard.

— Mais…

Il s'interrompit, à court d'arguments pour la réfuter. Ses poils s'étaient hérissés sur ses avant-bras. Comme si elle avait lu dans ses pensées, elle reprit :

— Naturellement, il y a toutes sortes d'explications. Les récits s'embrouillent avec le temps et la distance. Celui qui a informé ta mère peut s'être trompé ; le révérend l'a peut-être mal comprise quand elle lui a rapporté les faits. Tout est possible. Pendant la guerre, Frank m'écrivait le plus souvent possible, jusqu'à ce qu'il soit recruté par le service des renseignements généraux. Dans une de ses lettres, il a mentionné qu'il était tombé sur une information étrange dans un des rapports qu'il traitait. Un Spitfire s'était écrasé en Northumbria. Il n'avait pas été abattu et ils ont supposé qu'il s'agissait d'une panne de moteur. Par miracle, il n'avait pas explosé mais il n'y avait aucune trace du pilote. Je me souviens qu'il m'avait donné le nom de celui-ci, Jeremiah, parce qu'il trouvait que c'était un prénom prédestiné à la tragédie.

— Jerry, murmura Roger. Ma mère l'appelait Jerry.

— Or, il y a des cercles de menhirs éparpillés un peu partout en Northumbria.

— Près de l'endroit où l'avion... ?

— Je ne sais pas.

Il ferma les yeux et inspira longuement. L'air était chargé de l'odeur des tiges cassées. Il demanda d'une voix très calme :

— Vous me dites ça à présent parce que nous rentrons ?

— Cela fait des semaines que je m'interroge à ce sujet, répondit-elle sur un ton d'excuse. Je me penche rarement sur le passé mais, ces derniers mois, avec tout ce qui nous arrive...

Elle fit un geste qui englobait leur départ imminent et les discussions intenses qui en résultaient.

— Je pensais à la guerre et j'essayais de la décrire à Jamie.

Jamie lui avait posé des questions sur Frank, voulant savoir quel rôle il avait joué durant le conflit.

— Frank l'intrigue, ajouta-t-elle brusquement.

— Je le serais aussi, à sa place. Et Frank, il n'était pas curieux à son sujet ?

Cette question sembla la troubler et elle ne répondit pas, préférant remettre la conversation sur ses rails.

— Quoi qu'il en soit, cela m'a fait penser aux lettres de Frank. J'essayais de me souvenir de quoi il me parlait quand cette phrase m'est brusquement revenue en mémoire... celle à propos du prénom Jeremiah et son côté maudit. Je n'étais pas sûre... mais j'en ai parlé à Jamie qui m'a dit qu'il fallait que je te le dise. Il pense que tu as le droit de savoir et qu'armé de cette vérité tu sauras ce qu'il faut faire.

— Je suis flatté.

Il était plutôt flapi.

Les étoiles commençaient à poindre haut au-dessus des collines. Elles n'étaient pas aussi brillantes que celles de Fraser's Ridge où la nuit était semblable à un grand drap de velours noir. Ils étaient retournés vers la maison mais s'attardaient dans la cour.

— J'y réfléchis de temps en temps. Quelle est la place du voyageur dans le temps dans le plan de Dieu ? Les choses peuvent-elles être changées ? *Devraient-elles* être changées ? Tes parents... ils ont tout tenté pour modifier le cours de l'histoire et ont échoué. D'un point de vue presbytérien, j'ai trouvé presque réconfortant qu'on ne puisse rien changer, que tout soit tel que Dieu l'a voulu... Tu sais, *Dieu est au ciel et tout va bien dans le monde*, ce genre de trucs.

— Mais...

Bree tenait toujours la photocopie pliée. Elle l'agita devant elle pour chasser un papillon de nuit.

— Mais... convint-il. On a à présent la preuve du contraire.

— J'en ai discuté un peu avec maman. Ça l'a fait rire.

— Vraiment ?

— Pas comme si elle trouvait ça drôle. Je lui ai demandé si, à son avis, le voyageur pouvait changer le cours des choses, l'avenir. Elle m'a répondu que oui, parce qu'elle modifiait le futur chaque fois qu'elle sauvait quelqu'un qui serait mort sans elle. Certains de ceux qu'elle a guéris ont ensuite eu des enfants qu'ils n'auraient pas dû avoir et qui sait ce que ces enfants ont fait plus tard qu'ils n'auraient pas dû faire car, sans elle, ils n'auraient pas existé... C'est à ce moment-là qu'elle a ri. Elle a dit que c'était une bonne chose que les catholiques croient au Mystère et ne cherchent pas sans cesse à comprendre les motivations de Dieu, contrairement aux protestants.

— Ma foi, je ne sais pas comment je lui aurais répondu... Oh, elle parlait de moi ?

— Sans doute, je ne le lui ai pas demandé.

Ce fut au tour de Roger de rire. Elle s'était assise sur le banc près de la porte, tripotant nerveusement la feuille de papier.

— La preuve... Tu es sûr que c'en est une ?

— Peut-être pas conformément à tes critères rigoureux d'ingénieur mais... qu'est-ce que tu fabriques, un avion en papier ?

— Non, c'est... Oh, là ! Mandy !

Elle avait bondi et s'était précipitée dans la maison avant qu'il n'ait pris conscience du vagissement provenant de la chambre d'enfant à l'étage. Il l'entendit grimper l'escalier quatre à quatre, le laissant seul pour fermer la maison. D'ordinaire, ils ne verrouillaient pas les portes ; personne ne le faisait dans les Highlands. Mais ce soir...

Son cœur fit un bond quand il vit une longue ombre grise traverser le sentier devant lui. Puis il sourit. Le petit Adso chassait. Le fils d'un voisin était passé quelques mois plus tôt avec un panier rempli de chatons à caser. Brianna en avait choisi un gris aux yeux verts, le sosie du chat de sa mère, auquel elle avait donné le même nom. S'ils avaient pris un chien de garde, l'auraient-ils baptisé Rollo ?

— *Le chat du chanoine est un chat chasseur...* murmura-t-il. Bonne chasse, alors !

La queue grise disparut sous un hortensia et il se pencha pour ramasser la feuille que Brianna avait laissée tomber. Ce n'était pas un avion. Qu'était-ce ? Un chapeau ? Il le glissa dans la poche de sa chemise et rentra.

Il trouva Brianna et Mandy devant la cheminée du petit salon. Mandy, réconfortée et repue de lait, s'était déjà à moitié rendormie dans les bras de sa mère. Elle cligna des yeux vers lui, suçant son pouce.

Il écarta doucement les boucles de devant ses yeux et demanda d'une voix douce :

— Que t'est-il arrivé, *a leannan* ?

— Un mauvais rêve, répondit Brianna. Une vilaine chose au-dehors qui essayait d'entrer par sa fenêtre.

Brianna et lui s'étaient assis juste sous la fenêtre en question. Il lança machinalement un regard vers celle du petit salon, apercevant son reflet : un homme à l'air las, les épaules ramassées comme s'il s'apprêtait à bondir. Il se redressa et tira les rideaux.

Il s'assit et tendit les bras vers sa fille qui s'y installa avec la lenteur voluptueuse d'un paresseux descendant de son arbre, lui enfonçant son pouce baveux dans l'oreille par la même occasion. Brianna se rendit dans la cuisine leur chercher du chocolat chaud et revint quelques instants plus tard avec un plateau cliquetant et la mine de quelqu'un qui se demande comment aborder une question délicate.

— Est-ce que tu as... enfin... compte tenu de la nature difficile de... euh... As-tu pensé à demander à Dieu ? Directement.

Mi-agacé mi-amusé devant son embarras, il répondit :

— Oui, je le lui ai demandé, à plusieurs reprises, notamment quand je roulais vers Oxford. C'est là que j'ai trouvé ça.

Il lui montra le papier plié.

— Au fait, qu'est-ce que ça représente ?

— Oh...

Elle reprit la feuille, plia les derniers angles avec des gestes rapides et sûrs, puis lui présenta le résultat sur la paume de sa main. Il fronça les sourcils un moment avant de comprendre : les enfants appelaient ça un « pousse-pousse ». Il y avait quatre poches dans lesquelles on passait ses pouces et ses index afin d'ouvrir la cocotte de quatre manières différentes à mesure que l'on posait des questions. Les réponses possibles étaient inscrites à l'intérieur des onglets : *Oui, Non, Parfois, Jamais.*

— Exactement ce qu'il me fallait, déclara-t-il en souriant.

Ils burent leur chocolat en silence, une question épineuse en suspens entre eux. Puis il déclara doucement :

— Dans la Confession de Westminster, il est dit également : « *Dieu est le seul Seigneur de la conscience.* » C'est à moi de faire la paix avec ça, ou pas. J'ai dit au professeur Weatherspoon qu'il me semblait étrange de prendre un assistant chef de chœur qui ne pouvait pas chanter. Il s'est contenté de sourire et a répondu qu'il voulait me garder sous la main le temps que je me « retourne ». Il a sans doute peur que je déserte le navire et passe dans le camp des papistes.

— C'est bien, dit-elle en gardant le nez plongé dans sa tasse.

Il y eut un autre silence et l'ombre de Jerry MacKenzie, pilote de la Royal Air Force, vint s'asseoir près du feu dans son blouson de cuir bordé de mouton, observant la lumière danser dans les cheveux noirs de sa petite-fille.

Brianna demanda enfin :

— Tu… tu vas essayer de le retrouver ? De savoir où est passé ton père ? Où il pourrait… être ?

Où il pourrait être. Ici, là-bas, aujourd'hui, hier ? Son cœur se serra soudain convulsivement en repensant au vagabond qui avait dormi dans le broch. Seigneur… non. Ce ne pouvait être lui. C'était juste un vœu pieux de sa part.

Il y avait beaucoup songé en route vers Oxford, entre deux prières. A ce qu'il lui dirait, ce qu'il lui demanderait si l'occasion se présentait. Il aurait voulu tout lui demander, tout lui dire, mais il n'y avait vraiment qu'une seule chose qu'il pouvait dire à son père et cette chose était en train de ronfler dans ses bras.

Mandy remua légèrement, fit un petit rot puis se recala contre sa poitrine. Il ne releva pas les yeux, se perdant dans le labyrinthe noir de ses cheveux.

— Non, répondit-il. Je ne courrai pas le risque que mes enfants perdent leur père.

Sa voix n'était plus qu'un filet rauque.

— C'est trop important. On n'oublie pas qu'on a eu un père.

Brianna lui lança un regard de biais, ses yeux comme une faible étincelle dans la lueur du feu.

— Mais… tu étais si jeune. Tu te souviens de ton père ?

Roger baissa la tête, inhalant le parfum des cheveux de sa fille.

— Non. Mais je me souviens du tien.

22

Le papillon

Wilmington, colonie de Caroline du Nord, 3 mai 1777

Jamie avait à nouveau rêvé. Son regard était flou, tourné vers l'intérieur, comme s'il voyait autre chose que le boudin frit dans son assiette.

Je brûlais d'envie de lui demander ce qu'il avait vu mais je gardai le silence, craignant qu'en l'interrogeant trop tôt il ne perde une partie de sa vision. En toute honnêteté, j'étais également un peu envieuse. J'aurais tout donné pour voir ce qu'il voyait, que ce soit réel ou non. Ce dernier point n'était pas important, il s'agissait d'un lien et, lorsque je lisais cette expression sur son visage, les terminaisons nerveuses qui m'avaient attachée à ma famille disparue crépitaient tels des câbles électriques sectionnés.

N'y tenant plus, j'attendis que la serveuse se soit éloignée et demandai :

— Tu as rêvé d'eux, n'est-ce pas ?

Nous nous étions levés tard, épuisés par la longue route de la veille jusqu'à Wilmington. Nous étions les seuls clients dans la petite salle de l'auberge.

Il hocha la tête lentement, le front soucieux. Cela m'inquiéta. Lorsqu'il rêvait de Bree et des enfants, il se réveillait généralement paisible et serein.

— Quoi ? insistai-je. Que s'est-il passé ?

— Rien, *Sassenach*. J'ai vu Jem et la petite…

Son visage s'illumina d'un coup.

— Ah, la coquine ! C'est une sacrée petite polissonne ! Elle me fait penser à toi !

C'était un compliment douteux mais il me réchauffa le cœur. J'avais passé des heures à observer Jem et Mandy, mémorisant les moindres détails de leur visage et de leur gestuelle, essayant d'extrapoler, de les imaginer à mesure qu'ils grandiraient. J'étais convaincue que Mandy avait hérité de ma bouche et je savais déjà qu'elle avait la forme de mes yeux.

— Que faisaient-ils ?

— Ils étaient au-dehors. Jem lui a dit quelque chose. Elle lui a flanqué un coup de pied dans le tibia et s'est mise à courir. Il s'est lancé à sa poursuite. Je crois que c'était le printemps. Il y avait de petites fleurs. Elle en avait dans les cheveux et il en poussait plein au pied des pierres.

— Quelles pierres ? m'inquiétai-je aussitôt.

— Oh, non, des pierres tombales. Oui, c'est ça ! Ils jouaient dans le cimetière sur la colline derrière Lallybroch.

J'émis un soupir d'aise. C'était la troisième fois qu'il les voyait en rêve à Lallybroch. C'était sans doute prendre nos désirs pour des réalités mais je savais que de les imaginer vivant à Lallybroch le rendait aussi heureux que moi.

— Ils pourraient très bien y être, déclarai-je. Roger s'y est rendu quand nous faisions des recherches pour te localiser. Il a dit que le domaine était à vendre. Bree doit avoir de l'argent ; ils l'ont peut-être acheté. Oui, ils pourraient fort bien y être !

Il acquiesça avec un sourire, son regard encore adouci par le souvenir des enfants courant sur la colline, se pourchassant entre les longues herbes et les stèles qui marquaient le repos de sa famille.

— Un papillon les suivait, dit-il soudain. Je l'avais oublié ! Un papillon bleu.

— Bleu ? Il y a des papillons bleus en Ecosse ?

Je tentai de battre le rappel de mes souvenirs mais, lors de mes séjours là-bas, il me semblait bien n'en avoir vu que des blancs et des jaunes.

Il me lança un regard teinté d'exaspération.

— C'est un rêve, *Sassenach*. Si je veux, je peux aussi voir des papillons avec des ailes aux couleurs de mon tartan !

Je ris mais refusai de me laisser distraire.

— Soit, mais qu'est-ce qui t'a dérangé alors ?

— Comment sais-tu que quelque chose m'a dérangé ?

— Tu sais peut-être cacher tes émotions mais je suis mariée avec toi depuis plus de trente ans !

Il ne releva pas le fait que nous n'avions pas été physiquement ensemble pendant vingt de ces trente ans et se contenta de sourire.

— Effectivement. Ce n'est sans doute rien sauf qu'ils sont entrés dans le broch.

— Le broch ?

Je revis la vieille tour perchée sur la colline derrière la ferme, son ombre balayant quotidiennement le cimetière telle la progression majestueuse d'un cadran solaire géant. Jamie et moi y étions montés bien des soirées pour nous asseoir sur le banc au pied du bâtiment. De là-haut, à l'abri du remue-ménage de la grande maison, nous pouvions savourer le paysage paisible du domaine s'étirant en taches blanches et vertes caressées par la lumière du crépuscule.

Il avait repris son air soucieux.

— Le broch… répéta-t-il. Je ne sais pas pourquoi mais je ne voulais pas qu'ils y entrent. J'avais une sensation étrange… comme s'il y avait quelque chose à l'intérieur. Quelque chose qui les attendait et ça ne me plaisait pas du tout.

TROISIÈME PARTIE

Les acrobates de la flibuste

23

Des nouvelles du front

3 octobre 1776
Ellesmere à lady Dorothea Grey

Chère cousine,
Je t'écris à la hâte avant la levée du courrier. Je pars pour un bref voyage en compagnie d'un autre officier à la demande du capitaine Richardson et ignore où je serai dans les prochaines semaines. Tu peux m'écrire aux bons soins de ton frère Adam avec qui je tâcherai de rester en contact.
Je me suis acquitté de la mission que tu m'avais confiée et continuerai de te servir de mon mieux. Transmets mes respects affectueux à ton père et à toute la famille, en en gardant une bonne part pour toi-même.
Ton dévoué cousin,

William

3 octobre 1776
Ellesmere à lord John Grey

Cher père,
Après mûre réflexion, j'ai décidé d'accepter l'offre du capitaine Richardson d'accompagner un officier supérieur en mission à Québec afin de lui servir d'interprète. Le général Howe a donné son accord.

Je n'ai pas encore rencontré le capitaine Randall-Isaacs, devant le retrouver à Albany la semaine prochaine. J'ignore quand je serai de retour et quand j'aurai l'occasion de t'écrire à nouveau mais je le ferai à la première occasion. En attendant, sois assuré de toute mon affection.

Ton fils,

William

Québec, fin octobre 1776

William ne savait trop que penser du capitaine Denys Randall-Isaacs. En surface, c'était le genre de soldat cordial comme on en rencontrait dans tous les régiments. Agé d'une trentaine d'années, il jouait plutôt bien aux cartes, avait la plaisanterie facile, était séduisant, ouvert et fiable. C'était un compagnon de voyage fort agréable qui possédait un remarquable fonds d'histoires divertissantes ainsi qu'un inépuisable répertoire de chansons paillardes et de poèmes grivois.

Ce dont il ne parlait jamais, c'était de lui-même. Or, d'après l'expérience de William, c'était pourtant ce que les gens faisaient le mieux, ou du moins le plus souvent.

Il avait tenté de l'aiguillonner un peu, lui racontant notamment les circonstances plutôt tragiques de sa venue au monde, pour ne recevoir en retour que quelques données brutes : le père de Denys, un officier des dragons, était mort avant sa naissance lors de la campagne des Highlands. Sa mère s'était remariée un an plus tard.

« Mon beau-père est juif », avait-il expliqué à William.

Il avait ajouté avec un sourire ironique :

« Et riche de surcroît. »

William s'était contenté de hocher la tête en souriant.

C'était peu mais cela expliquait en partie pourquoi Randall-Isaacs travaillait pour Richardson au lieu de chercher la gloire auprès des lanciers ou des fusiliers gallois. L'argent pouvait vous acheter une commission mais ne vous assurait pas un accueil chaleureux au sein d'un régiment. Il n'offrait pas non plus les opportunités que procurait une famille au bras long.

L'espace d'un instant, William se demanda pourquoi lui-même préférait participer aux aventures douteuses du capitaine Richardson plutôt que d'exploiter le réseau de relations considérable de sa famille, puis décida de reporter ce sujet de méditation à plus tard.

— Magnifique ! s'extasia Denys.

Ils venaient de s'arrêter sur la route menant du Saint-Laurent à la citadelle de Québec. De là, ils pouvaient voir la falaise abrupte que les troupes du général Wolfe avaient escaladée dix-sept ans plus tôt pour prendre la forteresse – et la province de Québec – aux Français.

S'efforçant d'adopter un ton détaché, William déclara :

— Mon père a fait cette escalade.

Randall-Isaacs se tourna vers lui, stupéfait.

— Quoi, vous voulez parler de lord John ? Il s'est battu sur les plaines d'Abraham aux côtés de Wolfe ?

— En effet.

William lui-même n'était pas peu impressionné. La falaise disparaissait sous la végétation mais la roche en dessous était en schiste argileux et donc très friable. Il distinguait les crevasses sombres et les fissures quadrangulaires sous le feuillage. Non seulement ils avaient escaladé toute cette hauteur pendant la nuit mais ils avaient hissé avec eux toute l'artillerie !

— Il m'a raconté que la bataille proprement dite a été pratiquement terminée sitôt commencée... Ce ne fut que l'histoire d'une grande salve. En revanche, la grimpée qui l'avait précédée fut la pire expérience de sa vie.

Randall-Isaacs eut un petit bruit admiratif puis, après un instant, demanda :

— Vous avez bien dit que votre père connaissait sir Guy ? Je suis sûr qu'il serait ravi d'entendre cette histoire.

William lui jeta un regard surpris. En réalité, il n'avait jamais mentionné que lord John connaissait le gouverneur général de l'Amérique du Nord, même si c'était le cas. Son père connaissait tout le monde. Ce ne fut qu'alors qu'il comprit sa véritable fonction dans cette expédition : il était la carte de visite de Randall-Isaacs.

Il était vrai que, contrairement à ce dernier, il parlait très bien le français (il avait toujours eu des facilités pour les langues étrangères). Sur ce point du moins, Richardson n'avait pas menti ; il était toujours préférable d'avoir sous la main un interprète de confiance. Néanmoins, si Randall-Isaacs lui avait témoigné un intérêt flatteur, la plupart de ses questions portaient sur lord John : les hauts faits de sa carrière militaire, où il avait été en garnison, avec qui il avait servi, sous quel commandement, qui il connaissait.

Depuis leur départ, ils avaient rendu visite aux commandants de Fort Saint-Jean et de Fort Chambly et, dans les deux cas, Randall-Isaacs avait glissé au cours des présentations que William était le fils de lord John Grey. L'accueil officiel s'était alors considérablement réchauffé et transformé en longue soirée de réminiscences arrosées de bon cognac. Au cours de ces dernières, William n'en prenait conscience qu'à présent, les commandants et lui avaient monopolisé la conversation. Randall-Isaacs s'était contenté de rester en retrait en les écoutant avec fascination.

Maintenant qu'il saisissait la situation, William était partagé. D'un côté, il était plutôt fier d'avoir flairé le stratagème. De l'autre, il était assez vexé de constater qu'on l'avait choisi pour l'entregent de son père plutôt que pour ses qualités propres.

Cependant, il était toujours bon de savoir, même s'il se sentait rabaissé. Ce qu'il ignorait, c'était le rôle exact de Randall-Isaacs. Collectait-il uniquement des informations pour Richardson ou avait-il d'autres desseins plus secrets ? Il lui arrivait fréquemment de s'éclipser en laissant William livré à lui-même, déclarant qu'il avait une course à faire pour laquelle son français suffirait amplement.

Selon le peu d'instructions que lui avait données le capitaine Richardson, ils étaient censés prendre le pouls politique des habitants français et des colons anglais du Québec. L'objectif était d'évaluer le soutien auquel la Couronne pouvait s'attendre en cas d'incursion des rebelles américains et de tentatives de menaces ou de séduction de la part du Congrès continental.

Jusque-là, les sentiments paraissaient clairs, bien qu'inattendus. Les Français de la région appréciaient sir Guy Carleton qui, en sa qualité de gouverneur en chef d'Amérique du Nord, avait été l'un des instigateurs de l'Acte de Québec.

Ce dernier accordait la liberté de religion, légalisant de ce fait le catholicisme, et protégeait le commerce des catholiques français. Pour des raisons évidentes, les Anglais étaient mécontents de cet acte et avaient boudé en masse la demande de sir Guy de former des milices lors de l'attaque des Américains l'hiver précédent.

Tandis qu'ils traversaient la plaine s'étendant devant la citadelle, William observa :

— Ils devaient être fous ! Je veux parler des Américains qui ont tenté de les envahir l'année dernière.

Ils avaient atteint le sommet de la falaise et la forteresse se dressait devant eux, paisible et solide – très solide – dans la lumière automnale. Il faisait beau et chaud ; l'air était chargé des odeurs terreuses et riches du fleuve et de la forêt. William n'avait encore jamais vu une telle végétation. Les arbres qui bordaient la plaine et les berges du Saint-Laurent formaient un écran impénétrable à présent embrasé de taches rouges et or. Se détachant sur les eaux noires et le ciel d'octobre d'un bleu profond, ils formaient un décor surréel, lui donnant l'impression de se promener dans une enluminure médiévale, étincelant de feuille d'or et brûlant d'une ferveur mystique.

Au-delà de la beauté du paysage, il percevait également sa sauvagerie. Les journées étaient encore chaudes mais l'air frais de l'hiver se faisait un peu plus mordant à chaque nouveau crépuscule. Il n'avait pas besoin de faire preuve de beaucoup d'imagination pour visualiser la plaine telle qu'elle serait d'ici quelques semaines, prise dans la glace, d'une blancheur hostile à toute vie. Après avoir parcouru plus de trois cents kilomètres et connaissant les problèmes d'approvisionnement de deux cavaliers sur les mauvaises routes du Nord par beau temps, il devinait sans peine l'extrême difficulté de pourvoir aux besoins d'une armée en marche en plein hiver.

Randall-Isaacs l'arracha à ses pensées.

— S'ils étaient sains d'esprit, ils ne se seraient jamais soulevés. Toutefois, c'est le colonel Arnold qui les a conduits jusqu'ici. Lui, il est bel et bien fou mais c'est un sacré bon soldat.

Son ton admiratif surprit William.

— Vous le connaissez ?

Randall-Isaacs se mit à rire.

— Pas personnellement. Allez, venez.

Il éperonna son cheval et ils reprirent la route vers la porte de la citadelle. Le capitaine semblait plongé dans ses souvenirs et affichait une expression mi-amusée mi-méprisante. Au bout de quelques instants, il reprit :

— Arnold aurait pu réussir. Il aurait pu prendre la ville. Sir Guy n'avait pratiquement pas de troupes. Si Arnold était arrivé au moment prévu, équipé de la poudre et des munitions nécessaires… l'histoire aurait été différente. Mais il n'a pas choisi l'homme qu'il fallait pour demander son chemin.

— Que voulez-vous dire ?

Randall-Isaacs parut soudain méfiant puis sembla se dire « Quelle importance ? ». Il était de bonne humeur, réjoui par la perspective d'un dîner chaud, d'un lit douillet et de draps propres après des semaines de campement dans des forêts sombres.

— Il ne pouvait arriver par voie de terre, expliqua-t-il. Cherchant un moyen d'acheminer une armée et son équipement par bateaux, il se mit en quête d'un homme ayant déjà entrepris ce voyage dangereux et connaissant les rivières. Il en trouva un… Samuel Goodwin.

Randall-Isaacs secoua la tête comme abasourdi par une telle naïveté.

— Il ne lui est jamais venu à l'esprit que Goodwin pouvait être loyaliste. Goodwin est venu me trouver et m'a demandé ce qu'il devait faire. Alors je le lui ai dit. Il a donné ses cartes à Arnold, après les avoir soigneusement redessinées.

Des cartes qui avaient porté leurs fruits. En modifiant les distances, en effaçant les repères, en indiquant des passages inexistants et en fournissant des cartes inventées de toutes pièces, M. Goodwin réussit à entraîner Arnold et son armée au plus profond d'une nature sauvage, les obligeant à porter leurs embarcations et leur équipement par voie de terre pendant des jours, les retardant jusqu'à ce que l'hiver les rattrape avant qu'ils ne parviennent enfin en vue de la ville de Québec.

Randall-Isaacs se mit à rire ; un rire où William perçut pourtant une pointe de regret.

— J'ai été stupéfié quand j'ai appris qu'il avait fini par arriver à bon port. Pour ne rien arranger, il avait été escroqué par les charpentiers qui avaient bâti ses navires. Je pense que c'était plus de l'incompétence de leur part qu'une volonté politique, quoique, de nos jours, les deux soient souvent indissociables. Les coques étaient en bois vert et mal ajustées. Plus de la moitié des embarcations se sont désintégrées et ont coulé quelques jours après avoir été mises à l'eau.

Après une pause méditative, il ajouta :

— Cela a dû être un enfer.

Puis il se redressa sur sa selle.

— Pourtant, ils l'ont suivi. Tous ses hommes. Seule une compagnie a fait demi-tour. Affamés, à moitié nus, transis de froid… ils l'ont suivi.

Il lança un regard à William et lui demanda avec un sourire :

— Vous pensez que vos hommes vous suivront, lieutenant ? Dans de telles conditions ?

— J'espère avoir suffisamment de bon sens pour ne pas les entraîner dans un tel cauchemar. Qu'est-il arrivé à Arnold ? A-t-il été capturé ?

— Non, répondit Randall-Isaacs, songeur.

Il agita une main pour faire signe aux gardes de la porte de la citadelle, puis répéta :

— Non, il n'a pas été fait prisonnier. Quant à ce qu'il mijote aujourd'hui, Dieu seul le sait. Dieu ou sir Guy. J'espère que ce dernier pourra nous le dire.

24

Joyeux Noël !

Londres, 24 décembre 1776

La plupart des maquerelles prospères étaient corpulentes. Peut-être était-ce pour compenser les privations de leurs jeunes années, à moins que ce ne soit une armure contre le risque d'un retour aux échelons inférieurs de leur métier mais, de l'expérience de lord John, presque toutes étaient bien en chair.

Sauf Nessie. Il distinguait sa silhouette maigrelette à travers la fine mousseline de sa chemise tandis qu'elle enfilait son peignoir japonais devant la cheminée (il l'avait tirée du lit sans le vouloir). Elle n'avait pas pris un gramme depuis leur rencontre. Elle avait alors quatorze ans, selon elle (il soupçonnait plutôt qu'elle n'en avait que onze).

Elle devait avoir la trentaine aujourd'hui. Elle paraissait toujours avoir quatorze ans.

Cela le fit sourire et elle lui sourit en retour tout en nouant sa cordelière. Du coup, elle parut plus vieille. Il lui manquait quelques dents et les restantes étaient noircies à la base. Si elle ne grossissait pas, cela n'était dû qu'à sa constitution car elle raffolait des sucreries. Elle pouvait engloutir toute une boîte de bonbons à la violette ou de loukoums en quelques minutes. A croire qu'elle essayait de rattraper les années de famine de son enfance dans les Highlands. Il lui avait apporté une livre de prunes confites.

Elle accepta le paquet joliment enveloppé qu'il lui tendait avec une moue ironique.

— Vous croyez qu'on peut m'acheter aussi facilement que ça ?

— En aucune manière. C'est pour me faire pardonner d'avoir troublé votre repos.

Il improvisait. En réalité, il s'était attendu à la trouver au travail car il était plus de dix heures du soir.

— Que voulez-vous, c'est la nuit de Noël. Tous les hommes qui ont un foyer restent chez eux en famille.

Elle bâilla, ôta son bonnet et passa ses doigts dans la masse désordonnée de ses boucles noires.

— Pourtant, il semble que vous ayez des clients.

On entendait des chants deux étages plus bas et, lorsqu'il était passé devant, le salon paraissait plein.

— Ah, eux ? Ce sont les désespérés. Je les laisse à Maybelle. Ça me fait trop de peine de les voir. Ils ne cherchent pas vraiment une femme, ceux qui viennent la nuit de Noël, juste à s'installer près d'un bon feu et un peu de compagnie.

Elle lui indiqua un siège, s'assit et tira sur le ruban du paquet avec impatience.

— Dans ce cas, permettez-moi de vous souhaiter un joyeux Noël.

Il l'observait avec un amusement teinté d'affection. Elle enfourna une des confiseries, ferma les yeux et poussa un soupir extatique. Elle n'avait même pas avalé la première qu'elle en engloutissait une seconde.

— Mmmm...

Il supposa que l'intonation cordiale de cette remarque signifiait qu'elle lui en souhaitait autant.

Naturellement, il avait été conscient de la date mais il s'était efforcé de ne pas y penser tout au long de cette journée glaciale. Il était tombé des cordes sans interruption, une pluie gelée entrecoupée de rafales de grêle. Il était transi depuis l'aube, quand il avait été réveillé par le valet de Minnie venu le convoquer à Argus House.

La chambre de Nessie était petite mais élégante. Il y régnait une confortable odeur de sommeil. Son lit immense était orné d'un baldaquin à carreaux roses et noirs dans le style reine

Charlotte du dernier cri. Epuisé, affamé et glacé jusqu'aux os, il se sentait attiré par cette caverne chaude et accueillante, avec ses oreillers en plumes d'oie, son édredon, ses draps propres et doux. Que penserait-elle s'il lui demandait de partager son lit cette nuit ?

Un feu auprès duquel s'asseoir et un peu de compagnie.

Il prit soudain conscience d'un bourdonnement grave. Un coup d'œil en direction du son lui apprit que ce qu'il avait pris pour un amas de draps froissés cachait un corps ; le gland de passementerie d'un élégant bonnet de nuit s'étirait sur un oreiller.

Nessie suivit son regard et sourit.

— Ce n'est que mon Rab, dit-elle. Milord serait-il tenté par une petite partie à trois ?

Tout en rougissant, il réalisa qu'il l'appréciait non seulement pour sa personnalité et ses talents d'espionne mais également parce qu'elle avait le don de le désarçonner. Elle ignorait sans doute la nature exacte de ses penchants mais, prostituée depuis l'enfance, elle savait interpréter les désirs de chacun, consciemment ou non.

— Non, merci, répondit-il poliment. Je ne voudrais pas déranger votre mari.

Il s'efforça de ne pas penser aux mains larges et fortes de Rab MacNab ni à ses cuisses puissantes. Avant son mariage avec Nessie et l'établissement de leur bordel prospère, il avait été porteur de chaise. Vendait-il lui aussi son corps à présent... ?

Elle lança un regard affectueux vers le lit.

— Oh, vous ne réveilleriez pas mon gros ours avec un coup de canon.

Elle se leva néanmoins et alla tirer les rideaux du baldaquin, étouffant les ronflements.

— En parlant de canon, vous avez l'air de sortir du champ de bataille. Tenez, buvez donc un petit verre. Je vais vous faire monter un repas chaud.

Elle lui indiqua une carafe et des verres sur un guéridon et tendit la main vers le cordon de sonnette. Il l'arrêta d'un geste.

— C'est très aimable à vous mais je n'ai pas beaucoup de temps. Cela dit, un remontant ne serait pas de refus.

Le whisky lui réchauffa la gorge (elle ne buvait rien d'autre, considérant le gin comme une boisson vulgaire et le vin, bien que bon, pas assez puissant pour accomplir sa mission). Son manteau trempé commençait à fumer à la chaleur du feu.

— Vous êtes pressé ? Pourquoi donc ?

— Je pars pour la France demain matin.

Elle haussa des sourcils surpris tout en engloutissant une autre prune.

— Che fou ai pa fou euh teni de fo't fam ille.

— Ne parlez donc pas la bouche pleine, ma chère. Mon frère a eu une attaque la nuit dernière. Le cœur, selon son charlatan de médecin, mais je doute qu'il sache vraiment ce dont il souffre. Notre dîner familial risque donc d'être quelque peu compromis.

— J'en suis navrée, dit Nessie plus distinctement.

Elle essuya délicatement le sucre à la commissure de ses lèvres, le front soucieux.

— Monsieur le duc est un homme bon.

— Oui, en effet, il...

Il s'interrompit brusquement.

— Vous connaissez mon frère ?

Nessie lui adressa un sourire charmant et déclara sur un ton chantant, parodiant visiblement une ancienne employeuse :

— La discrétion est l'article le plus précieux qu'une maquerelle puisse avoir en stock.

— Bien dit, de la part d'une femme qui espionne pour moi, rétorqua-t-il.

Il essaya d'imaginer Hal... ou peut-être de ne pas l'imaginer... car il n'aurait tout de même pas... Afin d'épargner Minnie, peut-être ? Mais il aurait cru...

— Bah ! Espionner, c'est pas comme de répandre des commérages, pas vrai ? J'ai envie de thé, même si ça ne vous dit rien. Parler me donne soif.

Elle sonna un valet puis se tourna à nouveau vers lui, arquant un sourcil.

— Votre frère se meurt et vous partez pour la France ?

— Il n'est pas en train de mourir, répondit sèchement Grey.

Cette idée ouvrait un gouffre abyssal dans le tapis à ses pieds. Il évita résolument de le regarder.

— Il… il a eu un choc. Il a appris que son benjamin avait été blessé en Amérique et fait prisonnier.

Elle écarquilla les yeux et serra son peignoir sur ses seins inexistants.

— Le benjamin. C'est-à-dire… Henry, n'est-ce pas ?

— En effet. Mais comment diable le savez-vous ?

Elle sourit d'un air espiègle puis, constatant son désarroi, reprit son sérieux.

— Un des valets du duc est un de mes réguliers. Il vient les jeudis ; c'est son soir de congé.

— Ah.

Il resta un moment immobile, les mains sur les genoux, essayant de remettre un peu d'ordre dans ses pensées et ses émotions. Elle lança un regard vers la fenêtre dont les lourds rideaux en velours rouge et dentelle atténuaient à peine le bruit du déluge à l'extérieur et demanda :

— C'est un peu tard dans l'année pour recevoir du courrier d'Amérique, non ? Un dernier navire a tenté la traversée ?

— Oui, mais il a été dévié et a accosté tant bien que mal à Brest avec un grand mât avarié.

— C'est donc à Brest que vous allez ?

— Non.

Avant qu'elle ait pu poser d'autres questions, on gratta à la porte et elle fit entrer le valet chargé d'un plateau. Grey remarqua que, sans qu'on le lui ait demandé, il avait apporté, outre le service à thé, un grand cake généreusement enduit de crème.

Il hésita. Pouvait-il le lui dire ? Elle n'avait pas menti en évoquant sa discrétion. Elle savait garder les secrets aussi bien que lui. Quand elle referma la porte et lui fit face à nouveau, il déclara :

— Il s'agit de William…

A ses articulations douloureuses et au carillon sourd de sa montre de gousset, il savait que l'aube approchait. On n'en voyait encore aucune trace dans le ciel. Des nuages couleur de suie effleuraient les toits de Londres et les rues étaient encore plus sombres qu'à minuit, toutes les lanternes étant éteintes depuis longtemps.

Il avait veillé toute la nuit. Tant de choses à faire ! Il aurait dû rentrer chez lui pour quelques heures de sommeil avant de sauter dans la diligence pour Douvres mais il ne pouvait partir sans voir Hal une dernière fois. Pour se rassurer.

Il y avait de la lumière derrière les fenêtres d'Argus House. Même avec les rideaux tirés, un mince trait lumineux faisait luire les pavés mouillés dans la cour. Il s'était mis à neiger mais les flocons n'adhéraient pas encore au sol. La diligence serait peut-être retenue… En tout cas, elle prendrait du retard sur les routes bourbeuses.

Son cœur fit un bond en apercevant la vieille voiture arrêtée sous la porte cochère, devinant qu'elle attendait le médecin.

Quand il frappa à la porte, celle-ci fut ouverte presque aussitôt par un laquais débraillé. Il avait visiblement enfilé sa chemise à la hâte. Ses traits anxieux se détendirent légèrement en reconnaissant Grey.

— Le duc… ?

Le laquais (Grey se souvint soudain qu'il s'appelait Arthur) lui prit son manteau.

— Il a eu un malaise au milieu de la nuit mais il va mieux.

Grey gravit les marches quatre à quatre et croisa le médecin au milieu de l'escalier, un homme mince et au teint grisâtre qu'il identifia aussitôt à sa sacoche et à sa veste qui sentait le malade. Il le saisit par la manche.

— Comment va-t-il ?

Le médecin eut un mouvement de recul offusqué puis, apercevant son visage à la lueur d'une applique, vit sa ressemblance avec Hal et abandonna toute morgue.

— Légèrement mieux, milord. Ma saignée a soulagé sa respiration.

Grey le lâcha et bondit vers le palier. La porte de la chambre de Hal était ouverte et il entra en coup de vent, effrayant une servante chargée d'un pot de chambre délicatement drapé dans un linge brodé de grandes fleurs brillantes. Il marmonna un mot d'excuse et entra dans la chambre de son frère.

Il était assis dans son lit, calé contre des oreillers. Il avait le teint cireux. Minnie était à son chevet, son joli minois rond tiré par l'angoisse et la fatigue. Grey s'assit de l'autre côté du lit.

— Je vois que monsieur le duc chie même avec élégance.

Hal souleva une paupière grise et le regarda. Son visage était peut-être squelettique mais son œil gris était toujours aussi vif. Grey fut envahi d'un soulagement immense.

— Ah, tu veux parler du linge ? dit Hal d'une voix faible mais claire. C'est Dottie. Elle refuse de sortir même si je lui ai promis de ne pas mourir en son absence.

Il s'interrompit pour reprendre son souffle, toussota puis reprit :

— Dieu merci, elle n'est pas portée sur les actes de piété ; elle n'a aucun talent pour la musique et elle possède une telle vitalité qu'elle représente un vrai danger pour notre personnel de cuisine. Minnie lui a donc appris le point de croix en guise d'exutoire à sa formidable énergie.

Minnie se tourna vers son beau-frère avec une mine navrée.

— Je suis désolée, John. Je l'ai envoyée se coucher mais j'ai vu qu'il y avait toujours de la lumière chez elle. Elle doit être en train de te broder des pantoufles.

Grey estima des pantoufles relativement inoffensives, quel que soit le motif choisi.

— Tant que ce ne sont pas des caleçons... Je ne supporte pas que ça me gratte.

Cette réflexion fit rire Hal, qui fut pris d'une quinte de toux alarmante. D'un autre côté, ses joues retrouvèrent un peu de couleurs.

— Tu n'es donc pas à l'article de la mort ? demanda Grey.

— Non.

— Tant mieux.

Grey sourit en ajoutant :

— Ne t'avise pas de l'être.

Hal haussa un sourcil surpris puis, se souvenant d'une conversation similaire qu'ils avaient eue des années plus tôt, sourit à son tour.

— Je ferai de mon mieux.

Il posa une main affectueuse sur le bras de sa femme.

— Ma chère...

Elle se leva aussitôt.

— Je vais vous faire préparer du thé.

Après un regard à Grey, elle ajouta :

— Et un bon petit déjeuner chaud.

Elle referma sans bruit la porte derrière elle.

Hal se redressa un peu plus contre ses oreillers, sans prêter attention au bandage souillé de sang à son bras.

— Alors, que se passe-t-il ? demanda-t-il. Tu as des nouvelles ?

— Très peu. Mais j'ai un tas de questions inquiétantes.

La nouvelle de la capture de Henry était arrivée dans un billet à l'intention de Hal glissé à l'intérieur d'une lettre adressée à Grey. Elle lui avait été envoyée par un de ses contacts du monde des renseignements et comportait une réponse à ses questions sur les relations françaises d'un certain Percival Beauchamp. Il n'avait pas voulu en parler à son frère avant d'avoir eu une discussion avec Nessie. De toute manière, Hal n'aurait pas été en état de l'entendre.

— On ne connaît aucun lien entre Beauchamp et Vergennes, l'informa-t-il en citant le nom du ministre des Affaires étrangères français. En revanche, on l'a souvent vu en compagnie de Beaumarchais…

Cela provoqua une nouvelle quinte de toux.

— Tu m'étonnes ! lança Hal une fois remis. Ce doit être en raison d'un intérêt mutuel pour le petit gibier, sans doute ?

Cette dernière pique était une référence à l'aversion de Percy pour les sports sanguinaires et au titre de « lieutenant général des chasses » conféré à Beaumarchais par feu Louis XV.

Grey poursuivit :

— … et d'un certain Silas Deane.

— Qui est-ce ?

— Un marchand venu des colonies. Il a été envoyé à Paris par le congrès américain. Il rôde autour de Beaumarchais. Lui, en revanche, il a été vu en compagnie de Vergennes.

— Ah, lui ? Oui, j'en ai vaguement entendu parler.

— As-tu également entendu parler d'une compagnie nommée Rodrigue Hortalez et Cie ?

— Non. Ça sonne espagnol, non ?

— Ou portugais. Mon informateur n'avait que ce nom mais il m'a fait part d'une rumeur selon laquelle Beaumarchais aurait des intérêts dans cette affaire.

Hal se renfonça dans ses oreillers avec un grognement.

— Beaumarchais a des intérêts partout. Il fait même de l'horlogerie, comme si écrire des pièces n'était pas suffisamment indigne ! Beauchamp est-il lié lui aussi à cette compagnie ?

— Pas que l'on sache. Jusque-là, nous n'avons rien de plus que de vagues associations. J'ai demandé qu'on m'envoie tout ce qui avait trait à Beauchamp et aux Américains et voici ce qui est arrivé.

Les longs doigts de Hal pianotaient nerveusement sur la courtepointe.

— Ton informateur sait-il ce que fait cette compagnie ?

— Du commerce, quoi d'autre ? répliqua Grey avec une moue ironique.

— S'ils étaient aussi banquiers, je dirais que tu es peut-être tombé sur quelque chose.

— Il se peut que ce soit le cas mais le seul moyen de le savoir c'est d'aller y fourrer son nez. Je prends la diligence de Douvres dans trois heures, fit-il après un coup d'œil à la pendule sur la cheminée.

— Ah.

La voix de Hal était neutre mais Grey connaissait son frère par cœur.

— Je serai de retour de France avant la fin mars au plus tard. Ensuite, je prendrai le premier navire en partance pour les colonies, Hal. Je te ramènerai Henry.

Mort ou vif. Ni l'un ni l'autre ne le dit à voix haute ; c'était inutile.

— Je serai ici à votre retour, déclara enfin Hal.

Grey posa une main sur celle de son frère qui la saisit aussitôt. En dépit de son allure frêle, sa poigne était d'une force rassurante. Ils restèrent ainsi en silence un moment, main dans la main, jusqu'à ce que la porte s'ouvre et qu'Arthur, cette fois convenablement habillé, entre avec un plateau de la taille d'une table de jeu croulant sous les saucisses, les rognons, les harengs fumés, les œufs brouillés, les champignons et les tomates grillés, les toasts, la marmelade, les confitures, une grande théière fumante, des pots de lait et de sucre ainsi qu'un plat couvert qu'il déposa cérémonieusement devant Hal. Ce dernier contenait une sorte de gruau peu appétissant.

Arthur s'inclina et sortit. Grey se demanda si c'était lui qui fréquentait la maison de Nessie les jeudis soir. Il se retourna vers son frère et le surprit en train de se servir de rognons.

— Tu n'es pas censé manger ta bouillie ?

— Ne me dis pas que, toi aussi, tu veux me pousser vers la tombe.

Hal ferma les yeux en mâchonnant avec délice.

— Comment veulent-ils que je guérisse en n'avalant que des biscottes et du gruau ?

Sans cesser de ronchonner, il piqua sa fourchette dans un autre rognon.

— C'est ton cœur, tu crois ? lui demanda Grey.

— Je ne pense pas, répondit Hal d'un ton détaché. Je l'ai écouté, après la première attaque. Il battait normalement.

Il se tapota le torse, sa fourchette en suspens.

— Ça ne me fait pas mal. Si c'était le cœur, ça devrait, non ?

Grey haussa les épaules.

— C'était quel type d'attaque, alors ?

Hal avala le dernier rognon, saisit un toast beurré d'une main et le couteau à marmelade de l'autre.

— Je n'arrivais plus à respirer. Je suis devenu tout bleu, enfin tu vois le tableau.

— Ah.

— Mais là, en ce moment, je me sens bien, reprit Hal, l'air légèrement surpris.

— Vraiment ?

Il hésita un instant mais… il partait à l'étranger. Non seulement tout pouvait arriver mais encore les choses les plus inattendues se produisaient souvent. Il était préférable de ne pas laisser l'affaire en suspens au cas où un événement fâcheux survienne avant qu'ils ne se revoient.

La nouvelle des amours de Dottie et de William le fit ciller et cesser momentanément de manger puis, après un moment de réflexion, il hocha la tête et reprit sa mastication.

— D'accord, dit-il.

— *D'accord* ? répéta Grey. Tu n'as pas d'objection ?

— Si j'en avais, ce serait plutôt désobligeant pour toi, tu ne trouves pas ?

— Si tu t'imagines que je vais croire que mes états d'âme t'empêcheraient d'imposer tes volontés, tu es encore plus malade que je ne le pensais !

Hal sourit et but une gorgée de thé.

— Non, dit-il en reposant sa tasse. Ce n'est pas ça, c'est que…

Il s'enfonça dans ses oreillers, croisa les mains sur son ventre et regarda son frère dans les yeux.

— Je *pourrais* mourir. Je n'en ai pas l'intention mais c'est toujours possible. Je serai plus tranquille en la sachant mariée à un homme qui saura la protéger et veiller sur elle convenablement.

— Je suis flatté que tu estimes William à la hauteur.

Il avait parlé avec sarcasme mais était profondément ému.

— Mais bien sûr qu'il le sera. C'est ton fils, non ?

Une cloche d'église sonna quelque part au loin. Grey se souvint soudain.

— Oh ! Au fait, joyeux Noël.

Hal le regarda, interloqué, puis sourit.

— Un joyeux Noël à toi aussi.

Grey était encore chargé de l'esprit de Noël quand il se mit en route pour Douvres : les poches de sa capote étaient remplies de friandises et de petits présents, et il portait sous le bras un paquet contenant les fameuses pantoufles, ornées de feuilles de nénuphar et de grenouilles vertes au point de croix. Il avait serré Dottie dans ses bras et lui avait glissé à l'oreille que sa mission était accomplie. Elle l'avait embrassé avec une telle vigueur qu'il sentait encore son baiser sur sa joue.

Il devait écrire à William mais il n'y avait pas d'urgence, sa lettre n'arriverait pas plus vite que lui. Il n'avait pas menti à Hal ; il comptait réellement prendre le premier navire à faire la traversée au printemps, dès que ce serait à nouveau possible. Il espérait arriver à temps.

Pas seulement pour Henry.

Les routes étaient aussi mauvaises qu'il l'avait prédit et la traversée jusqu'à Calais fut encore pire. Toutefois, il ne prêta guère attention au froid et à l'inconfort du voyage. Légèrement rassuré quant au sort de son frère, il était libre de réfléchir aux informations fournies par Nessie. Il avait d'abord compté les partager avec Hal puis s'était ravisé, ne voulant pas lui encombrer l'esprit au cas où cela ralentirait sa guérison.

« Votre Français n'est pas venu *ici*, avait déclaré Nessie en se léchant les doigts. Mais il est allé au Jackson's quand il était en ville. Il est reparti en France à présent, à ce qu'on dit. »

Jackson's... Grey ne fréquentait pas les lupanars (hormis celui de Nessie), mais connaissait cet établissement et y était allé une ou deux fois avec des amis. On y proposait de la musique au rez-de-chaussée, des jeux au premier étage et des divertissements plus privés dans les étages supérieurs. L'endroit était très prisé des officiers de rang moyen mais n'offrait rien qui puisse satisfaire les goûts particuliers de Percy Beauchamp.

« Je vois, avait-il dit avec calme alors que son cœur s'emballait. Et avez-vous déjà rencontré un officier nommé Randall-Isaacs ? »

C'était la partie de la lettre qu'il avait omis de confier à Hal. Denys Randall-Isaacs fréquentait Beauchamp tant en France qu'à Londres, lui avait appris son informateur. Ce nom lui avait glacé le sang.

Que cet homme lié à Percy Beauchamp ait entraîné William dans une mission de renseignements n'était peut-être qu'une coïncidence mais Grey avait du mal à le croire.

En entendant ce nom, Nessie avait brusquement relevé la tête.

« Oui », avait-elle répondu lentement.

Elle avait une trace de sucre au coin des lèvres ; il aurait voulu l'essuyer et, dans d'autres circonstances, l'aurait fait.

« En tout cas, j'en ai entendu parler. C'est un Juif, à ce qu'il paraît.

— Un Juif ? Impossible ! »

Un Juif n'aurait jamais été autorisé à prendre une commission dans l'armée, pas plus qu'un catholique.

Nessie lui avait lancé un regard en biais, se pourléchant les babines telle une chatte.

« Il n'a peut-être pas envie que ça se sache. Mais, si c'est le cas, il ferait mieux de ne pas fricoter avec des gagneuses, c'est tout ce que je peux vous dire ! »

Elle avait éclaté de rire, repris son calme et s'était penchée vers lui, serrant son peignoir sur son cou.

« C'est une fille du Jackson's qui me l'a rapporté. Elle m'a dit avoir eu un choc quand il a baissé ses culottes. Elle ne voulait pas y toucher mais son ami le Français était là lui aussi, pour regarder. Quand il a vu qu'elle rechignait, il lui a proposé le double, alors elle a accepté. Elle a dit que, finalement, c'était pas mal du tout ! »

— « Pas mal du tout », je t'en foutrais ! marmonna-t-il tout seul, remarquant à peine le regard méfiant de l'unique autre passager du ferry suffisamment hardi pour être resté sur le pont.

Une neige épaisse tombait sur la Manche, poussée presque à l'horizontale par un brusque changement de direction du vent rugissant. Le navire tangua dangereusement. L'autre passager se secoua et descendit dans la cabine, laissant Grey manger ses pêches à l'eau-de-vie qu'il cueillait du bout des doigts dans un pot dans sa poche et regarder fixement la côte française qui approchait, à peine discernable sous les nuages bas.

24 décembre 1776
Québec

Cher père,

Je t'écris d'un couvent. Je me hâte de te rassurer : pas du genre de ceux de Covent Garden mais un vrai couvent catholique dirigé par des ursulines.

Le capitaine Randall-Isaacs et moi-même sommes arrivés dans la citadelle à la fin octobre dans l'intention de rencontrer sir Guy et de l'interroger sur les sympathies locales à l'égard de l'insurrection américaine. Hélas, il était parti pour Fort Saint-Jean afin d'y mater en personne les insurgés. La bataille navale (je suppose que c'est le terme approprié) s'est déroulée sur le lac Champlain, un étroit bras d'eau relié au lac George que tu as peut-être vu lors de ton séjour ici.

J'étais prêt à aller rejoindre sir Guy mais le capitaine Randall-Isaacs s'y est opposé compte tenu de la distance et de la saison. De fait, il avait raison, car dès le lendemain tombait une pluie glacée, celle-ci cédant bientôt le pas à un terrible blizzard qui a obscurci le ciel au point qu'on ne distinguait plus le jour de la nuit. En quelques heures, le monde s'est retrouvé enfoui sous la neige et la glace. Un tel déchaînement de la nature a tempéré considérablement ma déception d'avoir raté une occasion de rencontrer sir Guy.

De toute manière, je serais arrivé trop tard car la bataille avait déjà eu lieu le 1er octobre. Nous n'en apprîmes les détails qu'à la mi-novembre quand un détachement d'officiers hessiens du régiment du baron von Riedesel est rentré à la citadelle. Lorsque tu recevras cette lettre, tu auras sans doute déjà lu des descriptions plus précises des combats mais les versions officielles omettent souvent des détails intéressants et, pour être sincère, je n'ai rien d'autre à faire en ce moment, ayant décliné une aimable invitation de la mère supérieure à assister à la messe de minuit. (Les cloches des églises de la ville sonnent tous les quarts d'heure tout au long du jour et de la nuit. La chapelle du couvent étant située juste de l'autre côté du mur de l'hôtellerie où je suis logé, au dernier étage, et son clocher se trouvant à une vingtaine de mètres de la tête de mon lit, je peux te dire qu'il est très précisément 9 h 15 du soir.)

J'en reviens donc à la bataille. Alarmé par la tentative d'invasion de Québec l'année dernière malgré son lamentable échec, sir Guy était déterminé à raffermir son emprise sur le nord de la vallée de l'Hudson. En effet, c'est par là que d'autres troubles pourraient survenir, le voyage par voie de terre étant si difficile qu'il découragerait même les plus endurcis. (J'ai conservé pour toi un flacon d'eau-de-vie contenant un taon mesurant plus de cinq centimètres de long ainsi que de très grosses tiques prélevées sur ma personne à grand renfort de miel. Un généreux badigeonnage de celui-ci les étouffe et leur fait lâcher prise.)

En dépit de son absence de succès l'hiver passé, le colonel Arnold était déterminé à bloquer l'accès de sir Guy aux lacs. Il a sabordé ou brûlé tous les navires de Fort Saint-Jacques avant de l'évacuer, puis incendié la scierie et la forteresse elle-même.

Sir Guy a donc fait venir d'Angleterre des embarcations pliantes (comme j'aurais été curieux de les voir !). Lorsque les dix premières sont arrivées, il s'est rendu à Saint-Jean pour assister à leur assemblage sur le Richelieu. Pendant ce temps, le colonel Arnold (qui, si la moitié de ce que j'ai entendu sur son compte est vraie, est un homme incroyablement tenace) construisait en toute hâte une flottille de galères et de sloops.

*De son côté, outre ses prodiges d'ingénierie pliables, sir Guy disposait également de l'*Indefatigable*, une frégate de 180 tonnes (le nombre de ses canons varie selon mes informateurs ; après une seconde bouteille de vin rouge du couvent – les sœurs le préparent elles-mêmes et, à en juger par la couleur du nez du curé, une grande partie est consommée sur place –, un consensus a été trouvé, à savoir « y en a un sacré tas, mon pote ! »). Sir Guy l'a fait entièrement démonter, transporter jusqu'au fleuve puis remonter.*

Le colonel Arnold ayant apparemment décidé qu'attendre plus longtemps lui ferait perdre l'avantage de l'initiative, il est sorti de sa cachette derrière l'île Valcourt le 30 septembre. Selon les témoignages, il avait quinze embarcations, contre les vingt-cinq de sir Guy. Celles d'Arnold, bâties à la hâte, étaient impropres à la navigation et leurs équipages des hommes de terre qui n'auraient su reconnaître une écoutille d'un écouvillon… l'armée américaine dans toute sa gloire !

Cela dit, je ne devrais pas en rire. Plus j'en apprends sur le colonel Arnold (et j'en entends beaucoup parler ici à Québec), plus il m'apparaît comme « un homme qui en a », pour reprendre l'expression de grand-père George. J'aimerais pouvoir le rencontrer un jour.

J'entends chanter au-dehors. Les autochtones se rendent à la cathédrale qui se trouve non loin. Je ne connais pas cet air et ne distingue pas les paroles mais j'aperçois la lueur de leurs torches depuis mon perchoir. Selon les cloches, il est 10 heures du soir.

Au fait, la mère supérieure – sœur Immaculata – dit te connaître. Cela ne devrait pas me surprendre. Je lui ai raconté que tu connaissais l'archevêque de Canterbury et le pape, ce qui l'a fortement impressionnée. Elle m'implore de te demander de transmettre ses hommages les plus humbles à Sa Sainteté la prochaine fois que tu la verras. Elle m'a convié à dîner l'autre soir et m'a raconté la prise de la citadelle en 59. Il semblerait que tu aies cantonné un certain nombre de Highlanders dans l'enceinte du couvent. Les sœurs furent tellement choquées par leurs jambes nues qu'elles demandèrent par voie de réquisition des rouleaux de toile afin de leur confectionner des pantalons. Les dernières semaines du voyage ont durement malmené mon uniforme mais au moins suis-je décemment couvert sous la ceinture. Au grand soulagement de la mère supérieure, à n'en pas douter !

J'en reviens au récit de la bataille. La flotte de sir Guy mit le cap vers le sud dans l'intention de reprendre Crown Point puis Ticonderoga. Alors qu'ils passaient devant l'île Valcourt, deux des navires d'Arnold fondirent sur elle et la canonnèrent. Ils s'enfuirent ensuite mais l'un d'eux (le Royal Savage*), incapable de lutter contre le vent contraire, s'échoua. Plusieurs canonnières britanniques l'abordèrent et capturèrent quelques hommes mais durent battre en retraite après avoir essuyé un feu nourri des Américains. Ils n'omirent toutefois pas de mettre le feu au* Royal Savage *avant de décamper.*

Un grand désordre s'ensuivit alors dans le détroit et la bataille ne commença vraiment que vers midi, le Carleton *et l'*Inflexible *assurant le gros des combats avec les canonnières. Le* Revenge *et le* Philadelphia *d'Arnold furent sévèrement endommagés par les bordées et le* Philadelphia *sombra dans la soirée.*

Le Carleton *continua de pilonner l'ennemi jusqu'à ce qu'un tir chanceux des Américains sectionne la chaîne de son ancre, le faisant partir à la dérive. Il fut alors attaqué de toutes parts et bon nombre des membres de son équipage furent tués ou blessés. Parmi les morts se trouvaient son capitaine, le lieutenant James Dacres (j'ai la désagréable sensation de l'avoir déjà rencontré, peut-être à un bal la saison dernière), ainsi que tous les officiers supérieurs. Un enseigne de deuxième classe prit alors le commandement et le conduisit à l'abri. On m'a rapporté qu'il s'appelait Edward Pellew et quant à lui, je suis sûr de l'avoir croisé, une ou deux fois, chez Boodles avec oncle Hal.*

*Un autre coup de chance atteignit le magasin d'une canonnière et la fit exploser mais, entre-temps, l'*Inflexible *était enfin entré dans l'arène et pilonnait la flotte américaine avec sa grosse artillerie. Pendant ce temps, le navire le plus petit de sir Guy débarquait des troupes indiennes sur les berges du lac et de l'île Valcourt, coupant ainsi une voie de retraite à Arnold. Le restant de sa flotte fut donc contraint de s'engager plus au sud sur le lac.*

Grâce au brouillard et à la nuit, ils parvinrent à passer sous le nez de sir Guy et à se réfugier près de l'île Schuyler, quelques miles plus au sud. La flotte de sir Guy les prit en chasse et, le lendemain, arriva en vue des fuyards. Les bateaux d'Arnold étaient lourdement handicapés par les fuites, les dégâts et le mauvais temps, à savoir une pluie torrentielle et un vent violent. Le Washington *fut rattrapé, attaqué et sommé de se rendre. Son équipage d'une centaine d'hommes fut fait prisonnier. Néanmoins, le reste de la flotte d'Arnold parvint à rejoindre la baie de Buttonmold où, si j'ai bien compris, les eaux ne sont pas assez profondes pour que les navires de sir Guy puissent l'y suivre.*

Là, Arnold accosta, désarma la plupart de ses embarcations et les incendia, leurs pavillons volant toujours au vent. Selon les Allemands, c'était un geste de défi. Cela les amusait mais ils étaient également admiratifs. Le colonel Arnold (doit-on désormais l'appeler l'amiral Arnold ?) mit personnellement le feu au Congress, *son vaisseau amiral, puis s'enfonça à l'intérieur des terres, échappant de justesse à une embuscade des Indiens envoyés par sir Guy. Ses troupes arrivèrent à Crown Point mais ne s'y attardèrent pas, prenant juste le temps d'incendier le fort avant de se retirer à Ticonderoga.*

Sir Guy ne ramena pas ses prisonniers à Québec mais, demandant un cessez-le-feu, les remit au fort de Ticonderoga ; un très beau geste qui a fort impressionné mes informateurs.

10 h 30. As-tu assisté à une aurore boréale lorsque tu étais ici ou était-ce trop tôt dans l'année ? C'est un spectacle remarquable. Il a neigé toute la journée mais le ciel s'est éclairci à la tombée du soir. Ma fenêtre donne au nord où je vois actuellement un incroyable scintillement qui embrase toute la voûte céleste, des vagues de bleu pâle, un peu de vert, parfois du rouge, dessinant des arabesques telles des gouttes d'encre tombant dans un verre d'eau. Les chants, plus quelqu'un jouant du violon quelque part (un air très joli), couvrent le bruit mais j'ai déjà assisté à ce phénomène hors de la ville, dans la forêt, et on entend souvent un ou des sons très singuliers. Une sorte de sifflement, comme le vent autour d'un bâtiment bien qu'il n'y ait pas de mouvements d'air. Parfois, un chuintement perçant, interrompu par une pétarade de cliquetis et de craquements, comme si une horde de criquets avançait vers toi sur un tapis de feuilles mortes (Toutefois, lorsque l'aurore boréale commence à apparaître, le froid a tué tous les insectes depuis longtemps ; bon débarras ! Nous nous sommes oints d'un onguent fabriqué par les Indiens du cru. Il nous a protégé contre les mouches et les moustiques mais n'a en rien découragé les perce-oreilles, les cafards et les araignées).

Pour le trajet entre Saint-Jean et Québec, nous avons eu un guide, un homme de sang mêlé (il avait une chevelure telle que je n'en avais encore jamais vu, épaisse et bouclée comme de la laine de mouton et couleur d'écorce de cannelier). Il nous a expliqué que les indigènes considèrent le ciel comme un dôme qui séparerait la terre du paradis. Ce dôme serait percé de trous et les lumières de l'aurore boréale seraient les torches du paradis guidant les esprits des morts à travers ces orifices.

Je constate que je n'ai pas terminé mon récit. Il n'y a pas grand-chose à ajouter sinon qu'après la bataille sir Guy a pris ses quartiers d'hiver à Saint-Jean et ne rentrera probablement pas à Québec avant le printemps.

J'en viens donc au véritable objet de cette lettre. En me réveillant hier, j'ai découvert que le capitaine Randall-Isaacs était parti au milieu de la nuit. Il m'a laissé un bref billet m'informant qu'il avait des affaires urgentes à traiter, qu'il me remerciait de ma compagnie et de mon aide précieuse et que je devais rester ici en attendant son retour ou de nouveaux ordres.

La couche de neige est importante et ce n'est rien par rapport à ce qui nous attend sous peu. Pour qu'un homme s'aventure sur les routes, il faut effectivement que ses affaires soient très urgentes. Naturellement, je suis assez perturbé par le brusque départ du capitaine, intrigué par ce qui a pu le motiver et inquiet pour son bien-être. Néanmoins, la situation ne me paraît pas justifier que j'enfreigne mes ordres et donc… j'attends.

11 h 30. J'ai cessé d'écrire un moment pour aller admirer le ciel. Les aurores boréales se produisent par intermittence et je crois que le spectacle est terminé pour cette nuit. Le ciel est noir ; les étoiles brillantes mais petites comparées aux voiles lumineux de tout à l'heure. Il y a un grand vide dans le ciel comme on en voit rarement en ville. En dépit des cloches, des feux de joie sur la place et des chants, (il y a une sorte de procession en ce moment), je sens le grand silence au-delà.

Les sœurs sont en train d'entrer dans leur chapelle. En me penchant par la fenêtre, je viens de les apercevoir, hâtant le pas deux par deux sous le halo de leurs torches, se fondant dans la nuit avec leurs robes et leurs manteaux noirs (J'écris depuis un certain temps déjà ; pardonne les errements de mon cerveau fatigué).

C'est le premier Noël que je passe loin de chez moi et de ma famille. Le premier d'une longue série, sans doute.

Je pense souvent à toi, cher père. J'espère que tu vas bien et que tu te prépares à déguster une oie rôtie demain avec grand-mère et sir George. Transmets-leur, je te prie, toute mon affection ainsi qu'à oncle Hal et à sa famille (sans oublier ma chère Dottie, naturellement).

Un très joyeux Noël de ton fils,

William

P.-S. : 2 heures du matin. J'ai fini par descendre à la chapelle et me suis tenu au fond. La cérémonie était un peu pompeuse, avec beaucoup d'encens, mais j'ai dit une prière pour mère Geneva et maman Isobel. En ressortant, j'ai constaté que les lumières étaient réapparues. A présent, elles sont bleues.

25

Maudit océan

15 mai 1777

Mes très chers,

Je hais les bateaux. Je les méprise du plus profond de mon âme. Pourtant, je me trouve une fois de plus lancé sur la surface de ce maudit océan, à bord d'un navire baptisé The Tranquil Teal[1]*, un nom absurde s'il en est qui en dit long sur la fantaisie macabre de son capitaine. Ce dernier est un contrebandier métis à la mine maléfique et à l'humour exécrable qui m'a annoncé sans sourciller s'appeler Trustworthy Roberts*[2].

S'interrompant pour tremper sa plume dans l'encrier, Jamie lança un regard vers la côte de Caroline du Nord qui s'éloignait, s'élevant et retombant à un rythme écœurant. Il reporta aussitôt son attention sur la page. Il l'avait punaisée sur son écritoire afin qu'elle ne soit pas emportée par le vent frais qui gonflait les voiles au-dessus de sa tête.

Nous sommes tous en bonne santé, écrivit-il lentement, faisant abstraction de son mal de mer sur lequel il n'avait pas l'intention de s'épancher. Devait-il leur parler de Fergus ?

— Tu vas bien ?

1. *The Tranquil Teal* serait l'équivalent de « La Sarcelle tranquille » en français. *(N.d.T.)*

2. *Trustworthy* signifiant « digne de confiance » en anglais. *(N.d.T.)*

Claire était penchée vers lui avec cet air de curiosité intense mais prudente qu'elle réservait aux patients susceptibles de rendre tripes et boyaux, de pisser le sang ou de passer l'arme à gauche d'un instant à l'autre. Il avait déjà eu droit aux deux premiers quand elle avait accidentellement planté une de ses aiguilles dans un vaisseau sanguin de son cuir chevelu. Il espérait qu'elle n'était pas en train de déceler les signes annonciateurs de sa mort prématurée.

— Ça peut aller.

Il ne voulait même pas penser à son ventre de peur de le provoquer et changea rapidement de sujet.

— Dois-je parler de Fergus à Brianna et Roger Mac ?

Elle lui adressa un sourire narquois.

— Ça dépend. Il te reste beaucoup d'encre ? Oui, naturellement que tu devrais. Ça les passionnera et ça te fera penser à autre chose.

Elle le dévisagea en plissant les yeux puis ajouta :

— Tu es encore un peu verdâtre.

— Merci.

Elle éclata du rire indifférent de ceux qui ont le pied marin, déposa un baiser sur son crâne (en évitant soigneusement les quatre aiguilles qui pointaient sur son front), puis s'approcha du bastingage pour contempler le rivage qui oscillait au loin.

Il s'empressa de détourner les yeux et se replongea dans sa lettre.

Fergus et sa famille vont bien également mais je dois vous raconter un événement curieux. Un certain Percival Beauchamp...

Il lui fallut une page pour décrire Beauchamp et son étrange mission. Il se demanda s'il devait également mentionner la possibilité d'un lien de parenté avec la famille de Claire puis décida que non. Brianna connaissait certainement le nom de jeune fille de sa mère et ferait automatiquement le rapprochement. Il n'avait aucune information utile à partager sur ce sujet et d'ailleurs sa main commençait à lui faire mal.

Claire se trouvait toujours sur le pont, une main posée sur le garde-corps, fixant l'horizon d'un air songeur. Elle avait noué ses cheveux avec un ruban qui volait au vent, comme ses jupes

Mais aucune vie n'est longue à ce point.

Sa main commençait à s'assouplir. Claire continuait de la masser mais ce n'était plus aussi douloureux.

Elle déposa un baiser sur ses doigts et murmura :

— A moi aussi, ils me manquent. Donne-moi la lettre, je la terminerai.

La main de ton père n'en supportera pas davantage pour aujourd'hui. Outre le nom de son capitaine, ce navire a une autre particularité. En descendant dans la cale plus tôt ce matin, j'ai vu des piles de caisses sur lesquelles étaient peints au pochoir « Arnold » et « New Haven, Connecticut ». J'ai déclaré à un membre d'équipage (qui, lui, se nomme tout bêtement John Smith et semble vouloir pallier cet intolérable manque de distinction en portant trois anneaux d'or à une oreille et deux à l'autre. Il m'a assuré que chacun d'eux représentait un naufrage dont il avait réchappé. J'espère que ton père n'en saura rien) que ce M. Arnold devait être un marchand très prospère. Il m'a répondu en riant que M. Benedict Arnold était un colonel de l'armée continentale et un officier d'un grand courage par-dessus le marché. Les caisses sont destinées à sa sœur Hannah Arnold, qui s'occupe de ses trois fils ainsi que de son magasin de produits importés et d'articles de mercerie dans le Connecticut pendant qu'il est à la guerre.

Je dois dire que les bras m'en sont tombés. J'ai déjà rencontré des hommes dont je connaissais d'avance le destin, et au moins un que je savais condamné à une triste fin. On ne s'y habitue jamais. J'ai contemplé les caisses en me demandant : Dois-je écrire à Mlle Hannah ? Dois-je descendre du bateau à New Haven et partir à sa recherche ? Pour lui dire quoi, au juste ?

Toutes nos expériences à ce jour suggèrent qu'on ne peut pas changer ce qui doit arriver. En examinant la situation objectivement, je ne vois pas comment… et pourtant. Et pourtant !

Et pourtant, j'ai côtoyé tant de gens dont les actions ont eu un effet notable, qu'ils aient fini dans les livres d'histoire ou pas. Comment pourrait-il en être autrement ? dit ton père. Les actions de chacun d'entre nous influent sur l'avenir. Il a raison, naturellement. Néanmoins, de se retrouver en présence d'un homme tel que

Benedict Arnold vous en fiche un coup, comme aime à le dire le capitaine Roberts.

Fin de la digression. J'en reviens au sujet originel de cette lettre, le mystérieux M. Beauchamp. Si tu as du temps et que tu possèdes encore les cartons de paperasse et de livres qui se trouvaient dans le bureau de ton père (je veux parler de Frank), tu y retrouveras peut-être une grande enveloppe en papier kraft. Un écusson y a été dessiné avec des crayons de couleur. Je crois me souvenir qu'il est bleu et or, avec des martinets. Avec un peu de chance, il contient encore la généalogie des Beauchamp qu'oncle Lamb avait reconstituée pour moi. Il y a de cela belle lurette !

Rien que par curiosité, regarde si tu trouves une trace d'un Percival quelque part autour de 1777.

Le vent commence à se lever et la mer s'agite. Ton père est devenu tout pâle et a le front moite. Je ferais mieux d'arrêter là et de le descendre dans la cabine pour une gentille petite purge et une sieste.

Avec toute ma tendresse,

Maman

26

Un cerf aux abois

Roger souffla dans le goulot d'une bouteille ventrue et vide, produisant une longue plainte rauque. Ce n'en était pas loin. Un peu plus grave, peut-être, et naturellement, elle n'avait pas ce son creux, cette note grondante. Cependant le ton... Il se leva et alla fouiller dans le réfrigérateur. Il trouva ce qu'il cherchait derrière un talon de fromage et six pots de margarine qui contenaient Dieu savait quoi ; il était prêt à parier que ce n'était pas de la margarine.

Il ne restait plus que deux doigts de champagne dans la bouteille, vestiges de leur dîner de la semaine précédente pour fêter le nouveau travail de Bree. Quelqu'un s'était donné le mal d'envelopper le goulot dans une feuille de papier d'aluminium mais les bulles s'étaient évaporées depuis longtemps. Il n'y avait qu'à vider le fond de bouteille dans l'évier mais on ne se débarrasse pas si facilement d'une vie de parcimonie écossaise. Après un instant d'hésitation, il but le reste du champagne. Quand il abaissa la bouteille, il découvrit Annie MacDonald tenant Mandy par la main, les yeux rivés sur lui. Tout en installant l'enfant dans sa chaise haute, elle secoua la tête devant la dépravation de son employeur.

— Au moins, vous n'en mettez pas encore dans vos cornflakes du matin, déclara-t-elle en passant devant lui.

— Donne-moi, papa !

Attirée par l'étiquette brillante, Mandy tendait la main vers la bouteille. En père vigilant, Roger passa rapidement en revue tous les scénarios catastrophes qui pourraient en résulter et lui donna à la place son verre de lait, soufflant dans le goulot étroit de la bouteille de champagne en produisant un son grave et mélodieux. Oui, c'était plus ça, presque un *fa*.

Mandy fut enchantée.

— Encore, papa !

Il souffla à nouveau, la faisant glousser de rire. Puis il reprit la première bouteille ventrue et, alternant les deux goulots, improvisa une variation sur deux notes de *A la claire fontaine*.

Intriguée par les cris extatiques de sa fille, Brianna apparut sur le seuil, un casque de chantier bleu à la main.

— Tu comptes lancer ton propre orchestre folklorique ?

— J'ai déjà trouvé mon public, répondit-il.

Ayant décidé que le pire que pouvait faire Mandy avec la bouteille de champagne était de la laisser tomber par terre, il la lui donna puis sortit dans le couloir en entraînant Brianna avec lui. Dès que la porte battante se fut refermée, il la plaqua contre le mur et lui donna un long baiser. Elle se dégagea juste le temps de demander :

— Du champagne au petit déjeuner ?

— J'avais besoin de la bouteille, marmonna-t-il.

Elle l'embrassa à son tour. Elle avait mangé du porridge avec du beurre et du miel pour son petit déjeuner. Sa bouche était sucrée, rendant le champagne acide sur les bords de sa langue. Sa peau était chaude sous son pull en laine polaire. Les doigts de Roger s'attardèrent sur la chair nue dans le creux de ses reins.

— Passe une bonne journée, murmura-t-il.

Il lutta contre l'envie de glisser la main dans son jean. Il n'était guère convenable de peloter les fesses de la toute nouvelle inspectrice de la commission hydroélectrique de l'Ecosse du Nord.

— Tu rapporteras ton casque à la maison, ce soir ?

— Oui, pourquoi ?

— Tu pourrais le porter au lit.

Il le lui prit des mains et le déposa délicatement sur sa tête. Les yeux de Brianna virèrent aussitôt au bleu marine.

— Si tu le portes cette nuit, je te dirai à quoi sert la bouteille de champagne.

— Ça, c'est une offre que je ne peux pas refu...

Les yeux bleu marine se détournèrent. Roger regarda par-dessus son épaule et aperçut Annie au bout du couloir, son balai et sa pelle à la main, les observant d'un air captivé.

Il libéra précipitamment Brianna.

— Oui, bon... euh... passe une bonne journée.

— Toi aussi.

Retenant une envie de rire, Brianna l'attrapa fermement par les épaules et l'embrassa avant de sortir d'un pas ferme. En passant devant Annie, qui ouvrait des yeux ronds, elle lui lança un petit salut en gaélique.

Un bruit de verre cassé s'éleva dans la cuisine. Il se précipita vers la porte battante, une partie de son esprit déjà concentrée sur le désastre qu'il allait découvrir, une autre, plus grande, sur le fait qu'il venait de se rendre compte que sa femme était partie au travail sans culotte.

Mandy était parvenue à lancer la bouteille de champagne à travers la fenêtre et se tenait à présent debout sur la table, les mains tendues vers les bords de la vitre brisée.

— Mandy !

Il l'attrapa au vol et, dans le même mouvement, lui administra une fessée. Elle poussa un long cri perçant. Il la prit sous un bras et sortit en passant devant Annie qui se tenait sur le seuil, la bouche ouverte et les yeux écarquillés.

— Occupez-vous de la vitre, s'il vous plaît.

Il se sentait coupable. Comment avait-il pu lui donner la bouteille de champagne ? En la laissant seule avec, par-dessus le marché !

Il était également irrité contre Annie Mac. Après tout, son travail consistait à veiller sur les enfants. Certes, il aurait dû attendre qu'elle soit de retour dans la pièce avant de sortir. Il en voulait également à Bree, partie tranquillement à son nouveau travail en lui laissant toutes les responsabilités domestiques sur les bras.

Conscient qu'il ne cherchait en s'énervant qu'à étouffer sa culpabilité, il s'efforça de se calmer tout en sermonnant Mandy. Il lui tint un petit discours sur le danger de monter sur les tables, de jeter des objets dans la maison, de toucher des surfaces tranchantes, lui expliquant qu'elle devait appeler un adulte quand elle avait besoin d'aide. (Il pouvait toujours courir ! Il n'avait encore jamais vu une bambine de trois ans aussi indépendante. Ce qui n'était pas peu dire après avoir connu Jem au même âge.)

Amanda n'était pas rancunière. Cinq minutes après sa fessée et sa réprimande, elle riait et suppliait son père de jouer avec elle à la poupée.

— Papa doit travailler ce matin.

Il se baissa néanmoins pour qu'elle grimpe sur son dos.

— Viens, allons trouver Annie Mac. Tes poupées et toi pourrez l'aider à ranger l'office.

Laissant sa fille et Annie travailler joyeusement dans le garde-manger, sous la supervision d'une batterie de poupées miteuses et de peluches crasseuses, il retourna dans son bureau et sortit le cahier dans lequel il recopiait les chansons laborieusement apprises par cœur. Plus tard dans la semaine, il avait rendez-vous avec Siegfried MacLeod, le chef de chœur de Saint Stephen. Il comptait lui offrir un florilège des chants les plus rares en gage de bonne volonté.

Il lui faudrait montrer patte blanche. Le professeur Weatherspoon s'était montré encourageant, lui assurant que MacLeod serait ravi d'avoir de l'aide, notamment avec le chœur d'enfants, mais Roger avait passé suffisamment de temps dans des cercles universitaires, des loges maçonniques et des tavernes du XVIIIe siècle pour savoir comment fonctionnait la politique locale. MacLeod n'apprécierait peut-être pas qu'on lui impose ainsi un « étranger » sans lui demander son avis.

Et puis il y avait la question épineuse d'un chef de chœur ne pouvant pas chanter.

Il avait consulté deux spécialistes, l'un à Boston, l'autre à Londres. Tous deux lui avaient dit la même chose. Une opération chirurgicale pourrait éventuellement lui rendre la voix en limant les cicatrices dans son larynx. Elle pouvait également l'endommager davantage, voire la détruire définitivement.

L'un d'eux lui avait expliqué en hochant gravement la tête :

« La chirurgie des cordes vocales est extrêmement délicate. D'ordinaire, nous n'intervenons qu'en cas d'absolue nécessité, comme la présence d'une tumeur cancéreuse, une malformation congénitale ou une raison professionnelle impérative. Un chanteur célèbre présentant des nodules, par exemple. Dans ce cas, le désir de restaurer la voix peut être un motif suffisant pour justifier une opération, mais cela entraîne également un risque majeur de laisser le patient définitivement muet. Dans votre cas... »

Roger pressa deux doigts contre sa gorge et fredonna, sentant la vibration rassurante. Non. Il savait ce que ne plus pouvoir parler signifiait. A l'époque, il avait cru ne plus pouvoir prononcer un seul son. Le souvenir de son désespoir d'alors lui rendait les mains moites. Ne plus jamais parler à ses enfants ? A Bree ? Non, le jeu n'en valait pas la chandelle.

Le regard du révérend Weatherspoon s'était attardé avec intérêt sur la cicatrice dans son cou mais il n'avait rien dit. MacLeod aurait peut-être moins de tact.

Car le Seigneur châtie celui qu'il aime... Weatherspoon ne l'avait pas dit au cours de leur conversation mais il avait choisi cette phrase comme thème de son groupe de discussion biblique hebdomadaire. Roger l'avait lu sur le prospectus posé sur son bureau. Dans son état d'hypersensibilité, tout lui semblait porteur de message.

— Si c'est ce que tu as en tête, Seigneur, j'apprécie le compliment, déclara-t-il à voix haute. Toutefois, si tu pouvais m'aimer un peu moins cette semaine, ça m'arrangerait bien.

Derrière la plaisanterie, il y avait une part de colère. Il en avait assez de devoir une fois de plus faire ses preuves. La dernière fois, il avait dû prouver sa valeur physique. Et voilà qu'il devait remettre ça sur le plan spirituel ? Dans un monde aussi tordu et glissant ? Il avait pourtant déjà démontré sa bonne volonté, non ?

— Tu m'as appelé, j'ai répondu oui. Ça ne te suffit donc pas ?

Brianna ne comprenait pas non plus. Cela avait été le point d'orgue de leur querelle. Elle avait déclaré :

« Tu avais... ou plutôt je croyais que tu avais... une vocation. Ce n'est peut-être pas ainsi que l'appellent les protestants mais c'est bien de ça qu'il s'agit, n'est-ce pas ? Tu m'as dit que Dieu te parlait. »

Elle l'avait dévisagé fixement d'un regard si pénétrant qu'il avait eu envie de détourner les yeux. Ce qu'il n'avait pas fait.

Elle avait posé une main sur son bras, le pressant légèrement, et repris plus doucement :

« Tu crois que Dieu change d'avis ? Ou tu penses t'être trompé ?

— Non, avait-il répondu aussitôt. Non, quand quelque chose comme ça t'arrive... enfin, quand ça m'est arrivé, je n'avais pas le moindre doute.

— Et tu en as maintenant ?

— On croirait entendre ta mère établissant un diagnostic. »

Bree ressemblait tellement à son père physiquement qu'il voyait rarement sa mère en elle mais sa façon calme et impitoyable de poser des questions était du Claire Beauchamp tout craché. Tout comme son sourcil légèrement arqué, en attente d'une réponse. Il avait pris une profonde inspiration.

« Je ne sais pas.

— Si, tu le sais. »

Sa colère avait explosé, soudaine et vive. Il avait libéré son bras d'un coup sec.

« De quel droit viens-tu me dire ce que je sais ou pas ? »

Elle avait écarquillé les yeux.

« Je suis ta femme, tout de même !

— Et ça t'autorise à lire dans mes pensées ?

— Ça m'autorise à m'inquiéter pour toi !

— Eh bien, tu as tort ! »

Naturellement, ils avaient fait la paix, scellée avec un baiser et plus encore. Ils s'étaient mutuellement pardonné. Mais pardonner ne signifiait pas oublier.

Si, tu le sais.

Le savait-il ?

— Oui ! lança-t-il avec défi au broch visible depuis sa fenêtre.

Que faire de cette certitude ? C'était là que le bât blessait.

Peut-être était-il destiné à être prêtre mais pas presbytérien ? Interconfessionnel, évangéliste... catholique ? Cette pensée était si troublante qu'il se leva pour arpenter la pièce. Il n'avait rien contre les catholiques (si l'on excluait les automatismes engendrés par une enfance et une adolescence de protestant dans les Highlands) mais il ne pouvait s'imaginer comme l'un d'eux. Pour Mmes Ogilvy, MacNeil et autres, ce serait « passer dans le camp de Rome » ; une défection qui serait discutée pendant des années dans des chuchotements horrifiés. Cette image le fit sourire malgré lui.

De toute façon, il ne pouvait devenir un prêtre catholique, étant marié et père de famille. Cela l'apaisa un peu et il se rassit. Non. Il devrait se convaincre que Dieu, par l'intermédiaire du professeur Weatherspoon, lui montrait la voie dans ce passage difficile de sa vie. Et si c'était vrai… n'était-ce pas là une preuve de la prédestination ?

Roger gémit, chassa toutes ces pensées et se plongea avec ténacité dans son cahier.

Certains des poèmes et des chants qu'il avait recopiés étaient connus ; une sélection de chansons traditionnelles qu'il avait chantées dans son ancienne vie. Bon nombre des textes plus rares, il les avait appris, au XVIIIe siècle, d'immigrants écossais, de voyageurs, de colporteurs et de marins. D'autres encore, il les avait exhumés des caisses que le révérend avait laissées derrière lui. Le garage du vieux presbytère en avait été rempli. Brianna et lui n'en avaient encore examiné qu'une infime partie. C'était un pur miracle qu'ils soient tombés si vite sur le coffret contenant les lettres.

Il leva les yeux vers ce dernier, tenté. Il ne pouvait les lire sans Bree, ce n'aurait pas été correct. Mais les deux livres ? Ils les avaient feuilletés rapidement après les avoir découverts mais ils avaient été plus intéressés par les lettres afin de savoir ce qui était arrivé à Claire et Jamie. Avec l'impression d'être Jem s'éclipsant avec un paquet de biscuits au chocolat, il descendit la boîte de son étagère. Elle était très lourde. Il la posa sur le bureau, il l'ouvrit et écarta précautionneusement les lettres.

Les livres étaient petits. Le plus grand était ce qu'on appelait un in-octavo couronne, d'environ treize centimètres sur dix-huit. C'était un format courant à une époque où le papier était cher et rare. Le plus petit était un in-seize, de dix centimètres sur treize. Roger sourit en songeant à Ian Murray. Brianna lui avait raconté la réaction scandalisée de son cousin quand elle lui avait décrit le papier hygiénique. Que l'on puisse se torcher avec lui avait paru être le comble du gaspillage.

Le petit livre était soigneusement relié en vachette bleue ; la tranche en était dorée. C'était un bel objet, cher. Il s'intitulait *Principes sanitaires de poche*, par C. E. B. F. Fraser. Une édition limitée imprimée par *A. Bell, Edimbourg*.

Un petit frisson le parcourut. Ils étaient donc bien arrivés en Ecosse, grâce aux bons soins du capitaine Trustworthy Roberts. Néanmoins, l'universitaire en lui le mit en garde : ce n'était pas une preuve. Le manuscrit avait pu atterrir en Ecosse sans que son auteur l'apporte en personne.

Etaient-ils venus à Lallybroch ? Il regarda autour de lui les murs défraîchis et les meubles patinés par le temps. Il imaginait sans peine Jamie assis derrière le grand bureau près de la fenêtre, examinant les registres de la ferme avec son beau-frère. Si la cuisine était le cœur de la maison, cette pièce était son cerveau.

Il ouvrit le livre et manqua de s'étrangler. Le frontispice était orné d'une gravure représentant l'auteur. Un homme de science, portant un collet, une veste noire et une haute cravate au-dessus de laquelle le regardait sereinement le visage de sa belle-mère.

Il rit si fort qu'Annie Mac sortit de la cuisine et vint jeter un œil, inquiète à l'idée qu'il se trouve mal. Il lui fit signe que tout allait bien puis ferma la porte de son bureau.

C'était bien elle. Les yeux écartés sous des sourcils bruns, les courbes gracieuses et fermes des pommettes, des tempes et de la mâchoire. L'auteur de la gravure n'avait pas su rendre sa bouche. C'était aussi bien. Aucun homme n'avait des lèvres comme les siennes.

Quel âge ? Il vérifia la date d'impression : MDCCLXXVIII. 1778. Pas tellement plus âgée que la dernière fois qu'il l'avait vue. Elle paraissait toujours bien plus jeune qu'elle ne l'était en réalité.

Y avait-il un portrait de Jamie dans l'autre... ? Il saisit le premier livre et l'ouvrit. Effectivement, il comportait une autre gravure, quoique d'une facture moins raffinée. Son beau-père était assis dans une bergère, un plaid drapé sur le dossier, ses cheveux retenus dans la nuque, un livre ouvert sur un genou.

Il faisait la lecture à un petit enfant assis sur l'autre genou. C'était une fillette aux cheveux noirs et bouclés. Elle tournait le dos, absorbée par le récit. Naturellement, le graveur ne pouvait pas savoir à quoi Mandy ressemblerait.

L'ouvrage s'intitulait *Contes de grand-père* et portait le sous-titre « Histoires des Highlands et de l'arrière-pays de la Caroline du Nord », par *James Alexander Malcom MacKenzie Fraser*. Il avait également été imprimé par *A. Bell, Edimbourg* la même année. La dédicace disait simplement *A mes petits-enfants*.

Le portrait de Claire l'avait fait rire, celui-ci l'émut presque aux larmes. Il referma doucement le livre.

Quelle foi avait dû les animer pour créer, amasser, transmettre ces documents fragiles à travers les ans, dans le seul espoir qu'ils résisteraient au passage du temps et atteindraient un jour ceux à qui ils étaient adressés ! La conviction que Mandy les lirait un jour. Il en eut la gorge serrée.

Comment avaient-ils fait ? Certes, on disait que la foi déplaçait des montagnes. La sienne en ce moment ne semblait même pas capable d'aplatir une taupinière.

Un mouvement de l'autre côté de la fenêtre attira son attention. Jem venait de sortir par la porte de la cuisine à l'autre bout de la maison. Il avait le visage rouge, le dos voûté et tenait un grand filet à provisions dans lequel Roger distingua, entre autres, une bouteille de limonade et une miche de pain. Surpris, il lança un regard vers la pendule sur le manteau de cheminée, croyant que le temps était passé sans qu'il s'en rende compte. Mais non. Il était treize heures pile.

— Qu'est-ce que…

Il reposa le livre et sortit par l'arrière de la maison, juste à temps pour apercevoir son fils, vêtu de son coupe-vent et d'un jean (il n'avait pas le droit d'en porter à l'école), traverser le champ fauché.

Il aurait pu le rattraper sans mal mais il choisit de ralentir le pas et de le suivre à distance.

De toute évidence, Jem n'était pas souffrant. Il avait dû se passer quelque chose à l'école. Avait-il été renvoyé de l'établissement ou était-il parti de son propre chef ? Personne n'avait téléphoné mais, à cette heure-ci, les enfants sortaient juste du réfectoire. Il se pouvait que son absence n'ait pas encore été remarquée. Cela représentait une marche de plus de trois kilomètres mais, pour Jem, c'était une bagatelle.

L'enfant venait d'atteindre l'échalier du muret en pierres sèches qui ceignait le champ. Il sauta par-dessus et s'avança d'un pas résolu dans le pré rempli de moutons. Où allait-il donc ?

— Qu'est-ce que tu as encore fabriqué ? marmonna Roger.

Jem ne fréquentait l'école de Broch Mordha, le village voisin, que depuis deux mois. C'était son premier contact avec l'éducation du XXe siècle. Après leur retour, Roger lui avait donné des cours à domicile à Boston pendant que Brianna restait à l'hôpital auprès de Mandy après l'opération qui lui avait sauvé la vie. Une fois la petite rentrée à la maison, ils avaient dû décider ce qu'il convenait de faire.

C'était surtout pour Jem qu'ils étaient venus s'installer dans les Highlands, même si cela correspondait au désir de Brianna.

« L'Ecosse fait partie de leur héritage, avait-elle expliqué. Après tout, ils ont du sang écossais des deux côtés. Je ne veux pas qu'ils perdent ça. »

En outre, le lien avec leur grand-père coulait de source.

Le fait était que Jem serait davantage dans son élément en Ecosse. Malgré les mois passés aux Etats-Unis et l'influence de la télévision, il parlait encore avec un fort accent des Highlands qui aurait fait de lui un enfant marqué dans une école primaire de Boston. D'un autre côté, Jem n'était pas le genre d'enfant à passer inaperçu où qu'il soit.

Cependant, il ne faisait aucun doute que la vie à Lallybroch et dans une école de village des Highlands se rapprochait beaucoup plus de ce qu'il avait connu en Caroline du Nord même si, compte tenu de la flexibilité naturelle des enfants, il se serait probablement adapté n'importe où.

Jem avait atteint l'autre bout du champ. Il chassa un groupe de moutons qui lui barrait l'accès à la porte donnant sur la route. Un bélier noir abaissa la tête et le menaça mais le garçon n'avait pas peur des animaux. Il cria et agita son filet et le bélier, surpris, recula. Cela fit sourire Roger.

Il n'avait aucune inquiétude quant à l'intelligence de son fils, ou, si inquiétude il avait, c'était pour le genre d'ennuis qu'elle pouvait lui attirer. L'école n'était simple pour personne, en particulier une nouvelle école et encore plus pour un enfant qui n'était pas tout à fait comme les autres, pour une raison ou une autre. Roger se souvenait de son école à Inverness où il s'était singularisé d'abord pour ne pas avoir de vrais parents puis pour être le fils adoptif du révérend. Après s'être fait chahuter, railler, dépouiller de son déjeuner pendant quelques semaines douloureuses, il avait commencé à rendre les coups. Cela lui avait valu quelques problèmes avec les enseignants mais également la considération de ses camarades.

Jem s'était-il battu ? Roger était trop loin pour voir s'il portait des marques de coups. Ce qui, par ailleurs, l'aurait surpris.

Il y avait eu un incident la semaine précédente. Jem avait remarqué un rat se glissant dans un trou sous les fondations de l'école. Le lendemain, il avait apporté un bout de ficelle et installé un piège avant le début des classes. A la récréation, il était venu récupérer sa proie qu'il avait dépecée avec adresse sous les regards admiratifs des garçons et les cris horrifiés des filles. Sa maîtresse n'avait pas été plus enchantée. Mlle Glendenning était une citadine d'Aberdeen.

Cependant, il s'agissait d'une école de campagne et la plupart des enfants venaient des fermes des environs. Leurs pères chassaient et pêchaient et tous savaient ce qu'était un rat. M. Menzies, le directeur, avait félicité Jem pour son habileté mais lui avait demandé de ne jamais recommencer dans l'enceinte de l'école. Il l'avait néanmoins autorisé à conserver la peau du rat, que Roger avait cérémonieusement clouée sur la porte de la cabane à outils.

Jem ne se donna pas la peine d'ouvrir la barrière du pré, se glissa entre les planches.

Comptait-il se rendre sur la grand-route et faire de l'autostop ? Roger hâta le pas, évitant les crottes de mouton et se frayant un passage à travers un groupe de brebis qui s'écartèrent à contrecœur en bêlant d'indignation.

Mais Jem prit l'autre direction. Mais où diable voulait-il aller ? La piste en terre qui longeait la clôture du côté opposé à la route ne menait nulle part... Elle s'arrêtait au pied des collines abruptes et rocailleuses.

C'était donc là-bas qu'il se rendait ! Dans les collines. Il commença à grimper, sa petite silhouette presque engloutie par les fougères et les branches basses des sorbiers qui poussaient sur le versant. De toute évidence, fidèle à la tradition des hors-la-loi des Highlands, il prenait le maquis.

Ce fut en songeant aux hors-la-loi que le déclic se fit. Jem se dirigeait vers la grotte de Dunbonnet.

Jamie Fraser y avait vécu pendant sept ans après la tragédie de Culloden, presque en vue de sa maison mais caché des soldats de Cumberland, protégé par ses métayers qui ne mentionnaient jamais son nom à voix haute et l'appelaient « Dunbonnet » en raison du bonnet de laine qu'il portait pour cacher ses cheveux roux.

La même chevelure brilla brièvement au milieu du versant avant de disparaître derrière un rocher.

Se rendant compte que, cheveux roux ou pas, il pouvait facilement perdre Jem dans le paysage accidenté, Roger accéléra encore le pas. Devait-il crier son nom ? Il savait plus ou moins où se trouvait la grotte. Brianna la lui avait décrite même s'il n'y était encore jamais allé. Il se demanda si Jem le savait, lui. Peut-être la cherchait-il.

Il n'appela pas et commença à grimper à son tour. Un étroit sentier boueux se faufilait dans la végétation, portant les empreintes d'une petite basket. Cela le rassura et il ralentit. Il ne perdrait pas Jem.

Tout paraissait calme sur la colline mais un petit vent agitait les branches de sorbier.

La bruyère formait des taches d'un violet profond dans les creux des roches au-dessus de lui. Il sentit une odeur étrange dans la brise et s'arrêta, cherchant sa source autour de lui. Il y eut un éclair roux : un cerf aux bois superbes et puant le rut, à une dizaine de mètres en contrebas. Roger se figea mais l'animal avait déjà relevé la tête, humant l'air en remuant ses grandes narines noires.

Il avait machinalement porté la main à sa ceinture, là où il portait autrefois son couteau à dépouiller. Les muscles bandés, prêt à se précipiter pour trancher la gorge du cerf dès que le tir du chasseur l'aurait abattu. Il sentait presque la peau épaisse et velue, la trachée cédant avec un bruit sec sous la lame, le jet de sang chaud sur ses mains.

Le cerf brama, un long cri guttural, défiant tout autre mâle à portée d'ouïe. L'espace d'un instant, Roger s'attendit à entendre une des flèches de Ian fuser à travers les branches de sorbier ou l'écho du fusil de Jamie ébranler la colline. Puis il se ressaisit et ramassa une pierre... mais la bête l'avait entendu et bondissait déjà au loin dans un fracas de branches sèches.

Roger resta immobile, encore secoué, en sueur. Mais ce n'était pas la Caroline du Nord et le couteau dans sa poche ne servait qu'à couper de la ficelle et à ouvrir des bouteilles de bière.

Le cœur toujours battant, il reprit sa marche, essayant de retrouver la réalité de temps et de lieu qui était sienne. Il finirait bien par s'y habituer un jour, non ? Ils étaient de retour depuis plus d'un an mais il se réveillait encore parfois la nuit sans savoir où il était ni quand. Pire, cela lui arrivait alors qu'il était éveillé.

Les enfants ne paraissaient pas avoir souffert de ce déplacement dans le temps. Naturellement, Mandy avait été trop jeune et trop malade pour se souvenir de quoi que ce soit, qu'il s'agisse de leur vie en Caroline du Nord ou du passage à travers les pierres. Jem, lui, se le rappelait. Mais Jem... Une demi-heure après avoir émergé des menhirs à Ocracoke, ils avaient atteint une route asphaltée. Le garçon avait été transfiguré par les voitures qui passaient en vrombissant.

« Vroum ! » avait-il dit simplement, un large sourire aux lèvres.

Le traumatisme de la séparation et du voyage dans le temps semblait déjà oublié alors que Roger, lui, pouvait à peine mettre un pied devant l'autre, ayant la sensation qu'une grande partie de lui était restée coincée dans le tunnel spatio-temporel.

Un automobiliste s'était arrêté et, ému par leur histoire d'accident de bateau, les avait conduits au village voisin où un appel en PCV à Joe Abernathy leur avait permis de régler les questions les plus urgentes en matière d'argent, de vêtements, d'hébergement et de nourriture. Lors du trajet, assis sur les genoux de son père, Jem avait regardé d'un air béat le paysage défiler, le vent qui s'engouffrait par la vitre baissée faisant voler ses cheveux fins et brillants.

C'était devenu une passion. Sitôt installés à Lallybroch, il avait harcelé son père pour qu'il le laisse conduire la Mini Morris sur les sentiers de ferme assis sur ses genoux, ses petites mains agrippées au volant.

Roger sourit en lui-même. Il devait s'estimer heureux que Jem ait décidé de s'enfuir à pied cette fois. D'ici un an ou deux, il serait assez grand pour atteindre les pédales. Il ferait mieux à l'avenir de cacher ses clefs de voiture.

Il était haut au-dessus de la maison à présent et ralentit le pas pour examiner les alentours. Brianna lui avait expliqué que la grotte se trouvait sur le versant sud, à une dizaine de mètres d'un rocher pâle baptisé « le Bond du Tonneau ». Il devait son nom au fait qu'un jeune serviteur de Dunbonnet était tombé sur un groupe de soldats britanniques alors qu'il apportait un fût de bière au laird. Il avait préféré les laisser lui trancher la main plutôt que de leur révéler à qui le tonneau était destiné.

— Oh, Fergus, mon bon Fergus… murmura Roger.

Il revoyait les yeux pétillants de son ami tandis qu'il riait aux éclats en brandissant un poisson piqué au bout du crochet lui tenant lieu de main gauche.

En se tournant, il aperçut le rocher massif et rugueux, témoin muet de l'horreur et du désespoir… Le passé l'empoigna à la gorge, aussi brutal et impitoyable qu'un nœud coulant.

Il toussa, essayant de libérer ses voies aériennes. Un brame rauque et sinistre lui répondit ; il y avait un autre cerf non loin, un peu plus haut sur la colline mais encore hors de vue.

Il sortit du sentier et s'aplatit contre le rocher. Sa toux était-elle si terrible que le cerf l'avait pris pour un rival ? Il venait bien plus probablement défier celui entrevu quelques minutes plus tôt.

De fait, le grand cerf descendit lentement, avançant presque délicatement à travers la bruyère et les pierres. C'était un bel animal mais il portait déjà les stigmates de la saison des amours. Ses côtes étaient visibles sous son épaisse fourrure ; la chair de sa tête était affaissée ; ses yeux rougis par le manque de sommeil et le désir.

La grosse tête pivota dans sa direction et les yeux injectés de sang se fixèrent sur lui. L'animal n'avait pas peur de l'homme. Il n'y avait plus de place dans son cerveau pour autre chose que le combat et la copulation. Il étira son cou et brama à nouveau, les yeux blancs sous l'effort.

— Doucement, mon pote, lui dit calmement Roger. Si tu la veux, elle est à toi.

Il recula lentement mais le cerf le suivit, le menaçant de ses bois baissés. Roger agita les bras et cria, ce qui, d'ordinaire, aurait suffi à faire décamper la bête. Mais les cerfs en rut ne sont pas dans leur état normal. Celui-ci baissa la tête et chargea.

Roger bondit sur le côté et se jeta à plat ventre au pied du rocher, tentant de se coller le plus possible contre sa base afin de ne pas être piétiné. Le cerf s'arrêta à quelques mètres, soufflant bruyamment et arrachant la bruyère avec ses bois. Puis il entendit son rival un peu plus bas et redressa brusquement la tête.

Un second brame retentit en contrebas. Le nouveau cerf fit demi-tour, bondit par-dessus le sentier et dévala la pente dans un fracas de branches brisées et d'éboulis de cailloux.

Roger se releva, l'adrénaline coulant dans ses veines comme du mercure. Il ne s'était pas rendu compte que les cerfs rouges étaient en pleine activité prénuptiale, autrement il n'aurait pas perdu de temps à méditer sur le passé. Il fallait retrouver Jem au plus tôt avant qu'il ne tombe nez à nez avec l'une de ces bêtes.

Il entendait l'entrechoc des bois et les râles des deux mâles un peu plus bas, se battant pour le contrôle du harpail bien que les biches ne soient visibles nulle part.

— JEM ! hurla-t-il. Jem, où es-tu ? Réponds-moi tout de suite !

— Je suis là, papa.

La voix tremblotante venait d'au-dessus de lui. Il pivota sur ses talons et découvrit son fils assis sur le Bond du Tonneau, serrant son filet à provisions contre lui.

— Descends de là !

Le soulagement l'emporta toutefois sur l'irritation. Il tendit les mains et le garçon se laissa glisser le long de la roche, atterrissant lourdement dans ses bras. Roger le déposa à terre avec un grognement d'effort puis ramassa le filet. Outre la limonade et le pain, il contenait des pommes, un gros morceau de fromage et un paquet de biscuits au chocolat.

— Tu projetais de rester ici un long moment ? demanda-t-il.

Le gamin rougit et détourna les yeux.

Roger regarda autour d'eux.

— Elle est par ici ? La grotte de ton grand-père ?

Il ne voyait rien. Le versant n'était qu'un amas de rocaille et de bruyères parsemé d'ajoncs avec, ici et là, un sorbier ou un aulne.

Jemmy montra du doigt un point plus haut sur la colline.

— Elle est juste là. Tu vois cet arbre tout rabougri et penché ?

Effectivement, Roger aperçut un sorbier au tronc noueux. Existait-il déjà du temps de Jamie ? Toutefois, il ne distinguait toujours pas de grotte. Plus bas, les bruits de combat avaient cessé. Il jeta un coup d'œil par-dessus son épaule au cas où le vaincu remonterait par là mais ne vit rien.

— Montre-moi.

Jem, qui avait paru profondément mal à l'aise, se détendit et commença à escalader la pente, Roger sur les talons.

On pouvait se tenir à quelques pas de la grotte sans jamais deviner son existence. Son entrée étroite était cachée par un affleurement de roche et un ajonc touffu. Il fallait se trouver juste devant pour la voir.

Un souffle frais et humide s'en échappait. Roger s'agenouilla pour regarder à l'intérieur. On n'y voyait pas à plus d'un mètre et elle n'était guère accueillante.

— Il doit faire froid pour dormir là-dedans.

Il indiqua à Jem une pierre non loin.

— Tu ne veux pas t'asseoir et me raconter ce qui s'est passé à l'école ?

L'enfant déglutit, se balançant d'un pied sur l'autre.

— Non.

— Assieds-toi.

Il n'avait pas haussé la voix mais, à son ton, il était clair qu'il entendait être obéi. Jem recula d'un pas et s'adossa à la roche. Il refusait de relever les yeux.

— J'ai reçu des coups de ceinture.

— Ah ? fit Roger d'un ton neutre. Oui, ça fait mal. Ça m'est arrivé une ou deux fois quand j'étais à l'école. Moi non plus, je n'ai pas aimé.

Jem redressa la tête en écarquillant les yeux.

— C'est vrai ? Qu'est-ce que tu avais fait ?

— Je m'étais bagarré.

Ce n'était pas un bon exemple à donner à son fils mais c'était la vérité. Il lui demanda :

— C'est ce qui s'est passé aujourd'hui ?

Jem semblait indemne mais, quand il tourna la tête, Roger remarqua qu'il avait une oreille rouge vif, le lobe presque violet. Il répéta calmement :

— Que s'est-il passé ?

— Jacky McEnroe a dit que si tu apprenais que j'avais reçu une correction à l'école, tu m'en donnerais une autre une fois rentré à la maison.

Il regarda son père droit dans les yeux.

— C'est ce que tu vas faire ?

— Je n'en sais rien. J'espère que ce ne sera pas nécessaire.

Il lui avait donné des coups de martinet un jour – il y avait été contraint – et ni l'un ni l'autre ne souhaitait répéter cette expérience. Il tendit la main et toucha doucement l'oreille de son fils.

— Raconte-moi, tu veux.

Jem prit une grande inspiration suivie d'un profond soupir résigné.

— Eh bien... ça a commencé quand Jimmy Glasscock a dit que maman, Mandy et moi, on irait brûler en enfer.

— Ah oui ?

Roger n'était pas surpris. Les presbytériens écossais n'étaient pas connus pour leur tolérance, une tendance qui n'avait guère changé au cours des deux derniers siècles. Si les bonnes manières empêchaient la plupart d'entre eux d'annoncer à tous les papistes qu'ils croisaient qu'ils étaient voués à la damnation éternelle, ils n'en pensaient pas moins.

— Mais tu sais ce qu'il faut faire dans ces cas-là, n'est-ce pas ?

Jem avait déjà entendu ce type de provocation à Fraser's Ridge, quoique généralement exprimée à mi-voix en raison de la présence de Jamie. Il savait donc quoi rétorquer.

— Oui, je lui ai répondu : « D'accord, on se reverra là-bas ! »

— Et ?

Jem hésita :

— Je le lui ai dit en *gàidhlig*.

Roger se gratta le menton, perplexe. Le gaélique était en voie d'extinction dans les Highlands mais on l'entendait encore parfois au pub ou au bureau de poste. Quelques-uns des camarades de Jem avaient sans doute entendu leurs grands-parents le parler et même s'ils n'avaient pas compris le sens de ses paroles cela méritait-il qu'ils... ?

— Et ? demanda-t-il à nouveau.

— Et Mlle Glendenning m'a attrapé par l'oreille et a failli me l'arracher. Elle m'a secoué comme un prunier, papa !

Le garçon tremblait d'indignation.

— Par l'oreille ? s'exclama Roger qui sentit soudain la moutarde lui monter au nez.

— Oui !

Les yeux du garçon se remplirent de larmes d'humiliation et de rage. Il les essuya sur sa manche.

— Elle a dit : « Ici-on-ne-parle-pas-ÇA ! Ici-on-parle-ANGLAIS ! »

Sa voix était plus aiguë que celle de la redoutable Mlle Glendenning de plusieurs octaves mais cela ne rendait son imitation de l'agression de sa maîtresse que plus féroce.

— Puis elle t'a frappé avec sa ceinture ? fit Roger, incrédule.

— Non, ça c'était M. Menzies.

— Quoi ? Pourquoi ? Tiens.

Il sortit un mouchoir en papier froissé de sa poche et le tendit à son fils pour qu'il se mouche.

— Eh bien... J'étais déjà énervé par Jimmy puis, quand elle m'a secoué, ça m'a fait mal. Alors je me suis mis en boule.

Il dévisagea son père avec une expression de probité indignée qui faisait tellement penser à son grand-père que Roger ne put s'empêcher de sourire.

— Tu lui as dit autre chose, n'est-ce pas ?

— Oui.

Jem baissa les yeux, triturant la terre à ses pieds du bout de sa basket.

— Mlle Glendenning n'aime pas le *gàidhlig* et, de toute façon, elle ne le comprend pas. Mais M. Menzies, si.

— Aïe !

Attiré par les cris, le directeur était sorti dans la cour au moment où Jem, tenant tête à sa maîtresse, hurlait à pleins poumons une des plus belles injures gaéliques de son grand-père.

— Alors, il m'a fait me pencher sur une chaise et m'a donné trois bons coups de ceinture. Puis il m'a envoyé au vestiaire en me disant d'y rester jusqu'à la fin des classes.

— Sauf que tu n'y es pas resté.

Jem baissa la tête.

Roger ramassa le filet, refoulant l'indignation, la consternation, le rire et une certaine compassion. Réflexion faite, il décida de montrer un peu de cette dernière.

— Tu voulais t'enfuir de la maison, c'est ça ?

— Non, répondit Jem, surpris. Je ne voulais pas aller à l'école demain. Je n'ai pas envie que Jimmy se moque de moi. Je pensais rester ici pendant le week-end et que, peut-être, lundi ce serait oublié. D'ici là, Mlle Glendenning pourrait mourir, conclut-il avec espoir.

— Peut-être aussi que ta mère et moi aurions été tellement inquiets que, le temps que tu réapparaisses, tu aurais échappé à une deuxième correction ?

Jem ouvrit grands les yeux.

— Oh non ! Maman m'étranglerait si je partais sans prévenir. J'ai laissé un mot sur mon lit, disant que j'allais vivre dans la nature un jour ou deux.

Il se redressa et rassembla son courage.

— On peut en finir maintenant et rentrer à la maison ? demanda-t-il d'une voix légèrement tremblante. J'ai faim.

— Je ne vais pas te battre, le rassura Roger.

Il l'attrapa par la taille et l'attira à lui.

— Viens ici, mon garçon.

La façade de bravoure du garçon s'effrita d'un coup et il fondit dans les bras de Roger, pleurant un peu mais surtout se laissant consoler. Il se blottit contre son épaule, ne doutant plus que, grâce à son père, tout allait s'arranger.

Et tu peux me faire confiance là-dessus, pensa Roger. Je vais aller trouver cette Mlle Glendenning et l'étrangler de mes propres mains.

— Dis, papa, pourquoi c'est mal de parler le *gàidhlig* ? demanda Jem.

Roger lissa les cheveux soyeux de son fils derrière ses oreilles et répondit :

— Ça ne l'est pas. Ne t'inquiète pas, maman et moi allons régler cette affaire, je te le promets. Et tu n'as pas besoin d'aller à l'école demain.

Jem poussa un soupir de soulagement puis devint aussi inerte qu'un sac de riz. Au bout d'un moment, il releva la tête et pouffa de rire.

— Tu crois que maman va mettre une raclée à M. Menzies ?

27

Les tigres de tunnel

Brianna ne sentit venir le désastre qu'au dernier instant, quand le faisceau de lumière sur les rails rapetissa en une fraction de seconde, juste le temps qu'il fallait aux énormes portes en acier pour se refermer derrière elle, leur claquement résonnant dans le tunnel et faisant vibrer l'air.

Elle lâcha un juron qui, dans la bouche de Jem, lui aurait valu un bon savon, mais elle le prononça dans un souffle, ayant compris ce qui se passait à l'instant où les portes se refermaient.

Elle ne voyait plus rien d'autre que des tourbillons de couleurs, la réaction de ses rétines à l'obscurité soudaine. Elle ne s'était avancée que de quelques mètres dans le tunnel et pouvait entendre les verrous glisser dans leurs crampons. Ils étaient actionnés de l'extérieur par des roues qui émettaient un grincement d'os broyés. Elle pivota lentement, fit cinq pas et tendit les mains. La porte était bien là, grande, solide, froide et à présent verrouillée. Elle entendait des rires de l'autre côté.

Ils ricanaient ! Les imbéciles ! De vrais gamins.

Elle inspira profondément, luttant contre la colère et la panique. A présent que l'éblouissement de l'obscurité s'estompait, elle distinguait le fin rai de lumière qui dessinait les contours des portes de quatre mètres de haut. Un point lumineux à hauteur d'homme disparut quelques instants, accompagné de chuchotements et de ricanements. Un de ces imbéciles tentait de regarder à l'intérieur à travers un judas. Il pouvait toujours essayer, l'idiot ! Le tunnel hydroélectrique sous le loch Errochty était plus noir que le puits de l'enfer.

En se guidant sur le filet de lumière, elle mit précautionneusement un pied devant l'autre. Il ne manquait plus qu'elle se casse la figure, cela ferait trop plaisir aux abrutis de l'autre côté de la porte. Il y avait un boîtier quelque part sur le mur de gauche, avec les interrupteurs commandant l'éclairage.

Elle eut un moment d'angoisse en le découvrant fermé à clef, puis elle se souvint du gros trousseau crasseux que lui avait donné M. Campbell ; au bout de chaque clef pendait une étiquette indiquant sa fonction. Naturellement, lire ces foutues étiquettes lui était impossible. Cette ordure d'Andy Davis lui avait emprunté la lampe torche qui aurait dû être accrochée à sa ceinture sous prétexte de vérifier s'il n'y avait pas une fuite d'huile sous sa camionnette.

Elle essaya une clef, puis une autre, tâtonnant pour trouver la serrure. Ils étaient bien évidemment de mèche tous les trois et avaient soigneusement préparé leur coup, Andy, Craig McCarthy et Rob Cameron.

Elle avait l'esprit méthodique. Après avoir essayé toutes les clefs, en vain, elle ne recommença pas de zéro. Ils avaient tout prévu. Un peu plus tôt, Craig lui avait demandé son trousseau pour ouvrir la boîte à outils dans la camionnette puis le lui avait rendu avec une galanterie exagérée.

Quand elle leur avait été présentée, ils l'avaient dévisagée fixement, bien que probablement déjà informés de la nouvelle choquante : le nouvel inspecteur de la sécurité était une femme. Rob Cameron, un jeune homme qui se savait beau gosse, l'avait lorgnée de la tête aux pieds avant de lui tendre la main. Elle lui avait rendu la pareille avant de la lui serrer, ce qui avait fait rire les deux autres. Il fallait reconnaître, à son crédit, que Rob avait joint son rire au leur.

Pendant le trajet jusqu'au loch Errochty, elle n'avait perçu aucune hostilité de leur part. Il ne s'agissait sans doute que d'une plaisanterie stupide.

En toute honnêteté, elle aurait dû le voir venir plus tôt. Elle était mère depuis trop longtemps pour ne pas avoir remarqué l'air secrètement ravi ou faussement candide qu'affichait tout mâle sur le point de faire une bêtise. Si elle avait été plus attentive à son équipe de maintenance et de réparation, elle aurait pu réagir, mais elle avait la tête ailleurs, inquiète pour Fergus et Marsali et réjouie par la vision de ses parents et de Ian enfin en route pour l'Ecosse.

Il était temps de laisser le passé de côté et de se préoccuper du présent. Que pensaient-ils qu'elle ferait ? Hurler ? Se mettre à pleurer ? Frapper sur les portes en les suppliant de la laisser sortir ?

Elle revint vers la porte et pressa l'oreille contre la fente, juste à temps pour entendre le moteur démarrer et les pneus crisser sur le gravier.

Les salopards ! Comme elle ne les avait pas satisfaits en poussant des cris d'angoisse, ils la laissaient emmurée là ? Ils comptaient revenir plus tard dans l'espoir de la retrouver éplorée ou, mieux, écumante de rage ? Plus vache encore, ils rentreraient au bureau de la commission hydroélectrique avec des mines innocentes et déclareraient à M. Campbell que la nouvelle inspectrice ne s'était pas présentée au travail ce matin ?

Elle expira par le nez, lentement, délibérément.

Bien. Elle les éviscérerait l'un après l'autre en temps voulu. Pour le moment, que faire ?

Elle tourna le dos à la porte et fixa les ténèbres. Elle n'était encore jamais venue dans ce tunnel mais en avait visité un similaire avec M. Campbell. C'était l'une des premières galeries du plan hydroélectrique, creusée à la pioche par les « hydro boys » dans les années cinquante. Il s'enfonçait sur plus de mille cinq cents mètres sous la montagne et une partie de la vallée inondée qui accueillait le loch Errochty. Un rail au milieu du tunnel permettait à un petit train électrique de circuler.

A l'origine, il avait transporté les ouvriers, les « tigres de tunnel », de la surface au chantier. Aujourd'hui, il était réduit à une locomotive et servait uniquement pour inspecter les énormes câbles courant le long des parois et entretenir les gigantesques turbines au pied du barrage, à l'autre extrémité du tunnel.

Ce qui était précisément ce que Rob, Andy et Craig étaient censés faire : soulever une des turbines et remplacer une lame endommagée.

Adossée au mur du tunnel, les mains à plat sur la paroi rugueuse, elle réfléchit. Elle ferma les yeux et tenta de se remémorer le contenu de l'énorme classeur (laissé sur le siège de la camionnette) donnant les spécifications structurelles et techniques de toutes les centrales de son programme d'inspection.

Elle avait examiné les plans de celle-ci la veille au soir et de nouveau brièvement ce matin en se brossant les dents. Le tunnel avait servi à la construction des niveaux inférieurs du barrage et débouchait donc forcément sur celui-ci. A quelle profondeur ? S'il arrivait au niveau de la salle des turbines, il avait été muré. Mais s'il arrivait au niveau du poste de travail se trouvant au-dessus, une salle immense équipée de ponts roulants capables de soulever les turbines de plusieurs tonnes hors de leur nid, il devait y avoir une porte. Il aurait été inutile de murer cette issue puisqu'il n'y avait pas d'eau derrière.

Elle eut beau se concentrer, elle ne put se souvenir si le tunnel communiquait avec le barrage ou non. Il n'y avait qu'un moyen de le savoir.

Elle avait aperçu le train dans le bref instant avant que les portes se referment. Elle n'eut pas à fouiller l'obscurité longtemps avant de grimper dans la minuscule cabine dépourvue de porte de la locomotive. Ces clowns avaient-ils subtilisé également la clef de contact ? Ha ! Il n'y avait pas de clef, uniquement un bouton électrique sur le tableau de bord. Elle l'enfonça. Un voyant rouge s'alluma et elle perçut un bourdonnement électrique traverser le rail.

Le train ne pouvait être plus simple à conduire. Il n'y avait qu'un levier qu'il suffisait de pousser ou de tirer selon qu'on voulait aller en avant ou en arrière. Elle le poussa doucement et sentit l'air glisser sur son visage tandis que le train s'enfonçait en silence dans les entrailles de la terre.

Elle devait aller lentement. Le voyant projetait une lueur rassurante sur ses mains mais ne perçait pas les ténèbres devant elle. Elle ignorait où se trouvaient les virages et quel était leur degré. En outre, elle ne tenait pas à arriver trop rapidement au bout et risquer de dérailler. Elle avait l'impression d'avancer à une allure de tortue mais c'était toujours mieux que de marcher sur plus d'un kilomètre dans le noir absolu en tâtant des parois parcourues de câbles à haute tension.

Cela arriva brusquement. L'espace d'une fraction de seconde, elle crut qu'elle avait été électrocutée. Un son qui n'en était pas un vibrait dans toutes les parcelles de son corps, tirant sur tous ses nerfs, blanchissant sa vision. Puis sa main frôla de la pierre et elle se rendit compte qu'elle était tombée de côté et que la moitié de son corps pendait hors de la cabine.

A moitié étourdie, elle parvint à agripper un coin du tableau de bord et à se hisser à l'intérieur. Elle éteignit le moteur d'une main tremblante et, se laissant tomber sur le plancher, se roula en boule, les genoux serrés contre sa poitrine.

— Oh, mon Dieu, haleta-t-elle. Oh, mon Dieu…

Elle le sentait encore, là, quelque part. Le bruit avait disparu mais sa source n'était pas loin et elle ne pouvait cesser de trembler.

Elle resta ainsi un long moment, la tête entre les genoux, jusqu'à ce qu'elle soit à nouveau capable de penser de manière rationnelle.

Elle ne pouvait s'être trompée. Elle avait traversé le temps deux fois et savait ce que l'on ressentait. Cette fois, le choc avait été moindre. Sa peau la picotait, ses nerfs étaient à vif et ses oreilles bourdonnaient comme si elle avait enfoncé la tête dans un essaim de frelons, mais elle était encore d'une seule pièce. Elle n'avait pas cette sensation atroce d'avoir été démembrée et retournée comme un gant.

Une horrible angoisse la saisit. Elle se redressa brusquement et s'accrocha au tableau de bord. Avait-elle sauté ? Etait-elle… ailleurs ? Dans un autre temps ? Toutefois, le métal était frais et solide sous ses paumes. L'odeur de pierre humide et d'isolant de câble était la même.

Elle appuya sur le démarreur pour se rassurer. Le voyant s'alluma et le train repartit avec un bond en avant.

Elle ne pouvait avoir sauté dans le passé. De petits objets en contact direct avec le voyageur l'accompagnaient généralement dans son déplacement mais une locomotive avec ses rails ? C'était un peu exagéré. Qui plus est, si elle avait bondi plus de vingt-cinq ans en arrière, le tunnel n'existerait pas. Elle serait prise dans la roche. Elle sentit la bile lui remonter dans la gorge et vomit.

La sensation commençait à s'estomper. La chose qui l'avait provoquée... quelle qu'elle soit... était à présent derrière elle. Elle s'essuya la bouche sur le dos de la main. Il y avait intérêt à ce qu'il y ait une autre porte au bout de ce tunnel car pour rien au monde elle ne ferait demi-tour.

Il y en avait bien une. Une simple porte industrielle en métal, tout ce qu'il y avait d'ordinaire. Avec un cadenas non fermé pendant à un moraillon. Une forte odeur de graisse en émanait. Quelqu'un avait huilé les gonds récemment. Elle appuya sur la poignée qui céda sans difficulté. Elle se sentit soudain comme Alice après être tombée dans le trou du lapin blanc. Une Alice complètement folle.

Un escalier métallique s'élevait de l'autre côté, sous un éclairage jaune sale. En haut, une nouvelle porte en métal. De l'autre côté, elle entendit le grondement sourd des grues en opération.

Elle hésita, le souffle court. Qu'allait-elle trouver ? Elle était bien arrivée au poste de travail à l'intérieur du barrage, cela elle le savait, mais serait-on jeudi ? Ce même jeudi où elle avait été piégée dans le tunnel ?

Elle serra les dents et ouvrit la porte. Rob Cameron l'attendait, adossé au mur et fumant une cigarette. Il lui adressa un grand sourire, jeta son mégot et l'écrasa du bout du pied.

— Je savais bien que tu y arriverais, ma cocotte.

De l'autre côté de la salle, Andy et Craig interrompirent leur travail et applaudirent.

— J'vous offre une bière après le boulot, ma fille ! lança Andy.

— Deux ! renchérit Craig.

Elle avait encore un goût de bile dans la gorge. Elle dévisagea Rob Cameron de ce regard glacial qui avait tant impressionné M. Campbell et répondit calmement :

— Je ne vous ai pas autorisé à me tutoyer et ne m'appelez plus jamais « cocotte ».

Ses beaux traits se figèrent un instant, puis il porta une main à son front et la salua obséquieusement.

— Tout ce que vous voudrez, boss.

28

Là-haut sur la colline

Il était presque dix-neuf heures quand il entendit la voiture de Brianna s'arrêter dans l'allée. Les enfants avaient déjà dîné et sortirent en courant pour s'accrocher à ses jambes comme si elle rentrait d'un long voyage au pôle Nord.

Il fallut un certain temps avant qu'ils ne soient couchés et que Bree ait enfin un moment à lui consacrer.

— Tu as très faim ? demanda-t-elle. Je peux te préparer...

Il l'interrompit en la prenant par la main et en l'entraînant dans son bureau dont il ferma soigneusement la porte à clef. Elle avait les cheveux emmêlés et aplatis par le port du casque et ses vêtements étaient crasseux après une journée sous terre. Elle sentait le moisi, le cambouis, la fumée de cigarette, la transpiration et... la bière ?

— J'ai mille choses à te raconter, annonça-t-il. Et je sais que toi aussi. Mais avant tout, ça t'ennuierait d'enlever ton jean, de t'asseoir sur le bureau et d'écarter les cuisses ?

Elle le regarda, interloquée, puis sourit.

— Non. Je crois que ça peut se faire.

Roger s'était souvent demandé s'il était vrai que les roux avaient un tempérament plus explosif que les autres ou si c'était seulement que leurs émotions transparaissaient sur leur peau d'une manière soudaine et alarmante. A son avis, il y avait un peu des deux.

Il aurait sans doute dû attendre qu'elle se soit rhabillée avant de lui parler de Mlle Glendenning. Mais, dans ce cas, il aurait raté le spectacle remarquable de sa femme nue et écarlate de fureur du nombril à la racine des cheveux.

— Cette vieille bique ! Si elle s'imagine qu'on va laisser passer…

— Non, bien sûr que non.

— Tu peux me faire confiance ! J'irai dès demain matin et…

— Ce n'est peut-être pas une si bonne idée.

Elle le regarda en plissant les yeux.

— Pardon ?

Il reboutonna sa braguette et lui tendit son jean.

— Je pense qu'il vaut mieux que ce soit moi qui y aille.

Elle fronça les sourcils, pensive. Il ajouta en souriant :

— Ce n'est pas que je craigne que tu t'énerves et arraches les cheveux de cette vieille garce mais tu ne dois pas aller au boulot demain matin ?

— Hmm…

Elle paraissait douter de sa capacité à faire comprendre à Mlle Glendenning l'extrême gravité de son crime.

— Et si jamais tu te laissais emporter et donnais un coup de boule à cette mégère, je ne voudrais pas avoir à expliquer aux enfants pourquoi ils doivent rendre visite à leur mère en prison.

Elle se mit à rire et il se détendit légèrement. Il ne pensait pas vraiment qu'elle en viendrait aux mains mais elle n'avait pas vu l'oreille de Jem quand il était rentré à la maison. Lui-même avait dû se retenir de filer tout droit à l'école pour dire à cette femme ce qu'il en pensait.

— Que vas-tu lui dire ? demanda Brianna.

— Rien. Je parlerai au directeur. C'est à lui de la sermonner.

— Tu as sans doute raison. Il ne faudrait pas qu'elle se venge sur Jem.

Le casque de chantier avait roulé sous un fauteuil. Il le ramassa et le déposa sur la tête de sa femme.

— Alors, comment s'est passée ta journée de travail ? Et comment se fait-il que tu partes travailler sans culotte ?

La rougeur, qui s'était atténuée, revint tel un feu de brousse. Vexée, elle rétorqua :

— J'ai perdu l'habitude au XVIIIe siècle. Je n'en porte plus que pour les grandes occasions. Qu'est-ce que tu t'imagines, que je voulais séduire M. Campbell ?

— Pas après la description que tu m'en as faite, répondit-il calmement. Je l'ai simplement remarqué ce matin et je me posais la question.

— Ah.

Elle était toujours contrariée et il se demanda pourquoi. Il s'apprêtait à la questionner à nouveau sur sa journée quand elle ôta son casque et lui adressa un regard interrogateur.

— Ce matin, tu m'as dit que si je portais mon casque tu me dirais ce que tu faisais avec la bouteille de champagne. Mis à part la donner à Mandy pour qu'elle la lance à travers la vitre. A quoi pensais-tu donc, Roger ?

— En toute sincérité, je pensais à ton cul. Il ne m'est jamais venu à l'esprit qu'elle la lancerait. Ni même qu'elle *pouvait* la lancer.

— Tu lui as demandé pourquoi elle l'avait fait ?

Il marqua un temps d'arrêt, déconcerté.

— Je n'ai pas pensé qu'elle pouvait avoir une raison, avoua-t-il. Quand je l'ai cueillie sur la table, elle était sur le point de plonger par la fenêtre tête la première. J'ai eu tellement peur que je n'ai pensé à rien d'autre, à part lui donner une tape sur les fesses.

— Je ne crois pas qu'elle ferait une chose pareille sans raison.

Elle était en train d'ajuster ses seins dans son soutien-gorge, une vision qui le chavirait en toutes circonstances.

Ce ne fut que plus tard dans la cuisine, alors qu'ils se préparaient un dîner tardif, qu'il lui demanda à nouveau comment s'était passée sa journée.

— Ça a été, répondit-elle sur un ton faussement détaché.

Il ne la crut pas mais comprit qu'il était préférable de ne pas insister. Il demanda plutôt :

— Pour les grandes occasions ?

Elle sourit.

— Tu sais. Pour toi.

— Pour moi ?

— Oui, toi et ta passion pour les dessous en dentelles.

— Quoi, tu veux dire que tu ne portes des culottes que pour…

— Pour que tu me les enlèves, bêta.

A ce stade, il était impossible de dire où la conversation aurait pu les emmener si elle n'avait pas été interrompue par un vagissement sonore à l'étage. Brianna disparut rapidement vers l'escalier, le laissant seul pour méditer sur cette révélation.

Les haricots étaient prêts et le bacon frit quand elle redescendit, l'air soucieux. Il l'interrogea du regard.

— Un cauchemar, répondit-elle. Toujours le même.

— Le vilain monstre qui cherche à entrer par sa fenêtre ?

Elle acquiesça et prit le plat qu'il lui tendait. Elle marqua une pause avant de se servir.

— Je lui ai demandé pourquoi elle avait lancé la bouteille.

— Et ?

— Elle m'a dit qu'elle l'avait vu devant la cuisine.

— Qui ? Le…

— Le Nuckelavee.

Le lendemain matin, le broch était exactement tel qu'il l'avait vu la dernière fois. Sombre. Silencieux hormis pour les bruissements d'ailes des pigeons. Il avait jeté le papier journal empestant le poisson. Il n'y avait pas de nouveaux détritus.

Il referma la porte. La prochaine fois qu'il passerait devant la grande quincaillerie, il achèterait de nouveaux gonds et un verrou.

Mandy avait-elle vraiment vu quelqu'un ? Et si oui, était-ce le même vagabond qui avait effrayé Jem ? L'idée que quelqu'un rôde dans les parages, espionnant sa famille, lui était intolérable. Il resta un moment immobile, examinant la maison et le domaine, cherchant des traces de l'intrus. Où un homme pouvait-il se cacher ? Il avait déjà fouillé la grange et les dépendances.

La grotte de Dunbonnet ? Cette idée, accompagnée du souvenir de Jem debout devant l'ouverture, lui glaça le sang. Il en aurait bientôt le cœur net. Après un dernier regard vers la cour en contrebas où Annie MacDonald et Mandy étendaient paisiblement le linge, il se mit en route.

Cette fois-ci, il tendit l'oreille. Il entendit l'écho de brames et aperçut une petite harde de biches au loin mais, heureusement, ne croisa aucun mâle en mal d'amour. Pas de vagabond non plus.

Bien qu'il y soit allé la veille, il eut du mal à retrouver la grotte. Quand ce fut enfin le cas, il se tint devant l'entrée et cria pour se rassurer :

— Il y a quelqu'un ?

Pas de réponse.

Il écarta les ajoncs, se tenant sur le côté au cas où le vagabond se tiendrait prêt à bondir. Toutefois, dès que le souffle humide de la grotte caressa son visage, il sut qu'elle était vide.

Il passa néanmoins la tête à l'intérieur puis se laissa glisser dans la grotte. Elle était relativement sèche pour les Highlands mais froide comme une tombe. Il fallait être aussi coriace qu'un Highlander pour y survivre ; n'importe qui d'autre aurait rapidement été emporté par une pneumonie.

En dépit du froid, il y resta quelques minutes, essayant d'imaginer son beau-père vivant ici. Il y régnait une étrange paix. Il n'y sentait aucune menace. De fait, il se sentait presque… bienvenu ; une sensation qui hérissa les poils sur ses avant-bras.

— Mon Dieu, veillez sur eux, murmura-t-il.

Quand il sortit, la chaleur du soleil lui parut être une bénédiction.

Toutefois, cette étrange sensation d'accueil, d'avoir été reconnu, ne le quitta pas.

Il déclara à voix haute d'un ton jovial :

— Et maintenant, *athair-céile* ? Y a-t-il un autre endroit que je devrais inspecter ?

Tout en parlant, il se rendit compte que la réponse était sous ses yeux. Au sommet de la colline voisine se dressait l'amoncellement de pierres dont Brianna lui avait parlé. Selon elle, elles avaient été empilées là par la main de l'homme et étaient peut-être les restes d'une forteresse de l'âge de fer. Il ne semblait pas y en avoir en assez grande quantité pour abriter qui que ce soit mais, trop nerveux pour ne rien faire, il descendit le versant entre les rochers et la bruyère, sauta par-dessus un petit ruisseau qui gargouillait au pied de la colline et grimpa péniblement l'autre versant vers le mystérieux monument.

C'était ancien mais sans remonter jusqu'à l'âge de fer. Cela ressemblait plutôt aux ruines d'une petite chapelle. Il trouva une croix grossièrement ciselée sur une pierre couchée, ainsi que les fragments érodés d'une statue éparpillés autour de l'entrée. Les vestiges étaient plus importants qu'il ne l'avait cru de loin : un mur lui arrivant à la taille et des pans de deux autres. Le toit avait disparu depuis longtemps mais il restait une poutre par terre, son bois devenu dur comme du métal.

Il essuya la sueur dans sa nuque et ramassa la tête de la statue. Elle était très ancienne. Celte ? Picte ? Elle était trop ravagée par le temps pour qu'il puisse dire si elle représentait un homme ou une femme.

Il passa doucement le pouce sur les yeux aveugles puis déposa délicatement la tête sur le demi-mur. Il y avait une petite dépression là où s'était peut-être trouvée une niche autrefois.

— Bien, dit-il en ne se sentant soudain pas à sa place. A plus tard, alors.

Puis il tourna les talons et descendit de la colline avec, toujours, cette étrange sensation d'être accompagné.

La Bible disait : *Cherche et tu trouveras.* Il demanda à voix haute au paysage autour de lui :

— Mais elle n'offre aucune garantie sur ce qu'on trouvera, n'est-ce pas ?

29

Conversation avec un directeur d'école

Après un déjeuner paisible avec Mandy, qui semblait avoir oublié ses cauchemars, il se mit sur son trente et un pour son entretien avec le directeur de l'école de Jem.

M. Menzies le surprit. Roger n'avait pas songé à demander à Brianna à quoi il ressemblait et s'attendait à trouver un homme d'âge mûr, trapu et autoritaire, un peu comme le directeur de son école quand il était enfant. En fait, M. Menzies avait à peu près son âge. C'était un homme mince au teint pâle, avec des lunettes derrière lesquelles le regardaient des yeux non dénués d'humour. Néanmoins, son air ferme et déterminé n'échappa pas à Roger qui se dit qu'il avait bien fait de ne pas laisser Bree venir.

— Lionel Menzies, se présenta le directeur en souriant.

Il avait une poignée de main vigoureuse et une expression amicale. Roger corrigea sa stratégie. Il prit le siège qu'on lui indiquait face au bureau.

— Roger MacKenzie. Je suis le père de Jem… Jeremiah.

— Oui, bien sûr. En constatant que Jem n'était pas en classe ce matin, je pensais bien que votre femme ou vous viendriez me voir.

Il croisa les mains et se pencha en avant.

— Avant toute chose, puis-je vous demander ce que vous a dit Jem exactement au sujet de ce qui s'est passé ?

Malgré lui, Roger sentit son estime pour cet homme monter d'un cran.

— Que sa maîtresse, l'entendant dire quelque chose à un camarade en gaélique, l'avait attrapé par l'oreille et secoué comme un prunier. Furieux, il l'a insultée, également en gaélique, ce pour quoi vous lui avez donné des coups de ceinture.

Menzies arqua des sourcils surpris. Pour la première fois, Roger se demanda si Jem avait menti ou passé sous silence un détail plus affreux encore.

— Ce n'est pas ce qui s'est passé ?

— Si, si, l'assura Menzies. C'est juste que je n'avais encore jamais entendu un parent s'exprimer de façon aussi concise. D'ordinaire, il faut une demi-heure de prologue, de bagatelles sans rapport avec le sujet, de contradictions – si les deux parents sont présents –, suivie d'attaques personnelles avant que je puisse comprendre quel est le problème. Je vous remercie.

Il sourit et Roger ne put s'empêcher de sourire en retour.

— Je suis navré d'avoir dû le faire, reprit Menzies. J'aime beaucoup Jem. Il est intelligent, studieux… et très drôle.

— Il est tout cela, convint Roger, mais…

— Mais je n'avais pas le choix, l'interrompit Menzies. Si aucun des autres élèves n'avait compris ce qu'il disait, une simple excuse aurait pu suffire. Mais… vous a-t-il rapporté au juste ce qu'il avait dit ?

— Non, pas en détail.

Roger ne le lui avait pas demandé. Il n'avait entendu Jamie Fraser insulter quelqu'un en gaélique qu'à trois ou quatre occasions mais chacune avait été mémorable. Or, Jem avait une excellente mémoire.

— Je ne vous le dirai pas non plus, à moins que vous n'y teniez. Le problème est que, même si seuls quelques enfants l'ont compris, ils n'ont pas manqué de le traduire à leurs camarades. Ils savent également que je comprends le gaélique. Je dois défendre l'autorité de mon équipe. S'il n'y a plus de respect pour les enseignants, tout fout le camp. Votre femme m'a dit que vous aviez enseigné vous-même ? A Oxford, je crois ? Ce n'est pas rien !

— C'était il y a quelques années et je n'étais que maître assistant. Je comprends votre position bien que, pour ma part, je n'eusse pas le droit de recourir à la force physique pour maintenir l'ordre et le respect.

Cela étant, il se souvenait d'un ou deux de ses étudiants de seconde année auxquels il aurait volontiers cassé la figure.

Menzies le dévisagea avec un regard malicieux.

— Je suis sûr que votre présence suffisait amplement. Compte tenu que vous faites deux fois ma taille, je suis soulagé d'apprendre que vous n'êtes pas du genre violent.

— C'est le cas d'autres parents ?

— A vrai dire, jusqu'ici aucun des pères ne m'a frappé même si j'ai été menacé une ou deux fois. J'ai aussi eu une mère qui a débarqué avec la vieille carabine familiale.

D'un signe de tête, Menzies indiqua le mur derrière lui. Il y avait une série de trous dans le plâtre, en partie mais pas totalement cachés par une carte du continent africain.

— Au moins, elle a tiré au-dessus de votre tête, plaisanta Roger.

— Pas vraiment, répondit Menzies en riant. Je lui ai demandé de poser doucement son arme sur le bureau mais elle l'a laissée tomber et le coup est parti. BANG ! La pauvre femme était dans tous ses états, tout comme moi.

Roger devait lui reconnaître un certain talent pour gérer les parents difficiles, y compris lui-même. Il se pencha en avant pour indiquer qu'il comptait bien reprendre le contrôle de la conversation.

— Je ne suis pas venu pour me plaindre de la correction que vous avez infligée à mon fils, du moins pas encore, mais plutôt de l'incident qui l'a provoquée.

Menzies hocha la tête et posa ses coudes sur la table en joignant les doigts. Roger poursuivit :

— Je comprends que vous deviez défendre vos enseignants mais cette femme a failli arracher l'oreille de mon fils, tout ça pour avoir dit quelques mots à un camarade, pas des insultes, rien que des mots, en *gàidhlig*.

Le regard de Menzies s'aiguisa en entendant son accent.

— Ah, ça vient donc de vous. Je me demandais s'il le tenait de sa mère ou de son père.

— A vous entendre, on dirait une maladie congénitale. Vous avez sûrement remarqué que mon épouse était américaine ?

Menzies parut amusé. Brianna passait difficilement inaperçue.

— En effet, je l'avais remarqué mais elle m'a dit que son père était un Ecossais des Highlands. Vous le parlez à la maison ?

— Non, rarement. Jem l'a appris de son grand-père. Il… il n'est plus avec nous.

Menzies hocha la tête.

— Moi aussi, je l'ai appris de mes grands-parents, du côté maternel. Ils sont morts eux aussi. Ils étaient de Skye.

L'habituelle question implicite flotta dans l'air un instant, Roger y répondit.

— Je suis né à Kyle of Lochalsh mais j'ai grandi en grande partie à Inverness. J'ai appris le gaélique principalement sur des bateaux de pêche sur le Minch.

Et dans les montagnes de Caroline du Nord.

Menzies baissa les yeux vers ses mains.

— Vous êtes monté sur un bateau de pêche au cours de ces vingt dernières années ?

— Non, Dieu merci !

Menzies eut un bref sourire.

— Vous y entendriez très peu de gaélique ces temps-ci, plutôt de l'espagnol, du polonais ou de l'estonien. Votre femme m'a dit que vous aviez passé plusieurs années aux Etats-Unis. Vous ne l'avez sans doute pas remarqué mais il n'est pratiquement plus parlé en public.

— Pour être sincère, je n'y avais pas vraiment fait attention… jusqu'à aujourd'hui.

Menzies ôta ses lunettes et frotta les marques sur les côtés de son nez. Sans les verres, ses yeux bleu pâle lui donnaient un air vulnérable.

— C'est une langue en déclin depuis un certain temps déjà mais cela s'est accentué au cours des dix, quinze dernières années. Les Highlands font soudain partie du Royaume-Uni – ou du moins c'est ce que pense le reste du Royaume-Uni – comme jamais auparavant. Conserver une langue différente apparaît non seulement désuet mais carrément destructeur. Il n'y a pas vraiment de loi écrite mais l'usage du gaélique est fortement... découragé... dans les écoles.

Roger allait intervenir mais il l'arrêta d'un geste de la main.

— Cela ne se passerait pas comme ça si les parents protestaient, mais ce n'est pas le cas. La plupart veulent que leurs enfants appartiennent au monde moderne, qu'ils parlent un bon anglais, obtiennent de bons postes, soient capables de s'adapter ailleurs, de quitter les Highlands. Il faut dire qu'il n'y a pas grand-chose pour eux, ici, à part la mer du Nord !

— Mais les parents...

— Si leurs parents leur ont appris le gaélique, ils ne l'enseignent pas à leurs propres enfants. Et s'ils ne le parlent pas, ils ne font aucun effort pour l'apprendre. Le parler, c'est se montrer arriéré, inculte. On l'associe aux classes inférieures.

— Barbare, même, parvint à placer Roger. L'« erse barbare » ?

Menzies reconnut la référence à Samuel Johnson et à sa description méprisante de la langue parlée par ses hôtes du XVIIIe siècle. Il sourit à nouveau.

— Exactement. Il y a beaucoup de préjugés à l'encontre des...

— Teuchters ?

« Teuchters » était le terme employé par les habitants de Basse-Ecosse pour désigner ceux du Gaeltacht, les Highlands où l'on parlait le gaélique. C'était également un synonyme de « plouc » et de « rebut social ».

— Je vois que vous connaissez la situation.

— Un peu.

Le fait était. Dans les années soixante déjà, les Ecossais parlant en gaélique étaient traités avec une certaine dérision et mépris, mais cela... Roger s'éclaircit la gorge.

— Toujours est-il, monsieur Menzies, que je n'accepte pas que la maîtresse de mon fils, non contente de le reprendre pour avoir parlé en gaélique, le corrige physiquement.

— Je suis tout à fait d'accord avec vous, monsieur MacKenzie.

Menzies le regarda dans les yeux avec une sincérité dépourvue d'artifice.

— J'en ai déjà discuté avec Mlle Glendenning et je pense que cela ne se reproduira pas.

Roger soutint son regard un moment, désireux de lui dire toutes sortes de choses mais se rendant compte que Menzies n'était pas responsable de la plupart d'entre elles.

— Si elle remet ça, déclara-t-il calmement, je ne reviendrai pas avec un fusil mais avec le shérif. Et un photographe de presse pour photographier Mlle Glendenning les menottes aux poignets.

Menzies cligna des yeux puis chaussa ses lunettes.

— Vous ne préféreriez pas plutôt envoyer votre femme avec la carabine de la famille ?

Roger se mit à rire malgré lui.

Menzies repoussa sa chaise et se leva.

— Je vais vous raccompagner, je dois fermer à clef. Jem viendra bien en classe lundi matin, donc ?

— Il sera là, avec ou sans menottes.

Ce fut au tour du directeur de rire.

— Il n'a pas à s'inquiéter de l'accueil qui lui sera fait. Les enfants parlant gaélique ayant effectivement traduit ses paroles à leurs amis et Jem ayant enduré sa correction sans broncher, toute sa classe le considère maintenant comme Robin des Bois ou Billy Jack.

— Oh, Seigneur !

30

Ces bateaux qui passent dans la nuit

19 mai 1777

Le requin mesurait près de quatre mètres de long, une forme sombre et sinueuse qui longeait le bateau, à peine visible dans les eaux grises et agitées. Il était apparu vers midi, me flanquant une peur bleue quand, lançant un regard par-dessus le bastingage, j'avais aperçu sa nageoire fendre la surface.

— Qu'est-ce qui cloche avec sa tête ? demanda Jamie.

Il m'avait rejointe en me voyant sursauter et scrutait les eaux sombres en fronçant les sourcils.

— On dirait qu'il a une sorte d'excroissance.

— Je crois que c'est ce qu'on appelle un requin-marteau, répondis-je.

Je me tenais fermement au bastingage rendu glissant par les embruns. Effectivement, le long corps élégant se terminait abruptement par une forme étrange et disgracieuse. Tout à coup, le requin se rapprocha de la surface et roula sur le côté, exhibant l'espace d'un instant sa proéminence charnue et le gros œil froid au bout.

Jamie lâcha une exclamation de dégoût et d'horreur.

— C'est leur aspect normal, l'informai-je.

— Pourquoi ?

— Je suppose que Dieu s'ennuyait ce jour-là.

Cela le fit rire. Je le regardai avec satisfaction. Il avait le teint frais et respirait la santé. Il avait englouti son petit déjeuner avec un tel appétit que j'avais estimé pouvoir lui épargner les aiguilles d'acupuncture.

— Quel est l'animal le plus étrange que tu aies vu ? demandai-je.

Me rappelant soudain l'épouvantable collection de bocaux de malformations et de « curiosités naturelles » du docteur Fentiman, je précisai :

— Un animal non humain.

— Tu veux dire un animal étrange tel que Dieu l'a conçu ?

Il fixa un instant la ligne d'horizon en réfléchissant, puis sourit.

— Le mandrill du zoo de Louis de France. Ou... peut-être un rhinocéros, bien que je n'en aie jamais vu en chair et en os. Ça compte quand même ?

Les gravures animalières de l'époque étant souvent profondément affectées par l'imagination des artistes, je répondis :

— Disons une créature que tu aies vue en vrai. Tu as trouvé le mandrill plus étrange que l'orang-outan ?

Je me souvenais de sa fascination pour l'orang-outan, un jeune animal qui avait semblé tout autant fasciné par Jamie, ce qui avait inspiré au duc d'Orléans une série de plaisanteries d'un goût douteux sur l'origine des cheveux roux.

— Non, j'ai rencontré beaucoup de gens qui avaient l'air plus étranges que cet orang-outan. J'avais de la peine pour cette pauvre bête. Il semblait savoir qu'il était seul et ne reverrait peut-être plus jamais un de ses congénères.

— Peut-être qu'il te prenait pour l'un des siens, suggérai-je. Tu semblais beaucoup lui plaire.

— C'était une petite chose toute douce. Quand je lui ai donné une orange, il l'a prise délicatement, comme un chrétien. Tu penses que...

Il n'acheva pas sa phrase, son regard perdu au loin.

— Si je pense quoi ?

— Je me demandais simplement...

Il se retourna brièvement, vérifiant que les marins ne pouvaient pas l'entendre.

— Roger m'a dit que la France jouerait un rôle important dans la Révolution. Je me dis qu'une fois à Edimbourg je devrais me renseigner pour savoir si certaines de mes relations n'auraient pas un pied de l'autre côté de la Manche.

— Tu n'envisages tout de même pas d'aller en France, si ? dis-je, méfiante.

— Non, non, répondit-il précipitamment. Je me demandais juste… si nous y allions, l'orang-outan y serait-il encore ? Cela fait très longtemps mais je ne sais pas combien de temps ils vivent.

— Pas autant que les hommes mais je crois qu'ils peuvent atteindre un âge avancé s'ils sont bien soignés.

J'étais dubitative mais pas au sujet du singe. Retourner à la cour de France ? Cette seule idée me nouait l'estomac.

Jamie se tourna vers moi.

— Il est mort, tu sais, dit-il doucement. Louis.

— Vraiment ? Je… quand ?

Il baissa la tête et produisit un petit son qui était presque un rire.

— Il y a trois ans, *Sassenach*. C'était dans les journaux même si, je te le concède, *La Gazette de Wilmington* ne s'est pas attardée sur cette nouvelle.

— Je n'ai rien vu.

Je baissai les yeux vers le requin qui nous accompagnait toujours, patient. Après le premier bond de surprise, mon cœur s'était calmé. En fait, j'étais presque reconnaissante, une réaction qui me laissait perplexe.

Cela faisait longtemps que le souvenir d'avoir partagé la couche de Louis, pendant dix minutes, ne me dérangeait plus ; Jamie et moi avions fait la paix avec la mort de notre premier enfant, Faith, et tous les événements terribles que nous avions vécus à Paris avant le Soulèvement.

Apprendre la mort de Louis ne changeait rien mais pour autant je me sentais soulagée, comme si un air lancinant au loin s'était soudain arrêté dans un gracieux finale et que le vent portait à présent un silence paisible.

— Qu'il repose en paix, dis-je avec un peu de retard.

Jamie sourit et posa une main sur la mienne, répétant en gaélique :

— *Fois shìorruidh thoir dha*. Ce ne doit pas être facile pour un roi de se retrouver devant Dieu et de devoir justifier son existence… Tu imagines ? Devoir répondre de tous les êtres dont tu avais la charge ?

— Parce que tu crois qu'il s'en souciait ?

L'idée m'intriguait et me mettait légèrement mal à l'aise. Je n'avais pas connu Louis intimement, mis à part pour ce moment particulier qui, au fond, avait été moins intime qu'une poignée de main. Nos regards ne s'étaient même pas croisés. Toutefois, il ne m'avait pas paru particulièrement préoccupé par le bien-être de ses sujets.

— Un homme peut-il vraiment être tenu responsable pour tout un royaume et non uniquement pour ses propres vétilles ?

Il y réfléchit sérieusement, les doigts raides de sa main droite pianotant sur le bord du garde-corps.

— Oui, répondit-il finalement. Tu es bien responsable de ta famille, non ? Imagine que tu aies maltraité tes enfants, que tu les aies abandonnés ou laissés mourir de faim… Cela pèserait lourd contre toi car tu en as reçu la charge. Quand tu es né roi, tu as la responsabilité de tes sujets. Si tu les traites mal, alors…

— D'accord, mais il faut bien tirer la ligne quelque part, protestai-je. Suppose que tu aies bien traité une personne et mal une autre ? Suppose que les besoins de ceux dont tu as la charge soient contradictoires ? Que réponds-tu à ça ?

Il sourit.

— Je réponds que je suis bien content de ne pas être Dieu et de ne pas avoir à juger ce genre de choses.

Je restai silencieuse un moment, imaginant Louis en présence de Dieu et tentant de lui expliquer ces dix minutes avec moi. J'étais sûre qu'il estimait avoir été dans son droit – les rois, après tout, étaient rois – mais d'un autre côté le septième et le dixième commandement étaient clairs sur ce sujet et aucune clause n'exemptait la royauté.

Je demandai tout à coup :

— Si tu étais au paradis, assistant à son jugement, tu lui pardonnerais ? Moi, oui.

— A qui ? A Louis ?

J'acquiesçai. Il plissa le front et se passa lentement l'index sur l'arête du nez.

— Oui, je lui pardonnerais aussi, répondit-il enfin, mais pas avant qu'il ait souffert un peu. Un petit coup de fourche dans le cul ne lui ferait pas de mal.

Je me mis à rire mais, avant que j'aie pu ajouter quelque chose, nous fûmes interrompus par le cri « Une voile ! Ohé ! » au-dessus de nos têtes. Alors que nous étions seuls sur le pont l'instant précédent, une armée de marins jaillit de toutes les écoutilles tels des charançons se jetant sur un biscuit, certains grimpant dans les gréements pour voir ce qui se passait.

Je scrutai l'horizon mais ne vis rien. Ian, qui avait grimpé dans la mâture avec les autres, se laissa tomber sur le pont à côté de nous. Il semblait excité.

— Un navire petit mais armé, expliqua-t-il à Jamie. Il bat pavillon britannique.

Le capitaine Roberts était apparu à ma gauche et regardait dans son télescope, l'air sombre.

— C'est un cotre de la marine, annonça-t-il. Merde !

Jamie porta inconsciemment la main à sa ceinture, cherchant son coutelas, et regarda par-dessus l'épaule du capitaine, plissant les yeux contre le vent. Je pouvais maintenant distinguer la voile qui grossissait rapidement à tribord.

— On ne peut pas le semer, capitaine ?

Le second venait de se joindre à notre groupe, observant le bateau en approche. Il y avait bien des canons à bord – j'en comptai six – et des hommes derrière.

Le capitaine réfléchit, pliant et dépliant machinalement son télescope, puis il leva les yeux vers la mâture, évaluant nos chances de distancer l'autre navire en mettant toutes voiles dehors. Le grand mât était fissuré ; il avait prévu de le remplacer à New Haven.

— Non, répondit-il enfin. La pression sur le mât serait trop forte ; il ne tiendra pas.

Il replia son télescope d'un coup sec, le rangea dans sa poche, et conclut :

— Il va falloir y aller au culot.

Je me demandai quel pourcentage de sa cargaison était constitué de contrebande. Son visage taciturne ne trahissait rien mais on percevait un certain malaise parmi les marins, un malaise qui s'accentua à mesure que l'autre navire se préparait à accoster, hélant le capitaine.

Roberts donna l'ordre de mettre en panne ; les voiles s'affaissèrent et le bateau ralentit. Je pouvais voir les hommes derrière les canons et le bastingage du cotre. Un coup d'œil à Jamie m'apprit qu'il les comptait.

— J'en vois seize, murmura Ian.

— Foutre, nous sommes en sous-effectif, bougonna Roberts.

Il regarda Ian, évaluant sa taille et son poids.

— Ils vont essayer de nous soutirer le maximum. Désolé pour toi, mon garçon.

L'angoisse sourde que j'avais ressentie en voyant approcher le cotre prit soudain une tournure plus aiguë quand je le vis examiner Jamie.

— Vous ne pensez tout de même pas que… commençai-je.

— Dommage que vous vous soyez rasé ce matin, monsieur Fraser. Ça vous rajeunit de vingt ans. Sans parler que vous avez l'air en meilleure santé que la plupart des hommes moitié plus jeunes que vous.

— Je vous remercie pour le compliment, répliqua Jamie sans quitter des yeux l'autre navire.

Sur le pont du cotre, un bicorne de capitaine venait d'apparaître tel un champignon vénéneux. Jamie dégrafa sa ceinture, en sortit le fourreau de son coutelas et me le tendit.

— Garde ça pour moi, *Sassenach*, dit-il en rebouclant sa ceinture.

Le capitaine du cotre, un petit homme d'âge mûr, trapu et au front bas, dont les culottes avaient grand besoin d'être rapiécées, monta à bord et balaya le pont d'un œil perçant. Il hocha la tête comme si ses pires soupçons venaient de se vérifier puis hurla par-dessus son épaule à six de ses hommes de le rejoindre.

— Fouillez les cales, ordonna-t-il. Vous savez ce que vous devez chercher.

— Qu'est-ce que ça signifie ? s'indigna le capitaine Roberts. Vous n'avez pas le droit de fouiller mon navire ! Pour qui vous prenez-vous, une bande de pirates ?

— J'ai l'air d'un pirate ? demanda le capitaine du cotre.

Il paraissait plus flatté qu'insulté par la comparaison.

— Vous n'êtes certainement pas un capitaine de la marine royale, rétorqua Roberts. Jusqu'à présent, je n'ai rencontré que des gentlemen au service de Sa Majesté. Aucun n'aurait accosté de la sorte le navire d'un marchand respectable. La moindre des choses serait d'avoir la bienséance de vous présenter !

Le capitaine sembla trouver cette dernière sortie particulièrement drôle. Il souleva son chapeau et s'inclina devant moi.

— Permettez-moi, madame. Je suis le capitaine Worth Stebbings, votre humble serviteur.

Il se redressa, se recoiffa et fit un signe de tête à son second.

— Passez-moi ces cales au peigne fin. Quant à vous...

Il se tourna vers Roberts et lui tapota le torse de l'index.

— ... rassemblez tous vos hommes sur le pont. Je dis bien *tous*, du cambusier à la vigie. Ne m'obligez pas à aller les chercher moi-même, ça me mettrait de très mauvaise humeur.

Il y eut un terrible raffut dans la cale, des marins pointant régulièrement la tête hors des écoutilles pour informer le capitaine Stebbings de leurs découvertes. Pendant ce temps, ce dernier, adossé au bastingage, observait les hommes du *Teal* en train d'être regroupés en troupeau, Ian et Jamie parmi eux.

— Hé ! protesta Roberts. M. Fraser et son neveu ne font pas partie de l'équipage, ce sont des passagers payants ! Vous ne pouvez pas vous en prendre à des hommes libres, aux occupations légales. Pas plus que vous n'avez le droit de me prendre mes hommes !

— Ce sont des sujets britanniques, répliqua Stebbings. J'ai tous les droits. A moins que vous ne prétendiez être des *Américains* ?

Il parcourut le pont d'un regard menaçant. Si le *Teal* était considéré comme un navire rebelle, il pouvait tout s'approprier en tant que butin, bateau et équipage compris. Un murmure courut parmi les hommes sur le pont et je vis plusieurs regards se poser sur les cabillots d'amarrage hérissant le bastingage. Stebbings les vit aussi et appela quatre hommes du cotre en renfort.

Seize moins six moins quatre, ça fait six. Je me rapprochai du garde-corps pour examiner le cotre qui se balançait un peu plus bas attaché au *Teal* par une amarre. *A condition que les seize n'incluent pas le capitaine Stebbings. Autrement, il en reste...*

Il y avait un homme au gouvernail, celui-ci n'étant pas une roue mais une sorte de barre perchée sur un dispositif qui sortait du pont. Deux servants attendaient derrière un long canon en proue, pointé vers le *Teal*. Où étaient les autres ? J'en vis deux sur le pont. Les autres devaient être à l'intérieur.

Derrière moi, le capitaine Roberts protestait toujours tandis que les marins du cotre montaient des tonneaux et des caisses sur le pont, réclamant une corde à leurs collègues pour les transborder sur leur navire. Stebbings passait les marins en revue, indiquant ses choix à quatre malabars qui le talonnaient. Quand un homme était désigné, ces derniers le sortaient sans ménagement du rang et le ligotaient avec une corde qui reliait ses poignets à ses chevilles. Trois marins avaient déjà été sélectionnés, dont John Smith, les traits blafards et tendus. Mon cœur se serra en le voyant mais il manqua de s'arrêter quand Stebbings arriva à hauteur de Ian. Ce dernier le dévisageait, impassible.

— Mmmouais... fit Stebbings. Tu m'as l'air d'un satané fils de pute mais on saura te mater. Emmenez-le !

Ian serra les poings, mais les enrôleurs étaient armés et deux pistolets étaient pointés sur lui. Il avança d'un pas, avec un regard mauvais qui aurait donné à réfléchir à un homme plus sage. Mais j'avais déjà remarqué que le capitaine Stebbings n'avait rien d'un sage.

Stebbings choisit deux autres hommes puis s'arrêta devant Jamie, l'examinant de la tête aux pieds. Le visage de Jamie était parfaitement neutre et légèrement verdâtre. Le vent était fort et, le bateau étant en panne, le pont tanguait fortement.

L'un des enrôleurs exprima son approbation :

— En v'là un de bien costaud.

— Un peu âgé, répondit Stebbings, dubitatif. Et je n'aime pas beaucoup son air.

Jamie se redressa, bomba le torse, baissa les yeux vers Stebbings du haut de son long nez droit et déclara d'un ton affable :

— Je ne suis pas particulièrement séduit par le vôtre non plus. Si vos actes ne vous avaient pas déjà révélé comme étant un couard de la plus belle eau, j'aurais su rien qu'à votre petit faciès ridicule que vous n'étiez qu'un suceur de figues et un fat.

Le faciès ridicule de Stebbings se décomposa puis vira au rouge vif. Plusieurs de ses hommes ricanèrent dans son dos mais se ressaisirent dès qu'il fit volte-face.

— Emmenez-le ! aboya-t-il. Et veillez à le faire tomber plusieurs fois en chemin.

Il s'éloigna en se faufilant parmi le butin amassé sur le pont.

Je restai pétrifiée. Certes, Jamie ne pouvait pas les laisser emmener Ian mais il n'allait tout de même pas m'abandonner au beau milieu de l'océan Atlantique !

Même avec son coutelas caché dans la poche sous mes jupes et mon couteau dans son étui attaché autour de ma cuisse.

Le capitaine Roberts avait assisté au numéro de Jamie la bouche grande ouverte mais je n'aurais su dire si c'était d'admiration ou d'effroi. Il était petit, rondouillard et pas bâti pour une confrontation physique mais je le vis néanmoins serrer les dents, marcher vers Stebbings et l'attraper par la manche.

Pendant ce temps, les marins faisaient descendre leurs prisonniers sur le cotre.

Je n'eus pas le temps de réfléchir à une meilleure idée.

J'agrippai le bastingage et me laissai plus ou moins rouler par-dessus, mes jupes volant au vent. Je restai suspendue l'espace d'un instant terrifiant, sentant mes doigts glisser sur le bois mouillé, cherchant du bout des orteils l'échelle de corde que l'équipage du cotre avait balancée à bord. Un roulis me plaqua contre la coque. Je lâchai prise, tombai de quelques dizaines de centimètres et me rattrapai à l'échelle juste au-dessus du pont du cotre.

La corde avait brûlé la paume de ma main droite, laissant la chair à vif. Je n'avais pas le temps de m'en préoccuper, les hommes sur le cotre pouvaient m'apercevoir d'un instant à l'autre.

J'attendis que le prochain tangage rapproche le navire puis me laissai choir, atterrissant sur l'autre pont comme un sac de pierres. Une douleur vive parcourut mon genou droit et je me redressai en chancelant. D'un pas balancé, en rythme avec le roulis, je courus vers l'escalier.

— Hé, vous là-bas ! Qu'est-ce que vous faites ?

L'un des canonniers m'avait vue et me regardait d'un air indécis, ne sachant pas s'il devait me poursuivre ou rester auprès de son canon. Son compagnon, m'apercevant à son tour, lui hurla de demeurer à son poste.

Mon cœur battait si fort que je pouvais à peine respirer. Que faire ? Où aller ? Jamie et Ian avaient disparu.

Je hurlai à pleins poumons :

— Jamie ! Je suis ici !

Puis je retroussai mes jupes et courus vers l'amarre qui retenait le cotre au *Teal*. Lors de ma chute fort peu élégante, mes jupes s'étaient enroulées et la fente me permettant d'accéder au couteau attaché à ma cuisse restait introuvable. La vue de mes jambes nues déconcerta le timonier qui s'était tourné à mon cri. Il ouvrit la bouche telle une carpe hors de l'eau mais conserva suffisamment de sang-froid pour ne pas lâcher la barre. Parvenue à l'amarre, j'enfonçai mon couteau dans le nœud, tentant de faire levier pour le desserrer.

Dieu merci, Roberts et ses hommes faisaient un tel ramdam sur le *Teal* qu'ils couvraient les appels du timonier et des canonniers. L'un de ces derniers, après un dernier regard désespéré vers le pont du sloop, prit sa décision et se dirigea vers moi.

Que ne donnerais-je pas pour un pistolet ! pensai-je sombrement. Mais je n'avais qu'un couteau. Je l'extirpai du nœud à moitié défait et le plongeai de toutes mes forces dans la poitrine du canonnier. Il écarquilla les yeux. Je sentis la lame frotter contre un os et se tordre dans ma main, déchirant la chair. Il poussa un cri et tomba à la renverse, manquant de peu d'emporter mon couteau avec lui.

— Pardon, balbutiai-je.

Je repris ma tâche, la corde à présent tachée de sang. J'entendais des bruits dans la cale. Jamie et Ian n'étaient pas armés mais dans des quartiers aussi exigus cela ne faisait sans doute pas grande différence.

La corde céda enfin. Je libérai la dernière glène et elle retomba lourdement contre le flanc du *Teal*. Le courant écarta aussitôt les deux navires, le cotre, plus petit, glissant devant le sloop plus lourd. Nous n'avancions pas vite mais l'illusion d'optique fut telle que je me raccrochai au bastingage pour ne pas perdre l'équilibre.

Le canonnier blessé s'était relevé et revenait à la charge, titubant et très en colère. Il saignait mais pas à profusion et ne semblait en rien handicapé. Je bondis de côté pour l'éviter et, lançant un regard vers l'escalier, vis avec un soulagement incommensurable Jamie en émerger.

Il me rejoignit en trois enjambées.

— Mon coutelas, vite !

Je le fixai interdite un instant, puis la mémoire me revint et, après m'être tâtée, je parvins à retrouver ma poche. Je tirai sur le manche du coutelas mais il était pris dans le tissu. Jamie l'attrapa et le libéra d'un coup sec, déchirant par la même occasion la poche et la ceinture de ma jupe. Puis il tourna les talons et replongea dans les entrailles du navire, me laissant face à un canonnier blessé, son compagnon indemne qui, ayant abandonné son poste, avançait lentement vers moi, et le timonier qui hurlait comme un hystérique que quelqu'un fasse quelque chose.

Je déglutis et serrai le manche de mon couteau.

— Reculez ! lançai-je.

Compte tenu de mon essoufflement, du vent et de la cacophonie ambiante, il était peu probable qu'ils m'aient entendue, bien que cela n'eût pas changé grand-chose. Je remontai mes jupes d'une main, m'accroupis et brandis le couteau devant moi d'un air déterminé, censé leur démontrer que je savais m'en servir. Ce qui était vrai.

Des bouffées de chaleur me parcouraient et la transpiration ruisselait de mon cuir chevelu, aussitôt séchée par le vent. Cependant, la panique s'était envolée. Je me sentais calme et détachée.

Je n'avais qu'une pensée en tête : Vous ne me toucherez pas. L'homme que j'avais blessé était sur ses gardes mais son compagnon, ne voyant en moi qu'une femme, négligea de se protéger. Il se baissa vers moi avec un mépris agacé. Je vis le couteau partir vers le haut puis décrire une courbe latérale, sa lame se couvrant de sang en entaillant toute la largeur du front de ce cuistre.

Poussant un cri de douleur et de stupeur, il chancela, aveuglé, les deux mains pressées contre son visage.

J'hésitai un instant, ne sachant pas trop quoi faire. Le navire dérivait, ballotté par les vagues. Je sentis l'ourlet lesté d'or de ma jupe frotter contre les planches et la remontai à nouveau d'un geste irrité.

Puis j'aperçus un cabillot planté dans le bastingage, une manœuvre enroulée à sa base. Je m'en approchai et, coinçant mon couteau sous les lacets de mon corset, faute d'un meilleur endroit, je l'empoignai à deux mains et le libérai. Le tenant comme une petite batte de base-ball, je pris mon élan et l'abattis de toutes mes forces sur la tête de l'homme dont j'avais entaillé le visage. Le cabillot rebondit sur son crâne avec un son creux et il partit à la renverse, allant percuter le mât.

A ce stade, le timonier décida qu'il en avait assez. Abandonnant sa barre, il s'extirpa de son poste de travail et se dirigea vers moi tel un singe enragé, agitant ses longs bras et montrant les dents. J'essayai de le frapper avec le cabillot mais je perdis ma prise et il m'échappa des mains, roulant sur le pont tandis que le timonier se jetait sur moi.

Il était petit et mince mais son poids m'emporta et nous nous écrasâmes contre le bastingage. L'impact me coupa le souffle et une douleur vive me vrilla les reins. Je tentai de me laisser glisser sous lui mais il m'accompagna dans ma descente, cherchant ma gorge. Je me débattis de mon mieux, le frappant à la tête, les os de son crâne me faisant mal aux mains.

Je n'entendais plus rien que des jurons essoufflés qui pouvaient être les siens comme les miens, puis il parvint à percer mes défenses et ses mains se refermèrent sur mon cou, ses pouces s'enfonçant profondément sous ma mâchoire inférieure.

La douleur était insoutenable. J'essayai de lui envoyer un coup de genou mais mes jambes étaient empêtrées dans mes jupes et coincées sous les siennes. Ma vision s'assombrit ; de petits éclairs d'or jaillissaient dans les ténèbres, de minuscules feux d'artifice annonciateurs de mort. Quelqu'un poussait des gémissements plaintifs et je me rendis vaguement compte que c'était moi. L'étau sur mon cou se resserra encore, les éclats de lumière s'estompèrent, cédant la place au noir absolu.

Je me réveillai avec le sentiment confus d'être à la fois terrifiée et doucement bercée. Ma gorge me faisait mal. Je tentai de déglutir et m'étranglai.

— Tout va bien, *Sassenach.*

La voix de Jamie provenait de quelque part dans la pénombre. Où étais-je ? Puis sa main pressa mon avant-bras.

— Si... tu... le... dis, croassai-je.

L'effort me fit larmoyer. Je toussai puis fis une nouvelle tentative :

— Que... ?

— Bois un peu, *a nighean.*

Une grande main souleva doucement ma nuque et je sentis le goulot d'une gourde contre mes lèvres. Avaler était douloureux mais peu m'importait. Ma bouche et ma gorge étaient desséchées et remplies d'un goût de sel.

Mes yeux commençaient à s'accoutumer à l'obscurité. Je distinguai la silhouette de Jamie, voûtée sous un plafond bas, ainsi que des chevrons... non, des poutres. Il y avait une forte odeur de goudron et de sentine. Un bateau. Bien sûr ! Nous étions sur un bateau. Mais lequel ?

— Où... ? murmurai-je.

— Je n'en ai pas la moindre idée, répondit-il d'un ton irrité. Les hommes du *Teal* manœuvrent les voiles... enfin, je l'espère... et Ian a un pistolet appuyé sur la tempe d'un membre de la marine royale qui dirige le gouvernail même si, pour autant que je sache, il pourrait nous conduire droit vers le large.

— Je... voulais... dire... quel... navire.

Cependant, à sa remarque il était clair que nous étions sur le cotre de la marine.

— Ah, ils ont dit qu'il s'appelait le *Pitt*[1].

— Quel nom bien choisi !

---

1. *A pit*, un trou ou une fosse en anglais. *(N.d.T.)*

Je regardai dans la pénombre trouble autour de moi et mon cœur fit un bond en apercevant une sorte d'énorme paquet capitonné flottant dans l'air à quelques pas de Jamie. Je me redressai brusquement, ou du moins tentai de le faire, me rendant compte au dernier instant que je me trouvais dans un hamac.

Avec un cri d'alarme, Jamie me retint par la taille avant que je ne tombe tête la première. Je me raccrochai à lui, comprenant que ce que j'avais pris pour un immense cocon était un homme saucissonné et bâillonné dans un autre hamac suspendu aux poutres. Son visage était écrasé contre les mailles et il me fixait d'un regard assassin.

— Putain de bordel de… haletai-je.

— Tu veux te reposer un peu, *Sassenach*, ou tu préfères que je t'aide à te lever ?

Jamie paraissait nerveux.

— Je ne veux pas laisser Ian seul trop longtemps.

— Non, aide-moi à descendre de là.

Non contente de tanguer, la cabine tournoyait autour de moi et je dus me tenir à Jamie un moment, les yeux fermés, en attendant que mon gyroscope interne reprenne le dessus.

— Le capitaine Roberts ? demandai-je. Le *Teal* ?

— Va savoir, bougonna Jamie. Nous avons décampé le plus vite possible dès que j'ai pu organiser les hommes. Ils sont peut-être à nos trousses mais, la dernière fois que j'ai regardé, je n'ai rien vu.

Je me sentais plus ferme sur mes jambes en dépit de la douleur lancinante dans ma gorge et mes tempes. Mes coudes et mes épaules étaient contusionnés et j'avais l'impression d'avoir une barre dans le bas du dos, là où j'étais tombée contre le bastingage.

Jamie indiqua le prisonnier d'un signe de tête.

— Nous avons enfermé la plupart des membres d'équipage dans la cale sauf celui-ci. J'ai pensé que tu voudrais peut-être d'abord lui jeter un coup d'œil.

Devant mon air perplexe, il précisa :

— Médicalement parlant. Cela dit, je ne pense pas qu'il soit grièvement blessé.

M'étant approchée du hamac, je constatai qu'il s'agissait du timonier qui avait essayé de m'étrangler. Il avait une grosse bosse sur le front et le début d'un œil au beurre noir mais, pour autant que je pouvais le voir dans la pénombre, ses pupilles n'étaient pas dilatées et – en tenant compte du chiffon enfoncé dans sa bouche – sa respiration semblait régulière. Il n'avait sans doute rien de bien méchant. C'était difficile à dire, la seule lumière provenait d'un petit carreau de verre dans le pont au-dessus de nous. Il me sembla toutefois que ce que j'avais pris pour un air assassin était en fait un regard désespéré. Je demandai poliment :

— Vous avez besoin de faire pipi ?

L'homme et Jamie émirent un son quasi identique sauf que dans le premier cas il s'agissait d'un gémissement d'assentiment et dans le second d'un grognement exaspéré.

Jamie retint le bras que je tendais vers le prisonnier.

— Pour l'amour de Dieu, *Sassenach* ! Je m'en occupe, monte sur le pont.

Son ton éreinté laissait clairement entendre qu'il était à deux doigts de craquer et qu'il était préférable de ne pas discuter. Je m'éclipsai donc, grimpant lentement le petit escalier en entendant derrière moi force jurons gaéliques que je m'abstins de traduire.

Dehors, le vent violent s'engouffra sous mes jupons et faillit m'emporter. Je m'accrochai à une manœuvre et tins bon, laissant l'air frais me nettoyer la tête jusqu'à ce que je me sente suffisamment stable pour me diriger vers la poupe. Là, je trouvai Ian, assis sur un tonneau, un pistolet chargé posé négligemment sur un genou, discutant le bout de gras avec l'homme à la barre.

— Tante Claire ! Vous vous sentez mieux ?

Il sauta de son tonneau pour me laisser la place.

— Ça peut aller, répondis-je en m'asseyant.

Je ne pensais pas m'être déchiré de ligaments dans le genou mais il flageolait un peu. J'inclinai poliment la tête vers l'homme à la barre. C'était un Noir au visage couvert de tatouages, le reste de son corps disparaissant sous la tenue crasseuse habituelle des marins.

— Claire Fraser, me présentai-je.

— Guinea Dick, me répondit-il avec un grand sourire dévoilant des dents limées. A vot' service, m'dame !

Je le regardai interloquée un instant puis glissai à Ian :

— Je vois que Sa Majesté prend ses marins là où elle peut les trouver.

— Vous ne croyez pas si bien dire. M. Dick ici présent a été enrôlé de force sur un navire pirate, qui l'avait volé à un négrier, qui lui-même l'avait enlevé dans un dépôt d'esclaves sur la côte guinéenne. Je ne suis pas sûr qu'il ait considéré l'hospitalité de Sa Majesté comme une amélioration de son sort mais il déclare ne voir aucune objection à nous accompagner.

Je lui demandai dans mon gaélique approximatif :

— Tu places ta confiance en lui ?

Ian me jeta un regard offusqué.

— Bien sûr que non ! Et vous m'obligeriez en évitant de vous en approcher, épouse du frère de ma mère. Il affirme ne pas manger de chair humaine mais cela ne signifie pas qu'il soit inoffensif.

— Ah ! fis-je.

Revenant à l'anglais, je demandai :

— Qu'est-il arrivé à...

Avant que j'aie pu achever ma question, un bruit sourd sur le pont derrière moi me fit sursauter. John Smith – l'homme aux cinq boucles d'oreilles – venait de sauter des gréements. Il sourit en me voyant bien que ses traits soient tirés.

— Tout va bien jusqu'à présent, déclara-t-il à Ian.

Il esquissa un salut militaire dans ma direction.

— Vous allez mieux, m'dame ?

— Oui, merci.

Je regardai la mer derrière nous mais ne vis rien qu'une houle s'étirant à l'infini.

— Euh... avez-vous une idée de là où nous allons, monsieur Smith ?

Il fut pris de court.

— Ben non, m'dame. Le capitaine n'a rien dit.

— Le cap...

— Il veut parler d'oncle Jamie, m'expliqua Ian, l'air amusé. Il est toujours en train de rendre ses tripes en bas ?

— Pas la dernière fois que je l'ai vu. Vous voulez dire que personne sur ce bateau ne sait où l'on va, ni même dans quelle direction ?

Un silence éloquent me répondit.

Je toussotai.

— Le canonnier, celui à qui j'ai entaillé le front, et l'autre, son compagnon, où sont-ils ?

Ian se tourna et regarda vers la mer.

— Ah, fis-je à nouveau.

Il y avait une grande tache de sang sur le pont là où l'homme était tombé après que je l'avais poignardé.

— Oh, ça me rappelle, tante Claire ! J'ai trouvé ça sur le pont.

Il sortit mon couteau de sous sa ceinture et me le tendit. Il avait été nettoyé.

— Merci.

Je le glissai dans la fente de mes jupons et trouvai son fourreau, toujours attaché à ma cuisse. Quelqu'un m'avait retiré ma jupe déchirée et ma poche. Avec une pensée pour l'or dans son ourlet, j'espérai que c'était Jamie. Je me sentais bizarre, comme si mes os étaient remplis d'air. Je toussai à nouveau, me massai la gorge puis redemandai :

— *Personne* ne sait dans quelle direction on va ?

John Smith esquissa un sourire.

— On ne va pas vers le grand large, m'dame, si c'est ce qui vous inquiète.

— Effectivement, cela me préoccupait un peu. Mais comment le savez-vous ?

Les trois hommes échangèrent un regard amusé. M. Dick haussa une épaule vers le soleil.

— Lui, il est là.

Puis il pointa le menton dans la même direction.

— Donc la terre est par là aussi.

— Ah.

Voilà qui était rassurant. De fait puisque « lui » était là, à savoir descendant rapidement vers l'ouest, cela voulait dire que nous nous dirigions vers le nord.

Jamie choisit ce moment pour nous rejoindre, le teint pâle.

— Capitaine Fraser, le salua respectueusement Smith.

— Monsieur Smith.

— Quels sont vos ordres, capitaine ?

Jamie le dévisagea d'un air morne.

— J'aimerais beaucoup que nous ne coulions pas. Pensez-vous pouvoir y arriver ?

— Si nous ne percutons pas un autre navire ou une baleine, capitaine, on devrait continuer à flotter.

— Parfait.

Jamie essuya sa bouche sur le dos de sa main et demanda :

— Y a-t-il un port où nous pourrions accoster avant un jour ou deux ? D'après le timonier, il y a assez d'eau et de nourriture à bord pour trois jours mais le plus tôt nous serons à terre, le mieux je me porterai.

Smith se tourna vers la terre invisible, le soleil couchant faisant briller ses anneaux.

— On a passé Norfolk, annonça-t-il. Le prochain grand port sera New York.

Jamie lui lança un regard torve.

— La marine royale britannique n'est-elle pas ancrée à New York ?

M. Smith toussota.

— J'crois bien, capitaine. C'était le cas aux dernières nouvelles mais, bien sûr, elle peut avoir déménagé depuis.

— Je pensais plutôt à un petit port, déclara Jamie. Tout petit petit.

— Où l'arrivée d'un cotre de la marine royale fera la plus grande impression sur les habitants ? demandai-je.

Je comprenais sa hâte de mettre pied à terre le plus tôt possible mais la question était : que se passerait-il ensuite ?

L'énormité de notre situation commençait tout juste à m'apparaître. En un tour de main, nous étions passés de simples voyageurs se rendant en Ecosse à des fugitifs en route vers… Dieu savait où !

Jamie ferma les yeux et inspira profondément. La mer était agitée et il verdissait à vue d'œil. Comble de malchance, je n'avais plus mes aiguilles d'acupuncture, laissées à bord du *Teal*.

— Pourquoi pas le Rhode Island ou New Haven, dans le Connecticut ? dis-je. Après tout, le *Teal* se rendait à New

Haven et nous avons moins de chances de rencontrer des loyalistes ou des troupes britanniques dans ces ports.

Jamie acquiesça, les yeux toujours fermés, son mouvement de tête le faisant grimacer.

— Oui, peut-être.

— Pas le Rhode Island, objecta Smith. Les Britanniques sont entrés à Newport en décembre dernier et la flotte américaine, ou ce qu'il en reste, est bloquée dans le port de Providence. Si nous entrons à Newport en battant pavillon britannique ils ne nous tireront peut-être pas dessus mais l'accueil à terre risque d'être chaud.

Jamie avait entrouvert un œil et examinait Smith d'un air méditatif.

— Vous ne semblez guère apprécier les loyalistes, monsieur Smith. Autrement, rien n'aurait été plus simple que de me conseiller d'accoster à Newport, me jetant ainsi dans la gueule du loup. Je n'y aurais vu que du feu.

Smith tripota un de ses anneaux.

— En effet, capitaine. Cela dit, je ne suis pas séparatiste non plus. C'est juste que je n'ai pas envie d'être coulé à nouveau. Je crois que, sur ce plan-là, j'ai déjà donné.

— Donc, New Haven ce sera, conclut Jamie.

Malgré mon malaise, je ressentis une petite pointe d'excitation. Allais-je pour finir rencontrer Hannah Arnold ? Ou, plus troublant encore, le colonel Arnold en personne ? Il devait bien rendre visite à sa famille de temps à autre.

Il s'ensuivit de longues discussions techniques, à grand renfort de cris échangés entre le pont et les hommes perchés dans les gréements. Jamie savait se servir d'un sextant et d'un astrolabe (il y en avait un à bord) mais ignorait comment appliquer les résultats de ses calculs à la navigation. Les hommes du *Teal* étaient tous plus ou moins d'accord pour manœuvrer les voiles et nous accompagner où bon nous semblerait, dans la mesure où leur seule autre option était d'être arrêtés, jugés et exécutés pour piraterie involontaire, mais aucun d'eux n'était capable de diriger un navire.

Il nous restait la solution d'interroger les captifs dans la cale, de découvrir si l'un d'eux savait piloter un vaisseau puis de lui proposer soit de l'or soit des coups ; ou encore de faire du cabotage, ce qui était plus lent et plus dangereux car nous pouvions fort bien rencontrer des bancs de sable ou des vaisseaux de guerre britanniques. C'était également incertain du fait qu'aucun des hommes du *Teal* n'avait jamais vu le port de New Haven.

N'ayant rien d'utile à apporter à cette discussion, je m'approchai du bastingage, contemplant le soleil couchant tout en me demandant quels étaient les risques de nous échouer en avançant droit devant dans la nuit.

L'idée faisait froid dans le dos mais le vent était plus froid encore. Lors de mon départ précipité du *Teal*, je ne portais qu'une petite veste légère et, sans ma grosse jupe de laine, la bise marine s'infiltrait sous mes vêtements, aussi mordante qu'une lame. Cette image malheureuse me rappela le canonnier mort et, rassemblant mon courage, je lançai un regard par-dessus mon épaule vers la tache de sang. Au même instant, je perçus un mouvement près de la barre et j'ouvris la bouche pour crier. Aucun son n'en sortit mais Jamie, qui me regardait à ce moment-là, lut l'expression d'horreur sur mon visage. Il pivota sur ses talons et, sans l'ombre d'une hésitation, se jeta sur Guinea Dick qui venait de sortir un couteau de nulle part et s'apprêtait à le planter dans le dos négligemment tourné de Ian.

Ce dernier fit volte-face en entendant le bruit et, constatant ce qui se passait, lança son pistolet entre les mains de M. Smith ahuri et plongea dans l'enchevêtrement de corps qui roulaient sous la barre abandonnée, celle-ci oscillant d'un côté et de l'autre. Ayant perdu son cap, le navire ralentit, ses voiles mollirent et il se mit à gîter de manière alarmante.

J'avançai de deux pas sur le pont incliné et cueillis le pistolet dans les mains de M. Smith qui me regarda en clignant des yeux.

— Ce n'est pas que je ne vous fais pas confiance, m'excusai-je. Mais je ne peux pas prendre de risques.

Je vérifiai le pistolet ; il était armé et amorcé. C'était un miracle que le coup ne soit pas parti tout seul. Je le pointai vers la mêlée, attendant de voir qui en émergerait le premier.

Le regard de M. Smith allait des hommes en train de se battre à moi, puis il recula lentement en levant les mains.

— Je... euh... Si vous avez besoin de moi, je serai là-haut, dans les gréements.

L'issue du combat était jouée d'avance mais M. Dick s'était acquitté honorablement de son devoir de marin britannique. Ian se releva lentement en pestant, pressant son avant-bras contre sa chemise. Il avait une marque rouge irrégulière près du poignet.

— Ce sale traître m'a mordu ! s'indigna-t-il. Espèce de mécréant cannibale !

Il envoya un coup de pied à son ennemi à terre qui grogna sous l'impact mais demeura inerte. Puis, sans cesser de jurer, il empoigna la barre, la poussa et la tira à lui plusieurs fois jusqu'à trouver le vent. Le bateau se stabilisa et ses voiles se gonflèrent à nouveau.

Jamie était assis sur le pont à côté du corps de M. Dick. Il pantelait, la tête ballante. J'abaissai mon arme et la désamorçai.

— Ça va ? lui demandai-je.

— J'essaie de me rappeler combien de vies il me reste.

— Quatre, je crois. Ou cinq. Mais cette fois, tu n'étais pas vraiment en danger, n'est-ce pas ?

Le visage de M. Dick était en piteux état. Jamie lui-même avait une grande marque rouge sur une joue qui ne tarderait pas à virer au noir violacé et il se tenait le ventre. En dehors de cela, il paraissait indemne.

— Mourir du mal de mer, ça compte ? demanda-t-il.

— Non.

Surveillant M. Dick du coin de l'œil, je m'accroupis près de Jamie et l'examinai. Le pont baignait dans la lueur rouge du soleil couchant et m'empêchait d'évaluer la couleur de son teint. Il tendit une main et je lui donnai le pistolet qu'il glissa sous sa ceinture. Je remarquai qu'il avait récupéré son coutelas.

— Tu n'as pas eu le temps de le dégainer ? m'étonnai-je.

— Je ne voulais pas le tuer. Il n'est pas mort, hein ?

Avec un grognement d'effort, il roula sur le côté, se redressa à quatre pattes et prit quelques inspirations laborieuses avant de se hisser debout.

— Non, il reprendra connaissance d'ici une minute ou deux.

Je regardai Ian. Je ne pouvais voir son visage mais le langage de son corps était éloquent. Son dos voûté, son cou rentré dans les épaules, ses avant-bras crispés trahissaient sa fureur et sa honte mais quelque chose en lui indiquait également un profond chagrin. Je l'observai, intriguée, jusqu'à ce que je comprenne enfin ce qui lui avait fait baisser sa garde. L'étrange calme qui m'habitait s'évanouit aussitôt. J'agrippai le bras de Jamie et lui chuchotai :

— Rollo !

Il sursauta, jeta un coup d'œil à Ian puis se tourna vers moi d'un air consterné.

Les aiguilles d'acupuncture n'étaient pas les seuls biens précieux que nous avions laissés à bord du *Teal*.

Rollo était le compagnon le plus proche de Ian depuis des années. Fruit hors normes des amours entre un lévrier irlandais et un loup, il avait terrifié l'équipage du *Teal* au point que Ian avait été obligé de l'enfermer dans sa cabine. Autrement, il aurait sûrement sauté à la gorge du capitaine Stebbings en voyant ses marins emmener son maître. Comment réagirait-il quand il se rendrait compte que Ian avait disparu ? Et que lui feraient le capitaine Stebbings, ses hommes ou l'équipage du *Teal* ?

— Mon Dieu, murmura Jamie en se signant. Ils vont l'abattre et le balancer par-dessus bord !

Je songeai au requin-marteau et un violent frisson me parcourut des pieds à la tête. Jamie serra ma main et répéta doucement :

— Oh, mon Dieu !

Il resta immobile un moment, méditatif, puis se secoua, un peu à la manière de Rollo s'ébrouant au sortir de l'eau.

— Il faut que je parle à l'équipage, annonça-t-il. Et il va falloir les nourrir, tout comme les hommes dans la cale. Tu ne veux pas descendre à la coquerie et voir si tu peux préparer quelque chose ? Je dois… toucher deux mots à Ian.

Je lançai un regard vers ce dernier, qui se tenait raide comme une statue d'Indien à la barre, les dernières lueurs du jour creusant son visage sans larmes.

J'acquiesçai et me dirigeai vers le trou noir de l'escalier.

La coquerie n'était qu'un minuscule espace carré dans l'entrepont à l'autre bout du mess, avec un muret en brique abritant le feu, des placards dans la cloison, une batterie d'ustensiles en cuivre accompagnés de chiffons, de manches et autres accessoires de cuisine. Dieu merci, il restait quelques braises dans le poste de cuisson.

Je trouvai un coffre à charbon et un panier de petit bois sous le plan de travail et m'attelai aussitôt à faire repartir le feu. Une marmite accrochée à sa crémaillère pendait au-dessus. Une partie de son contenu s'était renversée sous l'effet du roulis, éteignant partiellement les flammes et laissant des traînées visqueuses sur son bord. Encore une chance. Si le feu n'avait pas été à moitié étouffé, le contenu de la marmite aurait brûlé, me contraignant à inventer un dîner à partir de rien.

Enfin, pas tout à fait. Plusieurs caisses de poules étaient empilées près de la coquerie. Elles s'étaient assoupies dans l'obscurité mais mon arrivée les avait réveillées. Elles piaillaient, battaient des ailes en agitant la tête et collaient un œil intrigué aux fentes de leur caisse. Je me demandai s'il y avait d'autres animaux sur le bateau. Je touillai la marmite, qui contenait une sorte de ragoût gluant, puis me mis en quête de pain. Il y avait certainement une substance farinacée à bord. Les marins vivaient de biscuits à base de farine de blé déshydratée ou de galettes au levain. Il y en avait forcément. Mais où ?

Je les trouvai enfin : des galettes brunes dures comme pierre dans un filet suspendu à un crochet dans un recoin sombre. Sans doute pour les protéger des rats. Je lançai un regard nerveux autour de moi, au cas où. Il devait aussi y avoir des sacs de farine. Ah ! Ils étaient probablement dans la cale, avec les autres provisions... et les membres renfrognés de l'équipage d'origine. Bah ! On verrait plus tard, pour ce soir, il y avait de quoi faire dîner tout le monde.

Attiser le feu puis fouiller la coquerie et le mess me réchauffa et me fit oublier mes douleurs. Peu à peu, la sensation d'incrédulité glacée qui m'habitait depuis le début des incidents commença à se dissiper.

Ce n'était pas une bonne chose. En émergeant de mon état de stupeur, je prenais la vraie mesure de notre situation. Nous n'étions plus en route vers l'Ecosse, prêts à braver les dangers de la haute mer, mais vers une destination inconnue dans un navire que nous ne connaissions pas, manœuvré par un équipage terrifié et sans expérience. Nous avions commis un acte de piraterie, ainsi qu'une série d'autres crimes tels que résister à l'enrôlement et attaquer un vaisseau de Sa Majesté. Plus un meurtre. Je déglutis.

Les vibrations de la lame heurtant un os résonnaient encore dans mon bras. Comment pouvais-je l'avoir tué ? Je n'avais pas pénétré la cavité thoracique et ne pouvais pas avoir sectionné un des gros vaisseaux du cou... Il avait dû être en état de choc, bien sûr, mais suffisait-il à lui seul... ?

Je repoussai fermement cette idée. Je ne pouvais penser au canonnier pour le moment. Plus tard, me promis-je. Cela avait été de l'autodéfense, après tout. Je prierais pour lui, mais plus tard.

Les autres pensées qui me venaient n'étaient guère plus encourageantes. Ian et Rollo... Non, ça non plus je ne devais pas y songer pour le moment.

Je grattai le cul de la marmite avec une longue cuiller en bois. Le ragoût avait légèrement brûlé au fond mais était toujours mangeable. Il contenait des os et était épais et grumeleux. Je refoulai un haut-le-cœur, y ajoutai de l'eau d'une cruche et le mis à nouveau à cuire.

La navigation. Voilà un thème sur lequel je pouvais m'attarder. Il était profondément préoccupant mais dépourvu des connotations émotionnelles des autres sujets de mon ordre du jour mental. La lune était-elle bientôt pleine ? Je tentai de me souvenir de son aspect depuis le pont du *Teal* la veille au soir. Je ne l'avais pas remarquée, donc elle devait être loin d'être grosse. Une pleine lune se levant sur la mer était un spectacle époustouflant ; elle traçait sur l'eau un chemin lumineux qui vous donnait envie d'enjamber le bastingage et de marcher sur ce rayonnement paisible.

Non, je n'avais rien vu de tel la nuit précédente. Je m'étais rendue sur le pont tard dans la nuit plutôt que d'utiliser le pot de chambre car j'avais besoin d'air frais. Je m'étais arrêtée un instant devant le garde-corps pour contempler la crête phosphorescente des longs rouleaux, une belle lueur d'un vert surnaturel illuminant l'intérieur des vagues. La proue traçait un sillage luisant dans la mer.

Ce serait une nuit sans lune, ou avec un mince croissant, ce qui revenait au même. Nous ne devions pas nous approcher de la côte dans le noir. J'ignorais où nous étions mais je savais que le littoral autour de la baie du Chesapeake était connu pour ses courants, ses bancs de sable, ses estrans et sa dense circulation navale. Smith nous avait dit que nous avions passé Norfolk...

— Mais où est donc Norfolk, bordel ! m'écriai-je, exaspérée.

Je savais où se trouvait la ville par rapport à l'autoroute I-64 mais n'avais aucune idée de ce à quoi elle ressemblait vue de la mer.

Et si nous devions rester loin de la côte durant la nuit, ne risquions-nous pas de dériver vers le grand large ?

Au moins, nous n'avions pas à nous inquiéter d'une éventuelle panne d'essence, me dis-je pour m'encourager. Ni d'un manque de nourriture et d'eau... pour le moment.

Je commençais à être à court de motifs d'inquiétude dépourvus de caractère personnel. Le mal de mer de Jamie ? Ou toute autre catastrophe médicale pouvant se produire à bord ? Oui, c'était un bon sujet. Je n'avais ni herbes, ni aiguilles, ni sutures, ni bandages, ni instruments... Il me faudrait me débrouiller avec de l'eau bouillie et mes deux mains nues.

— Je peux réduire une luxation ou boucher une artère sectionnée avec mon pouce mais c'est à peu près tout, déclarai-je à voix haute.

— Hum...

La voix derrière moi me fit faire volte-face, projetant des éclaboussures avec ma cuiller en bois.

— Oh, monsieur Smith.

— Je n'ai pas voulu vous effrayer, m'dame.

Il avança précautionneusement dans la lumière comme une araignée craintive, évitant de m'approcher de trop près.

— Surtout depuis que j'ai vu votre neveu vous rendre votre couteau.

Il sourit légèrement pour me montrer que c'était une plaisanterie mais il n'avait pas l'air rassuré pour autant.

— Vous... euh... vous savez vous en servir ?

— Oui, j'ai eu de l'entraînement, répondis-je platement avant d'essuyer les éclaboussures avec un torchon.

Au bout de quelques minutes, il toussota et reprit :

— M. Fraser m'a envoyé vous demander, le plus délicatement possible, s'il y aura bientôt quelque chose à manger.

Je me mis à rire.

— Le « délicatement » est votre idée ?

— La sienne.

— Vous pouvez lui dire que le dîner est prêt. Oh, monsieur Smith ?

Il se tourna à nouveau vers moi.

— Je me demandais... les hommes du *Teal*... Je me doute qu'ils doivent être contrariés, mais que pensent-ils de... des événements récents ? Si vous en savez quelque chose, bien sûr.

Il parut amusé.

— J'en sais quelque chose. M. Fraser m'a posé la même question il n'y a pas dix minutes. On a pas mal discuté avec les gars, là-haut dans la mâture, comme vous pouvez l'imaginer.

— Oui, je l'imagine aisément.

— Ils sont plutôt soulagés de ne pas avoir été enrôlés de force, bien sûr. Aucun d'entre nous n'aurait revu sa famille pendant des années. Sans parler d'être forcés de nous battre contre nos compatriotes.

Il se gratta le menton. Comme tous les autres, sa barbe repoussait et il commençait à ressembler de plus en plus à un pirate.

— D'un autre côté... faut reconnaître que notre situation actuelle n'est pas ce qu'on pouvait espérer de mieux. Elle est périlleuse, c'est le moins qu'on puisse dire. Et puis on n'a ni nos affaires ni notre paye.

— Oui, je comprends. A votre avis, quelle serait la meilleure solution ?

— Accoster le plus près possible de New Haven mais pas dans le port. Echouer le navire sur un banc de sable, y mettre le feu, rejoindre la terre en canots et disparaître au plus vite.

— Vous brûleriez le navire avec les prisonniers enfermés dans la cale ?

A mon soulagement, il sembla choqué par cette suggestion.

— Oh non, m'dame ! M. Fraser voudra peut-être s'en servir comme monnaie d'échange auprès des continentaux mais nous, on ne dirait pas non s'il décidait de les libérer.

— C'est très magnanime de votre part, l'assurai-je. Et je suis sûre que M. Fraser apprécie vos conseils. Vous savez où se trouve l'armée continentale en ce moment ?

— D'après ce que j'ai entendu dire, quelque part dans le New Jersey. Si vous les cherchez, ils ne doivent pas être bien difficiles à trouver.

La dernière chose que je tenais à voir, outre la marine royale, c'était l'armée continentale, même de loin. Toutefois, le New Jersey paraissait suffisamment éloigné.

Je l'envoyai fouiller les quartiers de l'équipage à la recherche d'ustensiles. Chaque marin possédait sa propre écuelle et sa cuiller. Puis je m'attelai à la tâche délicate d'allumer les deux lampes suspendues au-dessus de la table du mess afin que les hommes puissent voir ce qu'ils mangeaient.

Après avoir examiné le ragoût de plus près, je me demandai si la lumière était une si bonne idée mais je m'étais donné tant de mal pour allumer les mèches que je n'étais pas prête à les moucher.

Tout compte fait, le repas n'était pas si mal. D'ailleurs, j'aurais pu leur donner du gravier et des têtes de poisson, ils étaient tellement affamés qu'ils les auraient dévorés avec autant d'appétit. Ils semblaient tous d'excellente humeur en dépit de notre situation. Une fois de plus, je m'émerveillai de cette capacité qu'avaient les hommes à fonctionner normalement au milieu de l'incertitude et du danger.

Naturellement, cela était dû en partie à Jamie. Que lui, qui haïssait la mer et les bateaux, se retrouve de facto capitaine d'un cotre était ironique ; mais il savait garder son calme face au chaos et avait un sens inné du commandement.

Jusque-là, l'adrénaline seule m'avait permis de continuer mais, à présent, n'étant plus en danger immédiat, elle commençait à diminuer. Entre la fatigue, l'angoisse et ma gorge meurtrie, je ne pus avaler qu'une petite bouchée. Mes autres plaies m'élançaient et mon genou me faisait mal. J'étais en train de dresser un inventaire de mes maux quand je croisai le regard de Jamie.

— Tu as besoin de t'alimenter, *Sassenach*. Mange.

J'allais répondre que je n'avais pas faim mais me ravisai. Il avait suffisamment de problèmes sur les bras pour ne pas avoir à s'inquiéter pour moi. Je repris ma cuiller, résignée, en répondant :

— A vos ordres, capitaine.

31

Visite guidée à travers les cavités du cœur

J'aurais dû dormir. Dieu savait que j'en avais besoin, autant pour échapper un moment à mes peurs et incertitudes que pour reposer mon corps tant éprouvé. Hélas, j'étais tellement épuisée que mon cerveau et mon corps avaient commencé à se dissocier.

C'était un phénomène courant. Les médecins, les soldats et les mères le vivent fréquemment. Moi-même, je l'avais souvent vécu. Incapable de réagir à une urgence, l'esprit éreinté se retranche, se détachant des écrasants besoins égocentriques du corps. De cette distance clinique, il peut diriger les choses, contournant les émotions, la douleur et la fatigue, prenant les décisions qui s'imposent en passant outre la faim, la soif, le sommeil, l'amour ou le chagrin.

Pourquoi les émotions ? me demandai-je. Elles étaient pourtant une fonction de l'esprit. Toutefois, elles paraissaient si bien enracinées dans la chair que cette abdication de la conscience les supprimait également.

Le corps n'apprécie guère cette abdication. Ignoré et malmené, il ne laisse pas l'esprit revenir facilement. Souvent, la dissociation persiste jusqu'à ce que le sommeil vienne enfin. Pendant que le corps est occupé à sa régénération, l'esprit reprend prudemment sa place dans la chair turbulente, se faufilant dans les galeries sinueuses des rêves, faisant la paix. Vous vous réveillez alors de nouveau entier.

Mais, pour moi, ce moment n'était pas encore venu. J'avais la sensation qu'il me restait encore une chose à faire mais je ne voyais pas quoi. J'avais nourri les hommes, fait porter de quoi manger aux prisonniers, examiné les blessés, rechargé les pistolets, nettoyé la marmite... Je ne voyais rien d'autre.

Je posai les mains sur la table, mes doigts caressant le grain du bois comme si les minuscules sillons, usés par des années de service, traçaient une carte qui me permettrait de trouver mon chemin vers le sommeil.

Je pouvais me voir. Mince, presque maigre, la crête de mon radius saillant sous la peau de mon avant-bras. J'avais perdu plus de poids que je ne l'avais cru au cours des dernières semaines de voyage. Mes épaules étaient voûtées par la fatigue. Mes cheveux formaient une masse de mèches emmêlées d'une dizaine de tons bruns et clairs, le tout strié de blanc et d'argent. Ils me rappelèrent une expression cherokee que Jamie m'avait traduite. Dans ce langage, libérer son esprit de l'angoisse, de la colère, de la peur et des démons c'était « faire tomber les serpents des cheveux en les peignant ». Une métaphore d'une grande pertinence.

Malheureusement, je ne possédais plus de peigne. J'avais perdu le mien lors des récents événements.

Ma tête me faisait l'effet d'un ballon de baudruche tirant sur sa ficelle. Je n'arrivais pas à lâcher prise, possédée par une peur irrationnelle qu'elle s'envole et ne revienne pas.

Je m'efforçai de me concentrer sur de petits détails physiques : le poids du ragoût de poulet et des galettes dans mon estomac ; l'odeur de poisson de l'huile des lampes ; le bruit de pas sur le pont au-dessus ; le chant du vent ; le sifflement des vagues contre la coque.

La sensation d'une lame dans la chair. Non pas l'acte prédéterminé, la destruction consciente de la chirurgie, les dommages causés dans le but de soigner. Mais le geste de panique, le sursaut du couteau heurtant un os, le parcours fou de la lame incontrôlée. Et la large tache de sang sur le pont, fraîche et sentant le métal.

— Je ne le voulais pas, murmurai-je. Mon Dieu, je ne le voulais pas.

Soudain, je me mis à pleurer. Ce n'étaient pas des sanglots. Mes yeux débordèrent simplement de larmes et elles coulèrent lentement le long de mes joues. Une calme reconnaissance du désespoir tandis que la situation échappait peu à peu à tout contrôle.

— Que se passe-t-il, *Sassenach* ?

Jamie venait d'apparaître à la porte.

— Je suis si fatiguée, dis-je d'une voix étranglée. Si fatiguée.

Il s'assit à mes côtés, faisant craquer le banc. Je sentis un mouchoir crasseux me tamponner les joues. Il glissa un bras autour de mes épaules et me parla doucement en gaélique, les mots tendres que l'on prononce à un animal apeuré. Je posai ma joue contre son torse et fermai les yeux. Les larmes coulaient toujours mais je me sentais déjà mieux.

— Je regrette d'avoir tué cet homme, murmurai-je.

Il s'arrêta un instant de lisser mes cheveux derrière mon oreille.

— Tu n'as tué personne, dit-il d'un ton surpris. C'est ça qui te turlupine ?

— Entre autres choses, oui.

Je me redressai et m'essuyai les yeux.

— Quoi, le canonnier, je ne l'ai pas tué ? Tu en es sûr ?

— Oui. C'est moi qui l'ai tué, *a nighean.*

— Toi… Oh !

Je reniflai et l'examinai plus attentivement.

— Tu ne dis pas ça juste pour que je me sente mieux ?

— Non. Moi aussi, j'aurais préféré ne pas l'avoir tué, mais je n'ai pas vraiment eu le choix.

Il me caressa la joue du bout de l'index avant d'ajouter :

— Ne t'en fais pas, *Sassenach* ; je peux vivre avec.

Je pleurai à nouveau, mais cette fois avec émotion. Je pleurai de douleur et de chagrin, ainsi que de peur. Mais la douleur et le chagrin étaient pour Jamie qui n'avait eu d'autre choix que de donner la mort, et toute la différence était là.

Au bout d'un moment, l'orage passa, me laissant sans forces mais entière. La sensation lancinante de détachement était partie. Jamie s'était tourné sur le banc, adossé à la table, et me tenait sur ses genoux. Nous restâmes silencieux et paisibles, contemplant la lueur des dernières braises dans la coquerie et les volutes de vapeur s'échappant de la marmite d'eau chaude. Je devrais préparer quelque chose qui mijotera pendant la nuit, pensai-je avec lassitude. Je lançai un regard vers les cages où les poules dormaient.

Non, je n'avais pas le courage d'en tuer une ce soir. Les hommes devraient se contenter de ce qui me tomberait sous la main au matin.

Jamie regardait dans la même direction mais ses pensées l'avaient mené ailleurs.

— Tu te souviens des poules de Mme Bug ? demanda-t-il. Et de Jem et Roger Mac ?

— Oh, Seigneur, la pauvre Mme Bug !

On avait confié à Jem, alors âgé de cinq ans, la tâche de compter les poules tous les soirs afin de s'assurer qu'elles étaient toutes rentrées au poulailler. Après quoi, la porte était solidement refermée pour les protéger des renards, des blaireaux ou autres prédateurs amateurs de poules. Sauf qu'une fois, Jem avait oublié. Rien qu'une fois, mais cela avait suffi. Un renard s'était introduit dans les lieux et le carnage avait été terrible.

On affirme à tort que l'homme est le seul être qui tue pour le plaisir. Peut-être l'ont-ils appris de l'homme mais tous les membres de la famille des canidés le font aussi – les renards, les loups et, en théorie, les chiens domestiques. Les cloisons du poulailler avaient été tapissées de sang et de plumes.

— Oh, mes petites ! Mes petites ! répétait Mme Bug en pleurant à chaudes larmes. Oh, mes pauvres petites !

Convoqué dans la cuisine, Jem gardait les yeux rivés sur le sol.

— Pardon, murmura-t-il. Je suis désolé.

— Tu peux ! rétorqua Roger. Mais que tu sois désolé ne change rien à la situation, n'est-ce pas ?

L'enfant fit non de la tête, les larmes aux yeux.

— Si tu es assez grand pour qu'on te confie une mission, tu l'es assez pour subir les conséquences d'avoir trahi notre confiance. Tu comprends ?

L'enfant fit oui de la tête, même s'il était évident qu'il ne comprenait pas.

Roger inspira fortement par le nez.

— Je vais devoir te fouetter.

Le petit visage rond de Jem se redressa brusquement, interloqué. Il lança un regard vers sa mère, la bouche grande ouverte.

Brianna fit un petit mouvement vers lui mais Jamie la retint par le bras.

Evitant de regarder dans sa direction, Roger posa une main sur l'épaule de son fils et le fit tourner vers la porte.

— Dehors, mon garçon. Va m'attendre dans l'étable.

L'enfant avait verdi quand Mme Bug nous avait apporté le premier cadavre de poule. Son teint ne s'était guère amélioré depuis. Je craignis qu'il se mette à vomir mais ce ne fut pas le cas. Il avait cessé de pleurer mais semblait s'être ratatiné.

— Allez, va, répéta Roger.

Il sortit la tête basse, ressemblant tellement à un condamné marchant vers la potence que je ne savais plus si je devais pleurer ou rire. Brianna paraissait en proie à une contradiction similaire. Elle avait l'air navrée mais la commissure de ses lèvres tremblait. Elle détourna rapidement le regard.

Roger poussa un soupir explosif et s'apprêta à le suivre. Jamie, qui avait assisté à la scène en silence dans un coin, s'approcha de lui et toussota dans son poing.

— Hum... Je sais que c'est la première fois, mais je crois que tu devrais frapper fort. Le pauvre garçon se sent très mal.

Brianna sursauta mais Roger se contenta de hocher la tête, desserrant légèrement les mâchoires. Il sortit tout en dégrafant sa ceinture.

Nous restâmes tous les trois autour de la table, mal à l'aise et indécis. Puis Brianna se redressa et saisit une des poules mortes.

— Elles sont encore mangeables, à ton avis ?

J'en palpai une délicatement. La chair était flasque et molle mais ne s'était pas encore décollée de la peau. Je soulevai la bête et la reniflai. Il y avait une forte odeur piquante de sang séché, un remugle de fèces liquides mais pas les émanations doucereuses de la décomposition.

— Je crois, si elles sont bien cuites. Les plumes sont inutilisables mais on peut en préparer certaines en ragoût et faire bouillir les autres pour des bouillons ou des fricassées.

Jamie descendit à la cave chercher des oignons, de l'ail et des carottes pendant que Mme Bug se retirait pour s'allonger et que Brianna et moi nous attelions à la tâche peu ragoûtante de plumer et d'éviscérer les victimes. Nous ne parlâmes pas beaucoup. Quand Jamie revint et déposa le panier de légumes près de Brianna, elle lui demanda d'un ton grave :

— Tu crois vraiment que ça va l'aider ?

Il acquiesça.

— Quand tu as fait quelque chose de mal, tu es rongé par le remords et tu veux réparer ta faute. Mais, dans le cas présent, on ne peut plus faire grand-chose.

Il indiqua les poules amoncelées sur la table. Les mouches avaient commencé à se rassembler, se promenant sur les plumes.

— Le mieux qu'il puisse t'arriver, c'est de ressentir que tu as payé pour ce que tu as fait.

Un faible cri nous parvint par la fenêtre. Brianna tressaillit puis secoua la tête et, chassant les mouches d'un geste de la main, attrapa une autre poule.

— Oui, je me souviens, répondis-je sans quitter des yeux les caisses de volailles près de la coquerie. Jemmy aussi, sans doute.

Jamie eut un petit rire puis se tut. J'entendais son cœur battre contre mon dos, lent et régulier.

Jamie, Ian et moi nous relayâmes pour monter la garde, par quarts de deux heures. John Smith paraissait être un homme sur qui l'on pouvait compter, mais il y avait toujours le risque que l'un des marins du *Teal*, dans l'espoir que cela leur éviterait d'être pendus comme pirates, le persuade de libérer les hommes dans la cale.

Je supportai assez bien le quart de minuit mais me lever à l'aube fut une torture. Je luttai pour remonter d'un puits profond tapissé d'une douce laine noire, mes membres endoloris alourdis par une fatigue sourde.

Jamie s'était jeté dans le hamac avec une couverture dès que j'en étais descendue et, malgré un puissant désir réflexe de le faire basculer pour y regrimper aussi sec, je souris légèrement. Soit il avait une foi absolue en ma capacité à monter la garde, soit il était sur le point de mourir d'épuisement ou de mal de mer. Ou les deux. Je ramassai la capote d'officier de marine qu'il venait de quitter. C'était un des avantages de notre nouvelle situation : j'avais laissé mon horrible cape lépreuse à bord du *Teal*. Ce vêtement-ci était une grande amélioration. Pratiquement neuf, il était confectionné dans une épaisse laine bleue, doublé en soie écarlate et conservait une bonne partie de la chaleur de Jamie.

Je le serrai autour de moi, puis grattai le crâne de Jamie pour voir s'il sourirait dans son sommeil. Ce fut le cas, juste un petit mouvement des lèvres. Puis je me dirigeai vers la coquerie en bâillant.

Un autre petit avantage : j'avais trouvé une boîte de bon darjeeling dans un placard. J'avais allumé un petit feu sous le chaudron avant de me coucher et l'eau était à présent frémissante à souhait. Je dénichai une tasse en porcelaine ornée de violettes qui appartenait visiblement au service personnel du capitaine.

Je l'emportai sur le pont. Après un petit tour d'inspection pour me faire voir des deux hommes de service (M. Smith était à la barre), je m'accoudai au bastingage pour boire mon précieux et odorant butin tout en contemplant l'arrivée de l'aurore.

Comme j'étais d'humeur positive, j'y vis là un autre bienfait. J'avais assisté à des levers de soleil sur des mers chaudes qui ressemblaient à l'éclosion d'une immense fleur, un majestueux déploiement de lumière. Celui-ci était un lever de soleil du nord : la lente ouverture d'un coquillage bivalve, froid et délicat, le ciel formant une nacre chatoyante au-dessus d'une mer d'un gris pâle. Il possédait quelque chose d'intime, comme annonciateur d'une journée de secrets.

Alors que je commençais à me laisser bercer par des pensées poétiques, celles-ci furent interrompues par le cri « Ohé, navire en vue ! » retentissant juste au-dessus de moi. La tasse en porcelaine fleurie du capitaine Stebbings s'écrasa sur le pont. Je pivotai et aperçus un triangle blanc sur la ligne d'horizon derrière nous, grandissant de seconde en seconde.

Les minutes qui suivirent auraient été comiques dans d'autres circonstances. Je me précipitai dans la cabine du capitaine, si énervée et essoufflée que je ne parvins qu'à haleter : « Oh !... Y !... Oh ! » Jamie bondit de sa couche, oubliant qu'il était dans un hamac. Le temps qu'il se relève du sol en jurant, des pas précipités résonnaient sur le pont au-dessus de nous tandis que les marins du *Teal* s'extirpaient plus adroitement de leur hamac et accouraient pour voir ce qui se passait.

De retour sur le pont, je demandai à John Smith :

— Est-ce le *Teal* ? Vous pouvez le voir d'ici ?

— Oui, répondit-il d'un air absent en fixant le lointain. Enfin, non. Je peux le voir mais ce n'est pas le *Teal*. C'est un trois-mâts.

A cette distance, le navire en approche ne paraissait qu'un petit nuage blanc flottant au-dessus de la mer. Je ne distinguais pas encore sa coque.

Je me tournai vers Jamie qui avait déniché un télescope dans la cabine de Stebbings et examinait le nouveau venu, le front barré d'un pli soucieux.

— Nous n'avons pas besoin de fuir, n'est-ce pas ? lui demandai-je.

— Ce serait inutile, nous n'avons aucune chance de le semer.

Il passa le télescope à Smith qui le colla contre son œil et marmonna :

— Il n'a pas de pavillon.

Jamie releva brusquement la tête vers la mâture. Je suivis son regard et me rendis compte que nous arborions toujours le drapeau britannique.

— C'est plutôt une bonne chose, tu ne crois pas ? lui dis-je. Ils n'attaqueraient tout de même pas un vaisseau de la marine royale, si ?

Jamie et John Smith me regardèrent d'un air profondément dubitatif.

— S'ils approchent à portée de voix, ils se rendront sûrement compte que quelque chose ne tourne pas rond, déclara Smith.

Il lança un regard de biais à Jamie.

— Mais quand même... Ça vous ennuierait d'enfiler le costume du capitaine ? Ça pourrait faire illusion... de loin.

— S'ils approchent suffisamment pour le voir, ça ne fera pas une grande différence, grommela Jamie.

Il repartit néanmoins vers l'escalier, s'arrêtant en chemin pour vomir par-dessus bord, et réapparut quelques minutes plus tard, resplendissant... du moins vu de loin. Stebbings étant petit et bedonnant, sa veste lui serrait les épaules et pendait mollement autour de sa taille ; les manches lui arrivaient au milieu des avant-bras. Pour ne pas perdre la culotte qui lui arrivait au-dessus du genou, Jamie l'avait retenue avec sa ceinture. Je constatai qu'outre son coutelas il portait l'épée du capitaine, plus deux pistolets chargés.

Ian écarquilla les yeux en voyant son oncle ainsi attifé mais, au regard noir que lui lança ce dernier, se garda de tout commentaire.

— Ce n'est pas si mal, dit M. Smith, encourageant. De toute façon, on n'a rien à perdre.

— Mmphm...

— *Le garçon se tenait sur le pont en flammes, d'où tous sauf lui s'étaient sauvés*, récitai-je à voix basse.

Ayant vu Guinea Dick, je me dis que Ian pourrait très bien passer pour un membre de la marine royale avec ses tatouages. Les hommes du *Teal* faisaient l'affaire également. Nous pourrions peut-être faire illusion.

L'autre navire était à présent assez proche pour que je distingue sa figure de proue, une femme aux cheveux noirs serrant...

— C'est bien un serpent qu'elle tient ?

Ian se pencha en avant, plissant des yeux.

— Elle a des crocs, observa-t-il.

— Le vaisseau aussi, mon garçon, ajouta John Smith.

Effectivement, les longs fûts de deux petits canons de chasse saillaient hors de la proue. Lorsque le vent dévia légèrement le vaisseau, j'aperçus une ligne de sabords sur son flanc. Ils pouvaient aussi être un trompe-l'œil. Les navires marchands étaient parfois peints de faux sabords pour décourager les pirates.

Les couleuvrines de chasse étaient bien réelles, elles. L'une d'elles tira. Il y eut un petit nuage blanc puis un boulet s'écrasa dans la mer non loin de nous.

— C'est un tir de courtoisie ? demanda Jamie. Ils nous font un signe ?

Apparemment pas. Les deux canons crachèrent à nouveau et un boulet traversa une des voiles au-dessus de nous, y laissant un grand trou aux bords roussis. Nous le contemplâmes, ahuris.

— Mais pour qui se prennent-ils pour oser tirer sur un navire du roi ? s'indigna Smith.

— Pour de maudits corsaires, rétorqua Jamie qui avait recouvré ses esprits. Et ils ont bien l'intention de nous attaquer.

Il ôta rapidement sa veste en criant :

— Mais abaissez le pavillon, nom de nom !

Le regard incrédule de Smith allait de Jamie au navire. On apercevait des hommes derrière le bastingage. Des hommes armés.

— Ils ont des canons et des mousquets, monsieur Smith ! insista Jamie. Je ne vais pas me mesurer à eux pour sauver un vaisseau de Sa Majesté. Abaissez le pavillon !

Faisant tournoyer sa veste au-dessus de sa tête, il la lança par-dessus bord. Elle virevolta plusieurs fois avant de se coucher sur les vagues. Pendant ce temps, M. Smith fouillait fébrilement parmi les nombreuses manœuvres attachées au mât, cherchant celle correspondant au pavillon. Il y eut une autre détonation mais un heureux hasard du roulis nous enfonça dans un creux et les boulets passèrent au-dessus de nous.

Le pavillon s'affaissa en un tas ignominieux sur le pont. L'espace d'un instant, mue par un réflexe patriotique absurde, je fus tentée de me précipiter pour le ramasser.

Je distinguais à présent les servants des canons en train de recharger. Les armes rutilaient. Il me sembla voir des épées et des coutelas, outre les mousquets et les pistolets.

Les servants venaient de se figer. Quelqu'un pointait un doigt vers la mer, criant quelque chose par-dessus son épaule. Une main en visière, je vis la veste de capitaine flottant sur la crête d'une vague. Elle semblait les déconcerter. Un homme sauta sur la proue et regarda dans notre direction.

Qu'allait-il se passer ? Il pouvait s'agir de corsaires, porteurs d'une lettre de marque d'un gouvernement quelconque, ou de vrais pirates. Dans le premier cas, nous ne risquions pas grand-chose en tant que passagers. Dans le second, ils pouvaient tout bonnement nous égorger et nous jeter à la mer.

L'homme en proue cria quelque chose à ses compagnons et recula sur le pont. Le navire s'était écarté du lit du vent un moment pour ralentir. Il lofait à présent et ses voiles se gonflèrent brusquement dans un claquement sonore.

— Il va nous éperonner, dit Smith d'un ton incrédule.

La figure de proue se rapprocha suffisamment pour que je voie nettement le serpent que la femme serrait contre son sein. Choquée comme je l'étais, je me demandai bêtement si le navire ne s'appelait pas *Cléopâtre* ou l'*Aspic* tandis qu'il filait à nos côtés et qu'une détonation ébranlait l'air dans un fracas de métal.

Le monde autour de moi disparut et je me retrouvai à plat ventre, la joue écrasée contre un sol qui sentait la boucherie, les oreilles bourdonnantes et les muscles tétanisés en attendant la volée de boulets qui nous fendrait en deux.

Quelque chose de lourd m'était tombé dessus et je gigotai désespérément pour me libérer, me relever et courir, courir n'importe où, loin…

Je me rendis soudain compte que je poussais de petits gémissements et que le sol sous ma joue n'était pas de la boue imprégnée de sang mais des planches rendues poisseuses par l'eau salée. Le poids qui me pesait dessus remua brusquement et Jamie se redressa sur ses genoux.

— Bon sang ! s'écria-t-il. Ils sont fous ou quoi ?

Une nouvelle détonation lui répondit, provenant cette fois d'un canon situé en poupe du navire qui nous avait dépassés.

Je me relevai en tremblant et remarquai avec un détachement clinique qu'une jambe gisait sur le pont à quelques mètres de moi. Elle était pied nu et vêtue d'une moitié de culotte arrachée. Il y avait du sang un peu partout. Quelqu'un près de moi répétait :

— Oh, mon Dieu ! Oh, mon Dieu !

Je me tournai et vis M. Smith qui regardait en l'air. Je l'imitai. La partie supérieure du mât avait disparu. Les vestiges fumants de voiles et de gréements étaient affalés sur la moitié du pont. Les sabords du navire corsaire n'étaient pas des trompe-l'œil.

— Bordel de merde ! Ces maudits *nàmhaid* reviennent !

Le fait était. Je compris avec un temps de retard que le navire était passé trop vite pour lâcher sa bordée. Seul un de ses gros boulets nous avait atteints, emportant le mât et le malheureux qui se trouvait dans le nid-de-pie.

Tous les marins du *Teal* étaient massés sur le pont, criant des questions. La réponse leur fut donnée par le corsaire qui était en train de décrire un large demi-cercle dans l'intention évidente de venir terminer ce qu'il avait commencé.

Ian lança un regard vers le canon du *Pitt* mais c'était sans espoir. Quand bien même certains marins du *Teal* auraient su l'armer, il était trop tard pour le préparer et le charger.

Le corsaire avait achevé son demi-tour et revenait vers nous. Sur le pont du *Pitt*, les hommes hurlaient, agitaient les bras, se bousculaient près du bastingage.

— Nous nous rendons, bande de couillons ! hurla l'un d'eux. Vous êtes sourds ou quoi ?

Ce devait être le cas, car une rafale de vent m'apporta l'odeur de soufre des mèches lentes et j'aperçus l'éclat des mousquets braqués sur nous. Quelques hommes près de moi, pris de panique, coururent se réfugier dans l'entrepont. Je me demandai si ce n'était pas une bonne idée.

Jamie avait fait de grands signes et crié à mes côtés. Soudain, il disparut. En me retournant, je le vis courir le long du pont. Il arracha sa chemise et bondit sur notre arme de chasse, un long canon en proue baptisé un *long nine*.

Il agita sa chemise en un grand arc au-dessus de sa tête, se tenant d'une main à l'épaule de Ian. Cela provoqua une certaine confusion sur l'autre pont bien que le sloop continuât d'avancer sur nous. Jamie agita à nouveau sa chemise. Ils ne pouvaient pas ne pas le voir !

Le vent était contre nous. J'entendis le grondement des canons sortant des sabords et mon sang se figea. M. Smith poussa un cri étranglé :

— Ils vont nous couler !

D'autres cris affolés lui firent écho sur le pont.

L'odeur âcre de la poudre flottait dans l'air autour de nous. Les hommes perchés dans les restes de mâture hurlaient à pleins poumons en agitant leur chemise à leur tour. Je vis Jamie se pencher vers Ian, lui dire quelque chose, puis il serra fort son épaule et se mit à quatre pattes sur le fût du canon.

Ian passa près de moi en courant, manquant de me renverser dans sa hâte.

— Où vas-tu ? lui criai-je.

Il me répondit par-dessus son épaule avant de disparaître dans l'escalier :

— Libérer les prisonniers dans la cale. Ils vont se noyer si on coule !

A l'autre bout du *Pitt*, Jamie n'était pas descendu du canon comme je l'avais cru mais s'était retourné, à califourchon sur le fût, montrant son dos au navire qui approchait.

Les bras en croix pour garder l'équilibre, serrant le canon de toutes ses forces entre ses cuisses, il se redressa, exhibant les zébrures sur son dos, les cicatrices rouge vif sur sa peau blanchie par le vent froid.

L'autre navire avait ralenti, manœuvrant de manière à glisser contre nous et à nous envoyer par le fond avec une dernière bordée. Je pouvais voir les hommes étirer une tête curieuse au-dessus du bastingage et dans les gréements mais ne tirant pas.

Je sentis soudain mon cœur battre à grandes pulsations douloureuses, comme s'il s'était arrêté un moment et tentait à présent de rattraper le temps perdu.

Le flanc du sloop nous surplomba et une ombre profonde et froide s'étendit sur notre pont. Il était si près que j'entendais ses canonniers discuter, échangeant des questions perplexes. Je ne pouvais lever les yeux, n'osais même pas bouger.

— Qui êtes-vous ?

La voix nasillarde et très américaine venait d'en haut. Elle paraissait profondément soupçonneuse et très agacée.

— Si vous voulez parler du bateau, il s'appelle le *Pitt*.

Jamie était descendu du canon et se tenait près de moi, à moitié nu. Il tremblait mais je n'aurais su dire si c'était de terreur, de rage ou simplement de froid. En revanche, sa voix ne tremblait pas. Elle était chargée de fureur.

— Si vous voulez parler de moi, je suis le colonel James Fraser, de la milice de Caroline du Nord.

Il y eut un silence tandis que le maître de l'autre navire assimilait ces informations. Puis il demanda :

— Où est le capitaine Stebbings ?

Le ton était toujours soupçonneux mais légèrement moins agacé.

— C'est une longue histoire, répondit Jamie. Mais il n'est pas à bord. Vous pouvez venir le vérifier par vous-même. Je peux remettre ma chemise ?

Il y eut une nouvelle pause. Des murmures. Le cliquetis de chiens de fusil relâchés. J'osai enfin relever les yeux. Le bastingage était bordé d'une rangée de mousquets et de pistolets mais ceux-ci pointaient à présent vers le ciel tandis que leurs propriétaires nous observaient d'un air intrigué.

— Un instant. Tournez-vous.

Jamie maugréa entre ses dents mais obtempéra. Il me lança un bref regard puis se redressa le dos droit et fixa le mât autour duquel les prisonniers avaient été rassemblés, surveillés par Ian. Ils paraissaient complètement déboussolés et regardaient sans comprendre le navire corsaire puis Jamie torse nu. Si je n'avais eu l'impression d'être en train de faire une crise cardiaque, j'aurais trouvé la scène comique.

— Vous êtes déserteur de l'armée britannique ? demanda la voix au-dessus, subitement intéressée.

Jamie se tourna à nouveau.

— Non. Je suis un homme libre et l'ai toujours été.

— Tiens donc ! dit la voix, cette fois amusée. Très bien. Enfilez votre chemise et montez à bord.

Je pouvais à peine respirer et étais trempée d'une sueur froide mais mon cœur retrouva un rythme plus raisonnable.

Jamie, rhabillé, me prit par le bras.

— Ma femme et mon neveu viennent avec moi.

Sans attendre l'accord d'en haut, il me saisit par la taille et me hissa sur le bastingage du *Pitt* afin que j'attrape l'échelle de corde que l'équipage du sloop venait de lancer. Il ne voulait pas risquer que nous soyons à nouveau séparés.

Le navire était ballotté par la houle et je dus m'agripper à l'échelle en fermant les yeux quelques instants, prise d'un étourdissement. Je me sentais nauséeuse, sans doute sous l'effet du choc. Rassemblant mes forces, je posai un pied sur l'échelon suivant.

— Voilier en vue !

En renversant la tête en arrière, je vis le bras qu'agitait un homme au-dessus de moi. Je me tournai pour regarder dans la direction indiquée et l'échelle se tordit avec moi. Une voile approchait. Sur le pont au-dessus, la voix nasale aboyait des ordres et des pieds nus crépitaient sur les planches tandis que les membres d'équipage couraient à leur poste.

Jamie, debout sur le bastingage du *Pitt*, me tenait par la taille pour m'empêcher de tomber.

— Putain de bordel de merde ! lâcha-t-il.

Je lui lançai un regard surpris par-dessus mon épaule.

— C'est ce foutu *Teal.*

Un homme grand, très mince, avec des cheveux gris, une pomme d'Adam proéminente, des yeux bleu clair, au regard perçant, nous accueillit en haut de l'échelle.

— Capitaine Asa Hickman, beugla-t-il dans ma direction.

Puis il tourna aussitôt son attention vers Jamie.

— Quel est ce navire ? Et où est Stebbings ?

Ian grimpa à bord derrière moi et déclara à un des marins :

— Je serais vous, je remonterais cette échelle.

Je baissai les yeux vers le pont du *Pitt* où régnait la confusion la plus totale, les hommes se pressant au bastingage en agitant les bras et en braillant à qui mieux mieux, chacun cherchant à plaider sa cause auprès des hommes du sloop pour qu'on le laisse monter à bord. Le capitaine Hickman n'était pas d'humeur à les écouter.

— Remontez-la, ordonna-t-il à l'un de ses hommes.

Puis il ajouta en direction de Jamie :

— Vous, suivez-moi.

Il s'éloigna d'un pas martial, n'attendant pas sa réponse et ne se retournant même pas pour vérifier s'il le suivait bien. Jamie regarda avec méfiance les marins autour de nous puis, ayant apparemment décidé que nous ne courions pas de danger immédiat, rejoignit Hickman après avoir déclaré à Ian :

— Protège ta tante.

Toutefois, Ian ne prêtait attention qu'au *Teal*, fixant la voile qui se rapprochait.

— Seigneur… ! Vous pensez qu'il n'a rien ?

— Rollo ? Je l'espère de tout cœur.

Mon visage était comme pris dans de la glace. Je ne sentais plus mes lèvres et de petits éclats de lumière clignotaient au coin de mes yeux.

— Ian, dis-je le plus calmement possible, je crois que je vais m'évanouir.

La pression dans ma poitrine augmenta d'un cran, me faisant suffoquer. Je me forçai à tousser, ce qui me soulagea quelques instants. Etais-je vraiment en train de faire une attaque cardiaque ? Une douleur dans le bras gauche ? Non. Une douleur dans la mâchoire ? Oui. Mais à force de serrer les dents, cela n'avait rien d'étonnant… Je n'eus pas conscience de tomber mais sentis des mains sous mes aisselles tandis que quelqu'un me rattrapait et m'allongeait sur le pont. Il me semblait avoir les yeux ouverts mais je ne voyais rien. Il me vint à l'esprit que j'étais peut-être en train de mourir, idée que je repoussai aussitôt. Il n'en était pas question. Toutefois, une sorte de brouillard gris tourbillonnant s'approchait, menaçant de m'engloutir.

— Ian ? Ian… juste, au cas où… Dis à Jamie que je l'aime.

Tout ne devint pas noir comme je m'y attendais, mais le brouillard me rattrapa et je me sentis doucement enveloppée dans un nuage gris paisible. Toute la tension, la sensation d'étouffement, la douleur avaient disparu. Je me serais volontiers abandonnée à cette apesanteur, me laissant flotter, si j'avais été certaine d'avoir parlé. Le besoin de transmettre mon message me turlupinait comme un caillou dans une chaussure.

— Dis à Jamie… répétai-je à Ian. Dis à Jamie que je l'aime.

— Ouvre les yeux et dis-le-moi toi-même, *Sassenach*, dit une voix pressante.

Je tentai d'ouvrir les paupières et constatai que je le pouvais. Je n'étais donc pas morte, après tout. Je pris une inspiration prudente et découvris que ma poitrine se soulevait normalement. J'avais les cheveux humides et étais étendue sur une surface dure recouverte d'une couverture. Le visage de Jamie flottait au-dessus de moi, puis je clignai des yeux et il se stabilisa.

— Dis-le-moi, répéta-t-il.

Il sourit légèrement en dépit de son regard anxieux.

— Te dire quoi... Ah ! Je t'aime.

Les souvenirs des derniers événements me revinrent en vrac et je sursautai.

— Le *Teal* ! Que...

— Je n'en ai pas la moindre idée. Depuis quand tu n'as rien avalé, *Sassenach* ?

— Je ne sais plus. Hier soir. Qu'est-ce que tu veux dire, tu n'en as pas la moindre idée ? Il est toujours *là* ?

— Oh oui. Il nous a tiré dessus il y a quelques minutes, mais tu n'as sans doute rien entendu.

— Il nous a tiré... ?

Je me passai une main sur le visage, constatant avec satisfaction que je sentais à nouveau mes lèvres et que ma peau avait retrouvé une chaleur normale.

— Est-ce que j'ai le teint gris et moite ? lui demandai-je. Est-ce que j'ai les lèvres bleues ?

Il parut surpris puis m'inspecta plus attentivement.

— Non.

Il déposa un baiser sur mes lèvres et chuchota :

— Je t'aime aussi. Je suis très content que tu ne sois pas morte.

Il releva la tête au moment où une autre détonation retentissait au loin.

— Je suppose que le capitaine Stebbings a pris le contrôle du *Teal*, déclarai-je. Je doute que Roberts se hasarderait à tirer au jugé sur des vaisseaux inconnus. Mais pourquoi Stebbings s'en prend-il à nous ? Pourquoi n'essaie-t-il pas plutôt de récupérer le *Pitt* ?

Mon malaise avait complètement disparu et je me sentais la tête claire. Appuyée sur mes coudes, je découvris qu'on m'avait allongée sur deux grands coffres plats dans ce qui semblait être une petite cale. A travers une écoutille ajourée au-dessus de nos têtes, j'apercevais l'ombre dansante des voiles. Tout autour de nous se trouvaient des empilements de ballots, de tonneaux et de caisses. Il flottait dans l'air une forte odeur de goudron, de cuivre, de linge, de poudre et… de café ? J'inhalai plus profondément, revigorée. Oui, c'était bien du café !

Une autre détonation perça les cloisons et une angoisse viscérale me saisit. L'idée d'être coincée dans la cale d'un navire pouvant couler d'un instant à l'autre éclipsait tout le reste, jusqu'au délicieux parfum du café.

Jamie s'était à moitié redressé en entendant le coup de canon. Avant que j'aie pu lui proposer de remonter sur le pont, l'écoutille au-dessus de nous se souleva et une petite tête ronde apparut.

— Est-ce que la dame est remise ? demanda poliment un jeune garçon. Le capitaine dit que si elle est morte, vous n'avez plus rien à faire en bas et qu'il veut que vous remontiez dare-dare. Il a à vous parler.

— Et si je ne suis pas morte ? répondis-je tout en essayant de remettre un peu d'ordre dans mes jupons humides.

Les ourlets étaient trempés et ils étaient désespérément froissés. Crotte ! Cette fois, j'avais laissé ma jupe lestée d'or à bord du *Pitt.* A ce rythme, je devrais m'estimer heureuse si j'arrivais sur la terre ferme avec ma chemise et mon corset.

Le garçon sourit (à y regarder de plus près, il devait avoir une douzaine d'années même s'il paraissait beaucoup moins).

— Dans ce cas, il propose de venir vous chercher et de vous jeter par-dessus bord afin que votre mari puisse se concentrer un peu.

Il ajouta avec une petite grimace d'excuse :

— Le capitaine Hickman s'emporte facilement. Il ne pense pas ce qu'il dit. Pas toujours.

— Je viens avec toi, annonçai-je à Jamie.

Je descendis de mes coffres sans perdre l'équilibre mais acceptai néanmoins son bras. Nous nous enfonçâmes dans le navire, guidés par notre nouvelle connaissance qui me dit se nommer Abram Zenn (« Mon père, qui lisait beaucoup, aimait particulièrement le dictionnaire de M. Johnson. Ça l'amusait de m'appeler A à Z »). Il m'apprit également qu'il était mousse (le navire s'appelait effectivement l'*Asp* [1], ce qui me remplit d'aise) et que l'agitation du capitaine Hickman était due à une longue inimitié avec le capitaine Stebbings.

— Il y a eu plus d'une échauffourée entre eux et le capitaine Hickman a juré que la prochaine serait la dernière.

— Et le capitaine Stebbings partage cet avis ? demanda Jamie.

Abram hocha vigoureusement la tête.

— Un homme dans une taverne de Roanoke m'a dit que le capitaine Stebbings y venait souvent boire et qu'il avait annoncé à la ronde qu'il comptait bien pendre le capitaine Hickman au bout de sa propre vergue ; qu'il le laisserait pourrir sur place pour que les mouettes lui bouffent les yeux. C'est qu'elles le feraient, ces sales bêtes !

Il ne put nous régaler d'autres anecdotes charmantes car nous étions arrivés dans le sanctuaire du capitaine Hickman, une cabine en poupe aussi encombrée que la cale que nous venions de quitter. Ian s'y trouvait déjà, faisant son imitation d'un prisonnier mohawk sur le point d'être brûlé sur le bûcher. J'en déduisis que le capitaine Hickman ne lui était pas très sympathique. Un sentiment qui paraissait mutuel à en juger par les taches rouge vif sur les joues émaciées de ce dernier.

— Ah ! fit simplement Hickman en nous voyant entrer. Je suis ravi que vous ayez décidé de ne pas nous quitter, madame. C'eût été une grande perte pour votre mari ; une épouse si dévouée !

En entendant son ton sarcastique, je me demandai avec un certain malaise combien de fois j'avais demandé à Ian de transmettre mon amour à Jamie et combien de gens m'avaient entendue. Jamie ne broncha pas. Il me fit signe de m'asseoir sur la couche défaite du capitaine puis se tourna vers ce dernier.

— J'ai appris que le *Teal* nous tirait dessus. Cela ne vous inquiète-t-il pas ?

— Pas encore.

Il lança un regard nonchalant vers les fenêtres en poupe. Une bonne moitié avaient leur volet fermé, sans doute parce

1. « Aspic », en français. *(N.d.T.)*

qu'elles étaient cassées. Les autres étaient pour la plupart ébréchées.

— Il tire juste en espérant un coup de chance. Nous avons l'avantage du vent et le conserverons sans doute encore quelques heures.

— Je vois, dit Jamie comme s'il y entendait quelque chose.

Ian intervint avec tact :

— Le capitaine Hickman se demande s'il doit engager le combat, mon oncle, ou s'il doit prendre la fuite. Le fait d'avoir l'avantage du vent lui offre une plus grande marge de manœuvre que n'en a actuellement le *Teal*. Si j'ai bien compris.

Hickman lui jeta un regard noir puis se tourna à nouveau vers Jamie.

— Vous connaissez l'adage « Celui qui fuit de bonne heure peut combattre derechef ». Si je peux le couler, je le ferai. L'idéal serait d'abattre cette raclure sur son gaillard d'arrière et de m'emparer de son vaisseau, mais j'enverrai le tout par le fond s'il le faut. Toutefois, je ne le laisserai pas *me* couler, pas aujourd'hui.

— Pourquoi pas aujourd'hui plutôt qu'un autre jour ? demandai-je.

Il m'adressa un coup d'œil surpris, ayant visiblement pensé jusqu'ici que j'étais purement décorative.

— Parce que j'ai une importante cargaison à livrer, madame, et que je ne puis me permettre de la perdre. Mais si je peux mettre la main sur ce rat de Stebbings sans courir trop de risques…

— Donc, vous étiez déterminé à couler le *Pitt* uniquement parce que vous pensiez que le capitaine Stebbings était à bord ? s'enquit Jamie.

Le plafond de la cabine était si bas que Ian, Hickman et lui étaient obligés de discuter presque accroupis, ce qui les faisait ressembler à un groupe de chimpanzés. Il n'y avait aucun autre endroit où s'asseoir à part la couchette et s'agenouiller sur le plancher aurait manqué de dignité pour des gentlemen.

— En effet, monsieur, et je vous sais gré de m'avoir arrêté à temps. Nous pourrons peut-être partager un verre, quand nous en aurons le loisir, et vous me raconterez ce qui est arrivé à votre dos.

— Peut-être pas, répondit Jamie poliment. Où se trouve le *Pitt* actuellement ?

— Il dérive, à environ deux milles à un quart bâbord. Si j'en finis avec Stebbings, je reviendrai le chercher.

— S'il reste quelqu'un de vivant à bord, déclara Ian. La dernière fois que j'ai regardé, il y avait une véritable émeute sur le pont. Qu'est-ce qui pourrait vous persuader de prendre le *Teal*, capitaine ? Mon oncle et moi pouvons vous donner des informations sur son armement et son équipage. Même si Stebbings a pris son commandement, il aura sûrement du mal à résister à un assaut. Il n'a que dix de ses hommes avec lui. Le capitaine Roberts et son équipage refuseront probablement de prendre part au combat.

Jamie lui lança un regard navré.

— Ils l'ont probablement déjà tué, tu le sais.

Ian ne ressemblait en rien à Jamie mais je connaissais intimement cette expression d'opiniâtreté implacable.

— C'est possible, mon oncle. Mais tu m'abandonnerais si tu pensais que j'étais *peut-être* mort ?

Je vis Jamie ouvrir la bouche pour répondre : « C'est un chien », mais il se ravisa. Il ferma les yeux et soupira, imaginant vraisemblablement la perspective de déclencher une bataille navale qui mettrait nos vies en danger ainsi que celles des hommes à bord du *Teal* pour un chien âgé qui n'était peut-être déjà plus de ce monde, voire était peut-être dans le ventre d'un requin. Puis il se redressa autant qu'il le pouvait dans la cabine étroite et déclara à Hickman :

— Un grand ami de mon neveu se trouve à bord du *Teal* et est selon toute probabilité en danger. Je sais que cela ne vous concerne pas mais cela explique notre intérêt. Pour ce qui est du vôtre… outre le capitaine Stebbings, le navire transporte une cargaison précieuse : six caisses de fusils.

Ian et moi sursautâmes. Hickman se redressa vivement, se cognant la tête contre le plafond.

— Sacrebleu ! Vous en êtes sûr ?

— Oui, et j'imagine que l'armée continentale pourrait en faire un excellent usage.

Il s'aventurait sur un terrain glissant. Après tout, le fait que Hickman haïsse Stebbings ne signifiait pas forcément qu'il était un patriote américain. Du peu que j'en avais vu, le capitaine Stebbings était parfaitement capable d'inspirer de l'animosité par sa seule personnalité, indépendamment de toute opinion politique.

Toutefois, Hickman ne nia pas. A dire vrai, il était tellement excité par l'allusion aux fusils qu'il avait à peine écouté la remarque de Jamie. Celui-ci disait-il vrai ? Il avait parlé avec une conviction absolue. J'essayai de me souvenir du contenu de la cale du *Teal*, cherchant tout ce qui pouvait ressembler à...

— Les caisses pour New Haven ! m'exclamai-je.

Je me retins de justesse de mentionner le nom de Hannah Arnold. Si Hickman était bien un patriote (il pouvait être un simple homme d'affaires, prêt à vendre des armes au plus offrant), il reconnaîtrait le nom et saurait que, de toute façon, les fusils étaient presque certainement destinés à l'armée continentale par l'intermédiaire du colonel Arnold.

Jamie hocha la tête tout en observant Hickman qui fixait un baromètre sur un mur comme s'il s'agissait d'une boule de cristal. Ce qu'il y vit devait être encourageant car il fila soudain dehors.

— Où va-t-il ? demanda Ian.

— Vérifier le vent, répondis-je, fière de savoir quelque chose. Il veut s'assurer que nous avons toujours l'avantage.

Jamie était en train de fouiller le bureau du capitaine. Il dénicha une vieille pomme qu'il lança sur mes genoux.

— Mange ça, *Sassenach*. Et que diable signifie avoir « l'avantage du vent » ?

— Je n'en sais rien mais ça a l'air important.

Je reniflai la pomme. Elle avait connu des jours meilleurs mais conservait un vague parfum sucré qui réveilla le spectre de mon appétit disparu. Je mordis dedans du bout des dents et ma bouche se remplit de salive. Je dévorai le reste en deux bouchées.

La voix haut perchée du capitaine Hickman retentit sur le pont. Je ne pouvais entendre ses propos mais la réaction fut immédiate. Il y eut des bruits de course dans toutes les directions puis le navire changea subitement de cap. Le tintement des boulets de canon s'entrechoquant, le grognement des hommes les soulevant et le grincement des affûts résonnèrent dans tout le vaisseau. Selon toute apparence, le vent était toujours en notre faveur.

Je me réjouis de voir l'espoir et l'excitation illuminer le visage de Ian mais ne pus m'empêcher d'exprimer mon inquiétude.

— Tu es sûr de ce que tu fais ? demandai-je à Jamie. Après tout, il s'agit d'un chien.

Il me répondit d'un haussement d'épaules.

— Que veux-tu ? J'ai connu des batailles livrées pour de pires raisons. Et puisque depuis hier je me suis rendu coupable de piraterie, de mutinerie et de meurtre, autant en profiter pour y ajouter la trahison.

Ian me lança un regard de reproche.

— Et puis, ma tante, c'est un *bon* chien.

Avantage du vent ou pas, il fallut un temps considérable et de laborieuses manœuvres aux deux navires pour arriver à portée de tir. Le soleil pointait juste au-dessus de la ligne d'horizon et les voiles commençaient à se teinter d'un rouge sinistre. Mon aurore virginale semblait condamnée à finir en une mer de sang.

Le *Teal* croisait lentement à un demi-mille, la moitié de ses voiles affalée. Le capitaine Hickman se tenait sur le pont de l'*Asp*, les mains agrippées au garde-corps comme s'il serrait le cou de Stebbings. Il faisait penser à un lévrier juste avant que le lapin soit lâché.

Il me dit sans me regarder :

— Il est temps que vous descendiez sous le pont, madame. Les choses vont se gâter ici.

Je ne discutai pas. La tension était palpable au point que je pouvais même la sentir, la testostérone se mêlant aux odeurs de soufre et de poudre noire. Les hommes étant les créatures remarquables qu'ils étaient, ils semblaient tous joyeux.

Je m'arrêtai pour embrasser Jamie, un baiser qu'il me retourna avec une ardeur qui me laissa la lèvre inférieure légèrement enflée, et rejetai résolument la possibilité que la prochaine fois que je le verrais, ce pourrait être en pièces détachées. J'avais déjà vécu cette situation d'innombrables fois et, si elle ne devenait pas moins angoissante avec le temps, je m'étais entraînée à conserver mon calme.

Du moins je le croyais. Une fois assise dans la cale principale dans une obscurité quasi totale, reniflant la puanteur de l'eau de sentine et écoutant ce qui me paraissait être des rats courant dans les chaînes, il me fut plus difficile d'ignorer le vacarme des affûts au-dessus de ma tête. L'*Asp* n'avait qu'une batterie de quatre canons sur chaque flanc mais ils étaient de calibre douze, une grosse artillerie pour un schooner côtier. Le *Teal*, armé en navire marchand transatlantique devant pouvoir affronter toutes sortes de menaces, possédait des batteries de huit canons de seize livres, plus deux caronades sur le pont supérieur, deux couleuvrines en proue et un canon en poupe.

Après m'avoir demandé de lui décrire l'armement du *Teal*, Abram m'expliqua :

— Il ne ferait pas le poids face à un vaisseau de guerre. Comme il n'est pas censé s'emparer d'autres navires ou les couler, il n'est pas armé trop lourdement, quand bien même il serait bâti pour ça, ce dont je doute. Et puis le capitaine Stebbings n'a probablement pas assez d'hommes pour servir toute une batterie, alors il ne faut pas se décourager.

Il parlait avec une belle assurance que je trouvai amusante ainsi qu'étrangement apaisante. Il sembla s'en rendre compte car il se pencha vers moi et me tapota la main.

— Vous n'avez pas à vous inquiéter, m'dame. M. Fraser m'a dit de veiller sur vous et je ne laisserai rien vous arriver, soyez-en sûre.

— Merci, répondis-je en m'efforçant de garder mon sérieux. Sais-tu quelle est la cause de cette haine entre les capitaines Hickman et Stebbings ?

— Oh oui, m'dame. Le capitaine Stebbings est une vraie plaie dans la région depuis des années. Il arraisonne des navires sans aucun droit, confisquant des marchandises qu'il prétend être de contrebande. Naturellement, elles n'arrivent jamais dans le dépôt des douanes ! Mais c'est surtout à cause de ce qui s'est passé avec l'*Annabelle*.

L'*Annabelle* était un grand ketch appartenant au frère du capitaine Hickman. Le *Pitt* l'avait arraisonné et avait tenté d'enrôler de force des membres de son équipage. Theo Hickman avait protesté, une bagarre s'en était suivie et Stebbings avait ordonné à ses hommes de tirer. Trois marins avaient été tués, dont Theo Hickman.

L'affaire avait provoqué un scandale considérable et beaucoup réclamèrent que Stebbings soit traîné en justice pour ses crimes. Le capitaine avait rétorqué qu'aucun tribunal local n'était habilité à le juger et que, si procès il y avait, il ne pouvait être conduit que par un tribunal anglais. Les juges locaux en étaient convenus.

— C'était l'an dernier, avant que la guerre n'éclate ? demandai-je. Car après...

— Bien avant, répondit Abram. Mais quand bien même, ces couards mériteraient d'être enduits de plumes et de goudron, comme Stebbings !

— Je n'en doute pas. Tu ne penses pas que...

Au même instant, le navire fit une brusque embardée, nous projetant tous les deux sur le plancher humide. Une violente explosion ébranla l'air autour de nous.

Je ne sus tout d'abord lequel des deux vaisseaux avait entamé les hostilités mais, l'instant suivant, les canons de l'*Asp* crachèrent juste au-dessus de nos têtes et je compris que la première bordée avait été tirée par le *Teal*.

La riposte de l'*Asp* fut décousue, ses canons de tribord partant à intervalles irréguliers, ponctués du bruit plus étouffé des armes légères.

Je résistai à la galante tentative d'Abram de me protéger de son petit corps maigrelet et, roulant sur le côté, me redressai à quatre pattes, l'oreille tendue. On entendait beaucoup de cris, tous incompréhensibles, mais les tirs semblaient avoir cessé. Pour autant que je sache, nous ne prenions pas l'eau et avions dû être touchés au-dessus de la ligne de flottaison.

— Ils n'ont quand même pas déjà capitulé ? hasarda Abram, déçu.

— Cela m'étonnerait.

Je me relevai en prenant appui sur un grand tonneau. La cale principale était aussi pleine que celle en proue mais contenait des marchandises plus massives. Il y avait à peine assez de place pour qu'Abram et moi nous faufilions entre d'énormes caisses enveloppées de filets et des pyramides de fûts, dont certains dégageaient une forte odeur de bière. Le navire gîtait d'un côté ; nous devions être en train de faire demi-tour pour un deuxième assaut. En effet, les roues des affûts grondaient : ils rechargeaient les canons. Y avait-il des blessés ? Et si c'était le cas, que pouvais-je y faire ?

Un canon cracha sur le pont.

— Ce chien doit avoir pris la fuite, chuchota Abram. Nous le pourchassons.

Il y eut une longue période de silence relatif durant laquelle il me sembla que le navire tirait un bord mais je ne l'aurais pas juré. Hickman était peut-être effectivement aux trousses du *Teal*.

Nous entendîmes soudain des cris d'alarme et des exclamations de surprise, puis le navire se souleva brusquement, nous projetant de nouveau au sol. Cette fois, j'atterris sur Abram. J'ôtai délicatement mon genou de son ventre puis l'aidai à se redresser en position assise, haletant.

— Qu'est-ce que... commença-t-il.

Une nouvelle secousse nous renvoya sur le plancher, suivie d'un grincement de poutres terrifiant. On aurait dit que le navire allait se désintégrer.

Il y eut des hurlements sauvages et un tonnerre de pas précipités au-dessus de nous.

— Ils nous abordent ! murmura Abram.

Je l'entendis déglutir. Je glissai une main dans la fente de mes jupons et serrai le manche de mon couteau pour me donner du courage, scrutant les ténèbres devant moi comme si cela allait m'aider à mieux entendre.

— Non, chuchotai-je. C'est nous qui les abordons.

En effet, les bruits de course au-dessus de nous avaient cessé.

Mais pas les cris. Même étouffés par la distance, je percevais la note de démence qu'ils contenaient, l'euphorie de la folie furieuse. Il me sembla distinguer un cri strident de Highlander mais ce devait être mon imagination.

— Notre Père qui êtes aux cieux... Notre Père qui êtes aux cieux...

Abram priait à voix basse, achoppant sur le début de la première phrase. Je serrai les poings et fermai les yeux avec force, me concentrant comme si la seule force de ma volonté pouvait les aider.

Mais nous étions tous les deux aussi impuissants.

L'espace d'un moment qui dura une éternité, nous entendîmes des bruits étouffés, des tirs sporadiques, des coups, des grognements, des cris. Puis plus rien.

Je devinai le visage d'Abram tourné vers moi avec un air interrogateur. Je serrai sa main.

Soudain un canon tonna avec un fracas qui ébranla le pont au-dessus de nous. Une onde de choc se répercuta dans la cale, si puissante que je crus que mes tympans allaient se déchirer. Une autre suivit, puis le sol se souleva et s'inclina. Un étrange *boing* courut de poutre en poutre. Je secouai la tête, me pinçai le nez et soufflai. Mes oreilles se débouchèrent enfin et j'entendis des pas sur un côté du navire. Se déplaçant lentement.

Je bondis sur mes pieds, hissai Abram sur les siens et le poussai vers l'échelle. J'entendais un bruit d'eau, non pas les vagues battant les flancs du navire mais un bouillonnement, comme de l'eau se déversant dans la cale.

L'écoutille avait été rabattue mais pas fermée au loquet. Je la poussai d'un coup sec des deux mains, manquant perdre l'équilibre et tomber à la renverse et heureusement sauvée par Abram qui soutenait mes fesses de son épaule frêle mais solide.

— Merci, monsieur Zenn.

Tendant une main derrière moi, je l'attrapai et le tirai à l'air libre.

La première chose que je vis, ce fut le sang sur le pont. Il y avait des blessés mais Jamie n'était pas du nombre. Puis je le vis, lui, accoudé avec d'autres aux vestiges du bastingage à moitié emporté. Je me précipitai pour voir ce qu'ils regardaient et aperçus le *Teal* à quelques centaines de mètres.

Ses voiles battaient mollement et ses mâts paraissaient curieusement inclinés. Puis je me rendis compte que le navire lui-même penchait, sa proue à moitié hors de l'eau.

— Que je sois pendu ! s'exclama Abram. Il s'est échoué sur un récif.

— Nous aussi mais moins gravement, l'informa Hickman. La cale prend-elle l'eau, Abram ?

Avant qu'Abram, perdu dans sa contemplation du *Teal*, puisse réagir, je répondis à sa place :

— Oui. Avez-vous des instruments médicaux à bord, capitaine ?

— Si j'ai quoi ? Ce n'est pas le moment de...

— Je suis médecin, l'interrompis-je. Et vous avez besoin de moi.

Un quart d'heure plus tard, je me retrouvai à nouveau dans la petite cale en proue où je m'étais réveillée de mon évanouissement, celle-ci ayant été désignée comme infirmerie.

L'*Asp* n'avait pas de médecin de bord mais possédait néanmoins une petite pharmacie : une bouteille de laudanum à moitié vide, une lancette et une cuvette à saignées, une grande pince, un bocal de sangsues mortes et desséchées, deux scies à amputer rouillées, une érigne brisée, un sac de tissu ouaté pour les pansements et un énorme pot de graisse camphrée.

Le laudanum était tentant mais le devoir avant tout. J'attachai mes cheveux et commençai à farfouiller dans la cargaison dans l'espoir d'y trouver quelque chose d'utile. M. Smith et Ian étaient partis en canot rejoindre le *Teal* pour essayer de récupérer mon coffre mais, vu les dégâts dans la partie où s'était trouvée notre cabine, je ne comptais pas trop dessus. Un boulet de l'*Asp* avait percé la coque du *Teal* sous la ligne de flottaison. S'il ne s'était pas échoué, il aurait coulé tôt ou tard.

J'avais procédé à un tri rapide sur le pont : un mort, plusieurs blessés légers, trois graves mais pas en danger immédiat. Il y en avait certainement d'autres sur le *Teal*. D'après ce que m'avaient raconté les hommes, les deux navires avaient échangé des bordées à quelques mètres de distance seulement. Un affrontement expéditif et sanglant.

Quelques minutes après la fin du combat, le *Pitt* était apparu ; les hommes à son bord étaient manifestement parvenus à s'entendre assez pour naviguer. Il servait à présent au transport des blessés. J'entendis l'appel de son maître d'équipage par-dessus le sifflement du vent.

— C'est parti ! murmurai-je.

Je saisis la plus petite des scies à amputer et me préparai pour mon propre affrontement expéditif et sanglant.

Abram Zenn était en train de s'occuper des lanternes pour que j'y voie plus clair, le soleil étant presque couché. Je lui demandai, intriguée :

— Mais si vous avez des canons à bord, c'est que le capitaine Hickman était prêt à les utiliser. Il n'a pas pensé qu'il y aurait peut-être des blessés ?

Abram me fit une petite grimace navrée.

— C'est notre premier voyage avec une lettre de marque, m'dame. On fera mieux la prochaine fois.

— Votre première ? Depuis quand le capitaine Hickman navigue-t-il ?

J'étais en train de fouiller la cale de fond en comble et je venais de découvrir avec satisfaction un coffre rempli de rouleaux de calicot imprimé. Abram fronça les sourcils, réfléchissant tout en continuant de tailler une mèche.

— Eh bien… il avait un bateau de pêche avec son frère, à Marblehead. Puis après que son frère a été tué par le capitaine Stebbings, il est parti travailler pour Emmanuel Bailey en qualité de second sur un de ses navires. M. Bailey est un Juif. Il possède une banque à Philadelphie et trois vaisseaux qui assurent des liaisons commerciales avec les Antilles. Il est aussi propriétaire de ce navire et c'est lui qui a obtenu du Congrès la lettre de marque pour le capitaine Hickman quand la guerre a été déclarée.

— Je vois, dis-je, légèrement interloquée. C'est donc son premier voyage en tant que capitaine d'un sloop ?

— Oui, m'dame. La plupart du temps, les corsaires n'ont pas de subrécargue, voyez-vous ? Or, c'est la tâche du subrécargue d'approvisionner le vaisseau et de penser à des choses comme les fournitures médicales.

— Comment sais-tu tout cela ? Depuis quand navigues-tu ?

Je venais de tomber sur une bouteille contenant ce qui paraissait être un excellent cognac. Il ferait un parfait antiseptique.

— Oh, depuis que j'ai huit ans, m'dame.

Il se hissa sur la pointe des pieds pour suspendre une des lanternes. Une lumière chaude et rassurante envahit mon bloc opératoire improvisé.

— J'ai six grands frères. C'est l'aîné qui dirige la ferme avec ses fils. Un autre est charpentier sur un chantier naval à Newport News. Un jour, en discutant avec un capitaine, il lui a parlé de moi et, une chose en entraînant une autre, je me suis retrouvé moussaillon à bord de l'*Antioch* qui faisait le voyage des Indes. Je suis arrivé à Londres avec le capitaine et, dès le lendemain, nous sommes repartis pour Calcutta. Je suis en mer depuis et ça me plaît bien.

Il reposa les pieds par terre et me sourit.

— Tes parents… ils sont toujours en vie ?

— Non, m'dame. Ma mère est morte en me mettant au monde et mon père quand j'avais sept ans.

Cela ne paraissait pas le troubler mais, d'un autre côté, il avait roulé sa bosse depuis.

— J'espère que tu continueras à aimer la mer. Tu n'as pas de doute, après ce qui s'est passé aujourd'hui ?

Il réfléchit sérieusement, puis releva les yeux vers moi. Son air grave le faisait paraître plus vieux que quelques heures auparavant.

— Non. Quand j'ai signé avec le capitaine Hickman, je savais qu'il y aurait peut-être de la bagarre. S'il le faut, je suis prêt à tuer un homme.

— Pas aujourd'hui, j'espère ! plaisanta l'un des blessés.

Il était étendu dans l'ombre sur deux caisses de porcelaine anglaise, respirant lentement.

— Non, pas aujourd'hui, convins-je. Tu devrais peut-être en discuter avec mon neveu ou mon mari un de ces jours.

Je croyais la conversation close mais Abram me suivit tandis que j'étalais mes instruments rudimentaires sur un linge et stérilisais les plaies de mon mieux, répandant généreusement le cognac au point qu'il flottait dans la cale une odeur de distillerie. Les blessés furent outrés par un tel gâchis. Le feu de la coquerie s'était éteint pendant la bataille et il faudrait des heures avant d'avoir de l'eau bouillante.

Mal à l'aise, il me demanda :

— Vous êtes patriote, m'dame, si je peux me permettre de vous poser cette question ?

Je fus prise de court. La réponse logique aurait dû être « bien sûr ». Après tout, Jamie avait déclaré être un rebelle et, même s'il y avait été quelque peu contraint, j'estimais que ses opinions le portaient de ce côté. Mais moi ? Je l'avais été, autrefois.

— Oui, répondis-je. Toi aussi, visiblement. Pourquoi ?

Il parut ahuri que je l'interroge à ce sujet et me regarda en clignant des yeux au-dessus de sa lanterne.

— Tu me l'expliqueras plus tard, dis-je en la lui prenant des mains.

J'avais soigné les plaies les plus superficielles sur le pont. Les blessés nécessitant des soins plus complexes étaient en train d'être descendus dans la cale. Le moment n'était guère propice à un débat politique. Du moins je le croyais.

Abram m'assista courageusement et s'en tira plutôt bien, même s'il dut s'interrompre à plusieurs reprises pour vomir dans un seau. Se redressant après avoir rendu ses tripes une deuxième fois, il demanda gravement à un marin du *Pitt*, un homme grisonnant avec un pied écrasé :

— Que pensez-vous de la révolution, monsieur ?

— Une foutue perte de temps ! grommela l'homme en enfonçant les ongles dans le coffre sur lequel il était assis. On ferait mieux de combattre les Français. Qu'est-ce qu'on a à gagner dans cette histoire ? Doux Jésus !

Le voyant pâlir, je demandai à Abram :

— Donne-lui quelque chose à mordre, tu veux.

J'étais en train d'extraire des esquilles de la masse sanguinolente et de me demander s'il ne valait pas mieux l'amputer.

— Non, merci, madame, ça ira, dit l'homme dans un souffle. Et toi, mon garçon, qu'est-ce que t'en penses ?

— Qu'elle est juste et nécessaire, monsieur. Le roi est un tyran et les hommes dignes doivent résister à la tyrannie.

— Quoi ? s'exclama le marin. Le roi, un tyran ? Qui t'a raconté de telles âneries ?

— Mais... M. Jefferson ! Et tout le monde ! répondit Abram, stupéfié par un déni aussi véhément.

— Dans ce cas, vous n'êtes qu'une bande de fieffés imbéciles ! Sauf vous, madame.

Il baissa les yeux vers son pied et oscilla légèrement, les referma aussitôt. Puis il reprit :

— Vous ne croyez pas à ces mensonges-là, hein, madame ? Vous devriez faire entendre raison à ce gamin.

— Me faire entendre raison ? s'indigna Abram. Parce qu'il est raisonnable de ne pas pouvoir dire ou écrire ce que l'on pense ?

Le marin rouvrit un œil.

— Parfaitement ! Vous autres, pauvres couillons – pardonnez-moi, madame –, vous parlez en dépit du bon sens, incitant la population à la désobéissance, et tout ça, ça nous mène à quoi ? A des émeutes, voilà à quoi ! De braves gens se font brûler leur maison, se font assommer dans la rue. T'as déjà entendu parler de la révolte des tisserands de Spitalfields [1], mon garçon ?

De toute évidence, Abram ignorait de quoi il s'agissait mais il contra avec une dénonciation vigoureuse des Actes intolérables, ce qui fit s'esclaffer M. Ormiston (entre-temps, nous avions eu l'occasion de nous présenter). Ce dernier se lança dans une description des privations subies par les Londoniens comparées au luxe dans lequel vivaient les colons ingrats.

— Ingrats ? s'étrangla Abram, le visage congestionné. Et de quoi devrions-nous être reconnaissants ? Qu'on nous inflige la présence de la soldatesque ?

— Tu emploies de bien grands mots pour un gamin de ton âge ! Tu devrais plutôt tomber à genoux et remercier Dieu pour cette « infliction » ! A ton avis, qui t'a évité d'être scalpé

1. Allusion aux *Cutters' Riots* de 1769, émeutes meurtrières des tisserands du quartier de Spitalfields à Londres, protestant contre leurs conditions de travail, les bas salaires et les importations de soie et de calicot. *(N.d.T.)*

par les Peaux-Rouges ou envahi par les Français ? Hein ? Et qui a payé tout ça ?

Cette dernière riposte souleva des hourras et quelques huées de la part des hommes attendant des soins, tous ayant été entraînés dans la conversation à ce stade.

Abram gonfla son torse frêle.

— Ce ne sont que… d'absurdes… abjectes… *billevesées* !

Il fut interrompu par l'arrivée de M. Smith, un grand sac en toile dans une main et un air navré sur le visage.

— J'ai bien peur que votre cabine soit sens dessus dessous, madame. J'ai ramassé ce que j'ai pu sur le plancher, au cas où…

— Jonas Marsden ! Que je sois damné !

M. Ormiston, sur le point de se relever, retomba lourdement sur le coffre, la bouche ouverte.

— Qui ? lui demandai-je, surprise.

— Jonas. Bah, ce n'est pas son vrai prénom… comment s'appelle-t-il déjà… ah, Bill ! On l'avait surnommé « Jonas la Poisse » parce qu'il avait coulé tellement de fois.

— Allons, Joe… fit M. Smith, ou M. Marsden, en reculant vers la porte avec un petit sourire nerveux. C'était il y a longtemps.

— Pas si longtemps que ça.

M. Ormiston prit son élan et réussit à se lever, prenant appui sur un tonneau de harengs pour ne pas poser son pied bandé sur le plancher.

— … En tout cas pas assez longtemps pour que la marine t'ait oublié, sale petit déserteur !

M. Smith disparut subitement dans l'escalier, bousculant deux hommes qui descendaient en portant un blessé comme un quartier de bœuf. Tout en jurant, ils le laissèrent tomber à mes pieds avec un bruit sourd, puis reculèrent d'un pas, le souffle court. C'était le capitaine Stebbings.

— Il n'est pas mort, m'informa l'un d'eux.

— Ah, tant mieux.

Mon ton ne devait pas être très convaincant car le capitaine ouvrit un œil et déclara d'une voix rauque entre deux inspirations laborieuses :

— Vous allez… me laisser… me faire… charcuter… par cette salope ? Je préférerais… mourir… hono-honorable…

Sa phrase se termina dans un gargouillis qui me mit la puce à l'oreille. J'écartai sa veste et sa chemise maculées de suie et de sang d'un geste sec. Effectivement, il y avait un trou rond dans son sein droit qui produisait un vilain bruit de succion.

Je lâchai un très gros mot qui fit sursauter les deux hommes qui l'avaient amené. Je le répétai, plus fort, saisis la main de Stebbings et la plaquai sur la plaie.

— Appuyez là si vous voulez avoir une chance de mourir honorablement.

Je me tournai vers l'un des hommes qui battaient en retraite.

— Vous ! Allez dans la coquerie et rapportez-moi un peu d'huile ! Tout de suite ! Et vous…

Son compagnon se figea aussitôt, la tête baissée d'un air coupable.

— … de la toile à voile et du goudron. Le plus vite possible !

Stebbings sembla sur le point de faire une remarque.

— On se tait. Vous avez un collapsus pulmonaire. Si je ne parviens pas à regonfler votre poumon, vous crèverez comme un chien.

— Argh, fit-il.

Ce que je pris pour un assentiment.

Sa grosse main charnue bouchait efficacement le trou pour le moment. Malheureusement, il avait sans doute le poumon perforé. Il me fallait refermer hermétiquement la plaie externe afin que l'air ne pénètre plus dans la poitrine et cesse de comprimer le poumon mais je devais également évacuer l'air infiltré sous la plèvre. A chaque expiration, l'air du poumon blessé se répandait dans cette cavité, aggravant la pression.

Stebbings pouvait aussi être en train de se noyer dans son sang. Si tel était le cas, je ne pouvais pas faire grand-chose ; il était donc inutile de m'en inquiéter.

— Du point de vue positif, annonçai-je, vous avez été touché par une balle plutôt que par un éclat ou une écharde. L'avantage du métal chauffé à blanc, c'est qu'il stérilise la plaie. Soulevez votre main un moment, s'il vous plaît. Expirez.

Je soulevai sa main moi-même et comptai jusqu'à deux tandis qu'il expirait, puis la plaquai à nouveau sur la plaie.

Il y avait beaucoup de sang pour un si petit trou, toutefois il ne toussait pas ni ne crachait de sang... D'où...

— Ce sang, c'est le vôtre ou celui de quelqu'un d'autre ?

Il entrouvrit les yeux et retroussa les lèvres dans un sourire de chacal.

— Celui... de votre mari.

— Pauvre type, rétorquai-je en soulevant à nouveau sa main. Expirez !

Il y eut un nouvel arrivage de blessés du *Teal*, mais la plupart paraissaient en état de marcher. Je donnai de brèves instructions aux plus valides, leur indiquant sur quelles plaies appliquer une pression ou comment aligner les membres brisés de leurs camarades afin de limiter les dégâts.

Quand l'équipement demandé arriva enfin, je déchirai un carré de toile à voile avec mon couteau, puis une bande de calicot pour en faire un bandage. J'écartai la main de Stebbings, essuyai le sang avec un pan de mon jupon, versai de l'huile sur sa poitrine puis plaçai le carré de toile sur la plaie. J'appuyai dessus un instant pour former un bouchon rudimentaire puis reposai la main de Stebbings de sorte que le bas du carré reste libre. J'improvisai un bandage autour de son torse tout en expliquant :

— Je vais faire adhérer la toile avec du goudron pour que la fermeture soit plus hermétique mais il faudra un peu de temps pour le chauffer, ajoutai-je avec un regard entendu au marin qui m'avait apporté l'huile et tentait de s'éclipser discrètement.

Puis je me redressai pour examiner les blessés assis ou étendus autour de moi.

— Au suivant. Qui se meurt ?

Miraculeusement, seuls deux des hommes amenés du *Teal* avaient passé l'arme à gauche, l'un avec d'horribles plaies à la tête provoquées par des éclats de mitraille, l'autre s'étant vidé de son sang après avoir perdu une moitié de jambe, probablement arrachée par un boulet.

Celui-ci, j'aurais pu le sauver, pensai-je, mais ce regret fut de courte durée, vite chassé par les exigences du moment.

Avançant sur les genoux le long de la rangée de patients, j'effectuai un rapide deuxième tri, distribuant des ordres à mes assistants malgré eux. Des échardes, deux éraflures de balle de mousquet, une moitié d'oreille arrachée, une balle logée dans une cuisse mais, Dieu merci, loin de l'artère fémorale... Somme toute, ce n'était pas si mal.

J'entendais des coups dans la cale principale où l'on effectuait des réparations. Tout en travaillant, je glanais des détails de la bataille au travers des remarques des hommes attendant mes bons offices.

Après des échanges de bordées qui avaient abattu le mât fêlé du *Teal* et fait un trou dans la coque de l'*Asp* au-dessus de la ligne de flottaison, le *Teal* avait viré brusquement vers l'*Asp* (certains affirmaient que le capitaine Roberts l'avait fait exprès), raclant son flanc et amenant les deux navires bastingage contre bastingage.

Il paraissait inconcevable que Stebbings ait voulu aborder l'*Asp* avec si peu d'hommes. Peut-être avait-il vraiment cherché à nous éperonner. Je lui lançai un coup d'œil mais il avait les paupières closes. Je soulevai sa main, entendis le petit sifflement d'air, la reposai et poursuivis ma tâche. Il n'était pas en état d'éclairer ma lanterne.

Quelles qu'aient été ses intentions, le capitaine Hickman les avait contrariées en bondissant à bord du *Teal* avec un cri de guerre, suivi par son armée d'aspics. Ils avaient avancé sur le pont sans rencontrer beaucoup de résistance. Les hommes du *Pitt*, rassemblés autour de Stebbings à la barre, s'étaient défendus férocement mais il était clair qu'ils ne faisaient pas le poids face à ceux de l'*Asp*. Puis le *Teal* avait heurté un récif, envoyant tout ce joli monde à plat ventre.

Convaincus que le navire était sur le point de sombrer, tous ceux en état de marcher s'étaient précipités vers l'*Asp*, attaquants et attaqués sautant par-dessus les bastingages juste avant que les deux navires ne s'écartent brusquement. Quelques instants plus tard, c'était au tour de la coque de l'*Asp* de racler contre un haut-fond.

— Mais vous bilez pas, m'dame, me dit l'un des hommes. Dès que la marée montera, il repartira.

Les bruits dans la grande cale diminuèrent. Toutes les deux minutes, je lançais un regard par-dessus mon épaule dans l'espoir d'entrevoir Jamie ou Ian.

J'examinais un malheureux qui avait reçu une écharde dans le globe oculaire quand son œil valide s'écarquilla d'effroi. En me retournant, j'aperçus Rollo, pantelant et dégoulinant. Ses babines retroussées dévoilaient ses crocs immenses dans un sourire qui n'avait rien à envier à la tentative pitoyable de Stebbings un peu plus tôt.

— Le chien ! m'écriai-je, ravie.

Ian approchait derrière lui en boitant, trempé lui aussi et avec un sourire identique.

— On est tombés à la mer, m'expliqua-t-il en s'accroupissant à mes côtés.

Une petite mare se formait déjà sous lui.

— C'est ce que je vois.

Je me tournai vers l'homme dont je m'occupais.

— Inspirez profondément. Un... oui, c'est ça... deux... très bien, continuez...

Au moment où il expirait, j'attrapai l'écharde et tirai d'un coup sec. Elle céda sans difficulté, suivie d'un jet d'humeur vitrée et de sang qui me fit crisper les mâchoires et donna un haut-le-cœur à Ian. Toutefois, l'hémorragie n'était pas importante. Je réfléchis rapidement. Si l'écharde n'a pas traversé tout l'œil, je pourrais peut-être éviter l'infection en extrayant le globe et en enfonçant une compresse dans l'orbite. Mais on verra ça plus tard. Je déchirai d'un geste vif une bande dans la chemise du patient, en fis une boule, l'imbibai de cognac et la pressai contre l'œil crevé avant de le prier de la maintenir fermement en place. Il gémit et se balança dangereusement mais s'exécuta.

— Où est ton oncle ? demandai-je à Ian.

Ian fit un signe de tête sur le côté.

— Juste là.

Je pivotai, une main toujours sur l'épaule du blessé, et l'aperçus descendant l'échelle tout en discutant âprement avec le capitaine Hickman qui le suivait. Sa chemise était imprégnée de sang et il serrait contre son épaule un linge rouge sombre. Stebbings n'avait finalement peut-être pas cherché à me provoquer. Toutefois, bien que pâle, Jamie se tenait droit. Il était également hors de lui. Etant raisonnablement sûre qu'il ne mourrait pas tant qu'il était en colère, je saisis une autre bande de toile à voile pour réduire une double fracture du bras.

— Le chien ! s'écria Hickman.

Il venait de s'arrêter devant Stebbings. Il ne l'avait pas prononcé avec la même intonation que moi et Stebbings ouvrit un œil.

— Chien toi-même.

— Chien ! Chien ! Chien ! Espèce de sale chien !

Pour faire bonne mesure, Hickman lui envoya un coup de pied dans les côtes. Je lui retins la cheville, ce qui le déséquilibra. Il partit en arrière et Jamie le reçut avec une grimace de douleur.

— Vous ne pouvez pas tuer cet homme de sang-froid !

— Ah non, je vais me gêner ! Voyez plutôt !

Il sortit un énorme pistolet d'arçon d'un étui en cuir plutôt miteux et l'arma. Jamie l'attrapa par le canon et le lui arracha des mains. Puis il déclara avec un effort notable pour se maîtriser :

— Monsieur, vous ne pensez tout de même pas tuer un ennemi blessé, en uniforme qui plus est ? Un officier qui s'est rendu à vous ! Aucun homme d'honneur ne saurait le tolérer.

Hickman se dressa de toute sa hauteur.

— Mettez-vous en doute mon honneur, monsieur ?

Je vis les muscles du cou et des épaules de Jamie se tendre mais, avant qu'il ait pu parler, Ian répondit à sa place :

— Oui, c'est ce qu'il fait. Et moi aussi.

Rollo, sa fourrure mouillée hérissée, retroussa ses babines dans un grondement.

Le regard de Hickman alla du visage tatoué et renfrogné de Ian aux crocs impressionnants du chien puis à Jamie, qui avait désarmé le pistolet et le glissait dans sa ceinture. Il suffoquait.

— Soit, à vos risques et périls, dit-il abruptement avant de tourner les talons.

Le capitaine Stebbings haletait avec un vilain bruit d'aspiration humide. Il avait le teint blême et les lèvres bleues. Néanmoins, il était conscient et n'avait pas quitté Hickman des yeux durant toute la scène. Quand la porte se fut refermée sur le capitaine, il se détendit légèrement.

— Vous... auriez pu... vous... épargner... cette peine, souffla-t-il à Jamie. Mais vous... avez... mes remerciements. Pour ce... (Il toussa, s'étrangla et appuya sa main sur sa poitrine en grimaçant)... pour ce qu'ils... valent.

Il ferma les yeux, respirant laborieusement et douloureusement mais respirant. Je me relevai péniblement pour enfin examiner mon mari. En voyant mon air soupçonneux, il se hâta de préciser :

— Ce n'est qu'une toute petite entaille. Je n'ai pas besoin de soins pour le moment.

— Tout ce sang est le tien ?

— Il m'en reste suffisamment dans les veines, *Sassenach.*

Il me sourit et regarda autour de lui.

— Je vois que tu as les choses bien en main. Je vais t'envoyer Smith avec un peu de nourriture. Il ne va pas tarder à pleuvoir.

En effet, l'odeur de l'orage avait envahi la cale, fraîche et électrique.

— Euh... peut-être pas Smith, répondis-je.

Comme il s'apprêtait à repartir, je le rappelai :

— Hé, où vas-tu ?

— Il faut que je parle aux capitaines Hickman et Roberts, répondit-il d'un air sombre.

Il leva le nez vers le plafond, le courant d'air soulevant ses cheveux emmêlés.

— Je ne pensais pas que nous rejoindrions l'Ecosse à bord du *Teal* mais je veux bien être damné si je sais où l'on va.

Le calme finit par revenir sur le bateau, si l'on pouvait parler de calme pour un énorme objet flottant composé de poutres craquantes, de voiles battantes et de gréements cliquetant de façon sinistre. Avec la marée montante, le navire s'était libéré et nous voguions à nouveau vers le nord.

J'avais renvoyé dans leurs hamacs tous les blessés. Il ne restait plus que le capitaine Stebbings, allongé sur une paillasse derrière une caisse de thé de contrebande. Il respirait toujours et ne semblait pas souffrir outre mesure. Toutefois, son état était encore bien trop précaire pour que je le laisse sans surveillance.

Par miracle, la balle paraissait avoir cautérisé les vaisseaux sanguins qu'elle avait traversés lors de sa course vers le poumon. S'il y avait un épanchement de sang dans celui-ci, il était lent. On avait dû lui tirer dessus à bout portant ; la balle l'avait atteint alors qu'elle était encore brûlante.

J'envoyai Abram se coucher. J'aurais dû m'allonger également car la fatigue écrasait mes épaules et semblait s'être concentrée en une barre de douleur dans le creux de mes reins.

Jamie n'était pas encore réapparu. Je savais qu'il viendrait me trouver quand il en aurait terminé avec Hickman et Roberts. En outre, il me restait quelques préparatifs à faire.

Plus tôt, dans la cabine du capitaine, j'avais aperçu un paquet de plumes d'oie neuves. J'avais envoyé Abram m'en chercher quelques-unes, ainsi que la plus grande des aiguilles à voile qu'il trouverait et deux os d'ailes de poulet rescapées du ragoût à bord du *Pitt*.

Je coupai les extrémités d'un os fin, vérifiai que la moelle avait été évacuée lors de la cuisson, puis les taillai en pointe à l'aide d'une petite pierre à affûter appartenant au charpentier du navire. La plume me demanda moins de travail. Il me suffit de couper les barbes. Je la plongeai ensuite avec l'os et l'aiguille dans un plat creux rempli de cognac. Cela ferait l'affaire.

Le parfum sucré et capiteux de l'alcool s'éleva dans l'air, rivalisant avec les odeurs de goudron, de térébenthine, de tabac et de vieilles poutres imprégnées d'eau de mer. Cela atténuait au moins en partie les relents de sang et de matières fécales laissés par mes patients.

J'avais découvert une caisse de bouteilles de meursault dans la cale. J'en sortis une et la déposai aux côtés du cognac restant et d'une pile de bandages propres en calicot. Puis je m'assis sur un tonneau de goudron, me calai confortablement contre une barrique de tabac et fermai les yeux.

Je sentais mon pouls battre dans le bout de mes doigts et sous mes paupières. Je ne dormis pas mais sombrai peu à peu dans une sorte de torpeur, vaguement consciente du bruit des vagues contre la coque, de la respiration sifflante de Stebbings et des battements calmes de mon cœur.

Il me semblait que des années s'étaient écoulées depuis les terreurs et le tumulte de l'après-midi et, avec le recul imposé par la fatigue, ma peur d'avoir une crise cardiaque paraissait absurde. L'était-ce vraiment ? Ce n'était pas impossible. Cela n'avait été certainement qu'une attaque de panique doublée d'hyperventilation, ridicules en soi mais pas dangereuses. Néanmoins...

Je posai deux doigts sur mon sein et attendis que les pulsations sous mes ongles se synchronisent avec celles de mon cœur. Lentement, presque comme dans un rêve, je visitai mon corps, de la racine des cheveux aux orteils, tâtonnant dans les longues galeries des veines, couleur d'un violet profond tel le ciel juste avant la nuit. Tout près, je percevais la luminosité des artères, larges et vibrantes d'une vie écarlate. Je pénétrai dans les cavités de mon cœur et me sentis bercée, les épaisses parois palpitant selon un rythme solide, réconfortant et ininterrompu. Non, pas de lésions au cœur ni à ses valvules.

Mon tube digestif, resté noué sous mon diaphragme durant des heures, se détendit avec un gargouillis reconnaissant. Une sensation de bien-être m'envahit, se répandant ainsi que du miel chaud dans mes membres et ma colonne vertébrale.

Une voix toute proche déclara :

— Je ne sais pas ce que tu es en train de faire, *Sassenach*, mais tu as l'air très satisfaite.

Je rouvris les yeux et me redressai. Jamie descendit prudemment l'échelle et s'assit à mes côtés. Il était très pâle et paraissait épuisé. Il me sourit légèrement et je constatai que son regard était clair. Mon cœur, solide et fiable ainsi que je venais de le vérifier, se réchauffa et fondit comme du beurre.

— Comment tu te...

Il m'arrêta d'un geste.

— Ça va.

Il baissa les yeux vers la paillasse de Stebbings.

— Il dort ?

— Je l'espère. Et tu devrais faire pareil. Laisse-moi t'examiner puis tu pourras t'allonger.

Il écarta délicatement le linge taché de sang glissé sous sa chemise.

— Ce n'est rien de grave mais je suppose qu'une ou deux sutures ne seraient pas de trop.

Compte tenu de sa tendance à minimiser ses maux, je m'attendais à trouver une énorme plaie béante. Quoi qu'il en soit, elle serait toujours plus accessible que la blessure de l'un des marins du *Pitt* que j'avais soigné un peu plus tôt. Il avait reçu une balle de mitraille juste derrière le scrotum. Elle avait dû rebondir sur une surface dure avant de l'atteindre dans cet endroit embarrassant car elle n'avait pas pénétré profondément et était aussi plate qu'une pièce de monnaie quand je l'avais extirpée. Je la lui avais donnée en guise de souvenir.

Avant de partir, Abram m'avait apporté une casserole d'eau bouillie. J'y trempai un doigt et constatai avec satisfaction qu'elle était encore chaude.

J'indiquai les bouteilles posées sur le coffre.

— Tu veux un peu de cognac ou de vin avant que l'on commence ?

Il sourit et saisit la bouteille de meursault.

— Laisse-moi conserver l'illusion de la civilisation encore un petit moment.

— Oh, je crois que c'est un vin tout ce qu'il y a de plus civilisé. Malheureusement, je n'ai pas de tire-bouchon.

Il lut l'étiquette et arqua des sourcils impressionnés.

— Peu importe, tu as quelque chose dans quoi le verser ?

— Là.

Je sortis un élégant coffret en bois de son nid de paille à l'intérieur d'une caisse et l'ouvris d'un air triomphant. Il contenait un service à thé en porcelaine, avec un liséré d'or et décoré de minuscules tortues rouges et bleues nageant dans une forêt de chrysanthèmes dorés.

Jamie se mit à rire (à peine un filet d'air mais c'était bien un rire) puis entailla le goulot avec son coutelas avant de le briser net contre le bord d'un tonneau. Il versa délicatement le vin dans les deux tasses que j'avais préparées, admirant les tortues.

— Les petites bleues me rappellent M. Willoughby, pas toi ?

Je me mis à rire à mon tour puis lançai un regard coupable vers les pieds de Stebbings, la seule partie visible de son corps.

Je lui avais retiré ses bottes et l'extrémité de ses bas crasseux pendait comiquement au bout de ses orteils. Toutefois, ces derniers ne bougèrent pas et la respiration laborieuse se poursuivit normalement.

Cela faisait des années que je n'avais pas pensé à M. Willoughby. Je levai ma tasse pour lui porter un toast.

— Aux amis absents !

Jamie répondit brièvement en chinois et trinqua avec moi.

— Tu te souviens encore de ton chinois ? demandai-je, intriguée.

— Non, pas beaucoup. Je n'ai pas eu souvent l'occasion de le parler depuis la dernière fois que je l'ai vu.

Il huma le bouquet du vin en fermant les yeux avant d'ajouter :

— Il me semble que c'était il y a très longtemps.

— Très longtemps et très loin, convins-je.

Le vin sentait les amandes et la pomme. Il était sec mais une fois en bouche donnait une sensation de plénitude qui s'accrochait au palais. C'était en Jamaïque, précisément, et il y avait de cela plus de dix ans.

— C'est fou ce que le temps file quand on s'amuse, déclarai-je. Tu crois qu'il vit toujours, Willoughby ?

— Oui. Un homme qui a échappé à l'empereur de Chine et a parcouru la moitié du monde en bateau pour sauver sa peau est forcément un dur à cuire.

Il ne semblait pas disposé à évoquer nos vieilles connaissances et je le laissai boire en silence alors que la nuit se posait douillettement autour de nous au rythme lent des balancements du navire. Après une seconde tasse de vin, je lui ôtai sa chemise encroûtée et soulevai délicatement le mouchoir imprégné de sang qu'il avait pressé contre la plaie.

A ma surprise, il avait dit vrai, elle n'était pas grande et ne nécessiterait que deux ou trois points de suture. Une lame s'était enfoncée profondément sous sa clavicule et avait arraché un triangle de chair en ressortant.

Perplexe, je baissai les yeux vers sa chemise par terre.

— Tout ça, c'est ton sang ?

— Non, il m'en reste un peu. Mais pas beaucoup, c'est vrai.

— Tu sais très bien ce que je veux dire.

Il vida sa tasse et saisit à nouveau la bouteille.

— Oui, c'est le mien.

— Mais d'une si petite… oh, mon Dieu !

Je manquai défaillir. Je distinguais la fine ligne bleue de sa veine sous-clavière filant droit vers la plaie.

— Oui, ça m'a surpris, déclara-t-il avec nonchalance. Quand il a retiré sa lame, le sang a jailli comme une fontaine, nous aspergeant tous les deux. Je n'avais encore jamais vu ça.

— C'est sans doute parce que personne ne t'avait encore entaillé une artère.

Je m'efforçai de recouvrer mon calme. Par chance, le sang avait coagulé. Les lèvres de la blessure avaient viré au bleu et la chair sous-jacente était presque noire de sang séché. Il n'y avait pas de suintement. La lame était entrée de bas en haut, ratant la veine et perçant légèrement l'artère en dessous.

Je pris une profonde inspiration, essayant vainement de ne pas imaginer ce qui se serait passé si la lame s'était enfoncée à peine un millimètre de plus, ou si Jamie n'avait pas eu un mouchoir et le réflexe de faire pression sur la plaie.

Avec un temps de retard, je fis le rapprochement ; il venait de dire : *Le sang a jailli comme une fontaine, nous aspergeant tous les deux*. Quand j'avais demandé à Stebbings si le sang sur sa chemise était le sien, il m'avait répondu : *Celui de votre mari*. J'avais cru qu'il disait cela par défi.

— C'est Stebbings qui t'a poignardé ?

— Mmphm…

Il se pencha en arrière pour me laisser travailler.

— Je ne pensais pas qu'il en serait capable. Je croyais l'avoir abattu mais il a rebondi sur le pont en tenant un couteau, la sale petite ordure.

— C'est toi qui lui as tiré dessus ?

— Oui, bien sûr.

A court de mots pour exprimer le fond de ma pensée, je jurai entre mes dents tout en nettoyant et en suturant la plaie. Puis, adoptant mon ton de médecin militaire, je lui expliquai :

— Ecoute-moi bien. Pour autant que je puisse le voir, l'entaille est très petite et tu es parvenu à arrêter l'hémorragie assez longtemps pour qu'un caillot se forme. Toutefois, ce caillot est tout ce qui t'empêche de te vider entièrement de ton sang. Tu comprends ?

Ce n'était pas tout à fait exact, ou ne le serait plus une fois que je l'aurais recousu, mais je n'allais pas le laisser s'en tirer aussi facilement.

Il me dévisagea longuement, impassible.

— Oui, je comprends.

J'enfonçai mon aiguille suffisamment fort pour lui arracher un petit cri.

— Cela signifie que tu ne dois *absolument* pas utiliser ton bras droit pendant au moins quarante-huit heures. Interdiction de tirer sur des cordes, sauter sur des bastingages, frapper quelqu'un... et même de te gratter les fesses de la main droite, tu m'entends ?

— Tout le bateau t'entend, marmonna-t-il.

Il baissa la tête, cherchant à voir sa clavicule, puis déclara :

— De toute façon, je me gratte toujours le cul de la main gauche.

Cette fois, le capitaine Stebbings nous entendit car un petit ricanement s'éleva derrière la caisse de thé, suivi d'une longue quinte de toux.

Je poursuivis ma couture.

— Et tu ne dois pas te mettre en colère.

— Pourquoi pas ?

— Parce que ça ferait battre ton cœur plus fort, ce qui augmenterait ta tension artérielle et...

— ... et me ferait exploser comme une bouteille de bière restée bouchée trop longtemps ?

— A peu de chose près. A présent...

La respiration de Stebbings s'altéra soudain, me faisant perdre le fil de ma pensée. Je lâchai l'aiguille et m'emparai du plat creux. Je repoussai la caisse de thé, déposai le plat dessus et m'agenouillai près du capitaine.

Ses lèvres et ses paupières étaient bleues, le reste de son visage couleur de mastic. Il produisait un horrible son de suffocation, la bouche grande ouverte, inspirant de l'air qui n'aidait en rien son état.

Cette fois, il ne manquait pas de gros mots adaptés à la situation. J'en prononçai quelques-uns tout en écartant la couverture et en palpant ses flancs grassouillets à la recherche de ses côtes. Il gigota et lâcha un petit couinement incongru qui déclencha un rire nerveux chez Jamie, l'aiguille se balançant au bout de son fil sous sa clavicule.

— Ce n'est pas le moment d'être chatouilleux ! Jamie, prends une de ces plumes et glisse l'aiguille à l'intérieur.

Pendant qu'il s'exécutait, je nettoyai rapidement la peau de Stebbings avec un linge imprégné de cognac, puis je saisis la plume dans une main, la bouteille dans l'autre et, me servant de celle-ci comme d'un marteau, plantai la pointe de celle-là dans le second espace intercostal. Je sentis le petit *pop !* souterrain tandis qu'elle traversait le cartilage et pénétrait dans la cavité pleurale.

Il poussa un petit cri. J'avais coupé la plume un peu plus court que l'aiguille mais cette dernière s'était enfoncée trop loin et j'eus un moment de panique alors que je m'évertuais à l'extirper du bout des doigts. Un jet de sang et de fluides nauséabonds éclaboussa l'intérieur de la plume mais cela ne dura pas, cédant la place à un léger sifflement d'air.

— Respirez lentement, ordonnai-je. Tous les deux.

J'observais anxieusement la plume, guettant un autre écoulement de sang – s'il y avait une forte hémorragie pulmonaire, je ne pouvais rien faire pour lui – mais je ne vis que le petit suintement provoqué par la perforation de la peau, un fin cercle rouge autour de la plume.

— Assieds-toi, dis-je à Jamie.

Il s'assit en tailleur à mes côtés. Stebbings avait déjà meilleure mine. Il était pâle et ses lèvres blêmes avaient légèrement rosi. Le sifflement dans la plume mourut dans un soupir et je posai un doigt sur l'ouverture.

— Dans l'idéal, je ferais courir un tube de votre poitrine à un bocal d'eau. Ainsi, l'air autour de vos poumons pourrait s'échapper sans que l'air de l'extérieur ne rentre. Malheureusement, je n'ai rien de tubulaire qui mesure plus de quelques centimètres de long.

Je me redressai sur les talons et déclarai à Jamie :

— Approche-toi et mets un doigt sur l'ouverture de cette plume. S'il se met à suffoquer, retire-le quelques instants jusqu'à ce que tu n'entendes plus le sifflement de l'air qui sort.

Il ne pouvait aisément atteindre Stebbings avec sa main gauche. Après m'avoir adressé un bref regard prudent, il étira doucement le bras droit et boucha la plume de son pouce.

Je me relevai en gémissant et retournai fouiller dans la cargaison. Il me faudrait peut-être avoir recours au goudron. J'avais collé trois bords du carré de toile huilée à sa poitrine avec du goudron chaud. Il m'en restait une bonne quantité. Ce n'était pas l'idéal car je ne pourrais sans doute pas l'enlever précipitamment en cas de besoin. Peut-être un bouchon de tissu mouillé ferait-il l'affaire ?

Je trouvai un trésor dans l'une des caisses de Hannah Arnold : une petite collection de bocaux de plantes médicinales dont un de gomme arabique réduite en poudre. Les autres plantes étaient toutes importées et utiles : du quinquina (il faudrait que je l'envoie à Lizzie en Caroline du Nord si nous sortions un jour de cet horrible rafiot), de la mandragore, du gingembre... rien que des plantes qui ne poussaient pas dans les colonies. Je me sentis soudain riche. Un grognement de Stebbings dans mon dos me rappela à l'ordre. J'entendis un léger sifflement tandis que Jamie soulevait son pouce un instant.

Même toutes les richesses de l'Orient ne seraient pas d'une grande utilité à Stebbings. J'ouvris le bocal de gomme arabique, en pris une poignée dans le creux de la main et, y versant un peu d'eau, la malaxai jusqu'à façonner un bouchon plus ou moins cylindrique que j'enveloppai dans une bande de calicot jaune imprimé d'abeilles avant d'en nouer une extrémité en un joli tortillon. Satisfaite, je retournai auprès de mon patient et, sans commentaire, arrachai d'un coup sec la plume que ses muscles intercostaux commençaient à fendiller. Je la remplaçai par l'os creux de poulet, plus robuste et plus gros, le raccordai à mon bouchon de fortune puis, m'agenouillant devant Jamie, achevai de le recoudre.

J'avais la tête parfaitement claire, de cette manière étrangement irréelle que seul un épuisement total peut produire. J'avais fait ce qu'il y avait à faire mais je savais que je ne pourrais rester debout beaucoup plus longtemps. Histoire de nous occuper l'esprit à tous deux, je demandai à Jamie tout en enfonçant l'aguille :

— Au fait, qu'avait à dire le capitaine Hickman ?

— Pas mal de choses, comme tu peux l'imaginer.

Il grimaça et fixa son regard sur une impressionnante carapace de tortue coincée entre les caisses.

— Au-delà d'opinions purement personnelles exprimées dans un langage particulièrement ordurier, il m'a appris que nous allions remonter l'Hudson pour nous rendre à Fort Ticonderoga.

— Nous... Où ça ?

— C'est là-bas qu'il se rendait avant de croiser notre chemin et c'est là-bas qu'il a toujours l'intention de se rendre. C'est un monsieur aux idées très arrêtées.

Un grognement sonore s'éleva derrière la caisse de thé.

— Oui, c'est ce qu'il m'avait semblé comprendre.

Je nouai la dernière suture et coupai le fil avec mon couteau.

— Tu n'as pas pu le convaincre de nous déposer à terre ?

Jamie approcha la main de sa plaie pour gratter les sutures qui le démangeaient. Je l'écartai aussitôt.

— C'est que... il y a quelques complications, *Sassenach.*

Je me relevai en me tenant les reins.

— Aïe ! Quel genre de complications ? Tu veux un peu de thé ?

— Uniquement s'il y a beaucoup de whisky dedans.

Il s'adossa au tonneau en fermant les yeux. Ses joues avaient retrouvé un peu de couleurs bien que son front fût moite de transpiration.

— Du cognac, ça t'ira ?

J'avais moi-même grand besoin d'un thé, sans alcool, et sans attendre son assentiment, je me dirigeai vers l'échelle. En posant le pied sur le premier échelon, je le vis saisir la bouteille de vin.

Un vent vif soufflait sur le pont quand j'émergeai des profondeurs. Il fit voler les pans de la capote autour de moi et gonfla mes jupons d'une manière des plus revigorantes. Cela revigora également M. Smith – ou M. Marsden – qui cligna des yeux puis détourna rapidement la tête.

— Bonsoir, m'dame, dit-il poliment une fois que j'eus remis un semblant d'ordre dans ma tenue. J'espère que le colonel va bien ?

— Oui, il…

Je m'interrompis et redressai brusquement la tête.

— Le colonel ?

— Oui, m'dame. Il est bien colonel de milice ?

— Il *l'était*, précisai-je.

Il m'adressa un grand sourire.

— Il l'est à nouveau, m'dame. Il nous a fait l'honneur de prendre le commandement d'une compagnie, « les Irréguliers de Fraser » qu'on va s'appeler.

— Sans blague ! Mais que diable… Comment est-ce arrivé ?

Il tira nerveusement sur l'un de ses anneaux en constatant que je n'étais pas aussi ravie de la nouvelle qu'il l'avait espéré. Il baissa la tête, piteux.

— Eh bien… pour ne rien vous cacher, c'est un peu de ma faute. Un des hommes à bord du *Pitt* m'a reconnu et quand il a dit qui j'étais au capitaine…

La révélation de la véritable identité de M. Smith avait provoqué des remous considérables parmi l'équipage disparate de l'*Asp*. Au point qu'il avait été à deux doigts d'être balancé par-dessus bord ou abandonné dans un canot. Après un débat houleux, Jamie avait suggéré que M. Marsden change de profession pour devenir soldat. En effet, un certain nombre d'hommes à bord de l'*Asp* s'étaient proposés de rallier les forces continentales à Ticonderoga, transportant les provisions et les armes de l'autre côté du lac Champlain puis restant au fort en tant que miliciens volontaires.

Son idée reçut l'approbation générale, même si quelques mécontents marmonnèrent qu'un Judas restait un Judas, qu'il soit marin ou pas.

— C'est pour ça que j'ai jugé préférable de me faire discret sous le pont, m'dame, si vous voyez ce que je veux dire.

Cela réglait également la question des prisonniers du *Pitt* et des marins transbordés du *Teal*. Ceux qui souhaitaient entrer dans les milices américaines pourraient le faire tandis que les hommes de la marine royale préférant rester prisonniers de guerre pourraient être livrés à Fort Ticonderoga. Après leurs récentes expériences en mer, la moitié des hommes du *Teal* avaient exprimé le désir d'être employés à terre. Ils étaient également prêts à se joindre aux Irréguliers.

— Je vois, dis-je en me massant le front. Si vous voulez bien m'excuser, monsieur… Marsden, je vais me préparer une tasse de thé. Avec beaucoup de cognac.

Le thé me redonna du courage, suffisamment pour envoyer Abram (découvert assoupi devant le feu de la coquerie bien que je lui eusse ordonné d'aller se coucher) en porter à Jamie et au capitaine Stebbings pendant que je faisais la tournée de mes autres patients. Ils étaient installés aussi confortablement qu'on pouvait l'attendre, c'est-à-dire assez inconfortablement, mais demeuraient stoïques et ne demandaient pas de soins urgents.

La force temporaire fournie par le thé et le cognac s'était pratiquement dissipée quand je redescendis dans la petite cale. Je manquai le dernier barreau de l'échelle et m'affalai lourdement sur le plancher. Stebbings eut un petit cri de surprise, suivi d'un gémissement. Faisant signe à Jamie que je n'avais rien, je me précipitai vers le capitaine.

Sa peau était brûlante et son visage rouge. Une tasse de thé presque pleine était posée près de lui.

— J'ai essayé de lui en faire boire, m'expliqua Jamie. Mais il a dit qu'il ne pouvait pas en avaler plus d'une gorgée.

J'approchai mon oreille de sa poitrine, l'auscultant de mon mieux à travers le gargouillis qui couvrait tous les autres sons de son organisme. Je retirai un instant l'os de poulet et n'entendis qu'un faible sifflement d'air.

J'informai Stebbings, pour la forme car il avait le regard fixe et vitreux :

— Apparemment, le poumon s'est dilaté au moins partiellement. La balle a dû cautériser une grande partie des dégâts, autrement vos symptômes seraient bien plus alarmants.

Autrement, il serait déjà mort mais le lui dire aurait été un manque de tact. De toute manière, il risquait d'être bientôt emporté par la fièvre, ce que je me gardai également de lui annoncer.

Je le persuadai d'avaler un peu d'eau, puis épongeai son visage et son torse. L'écoutille était ouverte et il faisait raisonnablement frais dans la cale. Je ne voyais pas l'intérêt de le monter sur le pont ; moins il bougerait mieux ce serait.

Il ouvrit tout à coup un œil et demanda :

— C'est… ma… capote… que vous… portez ?

— Euh… probablement. Vous la voulez ?

Il fit une brève grimace et referma les yeux.

Jamie était adossé à la caisse de thé, la tête renversée en arrière, respirant profondément. En me sentant prendre place à ses côtés, il redressa la tête.

— Tu sembles sur le point de tourner de l'œil, *Sassenach*. Allonge-toi. Je veillerai sur le capitaine.

Je voyais double. Je cillai et les deux Jamie se rejoignirent momentanément. Il avait raison. J'avais à nouveau perdu le contact avec mon corps, et mon esprit, au lieu de faire son travail, dérivait lentement. Je me frottai vigoureusement le visage des deux mains mais cela ne fit qu'empirer les choses.

— Il faut que je dorme, annonçai-je aux quatre hommes qui me dévisageaient à présent avec des yeux ronds de chats-huants. Si vous sentez la pression augmenter à nouveau, poursuivis-je à l'adresse de Stebbings, ce qui risque fort d'arriver, enlevez le tube jusqu'à ce que vous vous sentiez soulagé, puis remettez-le en place. Si l'un de vous pense qu'il est sur le point de mourir, réveillez-moi.

Là-dessus, avec la sensation de me regarder faire, je m'étendis sur le plancher, posai la tête sur un pli de la capote de Stebbings, et m'endormis.

Je me réveillai un temps indéterminé plus tard et restai un moment sans pouvoir aligner deux pensées cohérentes, mon esprit se soulevant et s'abaissant en même temps que le plancher. Puis je commençai à distinguer des voix masculines parmi les bruits confus du navire.

J'avais sombré dans un sommeil si profond que les événements ayant précédé mon endormissement ne me revinrent pas tout de suite. Les voix les firent réapparaître. Les blessures ; le bouquet du cognac ; la déchirure d'une toile à voile, rêche entre mes doigts ; l'odeur de teinture du calicot mouillé. La chemise sanglante de Jamie. Le bruit d'aspiration du trou dans la poitrine de Stebbings. Tous ces souvenirs auraient dû me faire bondir sur mes pieds mais mon corps était raide d'avoir dormi sur le plancher. Un élancement aigu irradiait de mon genou droit à mon aine. Les muscles de mon dos et de mes bras me faisaient atrocement mal. Avant que j'aie pu m'étirer suffisamment pour me redresser, j'entendis la voix rauque et basse de Stebbings :

— Appelez Hickman. Je… préfère être abattu… plutôt que de continuer… comme ça.

Il ne plaisantait pas.

— Je vous comprends, répondit Jamie, d'un ton grave, aussi déterminé que celui du capitaine.

Ma vision devint plus nette. De là où j'étais, je voyais les jambes de Stebbings et la quasi-totalité de Jamie assis près de lui, le front sur les genoux.

Il y eut un silence, puis Stebbings reprit :

— Puisque vous me… comprenez, allez chercher Hickman.

— Pourquoi ? Inutile de l'extirper de son lit. Si vous voulez mourir, vous n'avez qu'à retirer ce tube une fois pour toutes.

Il n'avait pas relevé la tête et semblait ivre de fatigue.

Stebbings produisit un drôle de bruit. Cela avait peut-être commencé par un rire, un gémissement ou un accès de colère mais cela se termina par un sifflement entre des mâchoires crispées. Mon corps se raidit. Avait-il vraiment tenté de le retirer ?

Non. Je l'entendis remuer et vis ses pieds se tordre comme s'ils cherchaient une position plus confortable. Jamie poussa un gémissement en se penchant pour l'aider.

— Que… quelqu'un… ait au moins… la satisfaction… de me voir… mourir, grogna Stebbings.

Jamie se releva et s'étira longuement.

— C'est moi qui vous ai fait ce trou dans la poitrine. Or, de vous voir mourir ne me procurera aucune satisfaction.

Il était aussi perclus que moi et était certainement au-delà de l'épuisement. Je devais à tout prix me lever et l'obliger à s'allonger. Il continua à parler à Stebbings sur un ton détaché, comme s'il discutait d'une théorie philosophique abstruse.

— Quant à faire plaisir au capitaine Hickman… Pourquoi ? Vous vous sentez redevable envers lui ?

— Non ! Mais… c'est une mort propre… rapide.

— Oui, c'est ce que j'ai pensé aussi, quand j'étais à votre place, dit Jamie d'une voix endormie.

Stebbings émit un grognement interrogatif. Jamie soupira et releva un pan de son kilt.

— Vous voyez ça ?

Son index suivit une ligne irrégulière partant du dessus du genou jusqu'à son entrejambe.

Stebbings poussa un autre grognement, cette fois intéressé. Jamie laissa retomber son kilt en expliquant :

— Un coup de baïonnette. Pendant deux jours, je suis resté couché, rongé par la fièvre. Ma jambe a enflé et s'est mise à puer. Quand l'officier anglais est venu pour nous faire sauter la cervelle, j'étais soulagé.

— Culloden ? demanda Stebbings. J'en… ai entendu… parler.

Jamie ne répondit pas. Il bâilla sans prendre la peine de se couvrir la bouche puis se massa le visage. Il y eut un long silence. Je pouvais percevoir la colère de Stebbings, sa douleur et sa peur, mais il y avait une vague note d'amusement dans son souffle rauque.

— Vous… allez… vous faire… prier ?

— C'est une trop longue histoire et je ne tiens pas à la raconter. Disons simplement que je voulais qu'il m'achève de tout mon cœur et que cette ordure refusait.

L'air dans la cale était rance, saturé par les effluves changeants du sang, du travail acharné et de la maladie. J'inspirai profondément et sentis l'odeur des hommes, une émanation cuivrée et piquante, sauvage, rendue amère par l'effort et l'épuisement. Les femmes ne dégageaient jamais une odeur pareille, pensai-je, même dans les situations les plus extrêmes.

Après un autre silence, Stebbings demanda d'une voix lasse :

— C'est par vengeance, alors ?

— Non, répondit lentement Jamie. Appelons ça plutôt le paiement d'une dette.

Une dette ? Envers qui ? Envers lord Melton qui, en homme d'honneur, avait refusé de le tuer et l'avait renvoyé chez lui caché dans une carriole pleine de foin ? Envers sa sœur, qui avait refusé de le laisser mourir et l'avait ramené à la vie par la seule force de sa volonté ? Envers tous ceux qui étaient morts alors qu'il avait survécu ?

Je m'étais étirée suffisamment pour pouvoir me lever mais n'en fis rien. Il n'y avait pas d'urgence. Les hommes s'étaient tus, leur respiration se fondant dans celle du navire, dans le soupir de la mer à l'extérieur.

Puis je compris. J'avais souvent entraperçu le précipice pardessus l'épaule de ceux qui se tenaient au bord, regardant vers le bas. J'y avais plongé les yeux moi aussi, une fois. Je connaissais son immensité et son attrait, son offre de dénouement.

Je savais qu'ils s'y tenaient à présent tous les deux, côte à côte mais chacun seul, regardant dans les profondeurs de l'abîme.

QUATRIÈME PARTIE

Conjonction

32

Un vent de suspicion

Lord John Grey à M. Arthur Norrington
4 février 1777
(Code 158)

Mon cher Norrington,

A la suite de notre conversation, j'ai fait quelques découvertes dont il me paraît prudent de vous faire part.

Je suis allé en France à la fin de l'année où j'ai rendu visite au baron Amandine. Je suis resté chez lui plusieurs jours et ai eu amplement l'occasion de m'entretenir avec lui en privé. J'ai de bonnes raisons de croire que Beauchamp est bel et bien impliqué dans l'affaire dont nous avons discuté et qu'il s'est attaché à Beaumarchais, également compromis. Amandine ne m'a pas paru préoccupé outre mesure par le fait que Beauchamp se serve de son nom comme couverture.

J'ai demandé une audience auprès de Beaumarchais qui m'a été refusée. Comme, en temps ordinaire, il m'aurait reçu, je pense avoir mis le doigt sur quelque chose. Il serait utile de surveiller ces eaux-là.

Soyez également à l'affût de toute mention d'une société appelée Rodrigue Hortalez et Cie dans la correspondance française (je vous prie d'en parler également à l'officier chargé du courrier espagnol). Je n'ai rien déniché de suspect à propos de cette compagnie mais n'ai rien pu découvrir de solide non plus, comme le nom de ses directeurs, ce qui me paraît louche en soi.

Si vos responsabilités vous le permettent, je vous serais reconnaissant de me transmettre tout ce que vous apprendrez sur ces affaires.
Votre obligé,

lord John Grey

P.-S. : Pourriez-vous me dire qui, au Département américain, est chargé de la correspondance ?

Lord John Grey à Harold, duc de Pardloe
4 février 1777
(code familial secret)

Hal,
J'ai vu Amandine. Wainwright habite dans son manoir, un lieu baptisé les Trois Flèches, et est l'amant du baron. J'ai également rencontré la sœur du baron, l'épouse de Wainwright. Elle est parfaitement au courant de la liaison entre son frère et son mari mais ferme les yeux. Sinon, elle ne sait strictement rien et j'ai rarement vu femme aussi sotte. Elle est dénuée de toute pudeur et joue très mal aux cartes. Le baron aussi, ce qui m'a convaincu qu'il sait effectivement quelque chose au sujet des machinations politiques de Wainwright. Il s'est montré nerveux quand j'ai dirigé la conversation vers ce sujet et je suis persuadé qu'il n'est pas rompu dans l'art de lancer de fausses pistes. Cela dit, il est loin d'être idiot, lui. Il a certainement parlé à Wainwright de ma visite. J'ai déjà demandé à Norrington de surveiller toute activité sur ce front.
Connaissant les capacités et les relations de Wainwright (ou plutôt son peu de relations), je n'arrive pas à saisir son rôle dans cette histoire. Certes, si le gouvernement français nourrit vraiment les intentions dont il m'a fait part, il peut difficilement les crier sur la place publique et le fait d'envoyer un homme comme Wainwright en parler à quelqu'un comme moi reste suffisamment confidentiel. L'avantage d'une telle approche est qu'elle peut être niée après coup. Toutefois, quelque chose ne tourne pas rond dans cette affaire et ce quelque chose m'échappe.
Je serai bientôt de retour et j'espère d'ici là posséder de plus amples informations sur le capitaine Ezekiel Richardson ainsi que sur le

capitaine Denys Randall-Isaacs. Si tu pouvais interroger tes relations à leur sujet, je t'en serais très reconnaissant.

Ton frère affectionné,

John

P.-S. : J'espère que ta santé va mieux.

Harold, duc de Pardloe, à lord John Grey
6 mars 1777
Bath
(Code familial secret)

Je ne suis pas mort. Je préférerais l'être. Bath est exécrable. Tous les jours, on m'enveloppe comme un paquet dans de la toile et on me plonge dans un bain d'eau bouillante qui pue l'œuf pourri. Puis on me hisse au sec et on me force à boire cette immonde mixture. Mais, si je ne me soumets pas, Minnie menace de déposer une demande de divorce à la Chambre des lords sous prétexte de démence provoquée par l'abus d'actes immoraux. Je doute qu'elle le fasse mais me voici.

Denys Randall-Isaacs est le fils d'une Anglaise, Mary Hawkins, et d'un officier britannique, Jonathan Wolverton Randall, capitaine de dragons, mort à la bataille de Culloden. Sa mère est toujours en vie et s'est remariée à un Juif nommé Robert Isaacs, négociant à Bristol. Ce dernier possède, entre autres, une part d'un entrepôt à Brest. Denys est l'un de tes maudits politicards. Il entretient des liens avec Germain mais je ne peux pas en apprendre davantage sans attirer l'attention. De toutes les manières, on ne peut rien apprendre dans ce foutu trou qu'est Bath.

Je ne sais pas grand-chose sur Richardson mais je me renseignerai. J'ai écrit à des relations en Amérique. Oui, je suis discret, merci, et mes contacts aussi.

John Burgoyne est ici, en cure. Il se pavane comme un paon depuis que Germain a approuvé son plan d'invasion à partir du Canada. Je lui ai parlé de William et de sa maîtrise du français et de l'allemand, Burgoyne devant se faire accompagner de troupes du Brunswick. Toutefois, mets Willie en garde. Burgoyne se prend pour le commandant en chef de l'armée en Amérique, ce qui risque de faire grincer des dents Guy Carleton et Dick Howe.

Trois Flèches... *Qui est la troisième ?*

Londres, 26 mars 1777
Le Cercle des amateurs de beefsteak anglais, club pour gentlemen

— Qui est la troisième ? répéta Grey en fixant la lettre qu'il venait de lire.

— La troisième quoi ?

Harry Quarry tendit sa capote trempée au majordome, se laissa tomber dans le fauteuil voisin de celui de Grey et poussa un soupir d'aise en approchant ses mains du feu.

— Sacredieu, je suis gelé jusqu'à la moelle. Tu vas aller à Southampton par ce temps ?

Il agita une de ses grandes mains blanchies par le froid vers la fenêtre. Il tombait une neige fondue poussée presque à l'horizontale par le vent.

— Je ne pars pas avant demain. Cela devrait s'être arrêté d'ici là.

Harry fit une moue dubitative.

— Tu rêves ! Majordome !

M. Bodley trottait déjà dans leur direction, les bras chargés d'un grand plateau sur lequel il avait posé du gâteau au carvi, du biscuit de Savoie, de la confiture de fraises, de la marmelade, des crêpes au beurre roulées dans un petit panier protégé d'un linge blanc, des scones, de la crème fraîche épaisse, des tuiles aux amandes, un plat de flageolets avec du bacon et des oignons, des sardines sur canapés, une assiette de tranches de jambon assorties de cornichons, une bouteille de cognac avec deux verres et, pour la forme sans doute, une théière fumante avec deux tasses en porcelaine.

— Ah ! fit Harry, rasséréné, je vois que tu m'attendais !

Grey sourit. Quand il n'était pas en campagne ou en déplacement pour son service, Harry Quarry entrait invariablement au Beefsteak à seize heures trente tous les mercredis.

— Je me suis dit que tu aurais besoin de forces, Hal étant toujours souffrant.

Harry était l'un des deux colonels du régiment dont Hal était le colonel en chef ainsi que le propriétaire dudit régiment.

Tous les colonels ne prenaient pas une part active aux opérations de leur régiment. Hal si.

— Ce tire-au-flanc ! maugréa Harry en saisissant la bouteille. Comment va-t-il ?

— Comme à son habitude, à en juger par sa correspondance.

Grey lui tendit la lettre que Harry lut avec un sourire croissant.

— Cette Minnie ! Elle le mène vraiment par le bout du nez !

Il reposa la lettre et prit son verre.

— Qui est Richardson et pourquoi te renseignes-tu à son sujet ?

— Ezekiel Richardson, capitaine. Il vient des lanciers mais a été détaché pour accomplir des missions de renseignements.

— Ah, il fait de l'espionnage, ton coco ? Un de tes amis de la Chambre noire ?

Quarry fronça le nez mais il était difficile de dire s'il dénigrait les « cocos du renseignement » ou réagissait au raifort qui accompagnait les sardines.

— Non, je ne le connais pas personnellement.

Grey ressentit la même angoisse sourde qui le tenaillait avec une fréquence accrue depuis qu'il avait reçu la lettre de William du Québec une semaine plus tôt.

— Il m'a été présenté par sir George qui connaissait son père, mais nous n'avons pas eu l'occasion de discuter. J'ai entendu quelques rumeurs positives à son sujet, des allusions à peine voilées...

— Normal, pour un homme qui exerce ce métier. Aaaaaaahhh !

Harry agita une main devant sa bouche grande ouverte, puis toussa à plusieurs reprises, les yeux larmoyants. Il secoua la tête d'un air admiratif.

— Il est frais, ce raifort... Très frais !

Il s'en servit une autre cuillerée.

— Je l'ai rencontré à nouveau en Caroline du Nord, reprit Grey. Là, nous avons un peu parlé et il m'a demandé la permission de proposer à William une mission de renseignements.

Quarry se figea, un canapé en suspens.

— Ne me dis pas que tu as laissé entraîner Willie dans ce merdier ?

— Ce n'était certes pas mon intention, se défendit Grey, piqué. J'avais de bonnes raisons de croire que ce serait bon pour Willie. Ne serait-ce que parce que cela le sortait de la Caroline du Nord et lui permettait de rejoindre l'état-major de Howe.

Quarry acquiesça tout en mastiquant, puis il déglutit avec un effort visible.

— Soit. Et maintenant, tu as des doutes ?

— Oui. D'autant plus que très peu de gens connaissent bien Richardson. Tous ceux qui me l'ont recommandé ne l'ont fait que parce qu'il leur avait été recommandé par quelqu'un d'autre. Sauf sir George Stanley, qui se trouve actuellement en Espagne avec ma mère, et le vieux Nigel Bruce, qui a eu la fâcheuse idée de mourir entre-temps.

— Quel manque de considération !

— Je ne te le fais pas dire. Je pourrais sans doute dégoter d'autres informations mais je n'en ai pas le temps. Dottie et moi partons après-demain.

Il lança un regard vers la fenêtre avant d'ajouter :

— Si le temps le permet.

— Ah ! Et c'est là que j'interviens. Que dois-je faire des informations que je trouve ? Les transmettre à Hal ou te les envoyer ?

— Les donner à Hal, soupira Grey. Dieu sait à quoi ressembleront les services postaux en Amérique, même avec le Congrès siégeant à Philadelphie. Si tu tombes sur quelque chose d'urgent, Hal sera mieux placé pour s'en occuper que moi là-bas.

Quarry hocha la tête puis remplit le verre de Grey.

— Tu ne manges rien, observa-t-il.

— J'ai déjeuné tard, mentit-il.

Il prit un scone et le tartina sans conviction de confiture. Quarry indiqua de nouveau la lettre du bout de sa fourchette.

— Et ce Denys je-ne-sais-quoi ? Il faut que je me renseigne aussi sur lui ?

— S'il te plaît. Toutefois, j'en apprendrai peut-être plus à son sujet en Amérique. C'est là-bas qu'il a été vu la dernière fois.

Il mordit dans le scone. Il était à la fois friable et dense, parfait. Du coup, il sentit son appétit revenir. Il se demanda s'il devait lancer Harry sur la piste du Juif possédant un entrepôt à Brest puis décida que non. Tout ce qui avait trait à une éventuelle implication de la France était extrêmement délicat et si Harry était méthodique, il n'était pas subtil.

Quarry choisit une tranche de biscuit de Savoie, plaça dessus deux tuiles aux amandes et une noix de crème et engloutit le tout. Où mettait-il tout ça ? Il était solidement charpenté mais n'avait pas de ventre. Il devait se dépenser lors d'exercices énergiques dans les bordels, son sport favori en dépit de son âge.

Quel âge avait-il au juste ? Quelques années de plus que Grey, quelques années de moins que Hal. Il ne s'était encore jamais posé la question. Hal et lui semblaient immortels ; il ne pouvait imaginer un avenir sans eux. Cependant, sous sa perruque, Harry était pratiquement chauve. Comme à son habitude, il l'avait enlevée pour se gratter la tête puis remise de travers. Les articulations de ses doigts étaient enflées, bien qu'il maniât sa tasse avec son aisance coutumière.

Grey prit soudain conscience de sa propre condition de mortel, dans le raidissement d'un pouce, le picotement d'un genou. Et en particulier dans la peur qu'il ne puisse plus être là pour protéger William alors qu'il avait encore besoin de lui.

Harry vit son expression étrange et demanda :

— Qu'est-ce qu'il y a ?

Grey sourit, reprit son verre de cognac.

— *Timor mortis conturbat me.*

— Ah ! fit Quarry, méditatif. Buvons à ça !

33

Le mystère s'épaissit

28 février 1777
Londres

Le major général John Burgoyne à sir George Germain

... Je n'imagine pas qu'une expédition arrivant par la mer puisse autant impressionner l'ennemi ni mettre un terme à cette guerre avec autant d'efficacité qu'une invasion venue du Canada par Ticonderoga.

A bord du HMS Tartar, *4 avril 1777*

Il avait prévenu Dottie de ne pas trop se charger, le *Tartar* n'étant qu'une frégate de vingt-huit canons. Même ainsi, il fut surpris de voir qu'elle n'emportait qu'une malle (certes, grande), deux valises et un sac à ouvrage.

— Comment, pas même une belle mante à capuchon ? la taquina-t-il. William ne va pas te reconnaître.

— Peuh ! répondit-elle avec le talent de son père pour la concision.

Néanmoins, elle sourit légèrement. Elle était très pâle et il espérait que ce n'était pas un signe annonciateur du mal de mer. Il lui prit la main et la tint jusqu'à ce que le dernier filet de terre anglaise eût disparu à l'horizon.

Il était encore stupéfait qu'elle soit parvenue à ses fins. Hal devait être encore plus affaibli qu'il ne le paraissait pour se faire embobiner ainsi et la laisser partir pour l'Amérique, même sous la protection de son oncle et dans le but louable de soigner son frère. Naturellement, Minnie ne pouvait quitter le chevet de son mari, même si elle se rongeait les sangs pour son fils. Mais qu'elle n'ait même pas eu un mot de protestation devant cette aventure…

— Ta mère est dans le coup, n'est-ce pas ? demanda-t-il d'un ton nonchalant.

Elle se tourna brusquement vers lui, le dévisageant derrière un rideau de cheveux volant au vent.

— Quel coup ?

Elle tenta de remettre un peu d'ordre dans la masse de sa chevelure blonde échappée de la trop fine résille dans laquelle elle l'avait emprisonnée.

— Aide-moi, veux-tu ?

Il attrapa ses cheveux, les lissa des deux mains, les tressa habilement sous le regard admiratif d'un marin qui passait par là, tordit la natte en un chignon et le fixa à l'arrière de sa nuque avec le ruban de velours, dernier vestige de la résille déchirée. Sa tâche finie, il recula d'un pas en reprenant :

— « Quel coup ? », ne me fais pas rire ! La redoutable machination que tu as mise sur pied.

Elle le fusilla du regard.

— Si c'est sauver Henry que tu appelles une « redoutable machination », je suis entièrement d'accord avec toi. Ma mère est prête à tout pour le récupérer. Toi aussi, autrement tu ne serais pas ici.

Sans attendre de réponse, elle pivota sur ses talons et se dirigea d'un air altier vers l'escalier menant aux cabines, le laissant sans voix.

L'un des premiers vaisseaux du printemps leur avait apporté d'autres nouvelles de Henry. Il était vivant, Dieu soit loué, mais grièvement blessé au ventre. L'hiver rude n'avait guère arrangé son état. Il avait été transféré à Philadelphie avec d'autres prisonniers britanniques. La lettre avait été rédigée par un ami officier, lui aussi captif, mais Henry était parvenu à griffonner quelques mots d'affection et à la signer. Le souvenir de ce gribouillis à peine lisible serra le cœur de Grey.

Toutefois, le fait qu'il se trouve à Philadelphie était encourageant. Lors de son séjour en France, Grey avait sympathisé avec un éminent Philadelphien. Cette relation lui serait peut-être utile. Il sourit malgré lui en se souvenant de sa rencontre avec l'Américain.

Il ne s'était pas arrêté longtemps à Paris. Juste le temps d'apprendre que Percival Beauchamp ne s'y trouvait pas, s'étant retiré pour l'hiver dans le domaine familial, les Trois Flèches, près de Compiègne. Il avait donc acheté un chapeau doublé de fourrure et des bottes, s'était drapé dans sa cape la plus chaude, avait loué un cheval et s'était élancé sur les routes, bravant la tempête.

Arrivant couvert de boue et transi, il avait été accueilli avec suspicion mais la qualité de ses vêtements et son titre lui avaient néanmoins ouvert les portes. On l'avait introduit dans un luxueux salon où brûlait (Dieu merci !) un excellent feu.

Il s'était forgé une image du baron Amandine sur la base des remarques de Percy. Il avait beau savoir qu'il était futile de théoriser avant même d'avoir observé, il était inhumain de s'empêcher d'imaginer.

Il avait plutôt bien réussi à chasser Percy de son esprit au cours des dernières... dix-huit, dix-neuf années ? Mais à présent que penser à lui était une nécessité autant professionnelle que personnelle, il était étonné de constater à quel point il s'en souvenait bien. Connaissant ses goûts, il avait donc dressé un portrait imaginaire d'Amadine conforme à ces derniers.

La réalité était différente. Le baron était un homme d'âge mûr, de quelques années plus vieux que Grey. Petit, plutôt rond, avec un visage ouvert et avenant. Elégant mais sans ostentation. Il l'accueillit avec une grande courtoisie et, quand il lui serra la main, Grey sentit une petite décharge électrique le parcourir. L'expression du baron était polie, sans plus, mais une lueur de curiosité et d'avidité brillait dans ses yeux et, en dépit de son physique quelconque, Grey sentit sa chair réagir.

Naturellement, Percy avait dû parler de lui à Amandine.

Surpris et sur ses gardes, Grey lui donna la brève explication qu'il avait préparée. Le baron lui répondit que, hélas, M. Beauchamp était parti chasser le loup en Alsace en compagnie de M. Beaumarchais. (Voilà déjà un soupçon de confirmé !) Mais milord lui ferait-il l'honneur d'accepter l'hospitalité des Trois Flèches, ne serait-ce que pour une nuit ?

Il accepta l'invitation en se confondant en remerciements puis, ayant retiré sa cape et ses bottes qu'il remplaça par les pantoufles criardes de Dottie (Amandine cligna des yeux ahuris avant de les louer exagérément), il fut conduit dans un long couloir bordé de portraits.

— Nous prendrons un rafraîchissement dans la bibliothèque, lui annonça Amandine. Vous devez mourir de froid et d'inanition. Mais avant cela, permettez-moi de vous présenter un autre de mes hôtes. Nous l'inviterons à se joindre à nous.

Grey acquiesça vaguement, distrait par la légère pression qu'exerçait la main du baron dans son dos, un soupçon plus bas que ne le demandait la bienséance.

— Le docteur Franklin est un Américain, poursuivit Amandine.

Il prononça ce mot avec une note d'amusement. Il avait une voix singulière : douce, chaude et vaporeuse, comme une tasse de thé Oolong avec beaucoup de sucre.

— Il aime passer un moment chaque jour dans le solarium. Il affirme que cela entretient sa santé.

Parvenu au bout du couloir, il poussa une porte et s'effaça pour laisser passer Grey. Ce dernier l'avait regardé poliment pendant qu'il parlait et se tourna pour découvrir l'hôte américain, confortablement allongé sur une chaise longue matelassée, baignant dans un flot de lumière naturelle, nu comme un ver.

Au cours de la conversation qui suivit, menée par les trois hommes avec un aplomb irréprochable, Grey apprit que le docteur Franklin mettait un point d'honneur à prendre des bains de soleil chaque fois qu'il le pouvait. La peau, expliqua-t-il, respirait autant que les poumons, absorbant l'oxygène et libérant des impuretés. La capacité du corps à se défendre des infections était considérablement diminuée quand la peau était en permanence étouffée par des vêtements insalubres.

Tout au long de cet échange, Grey fut conscient du regard d'Amandine sur lui, rempli d'amusement et d'interrogation, ainsi que du picotement de sa peau subitement oppressée par ses vêtements insalubres.

C'était étrange de rencontrer un inconnu en sachant que ce dernier connaissait votre secret le plus intime et que, si Percy n'avait pas menti, cet inconnu le partageait également. Cela lui procurait une sensation de danger et de vertige, comme d'être penché au-dessus d'un précipice. C'était aussi terriblement excitant, ce qui était encore plus alarmant.

L'Américain (qui parlait à présent d'une formation géologique singulière aperçue sur la route de Paris. Milord l'avait-il lui aussi remarquée ?) était un vieil homme et son corps, bien qu'en excellent état hormis pour quelques taches violacées d'eczéma dans le bas des jambes, n'était pas un objet de convoitise sexuelle. Néanmoins, Grey sentait sa peau tendue sur ses os et avait la sensation qu'une bonne partie de son sang avait déserté son cerveau. Amandine le lorgnait ouvertement et il se souvenait de sa conversation avec Percy : *Avec qui dors-tu, le baron ou sa sœur ? – Les deux, parfois. – En même temps ?* Mme Beauchamp avait-elle accompagné son époux ou se trouvait-elle au manoir ? Une fois de plus, Grey se demanda s'il n'était pas un peu pervers.

— Nous joindrons-nous au bon docteur pour jouir des bienfaits de sa pratique, milord ?

Grey tressaillit en voyant le baron commencer à déboutonner sa veste. Heureusement, avant qu'il n'ait trouvé que répondre, Franklin s'était levé, déclarant qu'il en avait eu assez pour la journée. Se tournant vers Grey, il le regarda dans le blanc des yeux avec grand intérêt et une pointe d'amusement, puis ajouta :

— Mais, surtout, que mon absence ne vous empêche pas de vous faire du bien tous les deux, messieurs.

Le baron, avec une courtoisie parfaite, se reboutonna aussitôt. Il leur annonça qu'il les retrouverait dans la bibliothèque pour l'apéritif et s'éclipsa.

Franklin avait une robe de chambre en soie. Grey la lui tint, observant les fesses blanches, un peu tombantes, mais remarquablement fermes et lisses du docteur tandis que celui-ci passait lentement les bras dans les manches tout en se plaignant d'un début d'arthrite aux épaules.

Franklin se tourna et noua le cordon de sa ceinture.

— Merci, milord. Si je comprends bien, vous ne connaissiez pas Amandine avant aujourd'hui ?

— En effet. J'ai fait la connaissance de son... beau-frère, M. Beauchamp, il y a quelques années.

Il ajouta sans savoir pourquoi :

— En Angleterre.

Le regard de Franklin s'éclaira brièvement en entendant le nom de Beauchamp.

— Vous le connaissez ? demanda Grey.

— De nom seulement. Beauchamp est donc anglais ?

Un certain nombre de possibilités stupéfiantes traversèrent l'esprit de Grey mais une évaluation rapide de chacune d'elles le convainquit que la vérité était sans doute plus sûre et il se contenta de répondre par l'affirmative.

Durant les quelques jours qui suivirent, il eut de passionnantes conversations avec le docteur, au cours desquelles le nom de Percy Beauchamp brilla par son absence. Apprenant qu'il comptait se rendre dans les colonies au printemps, l'Américain insista pour lui donner des lettres d'introduction auprès de plusieurs amis. Quand le vieil homme repartit pour Paris, Grey avait développé pour lui une profonde sympathie... et acquis la certitude qu'il savait précisément qui était et avait été Beauchamp.

— Je vous demande pardon, monsieur.

L'un des marins du *Tartar* l'écarta gentiment de son chemin, extirpant Grey de sa rêverie. Il se rendit soudain compte que ses mains nues étaient glacées et ses joues insensibilisées par le vent. Laissant les marins à leur travail, il descendit sous le pont, se sentant singulièrement et honteusement réchauffé par le souvenir de son séjour aux Trois Flèches.

3 mai 1777
New York

Cher papa,

Je viens de recevoir ta lettre concernant Henry. J'espère de tout mon cœur que tu pourras découvrir où il se trouve et obtenir sa libération. Si j'apprends quoi que ce soit d'utile à son sujet, je ferai mon possible pour te le faire savoir. Y a-t-il quelqu'un à qui adresser mes lettres dans les colonies ? (A défaut d'une autre solution, je les enverrai aux bons soins de M. Sanders à Philadelphie, avec une copie au juge O'Keefe à Richmond pour être plus sûr.)

Pardonne-moi de ne pas avoir écrit plus tôt. Ce n'est pas (hélas) dû à un excès d'activité de ma part mais plutôt la faute à l'ennui et à l'absence de quoi que ce soit d'intéressant à raconter. Après un hiver monotone emmuré dans Québec (bien que j'aie beaucoup chassé et aie abattu une créature très féroce appelée glouton), j'ai enfin reçu de nouveaux ordres de l'aide de camp du général Howe à la fin mars quand certains des hommes de sir Guy sont rentrés à la Citadelle. Il me rappelait à New York.

Je n'ai plus jamais eu de nouvelles du capitaine Randall-Isaacs et n'ai rien pu apprendre de plus depuis mon retour. J'ai bien peur qu'il ne se soit perdu dans le blizzard. Si tu connais sa famille, pourrais-tu leur envoyer un mot de ma part en leur disant que j'espère qu'il en est sorti indemne ? Je le ferais moi-même, mais je ne sais comment les retrouver ni comment exprimer mes sentiments avec délicatesse au cas où ils seraient inquiets pour son sort ou, pire, ne le seraient plus. Tu sauras quoi leur dire, toi. Tu trouves toujours les mots justes.

J'ai eu moi-même plus de chance, n'ayant subi qu'un naufrage mineur en descendant le fleuve. (Lors du portage à Ticonderoga, un groupe de tireurs d'élite américains nous ont pris pour cible depuis le fort. Il n'y eut pas de blessés mais nos canots furent criblés de balles, ce dont nous ne nous sommes aperçus que lorsque nous les avons remis à l'eau et que deux d'entre eux ont coulé à pic. Après avoir marché un long moment dans la boue jusqu'à la taille, j'ai retrouvé la route infestée d'insectes carnivores.) Depuis mon retour, nous n'avons rien fait de bien palpitant même si la rumeur que « c'est pour demain » coure toujours. L'oisiveté m'étant encore plus insupportable dans un décor « civilisé » (sans compter qu'aucune fille à New York ne sait danser), je me suis porté volontaire pour acheminer des dépêches, ce qui m'a un peu défoulé.

Puis, hier, j'ai reçu l'ordre de retourner au Canada pour y rejoindre l'état-major du général Burgoyne. (Dois-je détecter là ton œuvre machiavélique, papa ? Si c'est le cas, merci !)

En outre, j'ai revu le capitaine Richardson. Il m'a rendu visite dans ma chambre hier soir. J'en ai été fort surpris, ne l'ayant pas revu depuis près d'un an. Il ne m'a pas demandé de compte rendu de notre expédition à Québec (ce qui n'a rien d'étonnant, nos informations étant obsolètes) et quand je l'ai interrogé à propos de Randall-Isaacs, il m'a répondu ne rien savoir.

Il avait appris que je devais livrer des dépêches spéciales en Virginie avant de partir pour le Canada et, sans vouloir en aucune manière me retarder dans ma mission, m'a demandé si j'accepterais de lui rendre un petit service. J'étais sur mes gardes après mon long séjour dans les glaces du Nord. Il s'agit de livrer un message codé à un groupe de loyalistes en Virginie, ce que je pourrais faire facilement, connaissant bien le terrain. Cela ne devrait pas me retarder de plus d'un jour ou deux, m'a-t-il assuré.

J'ai accepté, plus parce que j'aimerais revoir certaines parties de la Virginie dont je garde un si bon souvenir que pour obliger le capitaine Richardson. Cet homme ne m'inspire pas confiance.

Fais bon voyage, papa, et transmets toute mon affection à ma chère Dottie que j'ai hâte de retrouver. (Dis-lui que j'ai tué quarante-deux hermines au Canada. De quoi lui faire confectionner une cape de reine !)

Ton très affectionné bon à rien,

William

34

Psaumes, XXX

Lallybroch, 6 octobre 1980

Brianna avait négocié avec la commission hydroélectrique de passer trois jours sur le terrain, inspectant les sites, surveillant les opérations de maintenance et les réparations, et de travailler chez elle les deux jours restants à rédiger des rapports, établir des fiches et s'occuper de la paperasserie. Elle était en train de déchiffrer les notes de Robert Cameron concernant l'alimentation électrique de la seconde turbine de loch Errochty, lesquelles semblaient avoir été écrites avec un crayon gras sur les vestiges du sac en papier ayant contenu son déjeuner, quand elle entendit des bruits dans le bureau du laird de l'autre côté du couloir.

Elle avait vaguement conscience d'un bourdonnement grave depuis un certain temps mais l'avait pris pour celui d'une mouche coincée derrière une vitre. Puis le bourdonnement se transforma en mots, or une mouche ne pouvait chanter « L'Eternel est mon berger » sur l'air de *Saint Columba.*

Elle se figea en réalisant qu'elle avait reconnu l'air. La voix était aussi râpeuse que de la toile émeri et craquait de temps à autre… mais elle montait et descendait… Elle chantait vraiment !

La chanson fut brusquement interrompue par une quinte de toux puis, après moult raclements de gorge et fredonnements prudents, la voix s'éleva à nouveau, reprenant la chanson, cette fois sur un vieil air écossais intitulé, si elle se souvenait bien, *Crimond.*

L'Eternel est mon berger, je ne manquerai de rien
Il me fait reposer dans de verts pâturages.
Il me mène près des eaux paisibles.

« Près des eaux paisibles » fut répété plusieurs fois sur différents tons puis l'hymne reprit avec une vigueur accrue :

Il restaure mon âme,
Il me conduit dans les sentiers de la justice,
A cause de son nom.

Assise derrière son bureau, Brianna tremblait, les larmes coulant sur ses joues, un mouchoir pressé contre sa bouche pour qu'il ne l'entende pas. « Merci », murmura-t-elle dans le tissu. « Oh, merci ! »

Le chant s'arrêta et le fredonnement reprit, grave et satisfait. Elle se ressaisit et s'essuya les yeux. Il était presque midi. Il allait entrer d'un instant à l'autre dans son bureau pour lui demander si elle souhaitait déjeuner.

Roger avait nourri de sérieux doutes quant à son poste d'assistant chef de chœur, des doutes qu'il s'était efforcé de ne pas lui montrer et qu'elle avait néanmoins partagés jusqu'à ce qu'il lui annonce un jour qu'on lui avait confié le chœur d'enfants. Dès lors, elle avait été rassurée. Les enfants n'avaient aucune inhibition quand il s'agissait de faire des remarques sur les singularités physiques des gens mais les acceptaient totalement une fois leur curiosité satisfaite.

Lorsqu'il était revenu de sa première répétition avec un grand sourire, elle lui avait demandé :

« Combien de temps ont-ils attendu avant de t'interroger sur ta cicatrice ? »

Il avait passé deux doigts sur le bourrelet irrégulier en travers de sa gorge sans se départir de son sourire.

« Je n'ai pas chronométré mais je dirais environ trente secondes. "S'il vous plaît, m'sieur MacKenzie, qu'est-ce que vous avez au cou ? Vous avez été pendu ?"

— Et que leur as-tu répondu ?

— Que j'ai été pendu en Amérique mais que j'ai survécu, par la grâce de Dieu ! Quelques-uns d'entre eux ont des frères plus âgés qui ont vu *L'Homme des hautes plaines* et le leur ont raconté, ce qui a considérablement fait grimper ma cote. Maintenant que mon secret a été découvert, ils s'attendent à ce que je vienne à la prochaine répétition avec mon six-coups. »

Là-dessus, il l'avait fait pleurer de rire avec sa meilleure imitation du regard ténébreux de Clint Eastwood.

Elle en riait encore en se remémorant la scène quand Roger passa la tête dans l'entrebâillement de la porte et demanda :

— A ton avis, combien y a-t-il de versions musicales du psaume 23 ?

— Vingt-trois ? répondit-elle au hasard.

— Uniquement six dans le livre des cantiques presbytériens mais il en existe des versifications en anglais remontant jusqu'à 1546. J'en ai trouvé une dans le *Bay Psalm Book*, une autre dans le vieux *Scottish Psalter*, ainsi que quelques-unes ici et là. J'ai également consulté la version en hébreu mais il est sans doute préférable de l'épargner à la congrégation de Saint Stephen. Les catholiques ont-ils une mise en musique ?

— Les catholiques ont une mise en musique pour tout et n'importe quoi mais, chez nous, les psaumes sont généralement psalmodiés.

Elle huma l'air, cherchant à sentir une odeur de cuisine, avant d'ajouter fièrement :

— Je connais quatre formes de chants grégoriens, même s'il en existe beaucoup plus.

— Ah oui ? Chante pour moi, tu veux.

Il se planta au milieu du couloir tandis qu'elle essayait de se rappeler les paroles du psaume 23. La forme la plus simple lui revint machinalement ; elle l'avait psalmodiée tant de fois quand elle était enfant qu'elle était ancrée dans sa chair.

— C'est fascinant, déclara-t-il quand elle eut fini. Tu voudras bien me le réciter encore une ou deux fois plus tard ? J'aimerais le faire entendre aux enfants. Je crois que le plain-chant leur conviendrait bien.

La porte de la cuisine s'ouvrit d'un coup et Mandy apparut en serrant contre elle Polly, une peluche qui avait autrefois été une sorte d'oiseau et n'était plus qu'un morceau de tissu-éponge crasseux avec des ailes.

— Soupe, maman ! Viens manger la soupe !

Ils déjeunèrent donc d'une soupe en boîte, accompagnée de sandwichs au fromage et de pickles. Annie MacDonald n'était pas un cordon-bleu mais tout ce qu'elle préparait était mangeable. Aux yeux de Brianna, c'était un luxe, car elle se souvenait d'autres repas mangés assise sur un sol détrempé autour d'un feu mourant dans les montagnes et de pitance calcinée. Elle jeta un regard affectueux à la cuisinière à gaz Aga qui faisait de la cuisine la pièce la plus douillette de la maison.

— Chante-moi, papa !

Mandy, du fromage coincé entre les dents et barbouillée de moutarde, implorait son père.

Roger avala une miette de travers, toussa puis s'éclaircit la gorge.

— Que veux-tu que je te chante ?

— Une souris vète !

— D'accord, mais tu dois chanter avec moi pour me donner le ton.

Il tapa en rythme sur la table avec sa cuiller.

— « Une souris verte... »

Il pointa la cuiller vers Mandy qui prit une grande inspiration et hurla à pleins poumons :

— Une souris... VÈÈÈTE !

Toutefois, son rythme était impeccable. Roger lança un coup d'œil surpris à Brianna et reprit en tapant le même contrepoint. Après cinq ou six répétitions toniques, Mandy se lassa et, avec un bref « Scusez-moi », se leva de table et fila vers la porte.

— Au moins, elle a le sens du rythme... commença Roger.

Il grimaça en entendant du vacarme dans le couloir et acheva :

— ... à défaut d'une bonne coordination motrice. Il faudra attendre un peu avant de savoir si elle a une bonne oreille. Ton père avait un excellent sens du rythme mais était incapable de chanter deux fois de suite la même note.

— Ça m'a rappelé un peu ce que tu faisais à Fraser's Ridge, déclara Brianna. Quand tu chantais un verset et le faisais répéter aux autres.

Roger se rembrunit. A l'époque, il venait de découvrir sa vocation et la certitude de sa foi l'avait transformé. Elle ne l'avait jamais vu aussi heureux auparavant, ni depuis, et son cœur se serra en apercevant la lueur de regret dans ses yeux.

Il saisit sa serviette et essuya un peu de moutarde qu'elle avait au coin des lèvres.

— Ça s'appelle l'antienne et c'est démodé, dit-il. Ça se fait encore dans les îles et, peut-être, dans quelques parties reculées du Gaeltacht mais les presbytériens américains ne veulent plus en entendre parler.

— Pourquoi ça ?

— *Il convient de chanter le psaume sans le morceler verset par verset*, récita-t-il. *Cette pratique fut introduite en des temps d'ignorance, quand bon nombre de fidèles ne savaient pas lire. Il est donc recommandé de ne plus l'utiliser.* C'est extrait de la Constitution de l'Eglise presbytérienne américaine.

Elle nota mentalement au passage qu'il avait donc bel et bien envisagé d'être ordonné pendant qu'ils étaient à Boston.

— « Des temps d'ignorance », répéta-t-elle. Je me demande ce qu'en penserait Hiram Crombie.

Cela le fit rire. Puis il reprit :

— Cela dit, il est vrai que la plupart des gens à Fraser's Ridge ne savaient pas lire. Mais je ne suis pas d'accord avec l'idée qu'on chantait les psaumes de cette façon uniquement à cause de l'illettrisme ou de l'absence de livres. Chanter tous ensemble, c'est formidable, j'en conviens, mais je pense que ce système de répons entre le prêtre et la congrégation rapproche les gens, les implique davantage dans ce qu'ils chantent, dans ce qui est en train de se passer. Ne serait-ce que parce qu'ils doivent se concentrer pour se souvenir de chaque verset.

Il sourit brièvement, puis détourna les yeux.

Brianna pria de toutes ses forces Dieu, la Vierge Marie, l'ange gardien de Roger ou tous les trois à la fois : Je vous en prie, faites qu'il trouve un moyen !

— Au fait, je voulais te demander quelque chose, déclara-t-il sur un ton hésitant.

— Quoi donc ?

— Eh bien... Jemmy chante bien. Ça t'ennuierait s'il m'accompagnait ? Bien sûr, il irait toujours à la messe avec toi. Ce serait uniquement si ça lui dit mais je crois que chanter dans un chœur lui plairait. Et puis... j'aimerais qu'il me voie avec un vrai travail, moi aussi.

— Il serait aux anges !

Elle remercia mentalement les cieux. Quelle rapidité ! Elle se demanda si Roger réalisait que cela leur ouvrait une porte pour que Mandy et elle assistent aux services presbytériens sans créer de conflit entre leurs deux religions.

— Tu te joindrais à nous pour la première messe à Saint Mary ? demanda-t-elle. Comme ça, nous n'aurions qu'à traverser le fleuve pour nous rendre à Saint Stephen et vous écouter chanter Jem et toi.

— Oui, bien sûr.

Il se figea soudain, le sandwich à quelques centimètres de sa bouche, et lui sourit, ses yeux aussi verts que la mousse.

— Ça va mieux, non ? demanda-t-il.

— Beaucoup mieux.

Plus tard dans l'après-midi, Roger l'appela depuis son bureau. Il avait étalé une carte d'Ecosse sur la table, près du cahier où il rédigeait ce qu'ils appelaient entre eux « Le Guide galactique », d'après la célèbre comédie radiophonique de la BBC ; une plaisanterie qui déguisait avec peine le malaise que le sujet leur inspirait.

— Désolé de t'interrompre dans ton travail, mais j'ai pensé qu'il valait mieux faire ça avant que Jem rentre de l'école. Si tu retournes à loch Errochty demain, dit-il en pointant le bout de son stylo sur la tache bleue du lac, pourrais-tu effectuer un relevé précis du tunnel ? A moins que tu saches exactement où il se trouve ?

Brianna sentit son ventre se nouer au souvenir de la galerie obscure, du petit train bringuebalant, du passage à travers... la chose.

— Non, répondit-elle. Mais j'ai mieux que ça.

Elle retourna dans son bureau et revint quelques instants plus tard avec le classeur contenant les caractéristiques techniques de la centrale de loch Errochty.

— Voici les croquis pour la construction du tunnel, dit-elle en l'ouvrant sur la table. J'ai également les bleus, mais ils sont dans mon bureau au siège.

— Non, ça ira parfaitement. Tout ce qu'il me faut, c'est l'orientation du tunnel par rapport au barrage. A ce propos, as-tu visité le barrage en son entier ?

— Non, je n'ai été que du côté est, là où se trouve le poste de maintenance. Mais je ne pense pas que... Regarde, poursuivit-elle en posant l'index sur le dessin : Je l'ai senti quelque part vers le milieu du tunnel, et celui-ci est presque perpendiculaire au barrage. Tu penses qu'il s'agit d'un courant linéaire, c'est ça ?

Il hésita.

— Je n'en sais rien mais c'est toujours un point de départ. Vous autres ingénieurs avez sûrement un terme qui sonne mieux que « supposition », non ?

— Une « hypothèse de travail », répliqua-t-elle. Quoi qu'il en soit, si le phénomène ne se produit pas en des endroits aléatoires mais suit un courant linéaire, je l'aurais sans doute senti à nouveau à l'intérieur du barrage. Je pourrais toujours y retourner pour vérifier.

Tous deux perçurent de la réticence dans sa voix. Il lui caressa le dos pour la rassurer.

— Non, c'est moi qui irai.

— Quoi ?

— J'irai, répéta-t-il doucement. On verra bien si je le sens aussi.

Elle se redressa brusquement.

— Non ! C'est impossible. Et si... s'il t'arrivait quelque chose ? Tu ne peux pas courir ce genre de risque.

Il la dévisagea longuement, méditatif, puis hocha la tête.

— Oui, il y a forcément un risque mais il reste petit. J'ai parcouru tous les Highlands quand j'étais jeune. J'ai parfois éprouvé une sensation bizarre, ici ou là. C'est le cas de la plupart des gens qui vivent ici. Cette étrangeté fait partie des lieux.

Au même titre que les chevaux des eaux, les banshees et les Nuckelavees, pensa-t-elle.

— Mais tu sais de quel genre d'étrangeté il s'agit, Roger. Tu es bien placé pour savoir qu'elle peut te tuer !

— Elle ne t'a pas tuée, toi, souligna-t-il. Elle ne nous a pas tués non plus à Ocracoke.

Il avait parlé avec légèreté et cependant elle pouvait voir l'ombre de cette traversée passer sur son visage. Ils en étaient sortis vivants mais il s'en était fallu de peu.

— Non. Mais...

Elle le regarda et, l'espace d'un instant déchirant, ressentit à la fois la douceur de son grand corps chaud contre le sien dans le lit, le son de sa voix râpeuse et le silence froid de son absence.

— Non ! répéta-t-elle fermement.

A son ton, il était clair qu'elle ne céderait pas d'un pouce. Il jugea plus prudent de ne pas insister. Comparant le dessin et la carte, il posa la pointe de son crayon sur un point correspondant plus ou moins au centre du tunnel et lui lança un regard interrogateur. Elle acquiesça et il dessina une légère marque en forme d'étoile à l'emplacement désigné.

Il y avait déjà une grande étoile à l'encre noire sur le cercle de menhirs de Craigh na Dun, et d'autres plus petites au crayon sur l'emplacement de divers monuments mégalithiques. Un jour, ils iraient peut-être sur place pour vérifier mais pas tout de suite. Plus tard.

— Tu as déjà été à Lewis ? demanda Roger.

— Non, pourquoi ?

— Les Hébrides extérieures font partie du Gaeltacht. On chante les antiennes en *gàidhlig* sur les îles de Lewis et de Harris. Je ne sais pas comment cela se passe sur Uist et Barra ; elles sont principalement catholiques. J'aimerais y faire un tour un de ces jours.

Elle pouvait voir l'île de Lewis, en forme de pancréas, au large de la côte occidentale de l'Ecosse. C'était une carte assez détaillée pour qu'elle distingue la légende « *site mégalithique de Callanish* » au centre de l'île.

— D'accord, on ira ensemble.

— Mais tu as un travail, maintenant.

— Je prendrai un congé.

Ils se dévisagèrent un moment en silence, puis Brianna jeta un œil à la pendule.

— Jem ne va pas tarder à rentrer. Il faut que je m'occupe du dîner. Annie nous a apporté un beau saumon que son mari a pêché. Je le mets à mariner ou tu le préférerais grillé ?

Il se leva et replia la carte.

— Je ne dîne pas à la maison. C'est le soir de ma tenue maçonnique.

La grande loge maçonnique provinciale de l'Inverness-shire était composée de plusieurs loges locales, dont deux à Inverness. Roger avait rejoint la loge 6, la plus ancienne, quand il avait vingt ans mais n'avait plus remis le pied dans le bâtiment depuis une quinzaine d'années. Il était donc partagé entre la méfiance et l'excitation.

Néanmoins, il était chez lui. La première personne qu'il croisa fut Barney Gaugh, le chef de gare, un grand costaud souriant qui avait accueilli Roger à sa descente de train à Inverness alors que, âgé de cinq ans, il venait vivre chez son grand-oncle. M. Gaugh s'était considérablement tassé et ses dents jaunies par la nicotine avaient été remplacées par un dentier tout aussi jaune, mais son visage s'illumina en voyant Roger. Il le prit par le bras et l'entraîna vers un groupe d'hommes âgés qui poussèrent des exclamations de surprise en le reconnaissant.

Un peu plus tard, alors qu'ils commençaient la cérémonie habituelle du Rite écossais, Roger eut l'impression étrange d'avoir fait un bond en arrière. C'en était presque comique.

Il y avait des différences, certes, mais infimes. S'il fermait les yeux et remplaçait l'odeur de cigarettes par la fumée d'un feu de cheminée, il aurait aussi bien pu se trouver dans la cabane des Crombie, où avaient eu lieu leurs tenues. Le murmure des voix, les questions et réponses, puis les corps qui se détendent, la soirée devenant purement amicale autour de tasses de café et de thé.

Il y avait beaucoup plus de monde que dans sa jeunesse. Il ne remarqua pas tout de suite Lionel Menzies. Le directeur d'école se trouvait à l'autre bout de la salle, le front plissé par la concentration, écoutant un grand gaillard en bras de chemise. Roger hésita à interrompre la conversation. L'interlocuteur de Menzies se tourna alors dans sa direction sans cesser de parler et s'interrompit brusquement, fixant Roger. Plus précisément, fixant sa gorge.

Tout le monde dans la loge avait regardé la cicatrice, ouvertement ou discrètement. Il portait une chemise au col ouvert sous sa veste. Il était inutile de tenter de la cacher ; autant la montrer tout de suite et en finir. Cependant, l'inconnu la regardait avec une telle insistance que c'en était presque insultant.

Se rendant compte que son compagnon était distrait (cela pouvait difficilement lui échapper), Menzies suivit son regard et aperçut Roger qu'il salua d'un large sourire.

— Monsieur MacKenzie !

— Appelez-moi Roger, s'il vous plaît.

Il était habituel de s'appeler par son prénom dans les loges, quand on ne s'adressait pas formellement à « frère Untel ou Untel ». Menzies fit signe à son compagnon d'approcher et fit les présentations :

— Rob Cameron, Roger MacKenzie. Rob est mon cousin, Roger est un parent d'élève.

— Je m'en doutais, dit Cameron en lui serrant vigoureusement la main. Je veux dire, je me suis dit que vous ne pouviez être que le nouveau chef de chœur. Mon petit neveu chante avec vous, Bobby Hurragh. Il nous a beaucoup parlé de vous au cours d'un dîner la semaine dernière.

Roger avait surpris le regard entendu entre les deux hommes quand Menzies l'avait présenté. Il devina que ce dernier avait également parlé de lui à son cousin, probablement en lui racontant sa visite.

— Rob Cameron, répéta-t-il en serrant la main de celui-ci un peu plus fort, le faisant tiquer. Vous ne travaillez pas pour la commission hydroélectrique, par hasard ?

— Si. Mais comment...

— Vous devez connaître ma femme, alors. Brianna MacKenzie.

Roger lui adressa un grand sourire, dévoilant toutes ses dents.

Cameron ouvrit la bouche mais aucun son n'en sortit. Puis il la referma et toussota.

— Euh... oui, en effet.

Roger avait jaugé l'homme à sa poignée de main et savait que, s'ils en venaient à se battre, il aurait le dessus. De toute évidence, Cameron le savait aussi.

— Elle... euh...

— Oui, elle m'a raconté.

— Ecoutez, ce n'était qu'une blague idiote...

Cameron l'examinait d'un air méfiant au cas où Roger lui demanderait de l'accompagner dehors.

— Rob ? demanda Menzies. De quoi s'agit...

— Comment ça ? Comment ça ? s'écria le vieux Barney en se précipitant vers eux. Pas de politique dans la loge, mon garçon ! Si tu veux gaver frère Roger avec tes conneries de SNP, emmène-le au pub plus tard.

Saisissant Cameron par le coude, il l'entraîna vers un autre groupe à l'autre bout de la salle. Là, Cameron se mêla aussitôt à la conversation, ne lançant qu'un bref dernier regard à Roger.

Roger se tourna vers Menzies.

— « Conneries de SNP » ?

Le directeur d'école haussa les épaules en souriant.

— Vous avez entendu le vieux Barney : pas de politique !

C'était l'une des règles maçonniques de base, on ne discutait ni de religion ni de politique dans les loges, ce qui expliquait sans doute pourquoi la franc-maçonnerie survivait depuis aussi longtemps. Roger n'aimait pas beaucoup le SNP, le Parti national écossais, mais Cameron l'intriguait.

— Non, je ne m'intéresse pas à la politique, je me demandais simplement si Rob était un militant convaincu.

— C'est un peu de ma faute, frère Roger. J'ai raconté à mon épouse l'incident entre Jem et Mlle Glendenning et... vous connaissez les femmes ! Ma belle-sœur étant la voisine de Rob, celui-ci a eu vent de l'affaire. Elle l'a intéressé en raison du *gàidhlig*, voyez-vous ? Il a tendance à toujours en faire un peu trop et à se laisser emporter, mais je suis sûr qu'il ne voulait pas manquer de respect à votre femme.

Comprenant que Menzies se méprenait sur Cameron et Brianna, Roger décida de ne pas éclairer sa lanterne. Les femmes n'étaient pas les seules à cancaner : le commérage était un art de vivre dans les Highlands. Si l'histoire du mauvais tour que Rob et ses camarades avaient joué à Brianna se répandait, cela risquait de nuire à sa réputation professionnelle. Aussi déclara-t-il pour faire dévier la conversation :

— Naturellement, je suppose que le SNP veut ressusciter le *gàidhlig*. Rob Cameron le parle-t-il ?

— Non, ses parents faisaient partie de ceux qui ne voulaient pas que leurs enfants le parlent. Aujourd'hui, il a très envie de l'apprendre. D'ailleurs, à ce sujet...

Menzies hésita, la tête inclinée sur le côté.

— Après notre conversation de l'autre jour, il m'est venu une idée.

— Oui ?

— Accepteriez-vous de donner un cours de temps en temps ? Peut-être uniquement à la classe de Jem, ou, si vous vous en sentez le courage, une présentation à toute l'école ?

— Un cours ? De gaélique ?

— Oui, rien que de très basique, naturellement, mais peut-être avec quelques explications historiques, un peu de chants... Rob me dit que vous êtes chef de chœur à Saint Stephen ?

— Assistant chef de chœur, rectifia Roger. Pour ce qui est du chant, je ne suis pas sûr mais pour le *gàidhlig*... oui, ça me tente assez. Laissez-moi y réfléchir.

Il trouva Brianna dans son bureau, une lettre de ses parents à la main, non ouverte.

Elle la posa et se leva pour l'embrasser.

— Nous ne sommes pas obligés de la lire ce soir, dit-elle. Mais j'avais besoin de les sentir proches. Comment s'est passée ta tenue ?

— Bizarrement.

Le contenu des travaux devait rester secret, mais il pouvait lui parler de Menzies et de Cameron.

— C'est quoi le SNP ? demanda-t-elle.

— Le Parti national écossais.

Il ôta sa veste et frissonna. Il faisait froid et il n'y avait pas de feu dans le bureau.

— Il est apparu à la fin des années trente mais n'a vraiment pris de l'ampleur que récemment. En 1974, onze de ses membres ont été élus au Parlement, un score respectable. Comme tu t'en doutes, son objectif est d'obtenir l'indépendance de l'Ecosse.

— « Respectable »... répéta Brianna, dubitative.

— Oui, enfin, comme tous les partis, il compte son lot de cinglés mais, pour autant que j'ai pu en juger, Rob Cameron n'en fait pas partie. C'est juste un trou du cul de base.

Elle se mit à rire.

— Oui, c'est bien Rob, reconnut-elle.

— Menzies m'a dit qu'il s'intéressait au gaélique. Si j'enseigne à une classe, j'espère ne pas le trouver au premier rang.

— Quoi ? Tu vas donner des cours de gaélique ?

— Eh bien... peut-être. Ça reste à voir.

Il ne se sentait pas encore prêt à réfléchir sérieusement à la proposition de Menzies, sans doute à cause du chant. Croasser un air avec les enfants pour les guider était une chose ; chanter seul devant un public en était une autre.

— Ça peut attendre, déclara-t-il avant de l'embrasser. Lisons plutôt la lettre.

2 juin 1777
Fort Ticonderoga

— Fort Ticonderoga ? s'exclama Brianna.

Elle manqua d'arracher la lettre des mains de Roger.

— Mais qu'est-ce qu'ils fichent là-bas ?

— Je n'en sais rien. Mais si tu arrêtes de t'agiter cinq minutes, on le saura peut-être.

Sans répondre, elle fit le tour du bureau et lut par-dessus son épaule, son menton posé dans le creux de sa clavicule, ses cheveux lui chatouillant la joue.

Il tourna la tête et l'embrassa.

— Tout va bien. C'est ta mère et sa lettre est pleine de parenthèses. Quand elle digresse comme ça, c'est qu'elle est de bonne humeur.

— Oui, peut-être, mais… Fort Ticonderoga ?

Ma chère Bree et vous tous,

Comme vous l'avez sans doute deviné, nous ne sommes pas (encore) en Ecosse. Nous avons rencontré un certain nombre d'obstacles sur notre route, dont a) la marine royale en la personne d'un capitaine Stebbings qui a tenté d'enrôler de force ton père et ton cousin Ian (ce fut un échec) ; b) un corsaire américain (bien que son capitaine, un personnage insupportable dénommé Hickman, considère le terme « lettre de marque » plus digne pour désigner sa mission, à savoir s'adonner à la piraterie avec la bénédiction du Congrès continental) ; c) Rollo ; et d) un monsieur dont je vous ai déjà parlé, appelé (je le croyais alors) John Smith mais en réalité un déserteur de la marine royale du nom de Bill Marsden (alias « Jonas la Poisse » et je commence à comprendre pourquoi).

Sans entrer dans le détail de cette farce sanglante, je tiens à vous préciser que Jamie, Ian, le maudit chien et moi-même allons bien. Jusqu'à présent. J'espère pouvoir en dire autant dans quarante-deux jours, quand l'engagement de ton père en tant que colonel de milice prendra fin. (C'est une longue histoire. En deux mots, il fait ça pour sauver la peau de M. Marsden et offrir une issue de secours à une vingtaine de marins devenus pirates par accident.) Dès qu'il se sera libéré de sa charge, nous déguerpirons sur le premier moyen de transport en route vers n'importe quel coin d'Europe, tant que ce moyen ne sera pas dirigé par le susmentionné Hickman. Nous devrons peut-être pour cela nous rendre à Boston. (Je suis curieuse de voir à quoi ressemble la ville aujourd'hui. La Black Bay sera encore une vraie baie remplie de navires et le Common sera sans doute envahi de vaches.)

Le fort est commandé par le général Anthony Wayne. J'ai comme la désagréable impression d'avoir entendu Roger le mentionner sous l'appellation « Anthony le Fou ». J'espère qu'il doit ou devra son surnom à son comportement dans la bataille plutôt qu'à sa gestion du fort. Pour le moment, il me semble rationnel, quoique soucieux.

De fait, il est plutôt rationnel de sa part d'être soucieux dans la mesure où il attend l'arrivée imminente des troupes britanniques. Pendant ce temps, son ingénieur en chef, M. Jeduthan Baldwin (il te plairait ; un type très énergique !), construit un grand pont qui reliera le fort à une hauteur baptisée Mount Independence. Ton père commande une équipe d'ouvriers travaillant sur cet ouvrage. Depuis mon perchoir sur l'une des batteries en demi-lune du fort, je peux le voir en ce moment même. Il se détache du lot, faisant deux fois la taille de la plupart des hommes et étant l'un des rares à porter une chemise. En raison de la chaleur et de l'humidité, bon nombre d'entre eux travaillent entièrement nus ou vêtus en tout et pour tout d'un petit carré de tissu noué autour de la taille. Compte tenu des moustiques, j'estime que c'est une erreur mais personne ne m'a demandé mon avis.

Personne ne m'a consultée non plus sur les protocoles hygiéniques d'une infirmerie et d'une prison (nous avons amené plusieurs prisonniers anglais avec nous, y compris le capitaine Stebbings mentionné plus haut qui aurait dû passer l'arme à gauche depuis belle lurette mais s'obstine à survivre). Je leur ai néanmoins dit ce que j'en pensais, ce qui me vaut d'être persona non grata auprès du lieutenant Stactoe, qui se prend pour un médecin. Je ne peux donc rien faire pour les malheureux qu'il prétend soigner et dont la plupart seront morts d'ici un mois. Heureusement, nul ne se soucie des femmes, des enfants et des prisonniers, dont je peux donc m'occuper. J'ai largement de quoi faire car ils sont nombreux.

J'ai la nette impression que Ticonderoga a changé de mains à un moment ou un autre, probablement à plusieurs reprises, mais je n'ai aucune idée de qui l'a pris à qui et quand. Ce dernier point me préoccupe un peu.

Le général Wayne ne dispose de pratiquement aucune troupe régulière. Selon Jamie, le fort manque cruellement d'effectifs (même moi je m'en rends compte, la moitié des casernes sont vides). Il y a bien quelques compagnies de miliciens qui débarquent de temps à autre depuis le New Hampshire et le Connecticut mais les hommes ne s'enrôlent généralement que pour deux ou trois mois (comme nous l'avons fait). Même ainsi, souvent, ils ne restent pas jusqu'au bout de leur engagement et le nombre de combattants dans le fort fond lentement. Le général Wayne se plaint publiquement que sa garnison est réduite à (je le cite) « des nègres, des Indiens et des femmes ». Je lui ai rétorqué que cela pourrait être pire.

Jamie me dit également que le fort est privé de la moitié de ses canons. Ces derniers ont été emportés il y a deux ans par un libraire obèse nommé Henry Fox qui, par des prouesses d'ingénierie et de ténacité, est parvenu à les acheminer jusqu'à Boston où ils ont été très utiles pour refouler les Anglais. (M. Fox a dû lui-même être transporté dans une carriole, l'homme pesant plus de cent cinquante kilos. L'un des officiers du fort, qui a accompagné l'expédition, nous l'a décrite en nous faisant pleurer de rire.)

Plus inquiétant encore, une petite colline se dresse juste en face de nous de l'autre côté du lac. Les Américains l'ont baptisée Mount Defiance quand ils ont pris le fort aux Anglais il y a deux ans (Tu te souviens d'Ethan Allen ? « Rendez-vous, au nom du grand Jehovah et du Congrès américain ! » J'ai entendu dire que ce pauvre M. Allen se trouvait actuellement en Angleterre, jugé pour trahison après avoir poussé le bouchon un peu trop loin en tentant de refaire le coup à Montréal). Toujours est-il que Wayne n'a pas les moyens d'y placer de l'artillerie et des hommes. Je crains fort que les Anglais, si et quand ils arriveront, ne se rendent compte rapidement que cette colline domine le fort et que ce dernier se trouve à portée de canons depuis son sommet.

Sur le plan positif, l'été est presque là. Les cours d'eau regorgent de poissons et, s'il y avait des champs de coton, les plants m'arriveraient jusqu'à la taille. Il pleut souvent et je n'avais jamais vu autant de végétation dans un même endroit. (L'air est tellement chargé d'oxygène que cela m'étourdit parfois et que je suis obligée de faire un détour par les casernes pour inhaler une bouffée reconstituante de linge sale et de pots de chambre.) Tous les quelques jours, ton cousin Ian prend la tête d'une expédition de chasse et de cueillette. Jamie et un bon nombre d'autres hommes sont des pêcheurs accomplis et nous mangeons donc extrêmement bien.

Je ne vais pas m'étendre plus longtemps, ne sachant pas encore quand ni où je pourrai envoyer cette lettre (Nous recopions chacune de nos lettres, quand nous en avons le temps, et en envoyons plusieurs exemplaires via les itinéraires « jamisiens ». En effet, le courrier normal n'est vraiment plus fiable ces temps-ci). Avec un peu de chance, elle arrivera avec nous à Edimbourg. En attendant, recevez toute notre affection. Jamie rêve des petits de temps en temps. J'aimerais en faire autant.

Maman

Roger resta silencieux un moment pour s'assurer que Bree avait fini sa lecture. En fait, elle lisait plus vite que lui mais il ne doutait pas qu'elle voudrait la relire plusieurs fois. Elle poussa un soupir contrarié et se redressa. Il posa une main sur sa taille. Elle la couvrit de la sienne et serra ses doigts machinalement. Elle regardait la bibliothèque.

— Ceux-là sont nouveaux, n'est-ce pas ? dit-elle en désignant l'une des étagères.

— Oui. Je les ai commandés à Boston. Ils sont arrivés il y a quelques jours.

Les tranches étaient neuves et brillantes. Des livres d'histoire traitant de la Révolution américaine. *Encyclopedia of the American Revolution* de Mark M. Boatner III. *A Narrative of a Revolutionary Soldier*, de Joseph Plumb Martin.

— Tu veux savoir ? lui demanda-t-il.

Il pointa le menton vers le coffret ouvert sur la table devant eux. Il restait une épaisse liasse de lettres non ouvertes posée sur les livres. Il n'avait pas encore eu le courage d'avouer à Brianna qu'il avait regardé les deux petits ouvrages.

— On sait qu'ils ont pu quitter Ticonderoga sains et saufs, autrement il ne resterait pas autant de lettres.

— En tout cas, on sait que l'un d'eux au moins s'en est sorti, précisa Brianna. A moins que… Ian est au courant. Il aurait pu…

Roger saisit la liasse d'un air décidé. Brianna retint son souffle tandis qu'il parcourait les enveloppes.

— Claire, Claire, Claire, Jamie, Claire, Jamie, Jamie, Claire, Jamie…

Il s'arrêta sur une enveloppe rédigée d'une écriture qui ne lui était pas familière.

— Tu as peut-être raison au sujet de Ian. Tu sais à quoi ressemble son écriture ?

Elle fit non de la tête.

— A dire vrai, je ne me souviens pas de l'avoir vu écrire quoi que ce soit mais je suppose qu'il sait lire et écrire.

— Bon… Que veux-tu faire ? lui demanda-t-il.

Roger remit la lettre en place, regarda l'étagère puis Brianna. Elle était nerveuse, hésitante. Puis elle prit sa décision et se dirigea vers la bibliothèque d'un pas ferme.

— Lequel de ces livres nous dira à quelle date le fort de Ticonderoga est tombé ?

George III, Rex Britannia
à lord George Germain

… Burgoyne prendra le commandement des troupes qui avanceront sur Albany à partir du territoire canadien.

En tenant compte des maladies et autres contingences, nous ne pouvons nous permettre d'engager plus de 7 000 de nos hommes sur le lac Champlain car le front canadien doit être protégé… Il faudra employer des Indiens.

35

Ticonderoga

Fort Ticonderoga, 12 juin 1777

Je trouvai Jamie endormi nu sur la paillasse de la minuscule chambre qui nous avait été attribuée. Elle se trouvait au dernier étage de l'un des baraquements en pierre et se transformait donc en fournaise au milieu de l'après-midi. Cependant, nous y étions rarement durant la journée, Jamie travaillant sur le lac à la construction du pont et moi dans le bâtiment de l'hôpital ou dans les quartiers des familles, où l'on étouffait tout autant.

D'un autre côté, les pierres chauffées par le soleil dans la journée libéraient une douce chaleur lors des nuits fraîches. Nous n'avions pas de cheminée et une bonne brise en provenance du lac pénétrait par notre lucarne au coucher du soleil. Pendant quelques heures, entre dix heures du soir et deux heures du matin, la température était très agréable. Pour le moment, il n'était que vingt heures. Il faisait encore jour dehors et chaud dedans. Les épaules de Jamie luisaient de transpiration et ses tempes étaient moites.

Notre minuscule chambre présentait un avantage : étant la seule pièce au dernier étage, nous jouissions d'un peu d'intimité. Elle avait aussi ses inconvénients : quarante-huit marches de pierre à grimper chargé d'eau et à descendre avec les pots de chambre. Je venais de monter un grand seau d'eau qui me semblait peser une tonne bien que j'en aie renversé la moitié sur le devant de ma jupe. Je le posai à terre avec un bruit sourd qui fit bondir Jamie. Il cligna des yeux dans la pénombre.

— Oh, pardon ! Je ne voulais pas te réveiller.

Il bâilla, s'étira puis se gratta le crâne des deux mains.

— Ce n'est rien, *Sassenach*. Tu as dîné ?

— Oui, j'ai mangé avec les femmes. Et toi ?

D'ordinaire, il mangeait avec les hommes de son équipe lorsqu'ils avaient fini leur travail mais il arrivait qu'il soit convoqué par le général Saint Clair ou invité par d'autres officiers de milice. Ces dîners plus formels se tenaient beaucoup plus tard.

— Hmm-hmm.

Il se rallongea et m'observa pendant que je versais de l'eau dans une bassine en fer-blanc et sortais un petit morceau de savon. Je me mis en chemise et me frottai méticuleusement, la soude piquant ma peau à vif et me faisant larmoyer.

Je me rinçai les mains et les bras, puis criai « Gare là-dessous ! » avant de jeter le contenu de la bassine par la fenêtre. Me voyant recommencer à me récurer, Jamie me demanda, intrigué :

— Que t'arrive-t-il ?

— Je suis presque sûre que le fils de Mme Wellman a les oreillons. Je ne veux pas courir le risque de te les transmettre.

— C'est si grave que ça, les oreillons ? Je croyais que seuls les petits enfants les attrapaient.

— En fait, c'est bien une maladie infantile mais quand un adulte la contracte, notamment un homme, cela peut être plus grave. Elle tend à se loger dans les testicules et, à moins que tu ne tiennes à avoir des bourses grosses comme des pastèques…

— Tu es sûre d'avoir assez de savon, *Sassenach* ? Je pourrais aller t'en chercher un autre.

Il me sourit puis se redressa et saisit la mince bande de lin qui nous servait de serviette.

— Viens-là, *a nighean*, que je te sèche les mains.

— Attends une minute.

Je me débarrassai de mon corset, laissai tomber ma chemise et l'accrochai à une patère près de la porte. Puis j'enfilai ma « chemise d'intérieur ». Ce n'était pas tout à fait aussi hygiénique que de travailler dans une blouse chirurgicale mais le fort était infesté de toutes sortes de maladies et j'étais prête à tout pour éviter que Jamie soit infecté. Il était déjà suffisamment exposé en plein air.

Je me débarbouillai avec l'eau restante puis m'assis sur la paillasse près de Jamie, lâchant un petit gémissement en sentant mon genou craquer.

Il me frotta doucement les mains avec la serviette.

— Mon Dieu, dans quel état elles sont ! murmura-t-il. Et tu as un coup de soleil sur le bout de ton petit nez.

— Tu as vu les tiennes ?

Déjà calleuses en temps normal, ses mains n'étaient qu'une masse de bosses, d'écorchures, d'échardes et d'ampoules. Il haussa les épaules avec un soupir et se rallongea avec un grognement de plaisir. Me voyant me masser le genou, il me demanda :

— Il te fait encore mal, *Sassenach* ?

L'articulation ne s'était jamais tout à fait remise de sa violente torsion quand j'étais tombée sur le pont du *Pitt* et monter l'escalier ravivait la douleur.

— Bah, ce n'est qu'une facette de mon déclin général, plaisantai-je.

Je fléchis lentement mon bras droit, sentant un tiraillement dans le coude.

— Beaucoup de choses ne se plient plus aussi facilement qu'avant. D'autres sont douloureuses. Parfois, j'ai l'impression de tomber en morceaux.

Jamie ferma un œil et me contempla de l'autre.

— J'ai cette impression depuis que j'ai vingt ans. On s'y fait.

Il s'étira, ses articulations produisant des craquements sonores, puis me tendit une main.

— Viens te coucher, *a nighean*. Quand tu me fais l'amour, plus rien ne me fait mal.

Il avait raison. Tous mes petits maux s'envolèrent.

Je m'endormis rapidement mais me réveillai d'instinct quelques heures plus tard pour aller vérifier l'état de la poignée de patients nécessitant un suivi médical. Ces derniers comprenaient le capitaine Stebbings qui, non content de s'obstiner à survivre, refusait d'être soigné par un autre que moi. Cela n'avait guère plu au lieutenant Stactoe et aux autres médecins mais les caprices du capitaine étant appuyés par l'intimidante omniprésence de Guinea Dick – avec ses tatouages et ses dents limées – je restais son médecin attitré.

Stebbings était légèrement fiévreux et respirait laborieusement mais il dormait. En m'entendant approcher, Guinea Dick se leva de sa paillasse telle une apparition cauchemardesque.

— Il a mangé ? m'enquis-je à voix basse.

Je posai une main sur le poignet de Stebbings. Il avait considérablement maigri. Même dans la pénombre, je distinguais ses côtes qu'il m'avait fallu chercher il n'y avait pas si longtemps.

— Il a avalé un peu de soupe, m'ame, chuchota l'Africain.

Il me montra un bol couvert d'un mouchoir pour tenir les cafards à l'écart.

— Comme vous m'avez dit, je lui en donne chaque fois qu'il se réveille pour pisser.

— Très bien.

Le pouls de Stebbings était rapide sans être alarmant. Je me penchai sur lui en inhalant mais ne sentis aucune odeur de gangrène. J'avais pu l'extuber deux jours plus tôt et, s'il y avait encore un petit écoulement purulent au niveau de l'incision, cela ne me paraissait être qu'une infection locale qui disparaîtrait sans doute d'elle-même. De toute manière, il le faudrait bien puisque je n'avais rien pour la soigner.

Il n'y avait pratiquement aucune lumière à l'intérieur de la salle d'hôpital, à part une chandelle à mèche de jonc et le reflet des feux dans la cour. Je ne pouvais voir le teint de Stebbings mais j'aperçus un éclat blanc quand il entrouvrit les paupières. Il grogna en me reconnaissant et les referma.

— Très bien, répétai-je.

Je me relevai et le laissai aux tendres soins de M. Dick.

On avait proposé au Guinéen de s'enrôler dans l'armée continentale mais il avait refusé, préférant être prisonnier de guerre aux côtés du capitaine Stebbings, M. Ormiston et quelques autres marins du *Pitt*.

Il avait expliqué simplement :

« Je suis anglais, un homme libre. Prisonnier peut-être un temps, mais libre. Marin, mais libre. Américain ? Pas si libre. »

Il n'avait pas tout à fait tort.

Je sortis de l'hôpital et me rendis chez les Wellman pour vérifier mon cas d'oreillons. Douloureux mais pas dangereux. Puis je traversai à pas lents la cour illuminée par la lune naissante. La brise du soir s'était calmée mais l'air était encore frais. Je grimpai sur la batterie en demi-lune qui donnait sur l'étroit goulot du lac Champlain et, en face, sur Mount Defiance.

J'y trouvai deux sentinelles, toutes deux endormies et empestant la vinasse. Cela n'avait rien d'inhabituel. Le moral dans le fort n'était pas au plus haut et l'alcool était facile à se procurer.

Je me tins devant le parapet, une main sur un canon, son métal encore tiède de la chaleur de la journée. Pourrions-nous partir avant que les combats n'éclatent ? Il nous restait trente-deux jours à tirer et je trépignais déjà d'impatience. Outre la menace représentée par l'armée anglaise, la maladie et la puanteur régnaient dans le fort. C'était comme de vivre dans un cloaque et je ne pouvais qu'espérer que Jamie, Ian et moi parviendrions à partir avant d'avoir contracté une affreuse maladie ou d'avoir été agressés par un soudard.

J'entendis de légers pas derrière moi et, me tournant, vis la silhouette grande et élancée se détacher à la lueur des feux de la cour en contrebas.

— Je peux vous parler, tante Claire ?

— Oui, bien sûr.

Surprise par cet accès de formalité, je me poussai pour lui laisser de la place. Il indiqua du menton le pont à moitié construit à nos pieds.

— Cousine Brianna aurait un ou deux mots à dire au sujet de ce chantier. Oncle Jamie aussi.

— Je sais.

Jamie se tuait à les répéter depuis deux semaines au nouveau commandant du fort, Arthur Saint Clair, aux autres colonels de milice, aux ingénieurs, à tous ceux qui voulaient bien l'entendre et même à ceux qui ne le voulaient pas. L'absurdité qu'il y avait à gaspiller autant d'énergie humaine et de matériaux pour ériger un ouvrage qui pouvait être si facilement détruit par quelques coups de canon tirés de Mount Defiance n'échappait à personne sauf à ceux aux commandes.

Ce n'était pas la première fois que j'étais témoin de l'aveuglement militaire. Ce ne serait certainement pas la dernière.

— De quoi voulais-tu me parler, Ian ?

— Vous vous souvenez des Hurons qui sont venus au fort il y a quelque temps ?

Effectivement, il y avait de cela deux semaines, un groupe de Hurons s'était présenté au fort. Ian avait passé une soirée à fumer avec eux et à écouter leurs histoires. Certains lui avaient parlé du général anglais Burgoyne qui les avait accueillis un peu plus tôt.

D'après eux, Burgoyne sollicitait activement les Indiens de la ligue des Iroquois, consacrant beaucoup de temps et d'argent pour les attirer dans son camp.

L'un des Hurons avait déclaré en riant :

« Il dit que ses Indiens sont sa botte secrète. Qu'il les lâchera sur les Américains. Ils leur tomberont dessus comme l'orage et les foudroieront jusqu'au dernier. »

Compte tenu de ce que je savais des Indiens en général, je trouvais Burgoyne un brin optimiste. Toutefois, je préférais ne pas penser à ce qui pourrait advenir s'il réussissait effectivement à en persuader un grand nombre de se battre pour lui.

Perdu dans ses pensées, Ian regardait au loin la masse sombre de Mount Defiance.

— Pourquoi viens-tu me raconter ça, Ian ? Ça concerne plutôt Jamie et Saint Clair.

— Je le leur ai déjà dit.

Un huard cria de l'autre côté du lac ; c'était un son étonnamment puissant et sinistre. Quand ils s'y mettaient à plusieurs, on aurait dit des fantômes chantant des tyroliennes. Avec une certaine impatience, j'insistai :

— Alors, de quoi voulais-tu me parler ?

Il se tourna vers moi.

— De bébés.

— De quoi ?

Depuis le passage des Hurons, il m'avait paru sombre et silencieux. Je m'étais doutée qu'il y avait un rapport avec leurs conversations mais ne voyais pas trop ce que venaient faire les bébés là-dedans.

— De la manière dont on les fait, dit-il maladroitement.

Je laissai passer un temps, puis déclarai :

— Ian, je refuse de croire que tu ignores comment on fait les enfants. Que veux-tu savoir exactement ?

Il pinça les lèvres, gêné, puis lâcha enfin :

— Je veux savoir pourquoi je ne peux pas en avoir.

Je me passai un doigt sur les lèvres, déconcertée. Je savais… Brianna m'avait raconté qu'Emily, son épouse mohawk, avait donné le jour à une enfant mort-née et avait fait ensuite deux fausses couches. Je savais aussi que cet échec avait contraint Ian à quitter la communauté mohawk de Snaketown et à revenir parmi nous.

— Qu'est-ce qui te fait penser que c'était de ta faute ? demandai-je. En cas de fausse couche ou d'enfant mort-né, l'homme tient toujours la femme pour responsable. Et vice versa, d'ailleurs.

J'en avais voulu autant à Jamie qu'à moi-même.

Il eut un petit bruit de gorge impatient.

— Pas les Mohawks. Ils disent que quand un homme couche avec une femme, leurs deux esprits se combattent. S'il la vainc, l'enfant est planté. Sinon, il ne se passe rien.

— Hmmm… c'est une manière de voir les choses. Par ailleurs, ils n'ont pas tout à fait tort. Le problème peut venir de l'homme, de la femme, mais aussi d'une incompatibilité entre les deux.

— Dans le groupe de Hurons, il y avait une femme, Kahnyen'kehaka. Elle vient de Snaketown et m'a connu là-bas. Elle m'a dit qu'après mon départ Emily a eu un enfant. Un enfant qui a vécu.

Il s'agitait nerveusement tout en parlant, se balançant d'un pied sur l'autre en faisant craquer les articulations de ses doigts. La lune illuminait son visage, creusant ses cernes.

— Je pense souvent à elle, tante Claire. A Emily. Et à Yeksa'a… notre petite.

Il s'interrompit, serrant fort un de ses poings dans son autre main, puis il se ressaisit et reprit, plus calmement :

— Récemment, il m'est venu une autre idée. Si... ou plutôt quand (il lança un regard par-dessus son épaule comme s'il s'attendait à ce que Jamie surgisse d'une trappe) nous serons en Ecosse... on voudra peut-être me marier à nouveau...

Il releva vers moi des traits tirés par le chagrin mais également habités par un espoir et des doutes qui me fendirent le cœur.

— Je ne pourrai pas reprendre une femme en sachant que je ne peux pas lui donner d'enfants.

Il baissa à nouveau la tête.

— Vous ne pourriez pas... euh, peut-être... examiner mes parties, tante Claire ? Pour voir si j'ai quelque chose qui cloche ?

Il baissa la main vers sa braguette et je l'arrêtai précipitamment.

— Cela peut attendre, Ian. Donne-moi d'abord plus de détails, nous verrons ensuite si tu as besoin d'un examen.

— Vous êtes sûre, tante Claire ? Oncle Jamie m'a parlé des têtards que vous lui avez montrés dans sa semence. Je me suis dit que la mienne n'était peut-être pas tout à fait normale.

— Pour le vérifier, il me faudrait un microscope. Qui plus est, le plus souvent, quand les spermatozoïdes sont anormaux la conception n'a pas lieu. Or, si j'ai bien compris, ce n'était pas votre cas. Dis-moi...

J'hésitais à lui poser la question mais je ne pouvais faire autrement.

— As-tu vu ta fille ?

Les religieuses à Paris m'avaient montré la mienne, insistant doucement : « *Il est préférable que vous la voyiez.* »

— Pas vraiment, répondit-il. C'est-à-dire que... j'ai vu le petit paquet qu'ils en avaient fait. Ils l'ont enveloppée dans une peau de lapin et l'ont accrochée haut dans la fourche d'un cèdre rouge. J'y allais la nuit pour la regarder. J'ai souvent songé à la descendre et à la démailloter rien que pour voir son visage. Mais cela aurait perturbé Emily, alors je ne l'ai pas fait.

— Tu as sûrement bien fait mais... comment dire... Est-ce qu'Emily ou une des femmes qui l'ont aidée à accoucher t'ont parlé d'un défaut quelconque du bébé ? Etait-elle... déformée d'une manière ou d'une autre ?

Il me jeta un regard choqué et ses lèvres remuèrent en silence quelques instants.

— Non, répondit-il enfin, d'une voix à la fois peinée et soulagée. Non, j'ai posé la question à Emily. Elle ne voulait pas parler d'Iseabaìl, c'est comme ça que je l'aurais baptisée, mais j'ai insisté jusqu'à ce qu'elle accepte de me dire à quoi elle ressemblait. Elle était parfaite.

Il baissa les yeux vers le pont en construction et répéta doucement :

— Parfaite.

Comme Faith. Elle aussi avait été parfaite.

Je posai une main sur son avant-bras noueux.

— C'est bon signe, dis-je. Très bon signe. Maintenant, parle-moi de la grossesse. Tâche de te souvenir de tout ce qui s'est passé durant cette période. Ta femme a-t-elle eu des saignements entre le moment où elle a compris qu'elle était enceinte et l'accouchement ?

Lentement, je le guidai à travers l'espoir et la peur, la désolation de chaque perte, les symptômes dont il se souvenait et ce qu'il savait de la famille d'Emily. Y avait-il eu d'autres mort-nés parmi ses proches ? D'autres fausses couches ?

La lune traversa le ciel et entama sa descente. Je m'étirai enfin et conclus :

— Je ne peux pas en être sûre mais il se peut que le problème vienne d'une incompatibilité de rhésus.

— D'une quoi ?

Je me voyais mal lui faire un exposé sur les groupes sanguins, les antigènes et les anticorps. En outre, ce n'était pas si différent de l'explication des Mohawks.

— Cela vient du sang de chacun. Si une femme possède un rhésus négatif et son mari un rhésus positif, l'enfant sera positif car c'est un gène dominant ; peu importe ce que cela signifie mais l'enfant sera positif comme son père. Parfois tout se passe bien lors de la première grossesse et les complications n'apparaissent qu'à la seconde. Parfois, cela se produit dès la première. Le corps de la mère sécrète une substance qui tue l'enfant. Si une femme au rhésus négatif fait un enfant avec un homme négatif lui aussi, l'enfant naît négatif et tout se passe bien. Puisque tu me dis qu'Emily a mis au monde un enfant qui a survécu, ce doit être que son nouveau mari est négatif lui aussi.

J'ignorais tout de la prévalence du rhésus négatif chez les Amérindiens mais ma théorie tenait la route.

— Si c'est le cas, repris-je, tu ne devrais pas avoir de problèmes avec une autre femme. La plupart des Européennes ont un rhésus positif, à quelques exceptions près.

Il me dévisagea si longtemps sans piper mot que je me demandai s'il avait compris quelque chose.

— Disons que c'est le destin, dis-je doucement. Ou la malchance. Mais ce n'était pas de ta faute. Ni de la sienne.

Ni de la mienne, ni celle de Jamie.

Il acquiesça lentement puis il se pencha en avant et posa sa tête contre mon épaule quelques instants.

— Merci, ma tante, murmura-t-il.

Il releva la tête et déposa un baiser sur ma joue.

Le lendemain, il était parti.

36

Le marais du Great Dismal

21 juin 1777

William ne cessait de s'émerveiller de la route. Certes, elle ne s'étirait que sur quelques kilomètres mais de pouvoir pénétrer dans le grand marais où, des années plus tôt, il se souvenait d'avoir dû faire nager son cheval à plusieurs reprises tout en évitant les tortues carnivores et les serpents venimeux… le progrès tenait du miracle. Sa monture semblait du même avis ; elle avançait d'un pas souple, laissant derrière elle les nuages de minuscules taons jaunes qui tentaient de les suivre, les yeux des insectes luisant comme de minuscules arcs-en-ciel quand ils s'approchaient de près.

— Profites-en autant que tu peux, déclara-t-il à son hongre en lui tapotant l'encolure. Ça ne durera pas. La tourbe nous attend plus loin.

Bien que dégagée des jeunes pousses de copalmes et de pins qui encombraient ses bords, la route était boueuse, mais ce n'était rien à côté des tourbières traîtresses et des mares cachées qui les guettaient de l'autre côté des rangées d'arbres. Il se hissa légèrement sur ses étriers, regardant devant lui. Etait-ce encore loin ? Dismal Town se trouvait au bord du lac Drummond, celui-ci étant au cœur du grand marais. Il ne s'était encore jamais aventuré aussi loin dans le Great Dismal et n'avait aucune idée de sa taille réelle.

Il savait que la route n'allait pas jusqu'au lac. Mais il y avait sûrement des pistes. Les habitants de Dismal Town devaient bien entrer et sortir de leur ville de temps à autre.

Il répéta lentement :

— Washington, Cartwright, Harrington, Carver.

C'étaient les noms des loyalistes de Dismal Town que lui avait indiqués le capitaine Richardson. Il les avait mémorisés avant de brûler le morceau de papier sur lequel ils étaient écrits. Paniqué à l'idée de les oublier, il se les répétait à intervalles réguliers depuis le début de la matinée.

Il était midi passé. Les nuages clairsemés du matin s'étaient rassemblés en tissant un plafond bas couleur de laine sale. Il inspira profondément mais ne perçut pas encore les odeurs piquantes d'un déluge imminent. Outre la puanteur du marais, avec ses remugles de vase et de végétaux en décomposition, il sentait l'odeur de sa peau, salée et fétide. Il s'était lavé les mains et la tête quand cela lui avait été possible mais ne s'était pas changé depuis quinze jours. Sa chemise de chasse rêche et ses culottes en homespun commençaient à le démanger sérieusement.

Ce n'était peut-être que la sueur séchée et la poussière. Il se gratta furieusement l'entrejambe, sentant quelque chose lui courir sur la peau. Il avait dû attraper un pou dans la dernière taverne.

Le pou, si c'en était bien un, eut la sagesse de se faire plus discret et le picotement cessa. William remarqua que les odeurs autour de lui s'étaient faites plus âcres, la sève des résineux montant avec l'approche de la pluie. L'air avait soudain acquis cette qualité statique qui étouffait tous les bruits. Les oiseaux ne chantaient plus. C'était comme si son cheval et lui avançaient seuls dans un monde ouaté.

William n'avait rien contre la solitude. Il avait grandi seul, sans fratrie, et savait se satisfaire de sa propre compagnie. En outre, la solitude lui permettait de réfléchir.

— Washington, Cartwright, Harrington et Carver, fredonna-t-il.

En réalité, cette liste de noms mise à part, il n'avait guère de quoi s'occuper l'esprit et ses pensées se tournèrent rapidement vers un sujet plus divertissant.

Quand il était sur la route, c'était surtout aux femmes qu'il pensait. Il toucha la poche intérieure de sa veste et palpa le petit livre qu'il avait emporté pour le voyage. Il avait dû choisir entre le Nouveau Testament offert par sa grand-mère et son précieux exemplaire de *Une liste des dames de Covent Garden.* Il n'avait pas hésité longtemps.

A seize ans, il avait été surpris par son père en train de compulser avec un ami le célèbre annuaire de M. Harris qui dressait l'inventaire des charmes des femmes de petite vertu de Londres. Lord John avait lentement feuilleté l'ouvrage, s'arrêtant parfois sur une page en écarquillant les yeux, et l'avait refermé avec un soupir. Puis, après avoir brièvement sermonné les deux adolescents sur le respect dû au beau sexe, il leur avait ordonné d'aller chercher leurs chapeaux.

Dans une maison discrète et élégante au fond de Brydges Street, ils avaient pris le thé en compagnie d'une Ecossaise portant une très belle robe, Mme McNab. Cette dernière semblait entretenir des liens particulièrement amicaux avec son père. Une fois leur tasse vide, elle avait agité une clochette en bronze et...

William se trémoussa sur sa selle avec un soupir. Elle s'appelait Margery et, éperdu d'amour pour elle, il lui avait écrit un compliment enflammé.

Après une semaine passée à faire fébrilement ses comptes, il était revenu dans l'intention de la demander en mariage. Mme McNab l'avait accueilli avec beaucoup de prévenance, l'avait patiemment écouté balbutier sa déclaration, puis lui avait déclaré que Margery serait sans doute très flattée de la haute estime dans laquelle il la tenait mais qu'elle était occupée. Une charmante jeune fille venait de débarquer du Devonshire, Peggy. Elle paraissait bien esseulée et serait ravie qu'il lui fasse un brin de causette en attendant que Margery se libère.

Quand il avait compris que l'élue de son cœur était en train de faire avec un autre ce qu'elle avait fait avec lui, sous le choc, il était resté planté bouche bée devant Mme McNab. Puis Peggy était entrée, fraîche comme un bouton de rose, blonde, souriante et avec une remarquable...

— Aïe !

William se donna une claque sur la nuque là où un taon venait de le piquer. Il lâcha un juron. Son cheval avait ralenti sans qu'il s'en aperçoive. Il jura à nouveau, plus fort. La route avait disparu.

— Comment est-ce possible ? s'exclama-t-il.

Sa voix lui parut toute petite, absorbée par la végétation. Les taons l'avaient suivi. L'un d'eux piqua son cheval qui secoua violemment la tête.

— Allons, allons, dit William plus doucement. On ne peut pas être bien loin.

Il fit tourner son cheval, décrivant ce qu'il espérait être un grand demi-cercle afin de croiser à nouveau la route. Le sol était humide, parsemé de hautes touffes d'herbe, mais pas tourbeux pour autant. Les sabots du hongre laissaient de profondes empreintes rondes et soulevaient des mottes d'une terre glaise qui adhérait à ses jarrets, à ses flancs et aux bottes de William.

Il avait pris la direction du nord-ouest. Il lança d'instinct un regard vers le ciel mais aucune aide ne lui viendrait de là. La grisaille uniforme était en train de changer avec, ici et là, un nuage plus ventru et plus sombre perçant le plafond bas. Un lointain grondement retentit, le faisant pester à nouveau.

Le carillon de sa montre de gousset le rassura quelque peu. Ne voulant pas risquer de la faire tomber dans la boue, il arrêta son cheval avant de la sortir de sa poche. Il était trois heures de l'après-midi. Il annonça à sa monture sur un ton encourageant :

— Ce n'est pas si mal, nous pourrons profiter de la lumière du jour encore un bon moment.

Naturellement, c'était une estimation très relative compte tenu des conditions atmosphériques.

Il examina le rassemblement de nuages, calcula le temps qu'il lui restait. Cela ne faisait aucun doute, il allait pleuvoir sous peu. Ce ne serait pas la première fois que son cheval et lui recevraient une bonne saucée. Il mit pied à terre, déplia la toile du sac de couchage de son équipement militaire, la drapa autour de ses épaules, en rabattit un pan par-dessus sa tête, puis remonta en selle et repartit en quête de la route disparue.

Avec les premières gouttes, une puissante odeur s'éleva de la terre, riche, verte et féconde… comme si le marais s'étirait après un long sommeil, ouvrant voluptueusement son corps au ciel telle une putain de luxe déployant sa chevelure parfumée.

William porta machinalement la main à sa poche, voulant consigner cette image poétique dans la marge de son livre puis se reprit en se sermonnant.

Il n'était pas franchement inquiet. Comme il l'avait dit au capitaine Richardson, il était entré et sorti du Great Dismal à de nombreuses reprises. Certes, il n'y était jamais venu seul, mais avec son père, au sein d'un groupe de chasseurs ou avec des amis indiens de lord John. Et c'était déjà loin. Mais…

— Merde !

Il avait engagé son cheval dans ce qu'il avait cru être un des fourrés bordant la route sauf que ce prétendu fourré ne finissait pas, formant un dense réseau impénétrable de troncs de genévriers bruns et velus aussi aromatiques qu'un verre de gin hollandais. Il n'y avait même pas assez de place pour faire demi-tour. Les empreintes des sabots de sa monture se remplissaient lentement d'eau, ce qui était mauvais signe. Ce n'était pas de l'eau de pluie. Le sol était mouillé, très mouillé. Il entendait le bruit de ventouse chaque fois que les jambes arrière du cheval s'enfonçaient dans la tourbe et, par réflexe, se penchait en avant en enfonçant ses genoux dans les flancs du hongre.

Ces signes contradictoires désorientèrent le cheval qui trébucha, se redressa, puis son arrière-train s'affaissa brusquement, glissant dans la boue. Il se cabra avec un hennissement de frayeur. Surpris, William bascula par-dessus son encolure, fit la culbute et atterrit par terre.

Il se releva aussitôt d'un bond, terrifié à l'idée d'être aspiré dans une de ces fondrières tremblotantes qui parsemaient le grand marais. Il avait vu un jour le squelette d'un cerf pris dans l'une d'elles. On n'en apercevait plus que le crâne surmonté de bois, penché d'un côté, ses longues dents jaunes exposées dans un rictus qui ressemblait à un long cri d'agonie.

Il pataugea à toute vitesse vers un monticule couvert d'herbes, s'y percha et resta accroupi un instant tel un crapaud, le cœur battant. Son cheval… était-il pris au piège ?

Le hongre affolé se débattait, projetant des gerbes d'eau brunâtre autour de lui, hennissant de panique.

William se retint à un bouquet d'ajoncs et mit prudemment un pied dans l'eau. Etait-ce une tourbière ou une simple mare ? Sa botte s'enfonça, s'enfonça... Il retira son pied qui vint avec un *plop*. Il fit une nouvelle tentative. Oui, il y avait bien un fond. Il avança l'autre pied et se tint un instant les bras écartés, cherchant son équilibre.

Il rejoignit son cheval, récupéra la toile du sac de couchage qui s'était libérée dans sa chute et la jeta sur la tête du hongre en lui cachant les yeux. C'était ce qu'il fallait faire lorsqu'un cheval était trop effrayé pour sortir d'un bâtiment en flammes. Son père le lui avait montré à Mount Josiah un jour que la foudre était tombée sur la grange.

L'opération sembla fonctionner. Le cheval agitait la tête d'avant en arrière mais avait cessé de se débattre. William l'attrapa par la bride et lui souffla dans les naseaux, lui murmurant des paroles apaisantes.

Le hongre s'ébroua mais paraissait s'être calmé. Il leva haut la tête, l'abaissa sur son poitrail et, dans le même mouvement, se hissa hors de la mare. Il s'ébroua avec ardeur, projetant de la boue à plusieurs mètres à la ronde.

William était trop soulagé pour s'en soucier. Il saisit un coin de la toile et l'écarta, puis il reprit les rênes.

— Parfait, sortons d'ici.

Le cheval ne l'écoutait pas. Il venait de redresser brusquement la tête.

— Qu'est-ce que...

Les grands naseaux se dilatèrent et, avec un grognement explosif, le cheval partit au grand galop, lui arrachant les rênes des mains et le faisant à nouveau tomber à la renverse dans la mare.

— Saloperie de canasson ! Qu'est-ce qui lui prend...

William s'interrompit net et s'accroupit dans la boue. Une longue forme grise venait de filer quelques mètres devant lui.

Il chercha à la suivre du regard mais elle avait déjà disparu, poursuivant en silence le cheval affolé dont il percevait le galop au loin, ponctué du fracas de buissons écrasés ou d'une pièce de son équipement tombant à terre.

William resta immobile. Il avait entendu dire que les couguars chassaient parfois en couple.

Il tourna lentement la tête d'un côté puis de l'autre, osant à peine respirer de peur d'attirer l'attention de tout ce qui pouvait être tapi dans l'étroit enchevêtrement de copalmes et de broussailles derrière lui. Aucun bruit, hormis le clapotis insistant de la pluie.

Une aigrette blanche prit son envol de l'autre côté de la mare et son cœur manqua s'arrêter. Il retint son souffle, tendit l'oreille puis, comme il ne se passait rien, se releva lentement, les pans de sa veste dégoulinante collant à ses cuisses.

Il était dans une tourbière. Il sentait une végétation spongieuse sous ses semelles. L'eau lui arrivait au-dessus du genou ; il ne s'enfonçait pas mais ne pouvait soulever les jambes. Il dut sortir un pied de sa botte, l'autre, puis tirer sur ses bottes pour les arracher au bourbier et patauger dans ses bas jusqu'à un terrain surélevé.

Réfugié sur un tronc couché à moitié pourri, il s'assit pour vider l'eau de ses bottes avant de les renfiler et de faire le point.

Il était perdu. Dans un marécage connu pour avoir englouti bon nombre de personnes, tant des Indiens que des Blancs. A pied, sans nourriture, sans feu, sans autre abri que la mince toile de son sac de couchage militaire : une simple grande poche qu'il était censé bourrer de paille ou d'herbes sèches, deux matériaux introuvables dans les parages. Il ne possédait que le contenu de ses poches : un couteau pliant, un crayon, un morceau de pain détrempé et un autre de fromage, un mouchoir crasseux, quelques pièces, sa montre et son livre, ce dernier sans doute également trempé. Il plongea une main dans sa poche et découvrit que la montre s'était arrêtée et que le livre avait disparu.

Il jura avec force, ce qui le soulagea un peu. La pluie tombait plus dru, ce qui n'avait guère d'importance vu son état. Le pou dans ses culottes, découvrant son habitat inondé, se mit en quête de quartiers plus secs.

Marmonnant un torrent de blasphèmes, le sac en toile sur la tête, il partit en boitillant et en se grattant dans la direction qu'avait prise son cheval.

Il ne retrouva jamais sa monture. Soit le couguar l'avait tuée, soit elle s'en était sortie et errait dans le marécage. Il retrouva néanmoins deux objets tombés de sa selle : un petit paquet paraffiné contenant du tabac et une poêle à frire. Ni l'un ni l'autre ne lui étaient utiles dans l'immédiat mais il répugnait à se départir de ces derniers vestiges de civilisation.

Trempé jusqu'aux os, grelottant, il se glissa entre les racines d'un copalme et observa l'orage déchirer le ciel nocturne. Chaque éclair était aveuglant, même au travers de ses paupières closes, le grondement du tonnerre ébranlant l'air en répandant une odeur âcre.

Il s'était habitué à la canonnade quand une terrible déflagration le projeta à plat ventre dans la boue et l'humus. Hagard, il se redressa et essuya la terre sur son visage en se demandant ce qui lui était arrivé. Une douleur vive le rappela à la réalité et, baissant les yeux, il aperçut à la lueur de l'éclair suivant un éclat de bois d'une quinzaine de centimètres planté dans son avant-bras droit.

Lançant des regards ahuris autour de lui, il constata que le marais était parsemé de fragments de bois frais, une odeur de sève et de duramen s'élevant au-dessus des émanations chaudes d'électricité.

Il le vit lors de l'éclair suivant. A une centaine de mètres, il avait remarqué un immense cyprès chauve dont il comptait se servir comme repère à l'aube. C'était de loin l'arbre le plus grand aux alentours. Ou il l'avait été car il n'en restait qu'un bout de tronc déchiqueté.

Rendu à moitié sourd par le tonnerre, il arracha l'écharde de son bras et pressa le tissu de sa chemise sur la plaie pour arrêter le saignement. L'entaille n'était pas profonde mais le choc de l'explosion faisait trembler ses mains. Il resserra la toile de son sac autour de ses épaules et se recroquevilla à nouveau entre les racines du copalme.

A un moment ou un autre au cours de la nuit, l'orage s'éloigna et il sombra dans un demi-sommeil troublé pour se réveiller plongé dans le néant blanc d'un épais brouillard.

Il fut envahi par un froid plus tranchant que la fraîcheur de l'aube. Il avait grandi en Angleterre dans le Lake District et avait appris dès son plus jeune âge que l'arrivée du brouillard était synonyme de danger. Les moutons se perdaient souvent, tombaient dans des précipices, se séparaient du troupeau, se faisaient égorger par des chiens ou des renards, gelaient ou disparaissaient tout bonnement. Les hommes aussi, parfois.

Mme Elspeth, sa nurse, avait dit que les morts descendaient sur terre avec le brouillard. Il la voyait encore, une vieille femme sèche, raide et courageuse, debout à la fenêtre de la chambre d'enfants, regardant la blancheur mouvante au-dehors. Elle l'avait dit doucement, comme si elle se parlait à elle-même. Elle ne s'était probablement pas rendu compte de sa présence. Quand elle l'avait aperçu, elle avait refermé d'un geste brusque les rideaux et était partie lui préparer son thé.

Une bonne tasse de thé chaud était justement ce dont il avait besoin, si possible largement arrosé de whisky. Avec des toasts beurrés, de la confiture, du cake...

Il se souvint tout à coup du pain et du fromage dans sa poche et les sortit précautionneusement. Il mangea avec lenteur, savourant la masse fade comme s'il s'agissait d'une pêche au sirop. Il se sentit nettement mieux en dépit de la moiteur du brouillard sur son visage, de ses cheveux ruisselants et du fait qu'il était toujours trempé. Ses muscles étaient endoloris d'avoir grelotté toute la nuit.

Il avait eu la présence d'esprit de poser sa poêle à frire sous la pluie la veille et avait donc de l'eau fraîche à boire, délicieusement parfumée au lard.

— Ce n'est pas si mal, dit-il à voix haute. Pour le moment.

Sa voix résonnait de façon étrange. C'était généralement le cas dans le brouillard.

Il s'était déjà perdu par deux fois dans une purée de pois et ne tenait pas à revivre cette expérience même si cela lui arrivait parfois dans ses cauchemars. Il tâtonnait dans une nappe si épaisse qu'il ne voyait plus ses pieds mais entendait les voix des morts.

Il ferma les yeux, préférant le noir à la blancheur tourbillonnante dont il pouvait toujours sentir les doigts glacés sur son visage. Il s'efforça de ne pas écouter, de ne rien entendre.

Il se releva, déterminé. Il fallait qu'il bouge. D'un autre côté, partir à l'aveuglette dans le marais serait de la folie.

Il attacha la poêle à sa ceinture, balança sa toile de couchage par-dessus une épaule et commença à marcher, une main en avant. Le bois de genévrier ne ferait pas l'affaire, il tombait en lambeaux sous la lame du couteau. En outre, ses branches étaient trop tordues. Un copalme ou un tupelo conviendrait mieux mais l'idéal serait un aulne.

Après une éternité d'errance, avançant précautionneusement en crabe, posant un pied, attendant de voir s'il se passait quelque chose, puis posant l'autre, s'arrêtant chaque fois qu'il rencontrait un arbre, pressant ses feuilles contre sa bouche et son nez pour l'identifier, il trouva un petit taillis de jeunes aulnes.

Il palpa les troncs minces, en choisit un de deux à trois centimètres de diamètre, planta solidement ses talons dans le sol, le saisit des deux mains et l'arracha de terre. L'aulne se détacha en faisant retomber sur lui une pluie de feuilles mouillées ainsi qu'un corps lourd qui rampa sur sa botte. William poussa un cri et frappa les racines contre le sol mais le serpent avait déjà fui depuis longtemps.

Il détacha la poêle et tapota la terre autour de lui. Ne percevant aucun mouvement suspect et estimant la surface relativement ferme, il retourna son ustensile et s'assit dessus.

Le bois à quelques centimètres de son visage, il y voyait suffisamment pour ne pas se blesser et, au prix d'un travail considérable, il parvint à écorcer le tronc pour s'en faire une lance d'environ deux mètres. Il s'attela ensuite à tailler une extrémité en une pointe effilée.

Le Great Dismal était dangereux mais il regorgeait de gibier. C'était ce qui attirait les chasseurs. William n'avait pas l'intention de s'en prendre à un ours ou un cerf avec sa lance de fortune mais il était raisonnablement doué pour la chasse à la grenouille, ou l'avait été. Un palefrenier sur le domaine de son grand-père lui avait appris comment faire et il l'avait souvent pratiquée avec son père en Virginie. Certes, il n'avait guère eu l'occasion de s'entraîner au cours des dernières années à Londres mais il était à peu près sûr de ne pas avoir perdu la main.

Il entendait les grenouilles autour de lui, coassant gaiement et indifférentes au brouillard.

— *Brekekekex coax coax ! Brekekekex coax coax ! Filles marécageuses des eaux…*

Les grenouilles ne semblèrent guère impressionnées par sa citation d'Aristophane.

Il testa la pointe de sa lance du bout du doigt. Dans l'idéal, elle aurait dû se terminer par un trident… Qu'à cela ne tienne. Il avait tout son temps.

Concentré au point de se mordre la langue, il confectionna deux autres pointes. Il envisagea un instant de les fixer sur sa lance avec des bandes taillées dans de l'écorce de genévrier puis opta pour la simplicité en déchirant une bande au bas de sa chemise.

Il avait perdu son briquet à amadou mais, compte tenu de l'état du sol, même une foudre telle qu'il en avait vu tomber la veille n'aurait pu allumer un feu. D'ailleurs, le temps que le soleil fasse enfin son apparition et qu'il ait pêché une grenouille, il serait sans doute affamé au point de la manger crue.

Il trouva cette pensée paradoxalement réconfortante. Il ne mourrait pas de faim ni de soif. Etre dans ce marécage, c'était comme de vivre dans une éponge.

Il n'avait pas de plan, uniquement conscience que le marécage était immense mais pas infini. Une fois qu'il aurait le soleil pour le guider, il suivrait une ligne droite jusqu'à rencontrer un terrain ferme ou le lac. Et s'il trouvait le lac, Dismal Town se dressant sur son bord, il lui suffirait de longer le rivage pour y arriver tôt ou tard.

Donc, à condition de ne pas s'embourber, de ne pas se faire dévorer par une bête féroce, de ne pas être mordu par un serpent venimeux, de ne pas être contaminé par les eaux putrides et les miasmes du marécage… tout se passerait bien.

Il vérifia les attaches de son trident, les testa en plantant sa lance dans le sol, constata avec satisfaction qu'elles étaient solides. Il ne lui restait plus qu'à attendre que le brouillard se lève.

Il ne semblait guère disposé à le faire. Il avait même épaissi. William voyait à peine ses doigts en les tenant à quelques centimètres de son visage. Avec un soupir, il resserra la toile autour de son cou, posa sa lance à ses côtés et s'adossa tant bien que mal aux troncs des jeunes aulnes. Les genoux serrés contre son torse afin de se réchauffer, il ferma les yeux pour ne plus voir cette blancheur.

Les grenouilles s'en donnaient toujours à cœur joie. Maintenant qu'il était inoccupé, il entendait les autres bruits du marécage. La plupart des oiseaux étaient silencieux, attendant comme lui que le brouillard se dissipe, mais, de temps à autre, le mugissement grave et surprenant d'un butor s'élevait au-dessus de l'eau. Il entendait également des bruits de pas furtifs et d'éclaboussures. Des rats musqués, peut-être ?

Un gros *plouf !* lui apprit qu'une tortue venait de se laisser tomber dans l'eau depuis un tronc couché. Il préférait ces sons-là car ils étaient identifiables. Les autres, les bruissements vagues, étaient plus inquiétants. Etait-ce un frottement de branches ? Il n'y avait pas un poil de vent. Un animal en train de chasser ? Il perçut un petit cri aigu subitement interrompu. Puis il y avait les craquements et les gémissements du marais lui-même.

Dans les montagnes autour de Helwater, le domaine de ses grands-parents dans le Lake District, il avait entendu les rochers se parler dans le brouillard. Il n'en avait jamais parlé à personne.

Il bougea légèrement et sentit quelque chose sous son menton. Il approcha sa main : une sangsue était accrochée dans son cou. Il l'arracha avec dégoût et la lança le plus loin possible, avant de se palper pour voir s'il y en avait d'autres. Puis il se recroquevilla à nouveau, essayant de repousser les souvenirs qui affluaient. Il avait également entendu sa mère, sa vraie mère. C'était la raison pour laquelle il s'était aventuré dans le brouillard. Ils étaient en train de pique-niquer dans la montagne, ses grands-parents, maman Isobel, quelques amis et des domestiques, quand le brouillard était subitement descendu comme cela arrivait souvent en altitude. Pendant que les adultes rassemblaient en hâte les affaires, il avait été laissé livré à lui-même, observant le grand mur blanc s'avancer silencieusement vers lui.

Il avait alors entendu une femme chuchoter, trop bas pour qu'il distingue ses paroles mais d'une voix chargée de nostalgie. Il était certain qu'elle s'adressait à lui.

Il était entré dans le brouillard. En un premier temps, il avait été fasciné par le mouvement de la vapeur d'eau près du sol, par la manière dont elle oscillait, chatoyait et semblait vivante. Puis le brouillard s'était épaissi et, quelques instants plus tard, il avait compris qu'il était perdu.

Il avait appelé. D'abord la femme qu'il pensait être sa mère. *Les morts descendent avec le brouillard.* C'était à peu près tout ce qu'il savait d'elle... qu'elle était morte. Il avait vu trois portraits d'elle. On disait qu'il avait sa chevelure et son talent pour amadouer les chevaux.

Elle lui avait répondu, il l'aurait juré. Mais d'une voix sans paroles. Il avait senti la caresse de doigts froids sur son visage et il avait continué d'avancer, captivé.

Puis il était tombé, trébuchant contre des pierres et roulant dans une petite dépression. Il était resté étourdi et le souffle coupé quelques instants tandis que le brouillard l'enveloppait puis il avait entendu les rochers murmurer tout autour de lui. Il avait bondi sur ses pieds et s'était mis à courir à toutes jambes en hurlant. Il avait fait une nouvelle chute, s'était relevé, avait repris sa course, était retombé. Alors, incapable d'aller plus loin, il s'était roulé en boule, terrifié et aveuglé, cerné par le néant. Puis il avait entendu son nom, crié cette fois par des voix connues. Il avait tenté de répondre mais sa gorge irritée d'avoir tant crié ne produisait que des râles désespérés. Il s'était élancé dans la direction des voix. Hélas, dans le brouillard, les sons se déplacent et rien n'est jamais là où on l'attend.

Encore, encore et encore, il avait couru dans une direction puis une autre, jusqu'à ce qu'il tombe à nouveau. Il avait dévalé une pente, rebondi sur des affleurements et s'était retrouvé cramponné au bord d'un escarpement, les voix à présent derrière lui, qui s'éloignaient, l'abandonnaient.

C'était Mac qui l'avait trouvé. Une grande main avait surgi, l'avait hissé sur la terre ferme et, l'instant suivant, il se blottissait, contusionné, égratigné et en sang, contre la chemise rêche du palefrenier écossais, ses bras puissants le serrant comme s'ils ne devaient plus jamais le lâcher.

Dans les années qui avaient suivi, le brouillard était souvent venu hanter ses rêves. Parfois, il se réveillait dans les bras de

Mac. Quand l'Ecossais n'était pas là, il émergeait de son cauchemar en nage, incapable de se rendormir de crainte de replonger dans la blancheur et de retrouver les voix qui l'y attendaient.

William se raidit soudain en entendant des pas. Il huma l'air et sentit la fétidité caractéristique des crottes de cochon. Il resta immobile. Les cochons sauvages pouvaient être dangereux quand ils avaient peur.

Il y eut des grognements, encore des pas, le bruissement de corps lourds contre les branches de houx yaupon. Ils étaient plusieurs et progressaient lentement. William se redressa, le dos droit, tournant la tête de tous côtés, essayant de localiser l'origine exacte des bruits. Aucune créature ne se déplacerait dans un tel brouillard... à moins de suivre un chemin précis.

Le marais était sillonné de pistes tracées par des cerfs et empruntées par toutes sortes d'animaux, des opossums aux ours bruns. Ces pistes suivaient des trajectoires complexes et aléatoires. On ne pouvait être sûr que de deux choses : elles menaient à un point d'eau ; elles ne conduisaient pas à une fondrière. Pour William, cela suffisait amplement.

Il savait aussi que sa mère était téméraire. Il revoyait sa grand-mère secouant tristement la tête et déclarant en le dévisageant : *Elle était toujours si imprudente, si impulsive ! Tu es exactement comme elle. Que Dieu nous aide !*

Il saisit sa lance, se leva et décréta à voix haute :

— Téméraire peut-être, mais je ne suis pas mort. Pas encore.

Il y avait autre chose qu'il avait appris très tôt : rester sur place quand on était perdu n'était une bonne idée que si quelqu'un vous cherchait.

37

Purgatoire

Il trouva le lac trois jours plus tard aux alentours de midi.

Il venait de traverser une cathédrale de cyprès chauves, leurs troncs immenses se dressant hors du sol inondé telles des colonnes. Affamé, fiévreux, William avait de l'eau jusqu'à mi-mollet.

L'air était immobile, l'eau également. Il était seul à se mouvoir, environné par des nuées d'insectes. Ses paupières étaient enflées par les piqûres de moustiques et le pou dans ses culottes avait été rejoint par des puces et des rougets. Les anax qui fusaient ici et là piquaient moins que les myriades de petites mouches mais le tourmentaient à leur façon, attirant sans cesse son regard avec les éclats d'or, de bleu et de rouge étourdissants projetés par leurs ailes diaphanes et leurs corps brillants.

La surface lisse du marais reflétait si parfaitement les troncs qu'il avait la sensation d'être en équilibre précaire entre deux mondes miroitants, ne sachant plus où était le bas ni le haut. Le soleil filtrait à travers les hautes branches des cyprès une vingtaine de mètres au-dessus et au-dessous de lui. Les nuages qui glissaient paresseusement lui donnaient la sensation constante d'être sur le point de tomber.

Il avait extirpé le gros de l'écharde fichée dans son avant-bras mais il restait des éclats de bois sous sa peau. Son bras l'élançait, tout comme sa tête. La fraîcheur et le brouillard avaient disparu comme par enchantement et il marchait lentement dans une étuve où plus rien ne bougeait. Ses globes oculaires le cuisaient.

S'il gardait les yeux fixés sur les remous provoqués par ses bottes, l'effet de miroir se dissipait et il retrouvait son équilibre. En revanche, dès qu'il regardait les libellules, il vacillait. Elles lui faisaient perdre ses repères car elles semblaient n'appartenir ni à l'air ni à l'eau mais aux deux en même temps.

Une étrange dépression apparut dans l'eau à quelques centimètres de son mollet droit. Il cligna des yeux puis distingua l'ombre ondulant sous la surface. Une tête pointait, triangulaire, maléfique.

Il s'arrêta net, retenant son souffle. Heureusement, le mocassin poursuivit sa route.

Il l'observa s'éloigner en se demandant s'il était comestible. De toutes les manières, la lance était inutilisable. Il avait quand même pêché trois grenouilles avant que le trident ne se brise. Petites mais pas si mauvaises en dépit de la consistance caoutchouteuse de leur chair crue. Son estomac vide gronda et il lutta contre l'impulsion démente de plonger derrière le serpent, de le rattraper et de le mordre à pleines dents.

Quelque temps plus tard, la surface commença à s'agiter. D'innombrables vaguelettes clapotaient contre les troncs gris-brun, dissipant le reflet des arbres et des nuages. Il releva la tête et vit le lac.

Il était beaucoup plus grand qu'il ne l'avait imaginé. Des cyprès géants s'avançaient dans l'eau parmi des souches décolorées par le soleil. La rive était bordée d'une ligne sombre de tupelos, d'aulnes et de viornes. L'eau brune semblait s'étirer sur des kilomètres.

William se passa la langue sur les lèvres et prit un peu d'eau dans sa main en coupe. Il avala une gorgée avec prudence d'abord, puis plus avidement. Elle était fraîche et légèrement amère.

Il passa une main mouillée sur son visage, frissonna sous l'effet de l'eau froide. Il rassembla ses forces et continua d'avancer, sentant le sol s'incliner progressivement sous ses pieds. Il ne s'arrêta qu'une fois la végétation dense du marais derrière lui.

Le lac Drummond devait son nom à l'un des premiers gouverneurs de la Caroline du Nord, William Drummond. Ce dernier était parti chasser dans le marais avec un groupe d'amis. Il avait réapparu une semaine plus tard, unique survivant de l'expédition, à moitié mort de faim et de fièvre mais avec la nouvelle qu'il existait un lac immense au cœur du Great Dismal.

William examina le paysage. Il devait sans doute s'estimer heureux : il ne s'était pas encore fait dévorer par une bête féroce et était parvenu jusqu'au lac. De quel côté se trouvait Dismal Town ?

Il scruta le rivage à la recherche d'une fumée de cheminée ou d'une percée dans la végétation indiquant une présence humaine. Rien.

Il fouilla dans sa poche et en sortit une pièce de six pence. Il l'envoya en l'air, la rattrapa maladroitement dans sa main engourdie. Pile. A gauche, donc. Il se remit en route d'un pas plus résolu.

Son pied heurta quelque chose et il baissa les yeux juste à temps pour voir la gueule blanche d'un mocassin qui se dirigeait vers lui percer la surface. Par pur réflexe, il leva le genou et les crocs du serpent se plantèrent dans le cuir de sa botte. Il poussa un cri et agita violemment la jambe jusqu'à ce que le reptile lâche prise et aille voler un peu plus loin.

Le mocassin retomba dans une gerbe d'eau. Presque aussitôt, il tourna sur lui-même et revint à la charge, rapide comme l'éclair.

William arracha la poêle à frire de sa ceinture, cueillit le serpent et le projeta au loin de toutes ses forces. Sans plus attendre, il bondit jusqu'à la rive.

Il se réfugia dans un taillis de gommiers et de genévriers, hors d'haleine. Le répit fut de courte durée. Le serpent ondula vers la berge et rampa dans sa direction sur le sol moussu, ses écailles brunes lançant des reflets cuivrés.

William prit ses jambes à son cou. Il s'élança droit devant lui, les pieds s'enfonçant dans la boue, se cognant aux troncs d'arbre, le visage giflé par les branches, se prenant les jambes dans les buissons de houx et les viornes. Il courait sans un regard en arrière mais à l'aveuglette si bien qu'il percuta de plein fouet l'homme qui se trouvait sur son chemin.

L'homme poussa un cri et tomba à la renverse, William atterrissant à plat ventre sur lui. En se redressant, il découvrit le visage d'un Indien abasourdi. Il n'eut pas le temps de s'excuser : une main lui agrippait le bras et le hissait sur ses pieds.

C'était un autre Indien, de toute évidence en colère, qui lui posa une question inintelligible.

Il chercha désespérément un terme approprié dans son maigre vocabulaire iroquois, ne trouva rien. Alors, pointant le doigt vers le lac, il haleta : « Serpent ! » Les Indiens le comprirent car ils se tournèrent dans la direction qu'il indiquait avec un air méfiant. Comme pour corroborer ses dires, le mocassin tenace apparut au même moment, rampant entre les racines d'un copalme.

Les Indiens lâchèrent une exclamation. L'un d'eux saisit un gourdin, tenta de frapper le reptile et le rata. Le serpent se dressa aussitôt et plongea vers lui. Il le manqua à son tour mais de très peu. L'Indien fit un bond en arrière en lâchant son arme.

Avec un grognement agacé, son compagnon prit son propre gourdin et décrivit un cercle prudent autour du mocassin. Le serpent, enragé, pivota sur ses anneaux en sifflant puis se jeta sur le pied de l'intrus. Celui-ci sauta de côté avec un cri sans toutefois lâcher son arme.

Entre-temps, soulagé de ne plus être la cible de la mauvaise humeur du reptile, William s'était reculé de quelques pas. En voyant le mocassin momentanément déséquilibré, si tant était qu'un serpent pût l'être, il décrocha sa poêle et l'abattit de toutes ses forces.

Il frappa encore et encore, la peur décuplant ses forces, puis il s'arrêta, le souffle court, ruisselant de sueur. Il souleva avec précaution la poêle, s'attendant à découvrir le mocassin réduit en bouillie.

Il n'y avait rien. Il sentait l'odeur du reptile, un vague relent fétide comme du concombre pourri, mais n'en voyait aucune trace dans la boue retournée et les feuilles déchiquetées. Il leva des yeux interrogateurs vers les Indiens.

L'un d'eux haussa les épaules tandis que l'autre lui montrait le lac. Apparemment, comprenant qu'il ne faisait pas le poids, le mocassin avait jugé plus prudent de battre en retraite.

William se releva, l'air un peu gêné. Les trois hommes échangèrent des sourires nerveux.

D'ordinaire, William était à l'aise avec les Indiens. Ils étaient nombreux à traverser les terres paternelles et lord John mettait un point d'honneur à leur faire bon accueil, fumant avec eux sur la véranda, les invitant à partager leur repas. Il n'aurait su dire à quel peuple appartenaient ces deux hommes. Leurs hautes pommettes saillantes lui rappelaient certaines tribus algonquines mais le marais se trouvait très au sud de leur territoire de chasse.

Les Indiens échangèrent un regard qui accentua son malaise. L'un d'eux dit quelque chose à son compagnon, observant William de biais pour voir s'il comprenait. L'autre sourit, révélant des dents brunies, puis tendit une main, la paume vers le ciel, et demanda :

— Tabac ?

William acquiesça. En s'efforçant de respirer calmement, il glissa une main sous sa veste sans lâcher la poêle de l'autre. Ces deux hommes savaient probablement comment sortir du marais. Il pouvait faire ami-ami avec eux puis… Il essayait de faire fonctionner sa logique mais ses facultés moins nobles ne cessaient d'interférer. Or, ces dernières lui disaient qu'il ferait mieux de leur fausser compagnie, sans attendre.

Il sortit le petit paquet paraffiné, le lança de toutes ses forces vers l'Indien le plus proche puis tourna les talons et partit en courant.

Il entendit une exclamation de surprise, suivie d'un bruit de course. Ses facultés moins nobles, confortées dans leur jugement, lui donnèrent des ailes mais il savait qu'il ne pourrait tenir à ce rythme très longtemps. Il avait épuisé le peu de forces qu'il lui restait à fuir le mocassin et courir en tenant une poêle en fonte n'arrangeait rien.

Sa meilleure chance consistait à les distancer suffisamment pour trouver une cachette. Avec cette idée en tête, il redoubla d'ardeur, traversa un terrain découvert, s'enfonça sous un groupe de copalmes, tourna brusquement dans un taillis de genévriers pour déboucher sur une piste de gibier. Il hésita un instant… Se cacher dans le taillis ? L'envie de fuir l'emporta et il s'élança sur la piste, fouetté par les lianes et les branches.

Il entendit les cochons sauvages juste à temps. Des grognements surpris, des bruits de ventouse et un grand remue-ménage dans les buissons. Il sentit une odeur de boue chaude mêlée à la puanteur des animaux. Il devait y avoir une mare juste après la courbe de la piste. Il s'écarta de celle-ci, bondissant dans la broussaille. Que faire à présent ? Grimper à un arbre ? Il pantelait ; la sueur lui piquait les yeux. Il était cerné par des genévriers, certains très gros mais denses et tordus. Impossible de s'y réfugier. Il en contourna un et s'accroupit derrière le tronc, essayant de maîtriser son souffle.

Son cœur battait si fort qu'il ne pouvait entendre s'il était poursuivi ou non. Quelque chose lui effleura la main et il bondit sur ses pieds en abattant sa poêle.

Le chien poussa un glapissement en sentant l'ustensile le frôler, puis montra les dents et gronda.

— Mais… d'où sors-tu, toi ? murmura William.

Sapristi ! La créature était aussi haute qu'un petit cheval !

Les poils du cou du chien se hérissèrent, lui donnant l'allure d'un loup. Non, ce ne pouvait pas être un loup… si ? Puis il aboya.

— Chut, veux-tu te taire, bon sang !

Trop tard. Il entendait les Indiens parler tout près. Il recula lentement en chuchotant :

— Assis ! Assis, gentil chien !

A la place, le chien décida de le suivre sans cesser de gronder et d'aboyer, ce qui acheva de perturber les cochons. Il y eut un tonnerre de sabots sur la piste et un cri de surprise de l'un des Indiens.

William perçut un mouvement du coin de l'œil et pivota sur place, la poêle brandie. Un grand Indien l'observait d'un air intrigué. Fichtre, combien étaient-ils ?

— Ça suffit, le chien, dit l'Indien en anglais avec un fort accent écossais.

Le chien cessa d'aboyer mais continua à décrire des cercles autour de lui en grondant.

— Que… commença William, interloqué.

Il fut interrompu par l'apparition des deux premiers Indiens surgissant des broussailles. Ils s'arrêtèrent net en apercevant le nouveau venu et jetèrent un regard méfiant au chien. Celui-ci tourna son attention vers eux, exhibant une impressionnante rangée de crocs luisants.

L'un d'eux s'adressa sèchement au nouveau venu. Dieu merci, ils n'étaient donc pas ensemble ! Le grand Indien répondit avec la même absence d'aménité, ses propos semblant déplaire fortement aux deux autres. Leurs visages s'assombrirent et l'un d'eux porta la main à son gourdin. Un son menaçant s'éleva de la gorge du chien et il laissa aussitôt retomber son bras.

Les deux premiers Indiens semblaient prêts à débattre mais le troisième les interrompit sur un ton péremptoire et agita une main d'un geste qui ne pouvait que signifier qu'ils pouvaient se retirer. Les deux hommes échangèrent un regard indécis. William se redressa, alla se poster aux côtés du grand Indien, et les toisa avec hauteur. L'un d'eux lui retourna un regard mauvais mais son compagnon, après avoir examiné d'un air méditatif le grand Indien et son chien, agita la tête imperceptiblement. Sans un mot, les deux hommes tournèrent les talons.

Les jambes de William tremblaient et il sentait la fièvre le parcourir par vagues. En dépit de sa réticence à se retrouver au même niveau que la gueule du chien, il se laissa tomber au sol. Il avait serré le manche de sa poêle si fort que ses doigts étaient raides. Il les desserra péniblement et déposa son ustensile dans l'herbe. Il essuya son menton dégoulinant de sueur sur sa manche puis déclara :

— Merci... Vous... vous parlez anglais ?

— J'ai rencontré des Anglais qui vous assureraient du contraire mais oui, en effet, assez en tout cas pour me faire comprendre de vous, il me semble.

L'Indien s'assit à son tour et le regarda avec curiosité.

— Ah... vous n'êtes pas indien ! réalisa subitement William.

Effectivement, son visage n'avait rien d'algonquin. Maintenant qu'il le distinguait clairement, il paraissait plus jeune qu'il ne l'avait cru. Il devait avoir tout juste quelques années de plus que lui et avait des traits européens en dépit de son teint hâlé et de la double ligne de pointillés tatouée sur ses pommettes. Il portait des guêtres et une chemise en peau en travers de laquelle était drapé un plaid écossais aux carreaux rouges et noirs.

— Si, je le suis, répliqua sèchement l'inconnu.

Il pointa le menton dans la direction qu'avaient prise les deux hommes.

— Où avez-vous rencontré ces deux lascars ?

— Près du lac. Ils m'ont demandé du tabac. Je leur en ai donné, à la suite de quoi ils m'ont pourchassé. J'ignore pourquoi.

— Ils voulaient vous emmener à l'ouest et vous vendre comme esclave aux Shawnees.

Il sourit brièvement avant d'ajouter :

— Ils m'ont offert la moitié de votre valeur.

William resta un instant interdit.

— Dans ce cas, je suis votre obligé. Je... je suppose que vous n'avez pas l'intention de me vendre, vous aussi ?

L'homme parut amusé mais répondit d'un ton égal :

— Non, je ne vais pas vers l'ouest.

William se détendit légèrement. Cependant, maintenant que l'excitation des derniers événements s'était dissipée, la douleur dans son bras était de retour.

— Vous... vous ne pensez pas qu'ils reviendront ?

— Non, répondit calmement l'inconnu. Je leur ai dit de partir.

— Qu'est-ce qui vous fait croire qu'ils vous obéiront ?

— Ce sont des Mingos, répondit l'autre avec patience. Je suis Kahnyen'kehaka... un Mohawk. Ils me craignent.

William lui jeta un regard de côté en se demandant s'il était en train de se moquer de lui mais l'homme paraissait sérieux. Il était presque aussi grand que lui, fin comme une liane, ses cheveux bruns lissés en arrière avec de la graisse d'ours. Il avait l'air sûr de lui mais pas particulièrement effrayant.

L'inconnu l'étudiait également. William toussota, s'éclaircit la gorge puis tendit la main.

— Votre serviteur, monsieur. Je m'appelle William Ransom.

— Oh, je sais qui vous êtes, répondit l'autre en lui serrant la main. Je suis Ian Murray. Nous nous sommes déjà rencontrés.

Il promena son regard sur ses vêtements déchirés, son visage écorché, ses bottes et ses culottes maculées de boue.

— La dernière fois que nous nous sommes vus, vous étiez à peine en meilleur état.

Murray écarta la bouilloire du feu, posa le couteau sur les braises un moment puis plongea la lame dans la poêle remplie d'eau bouillante. Le métal siffla en dégageant un petit nuage de vapeur.

— Prêt ?

— Oui.

William s'agenouilla devant le grand tronc couché d'un peuplier et étendit son bras enflé sur le bois. Un long fragment d'écorce de cyprès formait une ombre sombre dans la chair, la peau autour était étirée et gonflée par le pus.

Le Mohawk (il ne parvenait toujours pas à le considérer autrement en dépit de son nom et de son accent) s'accroupit en face de lui et lui demanda en lui saisissant le poignet :

— C'est vous qui avez hurlé, plus tôt ?

William se raidit.

— Oui, en effet, j'ai crié quand un serpent a failli me mordre.

Murray pinça légèrement les lèvres.

— Ah, fit-il. Vous criez comme une fille.

Il pressa sa lame brûlante sur la chair et William poussa un cri rauque.

— C'est mieux, déclara Murray avec un petit sourire.

Le tenant fermement, il incisa son avant-bras sur une quinzaine de centimètres, retourna adroitement la peau du bout de sa lame, fit sauter l'écharde, puis extirpa délicatement les autres petits éclats de bois. Après avoir retiré tout ce qu'il pouvait, il enroula un bout de son plaid autour de l'anse de la bouilloire et versa l'eau encore fumante sur la plaie ouverte.

William hurla, un son qui semblait provenir du fond de ses entrailles et qui était, cette fois, accompagné de mots.

Murray secoua la tête en faisant claquer sa langue d'un air réprobateur.

— A présent, je vais devoir tout faire pour vous garder en vie parce qu'avec un langage pareil vous iriez droit en enfer.

— Je n'ai pas l'intention de mourir, répliqua sèchement William.

Il épongea son front moite avec la manche de sa chemise puis leva doucement son bras blessé et secoua le poignet pour en faire tomber les gouttelettes sanglantes. La douleur fulgurante lui fit tourner la tête et il se laissa retomber sur le tronc.

— Si vous avez des vertiges, mettez votre tête entre vos genoux, lui conseilla Murray.

— Je n'ai pas de vertiges.

Un bruit de mastication lui répondit. Murray avait remis la bouilloire sur le feu puis était entré dans l'eau et avait arraché plusieurs poignées d'une herbe très odorante poussant sur le bord. Il était occupé à la mâcher, recrachant des boulettes vertes dans un carré de tissu. Il extirpa un oignon flétri de sa musette et en découpa une grosse rondelle. Après l'avoir examinée d'un œil critique, il sembla décider qu'elle n'avait pas besoin d'être mastiquée et l'ajouta à sa préparation, repliant les coins du tissu par-dessus.

Il plaça sur la plaie le petit paquet qu'il maintint en place à l'aide de bandes déchirées dans la chemise de William. Puis il déclara :

— Vous êtes très têtu, n'est-ce pas ?

William tiqua. Ses amis, ses parents et ses supérieurs militaires lui avaient dit maintes fois que son intransigeance signerait un jour sa perte mais de là à ce que ce soit inscrit sur sa figure !

— Où voulez-vous en venir ?

— Ce n'était pas une insulte.

Murray se pencha pour serrer le nœud de son bandage improvisé avec ses dents, se redressa et recracha quelques fils avant de reprendre :

— J'espère que vous l'êtes parce qu'il nous faudra parcourir un long chemin avant de trouver de l'aide et il serait bon que vous soyez assez têtu pour ne pas me claquer entre les mains.

— Je vous ai déjà dit que je n'avais aucune intention de mourir. De plus, je n'ai pas besoin d'aide. Où… Ne sommes-nous pas près de Dismal Town ?

Murray parut surpris.

— Non. C'est là-bas que vous vous rendiez ?

William hésita un instant puis, ne voyant pas pourquoi il le lui cacherait, acquiesça.

— Pourquoi ? demanda Murray.

— Je dois… y rencontrer certaines personnes.

Tout en parlant, William se rappela avec horreur qu'il avait perdu son livre. Désemparé par l'enchaînement de ses mésaventures, il n'avait pas encore mesuré la véritable portée de cette perte.

Outre sa valeur purement récréative et son utilité en tant que recueil pour ses méditations, le livre était vital à sa mission. Il contenait plusieurs passages codés lui indiquant le nom des différentes personnes qu'il devait contacter, où les trouver et, plus important encore, ce qu'il devait leur dire. Il se souvenait de la plupart des noms mais, pour le reste…

Sa consternation était telle qu'il en oublia sa douleur et se leva abruptement, saisi de l'envie de se précipiter dans le marais et de le passer au peigne fin jusqu'à retrouver l'ouvrage.

— Vous ne vous sentez pas bien ?

Murray s'était levé lui aussi et l'examinait avec un mélange d'inquiétude et de curiosité.

— Hein… oh, si, si. Je viens juste de penser à quelque chose.

— Vous feriez mieux de réfléchir assis. Vous allez tomber dans le feu.

De fait, William voyait des points de lumière danser devant ses yeux.

— Je… oui, vous avez raison.

Il se rassit encore plus soudainement qu'il ne s'était levé, une sueur froide perlant sur son visage. Une main sur son épaule l'incita à s'allonger, et il s'abandonna, sentant vaguement qu'autrement il perdrait connaissance.

Murray marmonna quelque chose d'incompréhensible suivi d'un grognement de consternation très écossais. William le devinait penché sur lui, hésitant.

— Je vais bien, lui dit-il sans rouvrir les yeux. J'ai juste… besoin de me reposer un peu.

— Mmphm.

Murray s'éloigna et revint quelques instants plus tard avec une couverture qu'il étendit sur lui. William le remercia d'un signe de tête.

Ses membres lui faisaient mal depuis un certain temps mais, pressé par la nécessité d'avancer, il n'y avait pas prêté attention. A présent, la fièvre qu'il avait refoulée s'abattait sur lui avec toute sa force et il claquait des dents. Il attendit que la première vague de frissons passe avant de demander à Murray dont il percevait l'ombre accroupie devant le feu :

— Vous connaissez Dismal Town ?

— Oui. J'y suis déjà allé quelquefois. Une petite ville lugubre.

— Ah ! Et vous n'y auriez pas rencontré un M. Washington, par hasard ?

— J'en ai bien rencontré cinq ou six. C'est que le général a de nombreux cousins, voyez-vous.

— Le gé... gé...

— Le général Washington. Vous avez sans doute entendu parler de lui ?

Il y avait une note d'amusement dans sa voix.

— Oui, en effet, mais...

Cela n'avait aucun sens. William se concentra, s'efforçant de rassembler ses pensées erratiques.

— Je dois retrouver un M. Henry Washington. C'est un parent du général, lui aussi ?

— Pour autant que je sache, tous ceux s'appelant Washington et vivant dans un rayon de cinq cents kilomètres sont de la même famille.

Murray se pencha au-dessus de son sac et en sortit une longue masse velue se terminant par une queue dépourvue de poils.

— Pourquoi ? demanda-t-il.

— Je... non, rien.

William inspira une grande goulée d'air, les muscles de son ventre se dénouant. Entre sa perplexité et la fièvre, ses derniers remparts étaient en train de s'effriter. Il reprit :

— On m'a dit que ce M. Henry Washington était un important loyaliste.

Murray se tourna vers lui, ahuri.

— Qui vous a raconté une ânerie pareille ?
— Quelqu'un qui, visiblement, se trompait.
William pressa les mains contre ses yeux brûlants.
— Qu'est-ce que c'est que cette bestiole, un opossum ?
— Un rat musqué. Ne vous en faites pas, il est tout frais. Je l'ai tué juste avant notre rencontre.
— Ah, tant mieux.
William se sentait étrangement réconforté sans vraiment comprendre pourquoi. Il avait déjà mangé du rat musqué et savait sa chair savoureuse. La faim l'avait vidé de ses forces mais la fièvre lui avait volé son appétit. Il tirait plutôt son réconfort de la voix et de l'accent de Murray. Il avait cette intonation douce et détachée qui lui rappelait Mac le palefrenier. Ce dernier lui parlait souvent sur ce ton pour le consoler ou lui redonner du courage, qu'il soit tombé de son poney ou qu'il n'ait pas eu le droit d'accompagner son grand-père en ville.
— Vous avez la barbe rousse, observa soudain Murray.
— Vous ne le remarquez qu'à présent ? rétorqua William, piqué au vif.
Il avait toujours eu honte de sa barbe. Alors que ses cheveux et la toison de son torse et de ses membres étaient d'un châtain foncé acceptable, son menton et ses parties intimes étaient couverts de poils d'un roux mortifiant. Il se rasait toujours minutieusement, même en voyage, mais, naturellement, son rasoir avait disparu en même temps que son cheval.
— Je devais être distrait, répondit simplement Murray.
Il se tut, concentré sur sa tâche pendant que William essayait de se détendre dans l'espoir de dormir un peu. Il était épuisé mais des images du marais défilaient derrière ses paupières closes, des visions qu'il ne pouvait ignorer ni repousser.
Des racines aux boucles ressemblant à des collets, de la boue, des amas de déjections de cochons, si semblables à des excréments humains... des feuilles mortes déchiquetées...
Des feuilles mortes flottant sur l'eau tels des éclats de verre brun, des reflets qui se dissipent autour de ses tibias... des mots dans l'eau, les pages de son livre, s'effaçant, le narguant en s'enfonçant sous la surface.

Et le ciel, aussi vertigineux que le lac, qui lui donnait l'impression qu'il pourrait tomber vers le haut et se noyer dans cet air saturé d'humidité... se noyer dans sa transpiration... Une jeune femme léchait la sueur sur ses joues, le chatouillait ; son corps était lourd, chaud, écœurant... Il se tourna et se tortilla mais ne put échapper à ses oppressantes attentions...

La sueur sourdait derrière ses oreilles, épaisse et grasse dans ses cheveux ; elle perlait lentement dans le chaume de sa barbe... glacée sur sa peau ; ses vêtements n'étaient plus qu'un linceul dégoulinant... la femme était toujours là, morte à présent, un poids mort sur sa poitrine, le clouant contre le sol froid...

Le brouillard froid s'infiltrant partout... ses doigts blancs qui s'enfoncent dans ses orbites, ses oreilles. Il devait garder la bouche fermée autrement il entrerait en lui... Rien que du blanc.

Il se roula en boule en frissonnant.

Il finit par sombrer dans un sommeil plus profond et paisible dont il se réveilla quelque temps plus tard en sentant le fumet riche du rat musqué grillé. L'énorme chien était couché contre lui et ronflait.

Des souvenirs déconcertants de la jeune femme de son rêve lui revinrent et il repoussa faiblement le chien.

— Qu'est-ce que cet animal fiche ici ?

— Cet animal s'appelle Rollo, répondit Murray d'un ton de reproche. Je lui ai demandé de se coucher contre vous pour vous tenir chaud. Vous grelottez de fièvre, au cas où vous ne l'auriez pas remarqué.

— Merci, je sais.

William se leva péniblement et se força à manger. Il se recoucha ensuite avec soulagement, à une distance raisonnable du chien qui dormait à présent sur le dos, les pattes en l'air, ressemblant à un gigantesque insecte velu et mort. William passa une main sur son visage moite, essayant d'effacer cette vision troublante avant qu'elle ne se fraye un chemin dans ses rêves fébriles.

Le ciel nocturne était dégagé, immense et sans lune mais rempli d'étoiles. Il songea au père de son père, disparu longtemps avant sa propre naissance, un astronome amateur. Lord

John l'avait souvent emmené, parfois avec sa mère, sur les pelouses de Helwater où, étendus dans l'herbe, ils contemplaient la voûte céleste et nommaient les constellations. Cette infinité bleu-noir offrait un spectacle froid qui agitait son sang fiévreux mais la vue des étoiles était toujours réconfortante.

Murray regardait le ciel, lui aussi, perdu dans ses pensées.

William, à demi adossé au tronc couché, essaya de réfléchir. Que devait-il faire à présent ? Il avait encore du mal à admettre que Henry Washington et donc sans doute le reste de ses contacts à Dismal Town étaient des rebelles. Cet étrange Mohawk écossais avait-il dit vrai ? Peut-être cherchait-il seulement à le fourvoyer ?

Pour quelles raisons agirait-il ainsi ? Murray ne pouvait savoir qui il était réellement. Il ne connaissait que son nom et celui de son père. Quand ils s'étaient rencontrés des années plus tôt, à Fraser's Ridge, lord John était un simple civil. Il ne pouvait avoir deviné qu'il était soldat, et encore moins un officier effectuant une mission de renseignements.

Mais s'il avait dit vrai... William déglutit. Il l'avait échappé belle. Que lui serait-il arrivé s'il avait débarqué dans un nid de rebelles, dans une petite ville au milieu de nulle part, et avait dévoilé son identité et sa mission ? Ils l'auraient probablement pendu à l'arbre le plus proche avant de jeter son cadavre dans le marais.

Ce qui soulevait une autre question perturbante : comment le capitaine Richardson avait-il pu se tromper à ce point ?

Il secoua violemment la tête dans l'espoir de remettre ses pensées en place, ne parvint qu'à s'étourdir à nouveau. Son mouvement attira l'attention de Murray qui se tourna vers lui, surpris.

— Vous avez bien dit que vous étiez un Mohawk ? lui demanda soudain William.

— Oui.

— Comment est-ce possible ?

Murray hésita un instant puis répondit :

— J'ai épousé une femme de la tribu Kahnyen'kehaka. J'ai été adopté par le clan des loups du peuple de Snaketown.

— Ah ! Votre femme est... ?

— Nous ne sommes plus ensemble.

Il avait parlé sans aucune hostilité mais son ton laissait entendre que le sujet était clos.

— Je suis navré, dit William.

Le silence retomba. Une nouvelle vague de frissons le parcourut et, malgré sa réticence, il se rallongea, tira la couverture sous son menton et se lova contre le chien. Ce dernier poussa un profond soupir, lâcha un pet mais ne bougea pas.

Quand l'accès de fièvre s'estompa, William fut à nouveau visité par des rêves, cette fois violents et terrifiants. Sa rencontre avec les Indiens l'avait marqué et il se retrouva pourchassé par des sauvages qui se transformèrent en serpents, ces derniers devenant des racines d'arbre qui s'insinuèrent dans les crevasses de son cerveau, faisant éclater son crâne, libérant d'autres nids de serpents qui s'enroulèrent en nœuds coulants...

Il se réveilla trempé de sueur et courbatu. Il tenta de se redresser mais ses bras refusaient de le soutenir. Quelqu'un était agenouillé près de lui... c'était l'Ecossais, le Mohawk... Murray. Il retrouva son nom avec un certain soulagement et fut encore plus soulagé en se rendant compte que Murray pressait une gourde contre ses lèvres.

C'était de l'eau fraîche du lac. Il reconnut son étrange amertume et but goulûment.

— Merci, murmura-t-il une fois sa soif étanchée.

L'eau lui avait donné suffisamment de force pour se redresser en position assise. Sa peau était toujours brûlante mais les rêves s'étaient éloignés, du moins pour le moment. Il les imaginait tapis juste au-delà du cercle de lumière projeté par le feu, aux aguets. Il décida de ne pas se rendormir... pas tout de suite.

La douleur dans son bras avait empiré, il avait mal du bout des doigts à l'épaule. Dans le but de l'oublier ainsi que de tenir la nuit à distance, il tenta à nouveau d'engager la conversation :

— J'ai entendu dire que, pour les Mohawks, il est indigne de montrer sa peur et que, si l'on est capturé et torturé, on ne doit montrer aucun signe de détresse. Est-ce vrai ?

— On essaie de ne pas se retrouver dans cette situation, répondit Murray. Mais si cela arrive... il faut simplement faire preuve de courage. On chante son chant de mort et on espère mourir dignement. C'est si différent, pour un soldat britannique ? Vous ne voulez pas mourir en lâche, tout de même ?

William contempla les motifs qui se dessinaient sur ses paupières closes, dansant au rythme des flammes.

— Non, admit-il. Ce n'est pas si différent... Sauf que, quand on est soldat, on court davantage le risque d'être tué d'une balle ou d'un coup sur le crâne que d'être torturé lentement jusqu'à ce que mort s'ensuive. A moins de tomber sur des sauvages. Vous... vous avez déjà vu un homme mourir de cette façon ?

Murray ne répondit pas tout de suite, fit tourner la broche. Le feu illuminait ses traits impassibles.

— Oui, dit-il enfin.

— Que lui a-t-on fait ?

Il ne savait pas trop ce qui l'avait incité à poser la question. Peut-être était-ce uniquement pour ne pas penser à sa propre souffrance.

— Vous ne voulez pas le savoir.

Le ton était ferme : Murray ne cherchait pas à se faire prier. Il n'en fallait pas plus pour piquer la curiosité de William.

— Si, justement.

Murray pinça les lèvres. De ses débuts dans le renseignement, William avait retenu quelques leçons sur la manière de soutirer des informations. Il se garda donc d'insister, rivant ses yeux sur l'autre homme, patient.

— Ils l'ont dépecé, finit par dire Murray. Par endroits. Puis ils ont enfoncé des échardes de pin brûlantes dans ses plaies à vif. Ils lui ont tranché le sexe. Ensuite, ils ont allumé un feu à ses pieds pour le brûler vif avant qu'il ne meure du choc. Cela... a pris du temps.

— Je veux bien le croire !

William essaya de visualiser la scène, n'y parvint que trop bien. Il détourna les yeux de la carcasse du rat musqué qui noircissait au-dessus du feu.

Il ferma les paupières. Son bras continuait de l'élancer à chaque battement de cœur ; il s'efforça de ne pas imaginer la sensation d'échardes incandescentes s'enfonçant dans sa chair.

Murray était silencieux. William ne l'entendait même pas respirer mais il savait que lui aussi voyait la scène dans son esprit. Dans son cas, il n'avait pas besoin de faire preuve d'imagination ; il revivait simplement ce qu'il avait vécu.

— Vous êtes-vous demandé comment vous vous seriez comporté à sa place ? demanda William. Combien de temps vous auriez tenu ?

— Tous les hommes se posent la question.

Murray se leva brusquement et se dirigea vers la lisière de la clairière. William l'entendit se soulager contre un arbre mais plusieurs minutes s'écoulèrent avant qu'il ne revienne.

Le chien se réveilla, redressa la tête et agita lentement la queue en apercevant son maître. Murray rit doucement et lui dit quelque chose dans une langue inconnue... de l'iroquois ? Du gaélique ? Puis il arracha une patte arrière de la carcasse du rat musqué et la lança au chien. L'animal se leva d'un bond, happa au vol le morceau de viande et s'éloigna en trottant pour aller déguster son festin de l'autre côté du feu.

Privé de son compagnon de lit, William se rallongea précautionneusement, la nuque sur son bras indemne. Il observa Murray nettoyer son couteau, grattant la graisse et le sang avec une poignée d'herbes.

— Vous avez parlé tout à l'heure d'un chant de mort. De quoi s'agit-il ?

Murray le regarda avec perplexité.

— Je voulais dire... que raconte-t-on dans son chant de mort ?

— Ah !

L'Ecossais fixa ses mains, ses longs doigts noueux allant et venant le long de la lame.

— Je n'en ai entendu qu'un. Les deux autres que j'ai vus mourir de cette façon étaient des Blancs et n'avaient pas vraiment de chant de mort. L'Indien – c'était un Onondaga – a commencé par chanter qui il était : un guerrier ; puis il a parlé de sa famille, de son clan, de sa tribu. Ensuite, il s'est longuement épanché sur le mépris qu'il avait pour n... pour ceux qui s'apprêtaient à le tuer.

Murray s'éclaircit la gorge avant de poursuivre :

— Il a chanté ce qu'il avait accompli : ses victoires, les valeureux guerriers qu'il avait tués, la façon dont ils l'accueilleraient dans la mort, comment il allait traverser le... le...

Il hésita, cherchant le mot adéquat.

— ... l'espace vide qui se trouve entre ici et l'au-delà... Le terme qu'ils emploient ressemble à « abîme » mais ce n'est pas tout à fait la même chose.

Il se tut un instant mais il n'avait pas terminé. Il semblait fouiller sa mémoire. Puis il se redressa brusquement, prit une profonde inspiration et, les yeux clos, entonna un monologue dans ce qui devait être une langue iroquoise. Elle était fascinante : une succession de « r », de « n » et de « t » selon un rythme aussi régulier qu'un roulement de tambour.

Il s'interrompit d'un coup pour expliquer :

— Là, il y a eu un passage sur les créatures horribles qu'il rencontrerait en route vers le paradis. Des sortes de têtes volantes avec de grandes dents.

— Beurk ! fit William.

— En effet, rit Murray. Je n'aimerais pas en croiser une non plus.

— Vous composez votre chant de mort à l'avance, afin d'être toujours prêt, ou vous vous fiez simplement à l'inspiration du moment ?

— C'est que... on en parle rarement entre nous, voyez-vous. Mais en effet, un ou deux de mes amis m'ont confié qu'ils avaient réfléchi à ce qu'ils chanteraient le moment venu.

— Vous ne le chantez que si vous êtes torturé à mort ? Et si vous êtes malade et que vous pensez être sur le point de mourir ?

Murray se tourna vers lui d'un air soupçonneux.

— Quoi, vous n'êtes pas en train de passer l'arme à gauche, hein ?

— Non, je me posais juste la question, le rassura William.

— Mmphm, grogna l'Ecossais. Non, en réalité, on chante son chant de mort quand on sait qu'on va mourir. Peu importe la raison.

— Mais c'est encore plus honorable si on le fait pendant qu'on vous enfonce des échardes brûlantes ?

L'Ecossais s'esclaffa. Il paraissait soudain beaucoup moins indien.

— Pour être vraiment honnête... je n'ai pas trouvé que l'Onondaga s'en était si bien sorti. Je sais, je ne devrais pas critiquer. Je ne sais pas si je pourrais faire mieux... dans de telles circonstances.

Ce fut au tour de William de rire. Puis le silence retomba entre eux. William supposa que, comme lui, Murray s'imaginait ligoté à un poteau, sur le point d'être supplicié. Il fixa le néant au-dessus de lui et s'efforça de composer quelques vers : *Je suis William Clarence Henry George Ranson, comte d'Elle...* Il s'interrompit. Il n'avait jamais aimé cette litanie de noms. *Je suis William... William James...* James était son prénom secret. Il n'y avait pas repensé depuis des années. C'était toujours mieux que Clarence. *Je suis William...* Qu'y avait-il d'autre à dire ? Pas grand-chose. Il n'avait pas intérêt à mourir maintenant, pas avant d'avoir matière à composer un chant de mort décent.

Murray était silencieux ; le feu se reflétait dans ses yeux sombres. En l'observant, William se dit que le Mohawk écossais devait avoir préparé son chant de mort depuis un certain temps déjà. Bientôt, bercé par le crépitement des flammes et les craquements d'os broyés, il s'endormit, brûlant mais brave.

Il errait de cauchemar en cauchemar, pourchassé par des serpents noirs sur des passerelles instables au-dessus de gouffres sans fond. Des essaims de têtes volantes jaunes aux yeux arc-en-ciel l'assaillaient de toutes parts, leurs petites dents acérées lui arrachant la chair par lambeaux. Il agita un bras pour les chasser et une douleur fulgurante le réveilla.

Il faisait encore nuit mais l'air frais et vif annonçait l'arrivée de l'aurore. Sa caresse sur son visage le fit frissonner.

Il entendit une phrase qu'il ne comprit pas et, encore à moitié empêtré dans ses rêves fiévreux, crut qu'elle avait été prononcée par l'un des serpents à ses trousses.

Une main se posa sur son front et un grand pouce souleva l'une de ses paupières. Un visage d'Indien flotta devant lui.

Il émit un grognement irrité et détourna la tête en clignant des yeux. L'Indien posa une question et une voix familière lui répondit. Qui... Murray ! Il se souvint vaguement que Murray avait été dans son rêve, lui aussi, réprimandant les serpents avec son anglais grasseyant typiquement écossais.

Cette fois il ne s'exprimait ni en anglais ni dans une des langues des Highlands. Bien que son corps tout entier fût agité de convulsions, William se força à tourner la tête.

Plusieurs Indiens étaient installés autour du feu. Un, deux, trois... Six en tout. Murray était assis sur le tronc couché avec l'un d'eux et discutait.

Non, sept. Il y avait également celui qui l'avait touché et qui était toujours penché sur lui, scrutant son visage. Il lui demanda en anglais avec un air vaguement intrigué :

— Tu crois que tu vas mourir ?

— Non, répondit William entre ses dents. Et puis qui êtes-vous, d'abord ?

L'Indien sembla trouver sa question amusante et la répéta à ses compagnons par-dessus son épaule. Ils éclatèrent de rire. Constatant qu'il était réveillé, Murray se leva.

L'homme penché sur William sourit et répondit :

— Kahnyen'kehaka. Et puis qui êtes-vous d'abord ?

— C'est un de mes parents, répondit Murray.

Il s'accroupit près de William, repoussa l'Indien du coude.

— Toujours en vie à ce que je vois.

— Apparemment. Cela vous ennuierait de me présenter vos... amis ?

Cette phrase fit se tordre de rire le premier Indien. Il la traduisit à ses compagnons dont plusieurs s'étaient approchés pour observer le malade, hilares.

Murray, lui, paraissait moins amusé.

— Des membres de ma famille, répondit-il sèchement. Du moins, quelques-uns d'entre eux. Vous voulez un peu d'eau ?

— Vous avez beaucoup de parents... cousin. Oui, je veux bien, merci.

Il se redressa péniblement sur un bras, navré d'abandonner le confort de sa couverture constellée de rosée mais obéissant à un instinct lui dictant qu'il avait tout intérêt à se tenir sur ses deux jambes. Murray semblait bien connaître ces Indiens, et cependant, apparentés ou non, il y avait une tension notable dans ses lèvres et ses épaules. En outre, il était évident qu'il avait présenté William comme son parent afin de le protéger…

« *Kahnyen'kehaka* », avait répondu l'homme quand il lui avait demandé qui il était. William comprit soudain que ce n'était pas son nom mais celui de son peuple. Murray avait utilisé le même mot la veille après avoir chassé les deux Mingos. *Je suis Kahnyen'kehaka… un Mohawk. Ils me craignent.* Compte tenu des circonstances, William n'avait pas demandé plus d'explications. Maintenant qu'il était en présence de plusieurs Mohawks réunis, il comprenait mieux la prudence des Mingos. Ces hommes dégageaient une sauvagerie cordiale ainsi qu'une assurance tranquille comme ne pouvaient en posséder que ceux prêts à chanter pendant qu'on les émasculait et les brûlait vifs.

Murray lui tendit une gourde. Il but avidement et s'aspergea le visage. Un peu revigoré, il alla se soulager puis vint s'accroupir devant le feu entre deux braves. Ces derniers le regardaient sans cacher leur curiosité.

Celui qui lui avait ouvert la paupière semblait être le seul à parler anglais. Les autres se contentaient de hocher la tête dans sa direction, réservés mais amicaux. William lança un coup d'œil de l'autre côté du feu et eut un mouvement de recul, manquant de tomber sur les fesses. Une longue forme fauve était couchée dans l'herbe.

— Il est mort, précisa Murray devant sa stupéfaction.

Tous les Mohawks riaient.

Remis du choc, William répondit :

— Bien fait pour lui, si c'est celui qui m'a pris mon cheval.

En regardant plus attentivement, il remarqua que la dépouille du couguar n'était pas seule. Il y avait également un daguet, un cochon sauvage, un autre petit félin tacheté et plusieurs aigrettes faisant taches blanches dans l'herbe noire. Voici qui expliquait la présence des Mohawks dans le marais : comme tout le monde, ils étaient venus chasser.

L'aube pointait. Une faible brise souleva les cheveux moites de sa nuque et lui apporta l'odeur piquante et musquée du gibier mort. Son esprit et sa langue semblaient engourdis mais il réussit néanmoins à complimenter les chasseurs. Murray, qui traduisit ses éloges, eut l'air à la fois surpris et ravi de constater qu'il avait des manières. William n'était pas en état de s'en offusquer.

La conversation prit ensuite une tournure générale et se déroula principalement en iroquois. Les Indiens cessèrent de s'intéresser à William même si l'homme à ses côtés lui tendit aimablement un morceau de viande froide. William le remercia d'un signe de tête et s'efforça de manger. Il se sentait faible et nauséeux. Une fois qu'il eut fini, il salua poliment son voisin et alla s'allonger à nouveau en espérant ne pas vomir.

Murray le suivit du regard puis posa une question en iroquois à ses amis. Celui qui parlait anglais, un petit homme râblé portant une chemise à carreaux en laine et un pantalon en daim, se leva et s'approcha de William.

— Montre-moi ton bras.

Sans attendre qu'il s'exécute, il lui saisit le poignet et retroussa sa manche. William faillit tourner de l'œil.

Lorsque les points noirs eurent cessé de danser devant ses yeux, il constata que Murray et deux autres Indiens les avaient rejoints. Tous examinaient son bras dénudé d'un air consterné. William ne voulait pas regarder mais il osa quand même baisser les yeux. Son avant-bras avait quasiment doublé de volume et des marbrures rouge sombre striaient sa peau du bandage jusqu'au poignet.

L'anglophone... (Comment Murray l'avait-il appelé ? Glouton ?)... sortit son couteau et trancha le bandage. Ce ne fut qu'en sentant la pression se relâcher que William se rendit compte à quel point le bandage était inconfortable. Il réprima l'envie de se frotter le bras, sentant le fourmillement provoqué par le retour de la circulation. Nom d'un chien ! Il avait l'impression d'avoir plongé son bras dans un nid de fourmis rouges, toutes le piquant en même temps.

— Merde ! lâcha-t-il entre ses dents.

Les Indiens connaissaient ce mot car ils se mirent à rire hormis Glouton et Murray qui examinaient toujours son bras.

Glouton (pourquoi l'appelaient-ils ainsi ? Il n'était pas gras) lui tapota délicatement le bras, secoua la tête, déclara quelque chose à Murray en pointant le doigt vers l'ouest.

Murray se frotta le visage avec lassitude. Puis il se redressa et posa une question à l'ensemble du groupe. Il y eut des hochements de tête, des haussements d'épaules, puis plusieurs d'entre eux disparurent entre les arbres.

Les questions tournoyaient lentement dans la tête de William, rondes et lumineuses comme les globes métalliques du planétaire dans la bibliothèque de leur maison londonienne dans Jermyn Street.

Que font-ils ?

Que se passe-t-il ?

Suis-je en train de mourir ?

Suis-je en train de mourir comme un soldat britannique ?

Pourquoi a-t-il…

La ronde prit fin sur cette avant-dernière question. *Soldat britannique…* qui avait dit ça ? La réponse se fit jour lentement : Murray, lors de leur conversation de la veille.

C'est si différent, pour un soldat britannique ? Vous ne voulez pas mourir en lâche, tout de même ?

— Je n'ai aucunement l'intention de mourir, marmonna-t-il.

L'esprit focalisé sur ce petit mystère, William continua de s'interroger. Qu'avait voulu dire Murray ? Parlait-il en théorie ou avait-il compris qu'il avait affaire à un soldat britannique ?

Que lui avait-il répondu ? *Non, ce n'est pas si différent… sauf que, quand on est soldat, on court plus de risques d'être tué d'une balle ou d'un coup sur le crâne…* Il avait pratiquement avoué être ce soldat.

Le soleil se levait, ses premiers rais déjà suffisamment puissants pour lui faire mal aux yeux. A cet instant, Rollo réapparut à ses côtés. Il renifla son bras en gémissant puis se mit à lécher sa plaie. C'était une sensation singulière : douloureuse mais étrangement apaisante et il ne repoussa pas le chien.

Où en était-il ? Ah oui, il avait répondu à la question sans réfléchir. Mais si Murray savait, avant même de la lui poser, qui ou ce qu'il était ? Il pouvait l'avoir vu parler au fermier peu avant qu'il ne pénètre dans le marais puis l'avoir suivi à distance, attendant le bon moment pour l'intercepter. Mais, dans ce cas…

Ce que Murray lui avait dit au sujet de Henry Washington était-il un mensonge ?

L'Indien râblé s'agenouilla à ses côtés et repoussa le chien. William ne pouvait lui poser aucune des questions qui lui encombraient l'esprit et se contenta de demander à travers un brouillard de douleur :

— Pourquoi vous appelle-t-on Glouton ?

L'homme sourit et ouvrit le col de sa chemise pour exhiber un réseau de cicatrices sur son cou et son torse.

— J'en ai tué un. A mains nues. A présent, c'est mon totem. Tu n'en as pas un ?

— Non.

L'Indien fit une grimace réprobatrice.

— Il t'en faut un si tu veux survivre à ta blessure. Prends-en un. Choisis-le puissant.

Docile, William fit défiler des images d'animaux dans sa tête : cochon… serpent… cerf… couguar… Non, il sentait trop mauvais.

— L'ours, annonça-t-il avec détermination.

On ne pouvait pas faire plus fort et plus puissant, si ?

— Ours, répéta l'Indien, satisfait. Oui, c'est un bon choix.

Il fendit en deux la manche de William d'un coup de couteau, son bras étant trop enflé pour pouvoir la retrousser. Un rayon de lumière tomba soudain sur lui et sa lame projeta des éclairs d'argent. Il dévisagea William et se mit à rire :

— Tu as la barbe rousse, Ourson, tu le savais ?

— Oui, je sais, répondit William en fermant les yeux.

Glouton voulait la peau du couguar mais Murray, alarmé par l'état de William, refusa d'attendre qu'il l'ait dépecé. Après la dispute qui s'ensuivit, William se retrouva sur un travois bâti à la hâte, côte à côte avec le cadavre du félin et traîné par le cheval de Murray sur le terrain accidenté. Ils se rendaient dans une petite communauté située à une quinzaine de kilomètres et qui pouvait se targuer de la présence d'un médecin.

Glouton et deux autres Mohawks les accompagnaient afin de leur montrer la route. Le reste du groupe avait repris la chasse.

Le couguar avait été éviscéré, ce qui n'était pas plus mal car la chaleur montait. Malgré cela, l'odeur de sang attirait des nuées de mouches et elles bourdonnaient autour des oreilles de William, lui mettant les nerfs à fleur de peau. Si la plupart s'intéressaient à la dépouille, il en restait bien assez tournant autour de lui pour le distraire de son bras.

Quand les Indiens s'arrêtèrent pour uriner et boire, ils le hissèrent debout ; un grand soulagement en dépit de ses jambes molles. Remarquant son visage brûlé par le soleil et dévoré par les insectes, Murray sortit une boîte en fer-blanc du sac en cuir qu'il portait en bandoulière. Elle contenait un onguent nauséabond dont il le tartina copieusement.

Bien que William ne lui ait rien demandé, il annonça :

— Nous ne sommes plus qu'à huit ou neuf kilomètres.

— Ah, tant mieux ! Je ne suis donc pas en enfer, après tout, juste au purgatoire. Qu'est-ce que mille ans de plus ?

Glouton lui lança un regard perplexe mais cela fit rire Murray qui lui donna une tape sur l'épaule.

— Vous tiendrez le coup. Vous voulez marcher un peu ?

— Oh, que oui !

Sa tête lui tournait, ses pieds étaient tournés vers l'extérieur et ses genoux semblaient fléchir dans des directions opposées mais tout valait mieux que de partager une heure de plus une couche infestée de mouches avec le couguar aux yeux vitreux et à la langue pendante. Equipé d'une canne solide taillée dans un jeune chêne, il se mit à marcher d'un pas incertain derrière le cheval, tantôt ruisselant de transpiration, tantôt grelottant de fièvre, mais déterminé à poursuivre jusqu'à en tomber.

L'onguent refoulait bel et bien les mouches (tous les Indiens en étaient enduits également) et, quand il ne luttait pas contre les frissons, il sombrait dans une espèce de transe, ne pensant plus qu'à mettre un pied devant l'autre.

Les Indiens et Murray le surveillèrent du coin de l'œil pendant un temps puis, ayant constaté qu'il tenait debout, reprirent leur conversation. William ne pouvait comprendre ce que disaient les deux ne parlant qu'iroquois mais il entendit Glouton interroger Murray sur la nature du purgatoire.

Murray avait quelque difficulté à lui expliquer le concept, car les Mohawks ne connaissaient ni la notion du péché ni celle d'un dieu se souciant de la méchanceté de l'homme.

— Tu as de la chance d'être devenu Kahnyen'kehaka, déclara enfin Glouton en hochant la tête. Un esprit qui, une fois le méchant tombé, continue de vouloir le torturer après sa mort ? Dire que les chrétiens nous trouvent cruels !

— Oui, mais imagine qu'un homme se soit montré lâche et ait connu une mort indigne. Le purgatoire lui permet de montrer enfin son courage, tu ne crois pas ? Puis, une fois qu'il se sera racheté, le pont s'ouvrira à lui et il pourra traverser indemne les nuages de choses horribles pour arriver au paradis.

— Hmm... fit Glouton, peu convaincu. Je suppose que si un homme peut supporter la torture pendant des siècles... Mais comment peut-on le mettre au supplice s'il n'a plus de corps ?

— Tu crois qu'on a besoin d'un corps pour être torturé ?

Glouton poussa un grognement d'assentiment ou d'amusement puis laissa tomber le sujet.

Ils marchèrent en silence un long moment, entourés par les chants d'oiseaux et les bourdonnements d'insectes. Concentré sur l'effort qu'il faisait pour ne pas s'effondrer, William fixait la nuque de Murray devant lui afin de ne pas s'écarter du chemin. Ainsi, quand l'Ecossais ralentit le pas, le remarqua-t-il immédiatement.

Il crut d'abord que c'était pour lui et allait protester qu'il pouvait parfaitement tenir la cadence quand il vit Murray lancer un bref regard aux autres Mohawks qui les devançaient de quelques mètres puis glisser quelque chose à voix basse à l'oreille de Glouton.

L'Indien parut rechigner puis dit avec un soupir résigné :

— Je comprends. C'est elle, ton purgatoire, c'est ça ?

— Qu'est-ce que ça change ? se défendit Murray. Je t'ai juste demandé si elle allait bien.

— Elle a un fils. Une fille aussi, je crois. Son mari...

— Oui ? demanda Murray plus sèchement.

— Tu connais Thayendanegea ?

— Oui.

A présent, Murray paraissait intrigué. William l'était aussi, d'une manière vague et confuse. Il attendait de savoir qui était Thayendanegea et ce qu'il avait à voir avec la femme qui était – avait été – la maîtresse de Murray. Oh non.

Nous ne sommes plus ensemble. Sa femme, donc. William ressentit une pointe de compassion, songeant à Margery. Au cours des quatre dernières années, il avait rarement pensé à elle mais, soudain, sa trahison lui apparut comme une tragédie. Des images de la jeune femme flottèrent autour de lui, déformées par le chagrin. Il sentit un liquide couler sur son visage, sans pouvoir déterminer s'il s'agissait de larmes ou de sueur. Lentement, comme de très loin, l'idée lui vint qu'il avait perdu la raison.

Les mouches ne le piquaient pas mais continuaient à lui bourdonner aux oreilles. Il les écouta avec une grande attention, convaincu qu'elles tentaient de lui dire quelque chose. Mais il avait beau se concentrer, il ne percevait que des syllabes incompréhensibles : *shosha... nik... osonni...* Il se reprit : *osonni* était un vrai mot, il le connaissait. Cela signifiait « homme blanc ». Etaient-elles en train de parler de lui ?

Il chassa les mouches avec maladresse et entendit à nouveau « purgatoire ».

L'espace d'un instant, il chercha le sens du mot : il était suspendu devant lui, couvert de mouches. Puis il distingua vaguement l'arrière-train du cheval, luisant au soleil, et les deux lignes parallèles tracées dans la poussière par... un objet en bois... ? en toile plutôt. C'était son sac de couchage, enroulé autour de deux minces troncs d'arbre, traînant par terre... un « travois », tel était le mot qu'il cherchait ! Et le grand chat... un félin était étendu sur le travois, le regardant de ses grands yeux d'ambre brut, sa gueule ouverte dévoilant ses crocs.

Le grand chat lui parlait, lui aussi.

— Tu es fou, tu le sais ?

— Oui, je sais, murmura-t-il.

Il ne comprit pas ce que lui dit ensuite le félin, qui grondait avec un fort accent écossais.

Il s'approcha pour mieux l'entendre, flottant vers cette gueule ouverte dans un air épais. Toute sensation d'effort disparut. Il ne bougeait plus mais semblait soutenu. Il ne voyait plus le grand chat… Ah, sans doute était-ce parce qu'il était étendu à plat ventre dans l'herbe et la poussière.

La voix du couguar retentit à nouveau, énervée mais résignée.

— Ce purgatoire, tu crois que tu peux en ressortir à reculons ?

Non, pensa William paisiblement. Décidément, plus rien n'avait de sens.

38

Le parler simple

Songeuse, la jeune femme fit claquer les lames de ses ciseaux.

— Tu es sûr, Ami William ? Quel dommage, une si belle couleur !

— J'aurais cru que vous la jugeriez inconvenante, mademoiselle Hunter. J'ai toujours entendu dire que les quakers considéraient les couleurs vives comme étant indécentes.

Elle-même ne portait que des tons beiges, la seule touche de couleur étant une petite broche aux reflets cuivrés qui retenait son fichu autour de ses épaules. Il ne l'en trouvait pas moins ravissante. Elle le dévisagea d'un air réprobateur.

— Les ornements immodestes sont une chose, accepter avec gratitude les dons que Dieu t'a faits en est une autre. Les oiseaux bleus s'arrachent-ils les plumes ? Les roses se débarrassent-elles de leurs pétales ?

Il se gratta le menton.

— Les roses, elles, ne souffrent pas de démangeaisons.

L'idée de sa barbe comme un don du ciel était une nouveauté et cependant pas assez convaincante pour le persuader de la garder. Outre sa couleur fâcheuse, elle poussait drue mais clairsemée. Il s'inspecta dans le modeste bout de miroir qu'il tenait. Il ne pouvait rien pour son nez et son front pelés par le soleil, ni pour les croûtes et les égratignures laissées par ses péripéties dans le marais. En revanche, la question des hideuses boucles cuivrées qui pendouillaient sous son menton et se répandaient telle une mousse malsaine le long de ses mâchoires pouvait être réglée en un tour de main.

— Quand vous voudrez, annonça-t-il.

Elle se mordit la lèvre puis s'agenouilla près de son tabouret. Elle lui tourna la tête pour orienter son visage dans la lumière et posa ses ciseaux frais contre sa joue.

— Je demanderai à mon frère Denny de te raser de près. Je pourrais sans doute le faire sans te couper mais... poursuivit-elle les yeux plissés, négociant prudemment la courbe de son menton, jusqu'à présent je n'ai jamais rasé qu'un cochon mort.

Il fredonna en s'efforçant de ne pas remuer les lèvres :

— *Barbier, barbier, rase un cochon jusqu'à la...*

Elle lui ferma la bouche d'une pression des doigts sous le menton mais elle paraissait amusée. *Clic clic clic.* Les lames le chatouillaient agréablement. Les poils frisés frôlaient ses mains avant de tomber dans la serviette en lin usée qu'elle avait étalée sur ses genoux. Il n'avait pas encore eu l'occasion d'étudier son visage d'aussi près. Ses yeux étaient presque noisette et pas tout à fait verts. Il eut tout à coup envie de déposer un baiser sur le bout de son nez et ferma les yeux. Il inspira profondément. Elle avait trait une chèvre ; il le sentait.

Quand elle abaissa ses ciseaux, il déclara :

— Je peux me raser tout seul.

— Tu n'es même pas encore en état de te nourrir par toi-même, comment voudrais-tu te raser ?

Le fait était : il pouvait à peine soulever son bras droit. Elle le nourrissait à la cuiller depuis deux jours. Cela étant, il s'était bien gardé de lui avouer qu'il était gaucher.

— Je cicatrise bien.

Il se tourna pour lui montrer son bras à la lumière. En lui ôtant son bandage ce matin, le docteur Hunter s'était montré satisfait. La plaie était encore rouge et froncée, la peau autour blême et humide, mais elle était indubitablement en train de cicatriser.

Elle l'examina d'un œil critique.

— Oui, elle est bien refermée et plutôt jolie.

— Jolie ?

Sceptique, William contempla son bras. Il avait déjà entendu des hommes parler d'une « belle cicatrice », entendant par là qu'elle était droite et ne défigurait pas celui qui la portait. La sienne était irrégulière et longue, s'étirait vers son poignet. On lui avait appris après l'opération qu'il avait été à deux doigts d'être amputé. Le docteur Hunter lui avait immobilisé le bras et venait de placer sa scie juste au-dessus de l'os quand l'abcès avait éclaté. Il avait alors aussitôt drainé la plaie, l'avait remplie d'ail et de camphre, et avait prié…

— On dirait une grande étoile, remarqua Rachel Hunter. Ou peut-être une comète. Ou encore l'étoile de Bethléem, celle qui guida les Rois mages jusqu'à la crèche de l'Enfant Jésus.

Aux yeux de William, elle ressemblait plus à un éclat de mortier, mais il se contenta de proférer un *Hmm !* dubitatif. Il ne voulait pas que la conversation s'achève là. Rachel s'attardait rarement quand elle venait le nourrir ; elle avait tant à faire ! Il pointa le menton vers sa broche.

— Quel bijou ravissant ! Ce n'est pas un ornement superflu ?

— Non, répondit-elle, acerbe. Il a été confectionné avec les cheveux de ma mère. Elle est morte en me mettant au monde.

— Je suis désolé.

Après une seconde d'hésitation, il ajouta :

— La mienne aussi.

Elle s'arrêta et le dévisagea. L'espace d'un instant, il lut dans son regard une lueur qui était plus que l'attention neutre qu'elle aurait accordée à une vache en train de vêler ou à un chien souffrant d'indigestion.

— Moi aussi, je suis désolée, dit-elle avant de tourner les talons. Je vais chercher mon frère.

Ses pas légers et rapides retentirent dans l'étroit couloir. Il saisit les coins de la serviette et la secoua à la fenêtre, éparpillant ses poils roux aux quatre vents. Bon débarras ! Si encore sa barbe avait été d'un châtain sobre, il aurait pu passer inaperçu, mais avec cette masse flamboyante au milieu du visage !

Que faire à présent ? Il serait sans doute en état de reprendre la route dès le lendemain.

Ses vêtements, bien que sérieusement défraîchis, étaient encore mettables. Rachel Hunter avait rapiécé ses culottes et sa veste. Toutefois, il n'avait pas de monture, n'avait que six pence en poche, avait perdu le livre contenant ses contacts et les messages à transmettre. Il se souvenait de quelques noms mais sans les codes et les signes...

Il songea soudain à Henry Washington et à la conversation enfiévrée qu'il avait eue avec Ian Murray près du feu. Washington, Cartwright, Harrington et Carver... Les noms lui revinrent facilement, ainsi que le commentaire de Murray sur Washington et Dismal Town.

Il ne voyait pas pourquoi Murray lui aurait menti mais, s'il avait dit vrai, le capitaine Richardson pouvait-il s'être trompé à ce point ? C'était possible. William n'était pas dans les colonies depuis longtemps mais avait déjà constaté avec quelle rapidité les loyautés changeaient de camp au gré des menaces et des opportunités.

Mais si le capitaine Richardson ne s'est pas trompé... cela signifie qu'il voulait t'entraîner dans un piège... droit à la mort ou à la prison.

L'énormité de cette hypothèse lui laissa la gorge sèche. Il saisit l'infusion que Mlle Hunter lui avait apportée et la but. Elle était infecte mais il le remarqua à peine, serrant la tasse contre lui comme un talisman qui l'aurait protégé des perspectives qu'il entrevoyait.

Non, c'était inconcevable. Son père connaissait Richardson. S'il avait été un traître...

— Non, répéta-t-il à voix haute. Impossible, ou très improbable. C'est le rasoir d'Occam.

Cette idée le calma un peu. Il avait appris les principes de base de la logique très tôt et Guillaume d'Occam lui avait toujours semblé un bon guide. Quelle était l'hypothèse la plus plausible : que Richardson soit un traître infiltré qui l'avait délibérément mis en danger, que le capitaine ait été mal informé ou qu'il ait simplement commis une erreur ?

William ne se berçait pas d'illusions sur son importance. Quel intérêt, pour Richardson ou pour quiconque, d'éliminer un jeune officier engagé dans des missions de renseignements sans grande portée ?

Il se détendit légèrement et but une grande gorgée d'infusion. Il s'étrangla et la recracha. Il était encore en train d'essuyer les dégâts quand il entendit le docteur Hunter monter l'escalier d'un pas guilleret. Denzell Hunter, qui approchait la trentaine, devait avoir une dizaine d'années de plus que sa sœur. C'était un homme menu et toujours joyeux. En apercevant William, son visage s'illumina. Il était sincèrement ravi de l'état de son patient. William lui sourit chaleureusement.

Le médecin déposa le blaireau et le pot de savon qu'il avait apportés.

— Ma sœur m'informe que je dois te raser. Si tu envisages un retour dans le monde, c'est que tu te sens mieux. La première chose qu'un homme fait quand il est libéré des contraintes sociales, c'est se laisser pousser la barbe. Es-tu allé à la selle ?

— Non, mais je compte bien y aller très prochainement, l'assura William. Cependant, je ne peux pas me montrer en public en ayant l'air d'un bandit, même pour aller aux latrines. Je ne voudrais pas scandaliser vos voisins.

Le docteur Hunter se mit à rire. Il sortit un rasoir d'une poche et des lunettes à monture argentée d'une autre. Puis, ayant chaussé ces dernières, il plongea le blaireau dans le pot à savon.

— Ne t'inquiète pas, ma sœur et moi sommes déjà un sujet de fable et de risée. De voir des bandits émergeant de nos latrines ne fera que les conforter dans leurs opinions.

— Vraiment ? s'étonna William.

En reprenant ses esprits, deux jours plus tôt, il avait appris qu'il se trouvait à Oak Grove, une petite colonie de quakers. Il avait toujours cru les quakers soudés par leurs sentiments religieux.

Hunter déposa son blaireau et saisit son rasoir.

— Que veux-tu, la politique ! soupira-t-il. Dis-moi, Ami William, y a-t-il quelqu'un que je devrais prévenir de tes mésaventures ?

Il interrompit son travail pour laisser William répondre.

— Non, merci, docteur. Je m'en chargerai. Je pense pouvoir reprendre la route dès demain mais soyez assuré que je n'oublierai pas votre bonté et votre hospitalité une fois que j'aurai rejoint mes... amis.

Denzell Hunter plissa le front d'un air concentré et reprit son rasage. Quelques instants plus tard, il demanda :

— Pardonne mon indiscrétion, Ami William, mais où comptes-tu te rendre ?

William hésita. Compte tenu de l'état déplorable de ses finances, il n'avait pas encore pris de décision. La meilleure solution consistait à se rendre à Mount Josiah, sa plantation. Il ne l'aurait pas juré mais il estimait qu'elle se trouvait à plus ou moins soixante-dix kilomètres. Si les Hunter lui donnaient des provisions, il pourrait sans doute y parvenir en quelques jours, une semaine tout au plus. Une fois là, il trouverait des vêtements décents, un bon cheval, des armes, de l'argent, et pourrait reprendre son voyage.

C'était tentant. Toutefois, cela signifiait révéler sa présence en Virginie... et susciter bon nombre de commentaires, car tout le monde dans le comté le connaissait et savait qu'il était soldat. En le voyant débarquer dans cette tenue...

— Il y a quelques catholiques à Rosemount, observa timidement Hunter en essuyant sa lame sur une serviette élimée.

William lui jeta un regard surpris. Pourquoi lui parlait-il soudain de catholiques ? Constatant sa réaction, le docteur s'excusa :

— Pardonne-moi, Ami. Comme tu as parlé de tes amis, j'ai pensé...

— Vous avez pensé que j'étais...

William comprit brusquement et porta une main à son cou, n'y trouva rien.

— Le voici.

Hunter ouvrit le coffre au pied du lit et se redressa avec le rosaire en bois pendant au bout de sa main.

— Nous te l'avons ôté quand nous t'avons déshabillé mais ma sœur l'a mis à l'abri pour toi.

— « Nous » ? Vous et... Mlle Hunter... m'avez déshabillé ?

— Il n'y avait personne d'autre, répondit le médecin d'un air contrit. Nous avons dû t'étendre nu dans le ruisseau pour faire baisser ta fièvre. Tu ne t'en souviens pas ?

Effectivement, William se souvenait vaguement d'une sensation de froid extrême et de noyade qu'il avait attribuée à un de ses rêves fébriles. Mais il ne se rappelait pas de Mlle Hunter en cet instant.

— Je ne pouvais pas te porter seul, expliqua le médecin. Quant aux voisins... j'avais préservé ta pudeur sous une serviette.

William prit son rosaire et demanda, intrigué :

— Quelle querelle vous oppose à vos voisins ? Je ne suis pas papiste, ce rosaire est un souvenir... offert par un ami.

— Ah, fit Hunter, déconcerté.

Il se passa un doigt sur la lèvre.

— Je vois. J'avais cru que...

— Les voisins... ? l'interrompit William.

Mal à l'aise, il glissa le rosaire autour de son cou. Peut-être l'animosité des voisins découlait-elle de leur méprise sur sa religion ?

— Ils m'auraient sûrement aidé à te transporter, admit Hunter. Mais encore eût-il fallu avoir le temps d'aller les chercher. Ton état demandait des soins urgents et la première maison est à une bonne distance.

William comprit qu'il n'en apprendrait pas plus sur l'attitude des voisins quant aux Hunter. Insister aurait été impoli. Il se contenta donc de hocher la tête et se leva.

Le sol se mit à tanguer sous ses pieds et des éclairs blancs clignotèrent devant ses yeux. Il se rattrapa de justesse au rebord de la fenêtre et revint à lui quelques instants plus tard, en nage et retenu par la poigne étonnamment puissante du docteur Hunter qui lui avait évité de basculer la tête la première dans la cour en contrebas.

— Pas si vite, Ami William, lui dit-il en l'aidant à rejoindre le lit. Il te faudra attendre au moins une journée avant de pouvoir tenir seul debout. Tu n'es pas encore aussi remis que tu le crois.

Légèrement nauséeux, William s'assit sur le lit pendant que Hunter lui essuyait le visage avec une serviette. De toute évidence, il avait encore largement le temps de décider où aller par la suite.

— A votre avis, docteur, combien de temps avant que je puisse marcher toute une journée ?

Hunter l'examina attentivement.

— Cinq jours, quatre au moins. Tu es jeune et vigoureux, autrement j'aurais dit une bonne semaine.

Se sentant faible, William s'allongea. Le médecin resta un moment à côté du lit, soucieux.

— Ton voyage... te mènera-t-il loin d'ici ? demanda-t-il en choisissant minutieusement ses mots.

— Assez, oui, répondit William tout aussi prudent. Je me dirige... vers le Canada.

En dire plus, c'était courir le risque de dévoiler les raisons de son voyage. Certes, un homme pouvait se rendre au Canada pour affaires sans nécessairement traiter avec l'armée britannique qui occupait Québec mais le docteur ayant lui-même parlé de politique... autant se montrer discret. En outre, il n'était pas question de mentionner Mount Josiah. Quelles que soient les relations des Hunter avec le voisinage, les nouvelles concernant un visiteur se propageaient vite.

— Le Canada... répéta Hunter, songeur. Oui, effectivement, c'est une distance considérable. Fort heureusement, j'ai tué une chèvre ce matin. Nous aurons de la viande ; elle te donnera des forces. Demain, je te saignerai afin d'éliminer l'excès de flegme et restaurer l'équilibre de tes humeurs, puis nous verrons. En attendant...

Il lui sourit et lui tendit la main.

— Viens. Je vais t'aider à aller jusqu'au cabinet d'aisances.

39

Un cas de conscience

Un orage se préparait. William le devinait dans le mouvement de l'air, aux ombres des nuages qui filaient sur le plancher usé. La chaleur oppressante de cette journée d'été s'était atténuée et il sentait l'électricité ambiante se propager dans ses membres. Incapable de rester allongé plus longtemps, il se leva et se retint à la table de toilette jusqu'à ce que passe le premier vertige.

Il marcha d'un côté et de l'autre de la chambre, une distance de trois mètres, en se tenant au mur. L'effort l'étourdissait et il était obligé de s'asseoir sur le plancher de temps à autre, la tête entre les genoux, jusqu'à ce que les points lumineux cessent de danser devant ses yeux.

Alors qu'il était assis sous la fenêtre, il entendit des voix dans la cour. Celle de Mlle Hunter, surprise et interrogative, et celle d'un homme, plus grave et rauque. Une voix familière... Ian Murray !

William bondit sur ses pieds et retomba aussitôt sur le sol, pris de tournis. Les poings serrés, il inspira profondément en attendant que le sang afflue à nouveau à son cerveau.

— Il vivra, donc ?

Les voix étaient lointaines, à demi étouffées par le murmure des châtaigniers qui entouraient la maison. Il se redressa péniblement sur les genoux et s'accrocha au rebord de fenêtre.

Il apercevait la haute silhouette de Murray près du portail, le grand chien à ses côtés. Il ne vit pas Glouton ni les autres Indiens mais deux chevaux broutaient les herbes folles derrière l'Ecossais, leurs rênes pendantes. Rachel Hunter tendait la main vers la maison, l'invitant sans doute à entrer, mais Murray fit non de la tête. Il fouilla dans un sac accroché à sa ceinture et en sortit un petit paquet qu'il lui tendit.

— Hé ! essaya de crier William.

Il n'avait plus de souffle et agita un bras. Le mouvement attira le regard de Murray. Apercevant William à la fenêtre, il lui sourit et le salua d'un geste de la main.

William crut qu'il allait entrer mais l'Ecossais saisit les rênes de l'un des chevaux et les plaça dans les mains de la jeune fille. Puis, avec un dernier salut vers la fenêtre de William, il sauta d'un bond sur la selle de l'autre monture.

En le voyant disparaître entre les arbres, William ressentit une profonde déception. Puis il se souvint que Murray avait laissé un cheval. Rachel Hunter était en train de le mener à l'arrière de la maison, son tablier et ses jupons battant au vent, une main plaquée sur le crâne pour retenir son bonnet.

La monture devait être pour lui ! Murray comptait-il revenir le chercher ? Devait-il le suivre ? Le cœur battant, il enfila ses culottes rapiécées, les nouveaux bas que Rachel lui avait donnés puis chaussa tant bien que mal ses bottes raidies par leur séjour dans l'eau. L'effort lui fit tourner la tête mais, déterminé, il descendit l'escalier, vacillant et manquant de glisser à chaque marche.

Il arriva dans la cuisine au moment où la porte s'ouvrait. Un courant d'air la referma dans un claquement. Rachel se tourna d'un bloc, l'aperçut et poussa un cri.

— Doux Jésus ! Que fais-tu en bas ?

— Pardonnez-moi, je n'ai pas voulu vous faire peur. Je... j'ai vu M. Murray repartir et je pensais le rattraper. Vous a-t-il dit où je devais le rejoindre ?

— Non. Pour l'amour de Dieu, assieds-toi avant de tomber.

L'envie de sortir était irrésistible mais ses genoux semblaient sur le point de le lâcher, et il s'exécuta à contrecœur.

— S'il vous plaît, qu'a-t-il dit ?

Se rendant compte qu'il était assis alors qu'elle était toujours debout, il lui indiqua l'autre tabouret.

— Je vous en prie, prenez un siège et racontez-moi ce qu'il vous a dit.

Rachel s'assit en lissant ses jupes. Les nuages noirs projetaient des ombres fuyantes sur le sol et son visage comme si la pièce se trouvait sous l'eau.

— Il s'est enquis de ta santé et, quand je lui ai appris que tu allais mieux, il m'a confié un cheval pour toi.

Elle hésita un instant et William l'encouragea :

— Il vous a donné autre chose, n'est-ce pas ? Je l'ai vu vous remettre un paquet.

Elle pinça les lèvres puis acquiesça et sortit de sa poche un objet lâchement enveloppé de tissu.

Il avait hâte de voir ce qu'il contenait mais pas au point de ne pas remarquer les sillons dans le tissu, là où une ficelle avait été encore très récemment nouée. Il leva les yeux vers Rachel qui détourna les siens, le menton haut mais les joues roses.

Le paquet contenait une liasse de billets en devises continentales ; une vieille bourse renfermant une guinée, trois shillings et deux pence ; une lettre qui, visiblement, avait été maintes fois pliée, dépliée et repliée ; un paquet plus petit, celui-ci encore ficelé. Il mit de côté les objets et l'argent et ouvrit la lettre.

Cousin,

J'espère que cette lettre vous trouvera en meilleure santé que la dernière fois que je vous ai vu. Si c'est le cas, je laisserai un cheval et un peu d'argent afin que vous puissiez reprendre votre route. Dans le cas contraire, je ne laisserai que l'argent afin de payer pour vos remèdes ou votre enterrement. L'autre petit paquet est un présent d'un ami que les Indiens appellent « Tueur d'ours ». Il espère qu'il vous protégera. Je vous souhaite bonne chance dans la poursuite de vos projets.

Votre dévoué,

Ian Murray

— Hmm… ! fit William, perplexe.

De toute évidence, Murray avait à faire ailleurs et ne pouvait ou ne voulait attendre que William soit suffisamment rétabli pour voyager. Bien que déçu car maintenant qu'il avait l'esprit clair il aurait aimé avoir une discussion approfondie avec lui,

William se dit en effet qu'il était sans doute aussi bien qu'ils ne fassent pas la route ensemble.

Le problème numéro un était résolu : il avait maintenant les moyens de poursuivre sa mission ou, du moins, de rejoindre le quartier général du général Howe, de faire son rapport et d'obtenir de nouvelles instructions.

C'était incroyablement généreux de la part de Murray. Le cheval lui avait paru solide et la somme d'argent était amplement suffisante pour se nourrir et se loger convenablement jusqu'à New York. D'où les avait-il sortis ? A première vue, Murray semblait sans le sou, bien qu'il possédât un bon fusil et eût de l'éducation, comme en attestait sa lettre. Qu'est-ce qui avait pu pousser cet étrange Indien écossais à s'intéresser à lui ?

Il ouvrit le second petit paquet. Il contenait une grande griffe d'ours, percée d'une lanière en cuir. Elle était ancienne : les bords étaient érodés et le nœud de cuir s'était durci au point de devenir inextricable. Il la caressa du gras du pouce et en tâta la pointe. Jusqu'à présent, l'esprit de l'ours l'avait bien servi. Souriant en lui-même, il passa la lanière autour de son cou, laissant la griffe pendre sur le devant de sa chemise. Rachel Hunter la contempla, l'expression indéchiffrable.

— Vous avez lu ma lettre, mademoiselle Hunter. Ce n'est pas bien ! dit William d'un ton réprobateur.

Elle rougit encore un peu plus mais soutint son regard avec une franchise qu'il avait encore rarement observée chez une femme, exception faite de lady Benedicta, sa grand-mère paternelle.

— En dépit de ta tenue quand tu nous as été amené, il est clair que tu n'es pas un simple manant, Ami William. Cela fait plusieurs jours que tu as recouvré tes esprits mais tu ne nous as toujours pas expliqué ce que tu faisais dans le Great Dismal, un lieu rarement fréquenté par les gentlemen.

— Vous vous trompez, mademoiselle Hunter. Bon nombre de mes connaissances s'y rendent pour la chasse qui y est sans pareille. On ne met pas son plus beau linge pour traquer le cochon sauvage ou le couguar.

— Pas plus qu'on n'y chasse armé d'une simple poêle à frire, Ami William, riposta-t-elle. Si tu es vraiment un gentleman, puis-je savoir d'où tu viens ?

Il réfléchit un instant, finit par dire le nom de la première ville qui lui vint à l'esprit :

— Euh... de Savannah. Dans les Carolines.

— Oui, je sais où se trouve Savannah. Et j'ai déjà entendu l'accent des gens de là-bas. Tu ne l'as pas.

— Vous me traitez de menteur ?

— En effet.

— Ah.

Ils se dévisagèrent un moment dans la pénombre, s'évaluant mutuellement. L'espace d'un instant, William eut l'impression d'être en train de jouer aux échecs avec sa grand-mère Benedicta. Puis elle déclara soudain :

— Je suis désolée d'avoir lu ta lettre. Ce n'était pas par vulgaire curiosité, je te l'assure.

— Pourquoi alors ?

Il lui sourit pour lui montrer qu'il ne lui tenait pas rigueur de son indiscrétion. Elle ne répondit pas à son sourire, le fixant en plissant des yeux comme si elle le jaugeait. Puis elle soupira et ses épaules s'affaissèrent.

— Je voulais en savoir un peu plus long sur toi et ta nature. Les amis qui t'ont conduit jusqu'à nous semblent être des hommes dangereux. Et ton cousin ? Si tu es l'un d'eux, alors...

Elle se mordit brièvement la lèvre supérieure, hésita encore quelques secondes, puis reprit plus fermement :

— Mon frère et moi devons quitter cette communauté d'ici quelques jours. Tu as dit à Denny que tu partais vers le nord. J'aurais aimé que nous fassions la route ensemble, du moins pendant un temps.

Il s'était attendu à tout sauf à cela. Il cilla et dit sans réfléchir :

— Partir d'ici ? Pourquoi ? Les... euh... les voisins ?

— Pardon ?

— Votre frère m'a laissé entendre que vos rapports avec les gens du coin étaient... un peu tendus ?

La commissure de ses lèvres frémit mais il n'aurait su dire si c'était de désarroi ou d'amusement. Elle pianota sur la table, songeuse.

— Je vois, fit-elle enfin. Oui, c'est vrai, bien que ce ne soit pas ce à quoi je voulais... même si... Je crois que je vais devoir tout t'expliquer. Que sais-tu de la Société des Amis ?

William ne connaissait qu'une famille de quakers, les Unwin. Le père, un riche marchand, était une relation de lord John. Il avait rencontré ses deux filles lors d'une soirée musicale. Toutefois, leur conversation n'avait porté ni sur la philosophie ni sur la religion.

— Ils... vous... n'aimez pas les conflits ? déclara-t-il prudemment.

Elle se mit à rire et il fut soulagé d'avoir fait disparaître, ne serait-ce que provisoirement, cette petite fronce entre ses sourcils.

— Nous n'aimons pas la violence, le corrigea-t-elle. Nous adorons le conflit, tant qu'il n'est que verbal. Denny m'a dit que tu n'étais pas papiste. Je suppose que tu n'as jamais assisté à un culte quaker ?

— L'occasion ne s'en est pas encore présentée.

— C'est bien ce qui me semblait. Au cours de nos réunions, les pasteurs prononcent parfois un sermon mais chacun et chacune peut prendre la parole, sur n'importe quel sujet, si l'esprit l'inspire.

— Chacune ? Les femmes parlent en public ?

Elle lui adressa un regard noir.

— J'ai une langue, tout comme toi.

— J'avais remarqué, dit-il en souriant. Je vous en prie, continuez.

Elle ouvrait la bouche quand un volet claqua contre le mur de la maison et que la pluie se mit à crépiter contre la fenêtre. Elle se leva d'un bond.

— Il faut que je rentre les poules ! Ferme les volets, ordonna-t-elle avant de sortir en courant.

Surpris et amusé, il obéit. Une fois en haut de l'escalier, il dut faire une pause en se tenant à la rampe le temps que le vertige passe. Il y avait deux pièces à l'étage : la chambre donnant sur le devant de la maison, où les Hunter l'avaient installé, et une autre plus petite à l'arrière, que le frère et la sœur partageaient à présent. Elle était dépouillée à l'extrême, ne contenant qu'un lit gigogne, une table de toilette sur laquelle était posé un bougeoir, quelques patères auxquelles étaient accrochés les culottes et la chemise de rechange du docteur, un châle en laine et ce qu'il soupçonna être la robe que portait Rachel pour se rendre au culte : un vêtement sobre teinté à l'indigo.

Avec le vent et la pluie étouffés par les volets, la chambre sombre semblait paisible, un havre où se protéger de l'orage. Il y resta un moment, immobile, goûtant l'agréable sensation de la transgression. Il n'y avait aucun bruit au rez-de-chaussée ; Rachel devait être encore en train de courir après ses poules.

Cette chambre dégageait une atmosphère étrange et il ne lui fallut qu'un moment pour en comprendre la raison. Son dépouillement et la vétusté des biens matériels témoignaient du dénuement des Hunter mais contrastaient avec les signes discrets de prospérité que trahissaient les objets : le bougeoir était en argent massif et non en étain ; l'aiguière et la bassine sur la table de toilette étaient en porcelaine de qualité, peinte de chrysanthèmes bleus.

Il souleva la jupe de la robe bleue suspendue à la patère, l'examina attentivement. L'ourlet était usé jusqu'à la trame et l'indigo s'était fané au soleil si bien que les plis de la robe formaient un motif en éventail de tons clairs et foncés. Ici, la modestie avait été poussée à l'extrême. Les filles Unwin étaient vêtues sobrement mais leurs vêtements étaient de première qualité.

Pris d'une impulsion, il pressa le tissu contre son visage. Il sentait encore vaguement l'indigo, les herbes et, très perceptiblement, le corps de femme. Son parfum le pénétra tel l'agréable bouquet d'un bon vin.

Le bruit de la porte d'entrée le fit lâcher la robe comme si elle lui avait brûlé les doigts et il descendit lentement l'escalier, le cœur battant.

Rachel Hunter était en train de secouer son tablier devant le feu. Son bonnet était trempé. Rachel, qui n'avait pas vu

William, l'ôta et l'essora en maugréant, puis l'accrocha à un clou planté dans le manteau de cheminée.

Ses cheveux retombèrent dans son dos, mouillés et brillants, formant une masse noire sur la toile pâle de sa veste.

Troublé de la voir ainsi sans qu'elle en ait conscience, la tête découverte et son odeur encore en mémoire, William rompit le silence.

— Vos poules sont en sécurité ?

Elle se retourna, méfiante, mais ne chercha pas à couvrir ses cheveux.

— Toutes sauf celle que mon frère appelle la Grande Putain de Babylone. Les poules n'ont rien qui ressemble de loin ou de près à une intelligence, mais celle-ci est d'une perversité sans borne.

— Perversité ?

Elle devina combien les possibilités que cette description impliquait l'égayaient et produisit un son agacé tout en ouvrant le bahut.

— Elle est perchée à six mètres de hauteur dans un sapin en plein orage. J'appelle ça de la perversité.

Elle sortit une serviette en lin et essuya ses cheveux. Dehors, la pluie céda le pas à la grêle qui crépita contre les volets comme du gravier.

— Hmmph, fit-elle. Elle sera probablement assommée par la grêle et dévorée par le premier renard qui passera par là. Elle l'aura cherché, cette sotte. En tout cas, je serai ravie de ne plus voir aucune de ces poules.

Le voyant toujours debout, elle s'assit et lui fit signe d'en faire autant.

— Vous disiez tout à l'heure que votre frère et vous comptiez quitter cet endroit et vous rendre plus au nord, lui rappela-t-il. Dois-je comprendre que vos poules ne vous accompagneront pas ?

— Non, et j'en remercie le Seigneur. Elles sont déjà vendues, comme la maison.

Elle se débarrassa de la serviette et sortit un petit peigne en corne de sa poche.

— J'ai promis de t'expliquer pourquoi nous partons.

— Il me semble que vous étiez en train de me dire que cela avait un rapport avec votre culte ?

— J'ai dit que lorsque quelqu'un est inspiré par l'esprit, il prend la parole. Or, l'esprit a inspiré mon frère, c'est pour quoi nous avons dû quitter Philadelphie.

Une réunion, expliqua-t-elle, pouvait se tenir chaque fois que des Amis se trouvaient en nombre suffisant. Outre ces rencontres informelles, de plus grands rassemblements avaient lieu, trimestriels et annuels, où d'importantes questions de principe étaient débattues et des mesures prises concernant la vie des quakers en général.

— L'assemblée annuelle de Philadelphie est la plus grande et la plus influente. Tu as raison : les quakers rejettent la violence et cherchent à l'éviter ou à y mettre un terme. Quand il a fallu discuter de la rébellion, nous avons prié et réfléchi tous ensemble. Il a été décidé que le chemin de la sagesse et de la paix résidait dans la réconciliation avec la mère patrie.

— Je vois, dit William. Donc, tous les quakers des colonies sont maintenant loyalistes ?

Elle pinça les lèvres.

— C'est ce que préconise l'assemblée annuelle. Mais, comme je te l'ai dit, les Amis sont guidés par l'esprit et chacun doit agir selon ce que lui dicte sa voix intérieure.

— Et votre frère a pris position en faveur de la rébellion ?

William était amusé mais restait prudent. En apparence, le docteur Hunter n'avait rien d'un fauteur de troubles.

Rachel baissa la tête.

— En faveur de l'indépendance, rectifia-t-elle.

— Il y a là une logique qui m'échappe. Comment peut-on espérer accéder à l'indépendance sans recourir à la violence ?

— Si tu penses que l'esprit de Dieu est nécessairement logique, c'est que tu le connais mieux que moi.

Elle passa une main dans ses cheveux encore humides avant de les rejeter en arrière d'un geste impatient.

— Denny a déclaré que, pour lui, il était clair que la liberté, celle de l'individu comme celle d'un pays, était un don de Dieu, et qu'il se sentait appelé à rejoindre le combat pour la gagner et la préserver. C'est pour cette raison que nous avons été exclus du culte.

Il faisait sombre dans la pièce aux volets clos mais il pouvait distinguer son visage à la lueur de l'âtre. Sa dernière déclaration l'avait émue. Elle avait les traits tirés et ses yeux brillaient comme si elle était sur le point de pleurer.

Il demanda doucement :

— Je suppose qu'être exclu du culte est très grave ?

Elle acquiesça et détourna la tête. Elle ramassa la serviette froissée, la lissa lentement avant de la replier, puis elle reprit, pesant ses mots :

— Je t'ai dit que ma mère était morte à ma naissance. Mon père nous a quittés trois ans plus tard, noyé au cours d'une inondation. Mon frère et moi nous sommes retrouvés seuls et à la rue. La congrégation locale a veillé à ce que nous ne mourions pas de faim et a mis un toit au-dessus de notre tête, même s'il fuyait. Puis, au cours d'une réunion, il a été question de mettre Denny en apprentissage. Mon frère craignait d'être obligé de devenir conducteur de bestiaux ou cordonnier ; il n'a pas la carrure nécessaire pour faire un forgeron, dit-elle avec un léger sourire, mais il aurait tout fait pour que je mange à ma faim.

Toutefois, la chance était intervenue. L'un des Amis avait fait des recherches pour tenter de retrouver des parents des orphelins. Après un abondant échange de courrier, il avait découvert un cousin éloigné, originaire d'Ecosse mais vivant à Londres.

— John Hunter, que son nom soit béni ! C'est un célèbre médecin, comme son frère aîné qui est l'accoucheur de la reine en personne.

En dépit de ses principes égalitaires, Mlle Hunter semblait impressionnée. William hocha respectueusement la tête.

— Il s'est enquis des aptitudes de Denny et, l'écho qu'il en a eu étant favorable, il a fait le nécessaire pour l'envoyer en pension chez une famille quaker de Philadelphie, où il est entré au nouveau collège de médecine. Ensuite, il a été jusqu'à le faire venir à Londres pour qu'il parachève ses études à ses côtés.

— Quelle chance, en effet. Et vous, où étiez-vous pendant ce temps-là ?

— Une femme du village m'a recueillie chez elle.

Elle avait répondu avec un détachement qui ne le trompa pas. Elle ajouta rapidement :

— Mais Denzell est rentré et, naturellement, je suis venue tenir sa maison jusqu'à ce qu'il se marie.

Elle plissait la serviette entre ses doigts, les yeux baissés sur ses genoux. Le feu dans l'âtre projetait de petits éclats de lumière dans sa chevelure, des reflets bronze dans les boucles brunes.

— Cette femme... elle a été bonne avec moi. Elle a veillé à ce que j'apprenne à entretenir une maison, à cuisiner, à coudre. A ce que je sache... tout ce qu'il est utile à une femme de savoir.

Elle releva les yeux et le regarda, toujours avec cette même franchise déroutante.

— Je ne crois pas que tu puisses comprendre ce qu'être exclu du culte signifie.

— C'est un peu comme d'être expulsé de son régiment, je suppose. C'est à la fois déshonorant et désemparant.

— Une réunion d'Amis n'est pas seulement un groupe de prière, c'est... une communauté d'esprit, de cœur. Une grande famille, en somme.

D'autant plus pour une jeune femme qui n'avait pas eu de vraie famille.

— Oui, je comprends, dit-il à voix basse.

Il y eut un bref silence dans la pièce, interrompu uniquement par le bruit de la pluie. Il lui sembla entendre chanter un coq quelque part au loin. Rachel reprit :

— Tu as dit que ta mère était morte. Ton père vit toujours ?

Il fit non de la tête.

— Vous allez me trouver exagérément dramatique mais c'est la vérité : mon père est lui aussi mort le jour de ma naissance.

Elle écarquilla les yeux.

— C'est vrai qu'il avait une cinquantaine d'années de plus que ma mère. En apprenant qu'elle était morte en c-c-couches, il a été terrassé par une attaque d'apoplexie.

Il était contrarié. Cela faisait longtemps qu'il n'avait plus bégayé. Heureusement, elle ne semblait pas l'avoir remarqué.

— Tu es donc orphelin, toi aussi. Je suis désolée pour toi.

Il haussa les épaules, gêné.

— Je n'ai connu aucun de mes deux géniteurs mais j'ai eu des parents. Ma tante maternelle est devenue ma mère, dans tous les sens du terme ; elle est décédée aujourd'hui. Quant à son mari... je l'ai toujours considéré comme mon père, bien que nous n'ayons pas de liens de sang.

Il lui vint à l'esprit qu'il s'aventurait sur un terrain glissant en se confiant ainsi. Il s'éclaircit la gorge et fit en sorte de ramener la conversation vers un sujet moins personnel.

— Votre frère... comment projette-t-il de mettre en pratique sa révélation ?

Elle soupira.

— Cette maison appartenait à un cousin de ma mère. Il était veuf et sans enfants. Il l'avait léguée à Denzell mais, après avoir appris que nous avions été exclus du culte, il a écrit pour annoncer qu'il voulait modifier son testament. Le hasard a voulu qu'il ait attrapé une mauvaise fièvre et en meure avant d'avoir pu le faire. Toutefois, tous ses voisins connaissaient son intention, ce qui explique pourquoi...

— Je vois.

William trouvait que Dieu n'était peut-être pas très logique mais il semblait s'intéresser de près à Denzell Hunter. Il n'aurait sans doute pas été convenable de dire sa pensée à voix haute, aussi se contenta-t-il de demander :

— Vous avez dit que la maison était en vente. Votre frère est-il donc...

— Il est parti en ville, faire signer l'acte de vente au tribunal, puis mettre au point les derniers détails pour les chèvres, les cochons et les poules. Dès que ce sera fait, nous partirons.

Elle marqua un temps d'arrêt avant de conclure :

— Denny compte rejoindre l'armée continentale en tant que médecin.

— Et vous l'accompagnerez ? s'enquit William d'un ton légèrement réprobateur.

De nombreuses épouses (ou compagnes) de soldats « suivaient le tambour », ce qui revenait pratiquement à s'enrôler dans l'armée en même temps que leur époux. Il n'en avait jamais vu car elles avaient été absentes de la campagne de Long Island mais il avait parfois entendu son père en parler, généralement avec pitié. Ce n'était pas une vie pour une femme.

Elle perçut sa critique et releva le menton.

— Certainement !

Une longue épingle en bois était posée sur la table. Elle avait dû la retirer en ôtant son bonnet. Elle tordit sa chevelure humide en un chignon et y planta l'épingle d'un geste décidé.

— Alors ? demanda-t-elle. Voyageras-tu avec nous ?

Elle ajouta rapidement :

— Jusqu'à ce que tu estimes préférable de ne pas être vus ensemble.

Il avait retourné cette idée dans sa tête tout au long de leur conversation. Un tel arrangement serait utile aux Hunter : il était toujours moins dangereux de se déplacer à plusieurs et, en dépit de sa révélation, le médecin n'avait rien d'un guerrier. Cela présentait des avantages pour lui aussi. Les Hunter connaissaient les environs, ce qui n'était pas son cas, et un homme voyageant avec un groupe, notamment un groupe incluant une femme, attirait moins l'attention et les soupçons qu'un voyageur solitaire.

Il lui vint également à l'esprit que si Denzell Hunter rejoignait l'armée continentale, il pourrait peut-être approcher suffisamment des forces de Washington pour glaner des informations utiles, ce qui compenserait largement la perte de son livre de contacts.

— Absolument ! répondit-il avec un large sourire. C'est une idée admirable.

Un éclair perça soudain les jalousies des volets, suivi presque aussitôt d'un coup de tonnerre retentissant. Ils sursautèrent. Quand ses oreilles eurent cessé de siffler, William déclara d'un ton léger :

— J'espère que c'était un signe d'approbation.

Cela ne la fit pas rire.

40

La bénédiction de sainte Bride et de saint Michel

Les Mohawks le connaissaient sous le nom de Thayendanegea, « Fait Deux Paris ». Pour les Anglais, il était Joseph Brant. Ian en avait beaucoup entendu parler – sous ses deux noms – quand il vivait parmi les Indiens. Il s'était toujours demandé comment Thayendanegea parvenait à évoluer sur le terrain dangereux qui séparait ces deux univers. Etait-ce comme le pont ? Cette mince passerelle qui reliait ce monde et le suivant, l'air autour saturé de têtes ailées aux dents acérées ? Il aurait beaucoup aimé être assis autour d'un feu avec Joseph Brant et l'interroger.

Ian se rendait justement à la maison de Brant, mais non pour parler avec lui. Glouton lui avait dit que Sun Elk avait quitté Snaketown pour rejoindre Brant et que sa femme l'accompagnait.

« Ils sont à Unadilla, avait déclaré Glouton. Thayendanegea se bat du côté des Anglais, tu sais. Il discute avec les loyalistes, là-bas, essayant de les convaincre de se joindre à lui et à ses hommes. Il les appelle "les Volontaires de Brant". »

Il avait dit cela avec désinvolture. Glouton ne s'intéressait pas à la politique, même s'il lui arrivait de participer à des combats quand l'esprit lui dictait de le faire.

Ian savait qu'Unadilla se trouvait dans la colonie de New York mais guère plus. Il se mit en route dès le lendemain matin, prenant la direction du nord.

La plupart du temps, il n'avait d'autre compagnie que celle de son chien et de ses pensées. Un jour, il tomba sur un camp d'été de Mohawks où il fut accueilli chaleureusement.

Il s'assit avec les hommes et discuta. Lorsqu'une jeune femme lui apporta un bol de ragoût, il le mangea sans y prêter attention même si son estomac, sous l'effet d'un repas chaud, cessa de se contracter.

Il n'aurait su dire ce qui avait attiré son attention mais il leva la tête et aperçut la jeune femme assise en lisière du halo projeté par le feu. Elle le regardait et sourit, très légèrement.

Il mastiqua plus lentement, le goût de la nourriture emplissant soudain sa bouche. Le ragoût était délicieux. De la viande d'ours, bien grasse. Du maïs et des haricots relevés d'oignons et d'ail. La jeune femme inclina la tête d'un côté, arqua un sourcil élégant. Puis elle se leva.

Ian reposa son bol, rota courtoisement, puis se leva à son tour et s'éloigna sans prêter attention aux regards entendus des hommes avec qui il avait dîné.

Elle l'attendait, forme pâle dans l'ombre d'un bouleau. Ils parlèrent. Il voyait sa bouche former des mots, entendait le doux murmure de la voix de la jeune femme mais n'avait pas vraiment conscience de ce qu'ils se disaient. Il tenait sa colère rougeoyante comme un charbon ardent dans le creux de sa main, une braise fumante dans son cœur. Il ne voyait pas en elle l'eau qui apaiserait son ardeur, ne songea pas davantage à l'attiser. Il avait des flammes derrière les yeux et était aussi insouciant que le feu, dévorant ce qui pouvait l'être, mourant quand il n'y avait plus rien à consumer.

Il l'embrassa. Elle avait un parfum de cuisine, de peaux tannées, de terre chauffée par le soleil. Pas de trace de bois ni de sang. Elle était grande. Il sentit ses seins doux contre son torse et laissa retomber ses mains sur les courbes de ses hanches.

Elle se frotta contre lui, solide, prête. Se recula, laissa l'air frais caresser sa peau là où elle s'était pressée contre lui. Puis elle le prit par la main et le guida vers sa maison longue. Nul ne leur prêta attention quand elle l'entraîna sur sa couche et, dans la pénombre chaude, se tourna vers lui, nue.

Il avait jugé préférable de ne pas regarder son visage. Anonyme, rapide ; peut-être un peu de plaisir pour elle, un répit pour lui. Cherchant ce bref moment où il pourrait se perdre, enfin.

Mais dans l'obscurité elle était devenue Emily et il fuit son lit, honteux et furieux, laissant derrière lui la stupéfaction.

Les douze jours suivants, il marcha, le chien à ses côtés, sans parler à personne.

La maison de Thayendanegea se trouvait en retrait sur un grand terrain mais suffisamment proche du village pour en faire encore partie. Ce dernier ressemblait à n'importe quel village sauf que bon nombre de maisons possédaient deux ou trois meules près de leur perron. Les femmes moulaient elles-mêmes leur blé plutôt que de l'emporter à un moulin.

Des chiens dormaient dans l'ombre des carrioles et des murs. Tous se redressèrent, surpris, en flairant Rollo. Quelques-uns grondèrent ou aboyèrent mais aucun ne le défia.

Les hommes étaient différents. Plusieurs d'entre eux étaient accoudés à une clôture. Tous le fixèrent, mi-curieux mi-méfiants. Il ne connaissait pas la plupart d'entre eux mais reconnut Eats Turtle, une vieille connaissance de Snaketown. Parmi eux se trouvait également Sun Elk.

Ce dernier cligna des yeux, aussi surpris que les chiens, puis s'avança à sa rencontre.

— Que fais-tu ici ?

L'espace d'une fraction de seconde, Ian envisagea de lui répondre la vérité mais ce n'était pas une vérité qui pouvait être dite en quatre mots, et encore moins devant des inconnus. Il répondit calmement :

— Ça ne te regarde pas.

Sun Elk s'était adressé à lui en iroquois et il avait répondu dans la même langue. Il vit des sourcils se hausser. Eats Turtle mit un point d'honneur à le saluer, espérant sans doute dissiper l'orage qui couvait en faisant clairement comprendre à ses compagnons que Ian était lui aussi un Kahnyen'kehaka.

Ian lui retourna son salut. Les autres hommes se détendirent légèrement, intrigués mais pas hostiles.

Ce qui n'était pas le cas de Sun Elk ; mais, après tout, Ian ne s'était pas attendu à ce qu'il lui tombe dans les bras. En vérité, il avait espéré qu'il serait absent. Il sourit en lui-même, songeant à la vieille Mme Wilson qui avait un jour dit de son gendre, Hiram, qu'il « ne céderait pas le passage à un ours ».

— Que veux-tu ? demanda Sun Elk.

— Rien qui t'appartienne, répondit Ian le plus doucement possible.

Les mâchoires de Sun Elk se crispèrent mais Turtle intervint avant qu'il ait pu rétorquer, invitant Ian chez lui pour boire et manger.

Il aurait dû accepter. Il était impoli de refuser. En outre, il aurait pu en profiter pour demander discrètement où était Emily. Mais le besoin impérieux qui lui avait fait parcourir cinq cents kilomètres dans la nature sauvage ne pouvait ni se plier à des exigences de courtoisie ni attendre.

— Je souhaite parler avec celle qui fut ma femme. Où est-elle ?

Plusieurs hommes ouvrirent de grands yeux interloqués mais Ian surprit le coup d'œil de Turtle vers la grande maison au bout de la route.

Sun Elk bomba le torse et se planta encore plus fermement en travers de son chemin, prêt à défier deux ours si nécessaire. Cela ne plut pas à Rollo qui gronda en montrant les crocs. Deux ou trois hommes reculèrent mais Sun Elk, qui savait pourtant mieux que tous ce dont Rollo était capable, ne bougea pas d'un pouce.

— Tu comptes lâcher ton démon sur moi ?

— Bien sûr que non, répondit Ian avant de se tourner vers son chien : *Sheas, a cù.*

Rollo continua à gronder quelques instants, histoire de montrer ce qu'il en pensait, puis se coucha sans pour autant lâcher Sun Elk de son regard jaune.

— Je ne suis pas venu te la prendre, déclara Ian.

Il avait eu l'intention de se montrer conciliant tout en sachant qu'il ne serait pas compris. Il avait vu juste.

— Parce que tu crois que tu le pourrais ?

— Puisque ce n'est pas mon intention, quelle importance ?

— Elle ne te suivrait pas, même si tu me tuais !

— Combien de fois dois-je te répéter que je ne veux pas te la prendre ?

Sun Elk le dévisagea longuement d'un regard noir avant de répondre en serrant les poings :

— Jusqu'à ce que ton visage me dise la même chose.

Un murmure s'éleva parmi les hommes. Toutefois, Ian savait qu'ils n'interviendraient pas dans une bagarre au sujet d'une femme. C'était une bonne chose, se dit-il en observant les mains de Sun Elk. Il se souvenait qu'il était droitier. Il portait un couteau à sa ceinture mais ne semblait pas se préparer à le dégainer.

— Je souhaite juste parler avec elle.

— Pourquoi ? aboya Sun Elk, en lui postillonnant au visage.

Ian ne s'essuya pas. Il ne recula pas non plus.

— Cela ne regarde qu'elle et moi. Elle te racontera probablement quand je serai reparti.

Cette idée lui broya le cœur. Elle ne parut pas rassurer Sun Elk qui, soudain, lui envoya son poing dans la figure.

Le coup l'atteignit en plein nez, accompagné d'un craquement qui résonna dans toute sa mâchoire. L'autre poing de Sun Elk s'écrasa presque simultanément sur sa pommette. Ian secoua la tête pour retrouver ses esprits. Les yeux brouillés par les larmes, il distingua un mouvement et, par chance plus que par adresse, envoya un coup de genou dans les parties de Sun Elk.

Il pantelait, son sang dégouttant dans la poussière. Six paires d'yeux allèrent de lui à Sun Elk qui gémissait recroquevillé sur le sol. Rollo se releva, s'approcha de l'homme à terre et le renifla avec intérêt. Tous les regards se portèrent sur Ian.

Il rappela Rollo d'un signe de la main puis se dirigea vers la maison de Brant au bout de la route, six paires d'yeux rivées sur son dos.

La porte s'ouvrit et la jeune femme blanche le dévisagea avec des yeux ronds. Il était en train de s'essuyer le nez avec un pan de sa chemise. Il inclina poliment la tête.

— Auriez-vous l'amabilité de dire à Wakyo'teyehsnonhsa que Ian Murray aimerait lui parler ?

Elle battit des paupières, puis acquiesça et referma la porte, marquant une pause à mi-chemin pour s'assurer qu'elle n'avait pas la berlue.

Il redescendit les marches du perron pour patienter dans le jardin. C'était un jardin bien ordonné, avec des rosiers, de la lavande et des allées dallées. Ses parfums lui rappelèrent tante Claire et il se demanda si Thayendanegea avait amené un jardinier anglais de Londres.

Deux femmes travaillaient au fond du jardin. L'une était une Blanche d'âge moyen, à en juger par la couleur des cheveux sous son bonnet et à ses épaules affaissées… la femme de Brant, peut-être ? La jeune femme qui lui avait ouvert la porte était-elle leur fille ? L'autre était indienne. Sa longue natte était striée d'argent. Ni l'une ni l'autre ne lui adressa un regard.

Quand il entendit le loquet cliqueter derrière lui, il attendit un instant avant de se retourner, se préparant à la déception d'apprendre qu'elle n'était pas à la maison ou, pire, qu'elle refusait de le voir.

C'était elle. Emily. Petite et bien droite ; sa poitrine ronde étirant le décolleté d'une robe en calicot bleu ; ses longs cheveux retenus en arrière mais non couverts ; le visage craintif mais ardent. Son regard s'illumina quand elle l'aperçut et elle fit un pas vers lui.

Si elle était venue jusqu'à lui ou l'avait invité à approcher, il l'aurait serrée dans ses bras jusqu'à l'étouffer. *Et ensuite ?* Toutefois, après ce premier mouvement impulsif, elle s'arrêta, ses mains voletant un instant comme si elles voulaient façonner l'air qui les séparait puis retombant et se cachant dans les plis de sa jupe. Elle déclara doucement en iroquois :

— Frère du Loup, mon cœur se réchauffe de te voir.

— Le mien aussi.

Elle inclina la tête vers la maison.

— Es-tu venu parler avec Thayendanegea ?

— Peut-être plus tard.

Elle ne fit aucune allusion à son nez qui, pourtant, devait avoir doublé de volume. Le devant de sa chemise était taché de sang. Il jeta un regard autour d'eux et lui indiqua une allée qui s'éloignait de la maison.

— Tu veux bien marcher un peu avec moi ?

Elle hésita. La flamme dans ses yeux ne s'était pas éteinte mais avait faibli, cédant la place à d'autres choses... de la prudence, du désarroi et ce qu'il pensa être de la fierté. Il était étonné de lire en elle aussi clairement, comme si elle était en verre.

— Je... les enfants, balbutia-t-elle.

— Ce n'est pas grave, la rassura-t-il. Je voulais simplement...

Il s'interrompit pour essuyer un filet de sang sous une narine. Puis il avança de deux pas, s'approchant à la toucher même s'il ne s'y hasarda pas.

— Je voulais te dire que je suis désolé de ne pas t'avoir donné d'enfants. Et que je suis heureux que tu en aies eu.

Une jolie teinte rosée colora ses joues et il put voir la fierté l'emporter sur le désarroi.

— Je pourrais les voir ? demanda-t-il, se surprenant lui-même.

Elle réfléchit un instant, puis rentra dans la maison tandis qu'il allait l'attendre assis sur un muret. Elle revint quelques minutes plus tard avec un garçonnet et une petite fille. Il devait avoir environ cinq ans et elle, trois. Elle portait de courtes nattes et le dévisageait gravement en suçant son pouce.

Au cours de son voyage, Ian avait longuement réfléchi à l'explication que lui avait donnée tante Claire. Non pas qu'il eût l'intention de la partager avec Emily ; elle n'aurait rien signifié pour elle, lui-même la comprenait à peine. Mais peut-être pour se protéger contre ce moment précis : quand il la verrait avec les enfants qu'il ne pouvait lui donner.

Disons que c'est le destin, avait dit Claire en le fixant de son regard de faucon, celui qui voit de très haut, de si haut que ce qui passe pour de l'implacabilité cache en fait une vraie compassion. *Ou la malchance. Mais ce n'était pas de ta faute. Ni de la sienne.*

Il tendit la main vers le garçon.

— Viens me voir.

L'enfant lança un regard interrogateur à sa mère puis approcha, le dévisageant avec curiosité.

Ian dit en anglais à Emily :

— Je peux te voir dans ses yeux et dans ses mains.

Il prit les mains du garçon, si incroyablement petites dans les siennes. Elles étaient souples et fines, comme celles d'Emily. Elles se recroquevillèrent dans ses paumes. Il écarta les doigts et les agita comme des pattes d'araignée, faisant glousser l'enfant. Il rit également, puis referma ses mains sur les siennes, tel un ours avalant une paire de truites. Il le lâcha et se redressa, demanda à Emily :

— Es-tu heureuse ?

— Oui, répondit-elle doucement.

Elle baissait les yeux et il sut qu'elle était sincère mais ne voulait pas voir que sa réponse le blessait. Il glissa une main sous son menton (que sa peau était douce !) et lui fit lever la tête.

— Es-tu heureuse ? répéta-t-il avec un sourire.

— Oui.

Elle leva la main et lui toucha enfin le visage, ses doigts aussi légers que des ailes de papillon.

— Mais parfois, tu me manques, Ian.

Il sentit sa gorge se nouer et se força à continuer de sourire.

— Tu ne me demandes pas si je suis heureux, moi aussi ?

— J'ai des yeux, répondit-elle simplement.

Le silence retomba entre eux. Il détourna la tête mais il pouvait la sentir. Douce. Epanouie. Elle s'adoucit encore, s'ouvrant à lui. Elle avait été sage de ne pas le suivre dans le jardin. Ici, avec son fils jouant dans la poussière à ses pieds, elle était en sécurité.

— Tu comptes rester ici ? demanda-t-elle enfin.

— Non, je pars pour l'Ecosse.

— Tu prendras une femme parmi ton propre peuple.

Il y avait du soulagement dans sa voix mais également du regret.

— Ton peuple n'est-il donc plus le mien ? demanda-t-il avec une certaine véhémence. Ils ont lavé mon sang blanc dans la rivière ; tu y étais.

— Oui, j'y étais.

Elle le dévisagea longuement. Ils ne se reverraient probablement plus jamais. Voulait-elle graver ses traits dans sa mémoire ou cherchait-elle autre chose dans son visage ?

Elle lui fit signe d'attendre, tourna brusquement les talons et disparut à nouveau dans la maison. La fillette courut derrière elle, ne voulant pas rester seule avec un inconnu, mais le garçon resta sur place, intrigué.

— Tu es Frère du Loup ?

— Oui. Et toi, comment t'appelles-tu ?

— Creuseur.

C'était un nom provisoire, donné à l'enfant pour des raisons pratiques en attendant que son vrai nom se révèle de lui-même d'une manière ou d'une autre. Ian hocha la tête et ils s'étudièrent quelques minutes en silence sans la moindre gêne. Puis Creuseur déclara soudain :

— Celle qui est la mère de la mère de ma mère m'a parlé de toi.

— Vraiment ?

Ce devait être Tewaktenyonh. Une grande dame, chef du conseil des femmes de Snaketown… et celle qui l'avait chassé du clan.

— Tewaktenyonh vit toujours ? demanda-t-il.

— Oh oui ! Elle est plus vieille que les montagnes. Il ne lui reste plus que deux dents mais elle mange quand même.

Ian sourit.

— Tant mieux. Et que t'a-t-elle dit sur moi ?

Le garçon plissa le front, fouillant sa mémoire.

— Elle a dit que j'étais l'enfant de ton esprit mais que je ne devais pas le dire à mon père.

Le coup fut bien plus violent que ceux assénés par le père du garçon et il resta un instant sans voix. Quand il se fut ressaisi, il répondit :

— Oui, je crois moi aussi que tu ne devrais pas le lui dire.

— Est-ce que je serai avec toi, un jour ? demanda Creuseur, l'esprit ailleurs, son attention accaparée par un lézard qui s'était avancé sur le muret pour se dorer au soleil.

Ian s'efforça d'adopter un ton neutre :

— Si je vis.

L'enfant observait toujours le petit reptile avec concentration. Sa main droite remua. Toutefois, il ne pourrait jamais l'atteindre et il le savait. Il lança un coup d'œil à Ian qui se trouvait plus près. Ni l'un ni l'autre ne bougèrent mais ils échangèrent un regard entendu. Le garçon retint son souffle.

Dans ce type de situation, la réflexion n'est pas de mise. Un geste vif et, l'instant suivant, le lézard gigotait dans la main de Ian.

L'enfant poussa des cris de joie en sautillant sur place. Il tendit les mains et Ian lui remit le reptile qu'il reçut avec le plus grand soin.

— Que vas-tu faire de lui ? demanda Ian.

Creuseur approcha le lézard de son visage, le contempla attentivement.

— Je vais lui donner un nom. Ainsi, il sera à moi et me bénira la prochaine fois que nous nous rencontrerons.

Il approcha encore le lézard de son œil et les deux se fixèrent sans ciller.

— Ton nom est Bob, dit enfin le garçon.

Il déposa cérémonieusement le reptile sur le sol. Bob bondit de sa paume et disparut aussitôt sous une bûche.

— C'est un excellent nom, dit gravement Ian.

Il se retenait de rire, mais l'envie lui passa l'instant suivant, quand la porte de la maison s'ouvrit et qu'Emily réapparut, un paquet dans les bras.

Elle s'avança et lui tendit un enfant emmailloté attaché sur une planche porte-bébé, un peu comme il avait lui-même présenté le lézard à Creuseur quelques instants plus tôt.

— Voici ma seconde fille, déclara-t-elle avec une fierté timide. Veux-tu bien choisir son nom ?

Emu, il effleura la main d'Emily avant de prendre le porte-bébé et de le poser sur ses genoux, examinant le petit visage. Elle n'aurait pu lui faire un plus grand honneur. C'était la marque indélébile des sentiments qu'elle avait eus pour lui autrefois, qu'elle avait peut-être encore aujourd'hui.

Le nourrisson le dévisageait avec des yeux ronds et graves, assimilant cette nouvelle apparition dans son petit univers. En le contemplant, Ian sentit une conviction s'enraciner en lui. Il ne le remit pas en question : elle était là, indéniable.

Il adressa à Emily un sourire chargé d'une profonde affection puis posa sa grande main calleuse sur le petit crâne duveteux.

— Merci. Je bénis tous tes enfants et implore pour eux la protection de sainte Bride et de saint Michel.

Puis il tendit la main vers Creuseur et l'attira à lui en ajoutant :

— Mais c'est lui que je dois nommer.

Emily écarquilla les yeux, son regard allant de son fils à Ian, indécise… Peu importait. Lui ne doutait pas.

— Tu t'appelleras Swiftest of Lizards, le plus rapide des lézards, dit-il.

Le Plus Rapide des Lézards réfléchit un instant, puis acquiesça d'un air ravi, éclata de rire et fila comme une flèche.

41

Un abri contre la tempête

Une fois de plus, William était stupéfait de constater l'étendue des relations de lord John. Alors qu'ils discutaient de choses et d'autres tout en chevauchant, il déclara à Denzell que son père avait connu autrefois un docteur John Hunter. De fait, leur rencontre, associée à une anguille électrique, à un duel impromptu et à une affaire de vol de cadavre, avait participé à la conjoncture ayant entraîné le départ de lord John pour le Canada et les plaines d'Abraham. Se pouvait-il que ce John Hunter soit ce parent bienveillant dont Mlle Rachel lui avait parlé ?

Le visage de Denny Hunter s'illumina.

— C'est extraordinaire ! Oui, ce doit être lui. Surtout si tu mentionnes des vols de cadavres.

Il toussota dans son poing, un peu gêné.

— C'était une activité... très riche d'enseignement, bien que parfois troublante.

Il lança un regard par-dessus son épaule pour s'assurer que sa sœur ne les entendait pas mais elle était loin derrière, somnolente sur la selle de sa mule. Il reprit en baissant la voix :

— Tu comprendras, Ami William, que pour maîtriser l'art de la chirurgie il est indispensable d'apprendre comment le corps humain est fait et comment il fonctionne. Il y a des limites à ce que les textes peuvent nous enseigner et les manuels d'anatomie sur lesquels se reposent la plupart des hommes de médecine sont, disons-le sans ambages, erronés.

— Vraiment ?

William ne l'écoutait que d'une oreille, l'autre moitié de son cerveau étant occupée, à parts égales, par l'évaluation de l'état de la route, l'espoir qu'ils atteindraient un lieu habité à temps pour dîner convenablement et l'appréciation du cou gracieux de Rachel Hunter en ces rares occasions où elle chevauchait devant eux. Il avait envie de se retourner pour la regarder à nouveau mais c'était trop tôt, c'eût été inconvenant. Dans quelques minutes…

— … Galien et Esculape. Depuis très longtemps, on prend pour acquis que les Grecs de l'Antiquité ont écrit tout ce qu'il y a à savoir sur le corps humain, qu'il n'y a aucune raison de douter de ces textes ni de créer du mystère là où il n'y en a pas.

— Vous devriez entendre mon oncle déblatérer sur les anciens traités militaires ! grommela William. Il adore Jules César, qu'il considère comme un excellent général, mais affirme qu'Hérodote n'a probablement jamais mis les pieds sur un champ de bataille.

Hunter lui adressa un regard surpris.

— C'est exactement ce que disait John Hunter, en des termes différents, sur Avicenne ! « Cet homme n'a jamais vu un utérus gravide de sa vie. »

Il tapa du poing sur le pommeau de sa selle pour imiter son parent indigné et, ce faisant, effraya son cheval qui redressa brusquement la tête.

— Holà ! Holà !

Alarmé, Hunter tira trop fort sur ses rênes, ce qui eut pour effet de faire se cabrer et piaffer sa monture. William se pencha vers lui, lui prit les rênes et leur donna du mou.

Il n'était pas mécontent de cette distraction qui avait interrompu le discours de Hunter. Il n'était pas sûr de savoir ce qu'était un utérus mais connaissait le sens de « gravide » appliqué aux juments et supposait donc que cela avait un rapport avec les parties intimes féminines. Ce n'était pas un thème dont il souhaitait discuter à portée d'ouïe de Mlle Hunter. Il lui rendit ses rênes et se hâta de changer de sujet avant qu'il ne fasse d'autres déclarations embarrassantes.

— Vous parliez des activités troublantes du docteur John Hunter ?

— C'est-à-dire que nous... ses étudiants... avons appris les mystères du corps humain grâce à l'observation du... corps humain.

— Quoi, vous voulez parler de dissection ?

— Oui, je sais, cette perspective peut rebuter et pourtant, voir la manière merveilleuse dont Dieu a agencé notre organisme ! Les complexités d'un rein, l'extraordinaire intérieur d'un poumon... William, je ne peux te décrire quelle révélation c'est !

— Euh... oui, je vous crois sur parole.

Il était à nouveau possible de se retourner, ce qu'il fit. Rachel s'était redressée et s'étirait, la tête renversée en arrière. Son chapeau de paille glissa sur sa nuque et le soleil illumina son visage. William sourit.

— Où trouviez-vous les corps à disséquer ?

Denny Hunter soupira.

— C'était là l'aspect troublant. Bon nombre étaient des indigents provenant de l'hospice ou de la rue et morts dans des conditions pitoyables. Mais il y avait également beaucoup de criminels exécutés. Même si je devais me réjouir du fait que leur décès ait contribué à rétablir l'ordre social, je ne pouvais qu'être atterré par leur sort.

— Pourquoi ?

Hunter le regarda avec étonnement puis sembla comprendre.

— Pardonne-moi, Ami William, j'oublie que tu n'es pas l'un des nôtres. Nous rejetons la violence, et encore plus le meurtre.

— Même celui de criminels ? D'assassins ?

Denzell secoua tristement la tête.

— On peut les emprisonner ou les condamner à effectuer un labeur utile. Mais que l'Etat commette un meurtre à son tour est une terrible violation des commandements de Dieu et cela nous rend tous complices de son péché. Ne le vois-tu pas ?

— Je vois surtout que l'Etat a la responsabilité de ses sujets. Vous attendez des agents de police et des juges qu'ils veillent sur votre sécurité et celle de vos biens, n'est-ce pas ? Pour que l'Etat puisse assumer cette responsabilité, il faut qu'il en ait les moyens.

— Je ne le conteste pas. Comme je l'ai dit, il peut emprisonner les criminels si nécessaire. Mais il n'a pas le droit de tuer des hommes en mon nom !

— Ah non ? Avez-vous ne serait-ce qu'une petite idée de la nature de certains des criminels que l'on exécute ? Et de leurs crimes ?

Hunter le regarda en arquant un sourcil.

— Parce que toi, oui ?

— Oui. Je connais le gouverneur de la prison de Newgate, c'est un ami de mon père ; encore un. J'ai dîné plusieurs fois avec lui et il m'a raconté des histoires qui défriseraient les boucles de votre perruque... si vous en portiez une, docteur.

Hunter sourit à peine.

— Appelle-moi par mon prénom, Ami William. Tu sais que nous ne reconnaissons pas les titres. Je comprends ce que tu dis. J'ai entendu et vu des choses plus terribles encore que ce que tu as pu entendre à la table de ton père. Mais la justice repose entre les mains de Dieu. Exercer la violence et prendre la vie d'autrui, c'est transgresser le commandement du Seigneur et commettre un péché mortel.

— Si vous êtes attaqué, blessé, vous ne ripostez pas ? Vous n'avez pas le droit de vous défendre, de défendre votre famille ?

— Nous nous en remettons à la bonté et à la miséricorde de Dieu. Et si nous sommes tués, nous mourons dans la ferme espérance de la résurrection.

William médita sur la question quelques instants puis déclara sur un ton léger :

— Ou vous espérez que quelqu'un acceptera d'exercer la violence à votre place.

Denzell se raidit puis ravala ce qu'il s'apprêtait à rétorquer. Ils demeurèrent silencieux un bon moment et, quand la conversation reprit, elle ne porta plus que sur le chant des oiseaux.

Le lendemain à leur réveil, il pleuvait. Ce n'était pas une averse orageuse mais un déluge implacable qui semblait bien parti pour durer toute la journée. Ils ne pouvaient rester où ils étaient. La corniche rocheuse qui les avait abrités pour la nuit était exposée en plein vent et le bois ramassé la veille si humide que le feu qu'ils allumèrent pour leur petit déjeuner donna plus de fumée que de chaleur.

William et Denny chargèrent la mule pendant que Rachel triait les branches les plus sèches et les enveloppait dans de la toile. S'ils trouvaient un refuge à la tombée de la nuit, ils auraient au moins de quoi faire un feu pour cuire leur dîner.

Ils ne parlèrent pas beaucoup. Quand bien même ils auraient été d'humeur bavarde, le vacarme de la pluie sur le feuillage, le sol et leurs chapeaux les aurait obligés à crier.

Trempés jusqu'aux os mais déterminés, ils chevauchèrent lentement vers le nord quart nord-est. Lorsqu'ils arrivèrent à un croisement de routes, Denny consulta sa boussole d'un air anxieux. Il ôta ses lunettes et les essuya sur un pan de sa veste.

— Qu'en penses-tu, Ami William ? Aucune de ces routes ne se dirige précisément dans la direction que nous voulons et l'Ami Lockett n'a pas mentionné ce carrefour dans ses instructions. Celle sur laquelle nous sommes va vers l'est tandis que celle-ci semble mener vers le nord.

Un fermier nommé Lockett et son épouse avaient été leur dernier contact avec l'humanité trois jours plus tôt. La femme leur avait servi un dîner, leur avait vendu du pain, des œufs et du fromage et Lockett leur avait indiqué la route pour Albany. Selon lui, ils devraient rencontrer des signes de l'armée continentale quelque part en chemin. Il n'avait en effet pas mentionné de carrefour.

William regarda autour d'eux mais le terrain formait une dépression que la pluie avait transformée en une vaste mare. Impossible de déceler la moindre trace de passage. Néanmoins, la route sur laquelle ils se trouvaient était nettement plus large que celle qui la croisait.

— On reste sur la même, déclara-t-il en éperonnant son cheval.

Vers la fin de l'après-midi, il commença à s'inquiéter et à se demander s'il avait pris la bonne décision. Selon M. Lockett, ils devaient arriver dans un hameau appelé Johnson's Ford en fin de journée. Naturellement, ils avaient été ralentis par le mauvais temps et, si le paysage alentour paraissait toujours désert et verdoyant, les fermes et les villages avaient tendance à apparaître aussi soudainement que les champignons après la pluie. Johnson's Ford surgirait peut-être après le prochain virage. Rachel se pencha en avant sur sa selle et lui lança :

— Le hameau a peut-être été dissous !

Elle paraissait elle-même sur le point de se désagréger. Les bords détrempés de son chapeau de paille retombaient autour de sa tête et ses nombreuses couches de vêtements étaient si imbibées qu'elle ressemblait à un paquet de linge dégoulinant.

William allait lui répondre quand son frère se dressa brusquement debout dans ses étriers en pointant un doigt devant lui.

— Regardez !

William crut qu'il avait aperçu leur destination mais il s'agissait uniquement d'un homme marchant dans leur direction d'un pas leste, un grand sac en toile fendu lui abritant la tête et les épaules. Dans leur état d'abattement, tout ce qui avait une forme vaguement humaine semblait une bénédiction et William talonna sa monture pour se porter à la rencontre de l'inconnu.

Ce dernier le salua cordialement de sous son sac en toile.

— Où allez-vous par un temps pareil ? demanda-t-il, une grimace dégoûtée révélant une canine brisée et jaunie par le tabac.

— A Johnson's Ford. Sommes-nous bien dans la bonne direction ?

L'homme sursauta.

— Johnson's Ford, vous dites ?

— Oui, c'est bien ce que je dis, répliqua William avec un soupçon d'irritation.

Il comprenait que l'absence de compagnie dans ces régions rurales puisse inciter leurs habitants à vouloir retenir les voyageurs le plus longtemps possible, mais ce n'était pas le jour.

— C'est encore loin ?

L'homme secoua lentement la tête.

— J'ai bien peur que vous vous soyez trompés de route, monsieur. Fallait tourner à gauche au carrefour.

Rachel poussa un gémissement pitoyable. La lumière baissait déjà. Revenir au croisement leur prendrait plusieurs heures ; ils ne pouvaient espérer le rejoindre avant la tombée de la nuit.

L'inconnu s'en rendit compte lui aussi et adressa un large sourire à William, dévoilant ses gencives brunes.

— Si vous aviez la bonté de m'aider à rattraper ma vache et à la ramener à la maison, ma femme serait ravie de vous offrir un dîner et un lit.

Faute d'autre solution, William accepta son offre avec autant de grâce que possible. Ils laissèrent Rachel à l'abri sous un arbre avec les animaux, puis Denny et lui se lancèrent à la recherche de la vache.

Cette dernière, un animal décharné et velu au regard fou, se révéla à la fois fuyante et obstinée. Il fallut les talents combinés des trois hommes pour l'attraper et la traîner jusque sur la route. Trempés et couverts de boue, les piteux voyageurs suivirent ensuite M. Antioch Johnson (car ainsi leur hôte s'était-il présenté) jusqu'à une petite ferme délabrée.

Cependant, le toit, fuyant ou pas, était une nette amélioration comparé à la pluie battante.

Mme Johnson était une souillon d'un âge indéfinissable, maussade et encore plus édentée que son mari. Elle jeta un regard hargneux au groupe dégoulinant sur son seuil et lui tourna le dos sans un mot. Elle daigna néanmoins leur servir un bol d'un ragoût infect et figé de graisse. Heureusement, la vache avait fourni du lait frais. William vit Rachel prendre une petite cuillerée de ragoût, pâlir puis recracher discrètement dans sa main. Elle reposa sa cuiller et se contenta ensuite de lait.

Il était trop affamé pour se soucier de ce qu'il mangeait et, fort heureusement, il faisait trop sombre dans la pièce pour voir le contenu de son bol.

Denny faisait des efforts pour se montrer sociable tout en oscillant de fatigue sur son tabouret. Il répondit aimablement aux questions de M. Johnson qui voulait tout savoir sur leurs origines, leur voyage, leur destination, leurs relations, les détails de la route, leurs opinions sur la guerre et s'il y avait du nouveau. Rachel s'efforçait de sourire de temps à autre mais son regard inquiet ne cessait d'errer dans la pièce, revenant toujours sur leur hôtesse assise dans un coin, la tête baissée, une pipe en terre pendant mollement de ses lèvres.

Le ventre plein et chaussé de bas secs, William sentit les épreuves de la journée le rattraper. Les flammes de l'âtre le plongeaient dans une sorte de transe ; les voix de Denny et de M. Johnson se fondant en un agréable murmure le berçaient. Il se serait sans doute endormi sur place si le bruit de Rachel qui se levait pour aller au cabinet d'aisances ne l'avait arraché à sa torpeur, lui rappelant qu'il devait vérifier si les bêtes étaient bien installées. Il les avait bouchonnées tant bien que mal et avait acheté du foin à M. Johnson mais il n'y avait pas de grange pour les héberger, juste un abri fait d'un toit de feuillage sur quatre hauts pieux. Il ne voulait pas qu'elles restent toute la nuit les pattes dans la gadoue si leur refuge venait à être inondé.

Il pleuvait toujours mais l'air était frais et pur. Les parfums nocturnes de sève et d'herbes lui montèrent à la tête. Il courut vers l'abri en s'efforçant de protéger la torche qu'il avait emportée.

L'abri n'était pas inondé. Les chevaux, les mules et la vache au regard fou se tenaient sur de la paille humide mais propre. La porte des latrines grinça et il vit la silhouette fine de Rachel en sortir. En apercevant la lueur de sa torche, elle vint le rejoindre, resserrant son châle autour de ses épaules.

— Les animaux vont bien ? demanda-t-elle.

Des gouttes de pluie étincelaient dans ses cheveux.

— Je pense qu'ils ont mieux dîné que nous.

Elle frissonna.

— J'aurais mille fois préféré manger du foin ! Tu as vu ce qu'il y avait dans ce…

— Non, l'interrompit-il, et je préférerais ne pas le savoir.

Elle rit, s'attardant à caresser les oreilles tombantes de sa mule. Elle semblait avoir aussi peu envie que William de retourner dans l'atmosphère fétide de la maison.

— Je n'aime pas la façon dont cette femme nous regarde, déclara-t-elle soudain. Elle fixe mes souliers comme si elle se demandait s'ils lui iraient.

William baissa les yeux vers les pieds de Rachel. Ses bottines usées et crottées n'avaient rien de luxueux mais étaient robustes. Elle lança un regard nerveux vers la maison.

— Je serai soulagée de partir d'ici, même s'il pleut toujours demain.

— Nous partirons, lui assura-t-il. Sans attendre le petit déjeuner si vous préférez.

Il s'adossa à l'un des piliers, sentant la fraîcheur du soir dans son cou. Bien que toujours épuisé, il était sorti de sa torpeur et il se rendit compte qu'il partageait le malaise de Rachel.

M. Johnson s'était montré prévenant en dépit de sa rudesse mais il y avait quelque chose de presque trop empressé dans ses manières. Tout en parlant, il se tenait penché en avant, les yeux brillants, ses mains sales constamment en mouvement sur ses genoux. Peut-être n'était-ce dû qu'au fait d'avoir de la compagnie (celle de Mme Johnson ne devait pas être bien gaie !), toutefois le père de William lui avait appris à se fier à son instinct. Il fouilla dans sa sacoche accrochée à l'un des pieux et en sortit la petite dague qu'il portait dans sa botte lorsqu'il était en selle.

Rachel l'observa la glisser sous sa ceinture et rabattre sa chemise par-dessus. Elle parut inquiète mais ne protesta pas.

La flamme de sa torche commençait à crachoter et menaçait de s'éteindre et William tendit un bras que Rachel accepta volontiers. Il aurait aimé la prendre par la taille mais il dut se contenter de sentir sa chaleur à une distance convenable.

La masse de la ferme était plus noire que la nuit, l'arrière ne comportant ni porte ni fenêtre. Ils contournèrent le bâtiment en silence, leurs semelles s'enfonçant dans la terre détrempée. Un mince filet de lumière perçait sous les volets de la façade, seul signe d'une occupation humaine. Il entendit Rachel déglutir et effleura sa main avant de lui ouvrir la porte.

— Dormez bien, chuchota-t-il. Ne vous inquiétez pas, nous partirons dès l'aube.

Ce fut le ragoût qui lui sauva la vie. William s'endormit presque aussitôt que couché, écrasé par la fatigue, mais son sommeil fut perturbé par d'éprouvants cauchemars. Il avançait dans un long couloir quand il s'aperçut que les entrelacs ouvragés du tapis turc à ses pieds étaient des serpents. Ils se dressèrent en sifflant à son approche. Comme ils se mouvaient avec lenteur, il parvint à sauter par-dessus mais ses bonds le projetaient contre les murs qui semblaient se refermer sur lui.

Le couloir se rétrécit bientôt au point qu'il dut avancer de biais, le mur d'en face si proche de son visage que baisser la tête était impossible. Il s'inquiétait de la présence des serpents mais ne pouvait les voir et devait faire des ruades, accrochant un corps lourd de temps à autre. Pris de panique, il en sentit un s'enrouler autour de sa jambe, remonter lentement, glisser sous sa chemise, lui ceindre la taille et lui donner de violents et douloureux coups de tête dans le ventre, cherchant un point à mordre.

Il se réveilla en sursaut, haletant et en nage, et se rendit compte que la douleur dans son abdomen était bien réelle. Pris d'une crampe aiguë, il fléchit les genoux et roula sur le côté une fraction de seconde avant que la hache ne s'abatte là où s'était trouvée sa tête.

Il lâcha un pet retentissant puis se jeta sans réfléchir vers la forme sombre qui tentait de retirer la hache plantée dans les lattes du plancher. Il attrapa une des jambes de Johnson et tira. L'homme tomba sur lui en jurant et lui attrapa le cou. William se débattit comme un beau diable, mais les mains se refermèrent sur sa gorge et sa vision s'obscurcit.

Quelque part, quelqu'un criait. Par réflexe plus que par calcul, William envoya un coup de tête en plein visage de Johnson. Le choc fut douloureux mais l'étau qui lui écrasait la trachée se desserra. Il se dégagea d'un mouvement brusque, roula sur le côté et se releva.

Les braises mourantes dans la cheminée ne projetaient qu'une faible lueur. Les cris provenaient d'une masse de corps qui s'agitaient dans un coin mais, pour le moment, il ne pouvait rien y faire.

Johnson avait libéré sa hache d'un coup de pied. William aperçut l'éclat terne de sa lame juste au moment où l'autre l'abattait à nouveau vers son crâne. Il l'esquiva et parvint à agripper le poignet de son assaillant. Un des côtés de la lame heurta son genou et il tomba, entraînant Johnson dans sa chute. Heureusement, il leva l'autre genou à temps pour éviter d'être écrasé sous le poids du fermier.

Il se jeta sur le côté, ressentit une forte chaleur dans son dos et comprit qu'ils avaient roulé au bord de la cheminée. Il tendit un bras en arrière, saisit une poignée de charbons ardents et les écrasa sur le visage de Johnson, ignorant la brûlure cuisante dans sa paume.

Johnson retomba en arrière avec de brefs grognements étranglés, une main plaquée sur le visage. Il tenait toujours sa hache et, sentant William se relever, l'agita à l'aveuglette devant lui. William attrapa le manche, le lui arracha, le saisit fermement des deux mains. Le tranchant de la hache s'abattit sur la tête de Johnson avec un bruit sourd de potiron fendu. L'impact se répercuta dans les mains et les bras de William. Il lâcha la hache et recula en chancelant, à bout de souffle, la bouche emplie de bile.

Johnson tituba vers lui, les bras en avant, la hache plantée dans le crâne. Lentement, à la profonde horreur de William, il leva les mains pour la saisir.

Eperdu, William recula précipitamment. Sa main effleura ses culottes et il sentit que l'étoffe était mouillée. Au moment même où il baissait les yeux vers la tache sombre, il éprouva une sensation cuisante en haut de sa cuisse.

— Et merde ! marmonna-t-il en tâtant sa ceinture.

Il avait fallu qu'il se débrouille pour se planter la dague dans la jambe ! Heureusement elle était toujours là et il la dégaina sans cesser de reculer. Johnson marchait vers lui en poussant un étrange hurlement et en tirant toujours sur le manche de la hache.

Lorsque celle-ci se dégagea, un jet de sang éclaboussa le visage et le torse de William. Johnson abaissa son arme en grognant sous l'effort mais ses gestes étaient maladroits et lents. William l'esquiva en bondissant de côté, le mouvement lui faisant lâcher un vent sonore.

Il serra le manche de sa dague, cherchant où la planter. Johnson se passait un bras sur le visage pour essuyer le sang qui ruisselait. De l'autre main, il agitait sa hache en balayant l'espace devant lui.

— William !

Surpris, William lança un regard sur le côté et manqua d'être atteint par la lame.

— Taisez-vous, je suis occupé !

— Oui, je sais, répondit Denny Hunter. Laisse-moi t'aider.

Il était blême et tremblait presque autant que Johnson mais il s'avançait d'un pas ferme et, plongeant soudain en avant, il saisit le manche de la hache et l'arracha des mains de Johnson. Puis il recula et la laissa tomber sur le plancher dans un bruit sourd. Il paraissait sur le point de rendre ses tripes.

— Merci, dit William.

Il fit un pas et enfonça sa dague sous les côtes de Johnson, la lame remontant jusqu'au cœur. Johnson écarquilla les yeux et fixa ceux de William. Ils étaient gris-bleu avec une pluie de paillettes d'or autour d'un iris noir. William se figea, n'ayant jamais rien vu d'aussi beau, puis le sang chaud sur sa main le rappela à la réalité. Il retira sa dague, laissant le corps s'effondrer sur le sol. Il tremblait des pieds à la tête et ses intestins menaçaient de le lâcher. Il fonça vers la porte, passant devant Denny qui lui dit quelque chose qu'il ne comprit pas.

Quelques instants plus tard, accroupi dans les latrines, frissonnant et pantelant, il lui sembla néanmoins que le médecin lui avait dit : « Tu n'avais pas besoin de faire ça. »

Si, il le fallait, pensa-t-il.

Il posa le front sur ses genoux et attendit que s'apaise le feu dans ses entrailles.

Lorsqu'il émergea enfin des latrines, moite et flageolant, Denny Hunter courut prendre sa place. Sitôt la porte refermée, un concert d'explosions et de grognements s'éleva et William s'éloigna rapidement.

L'aube était encore loin mais l'air commençait à bouger et la ferme noire se détachait sur un ciel gris foncé. Il découvrit Rachel montant la garde avec un balai auprès de

Mme Johnson ficelée dans un drap sale. Elle gigotait encore un peu en sifflant et crachant.

Le cadavre de son mari gisait toujours face contre terre devant la cheminée dans une mare de sang. William ne voulait pas le regarder mais devinait qu'il aurait été incorrect de ne pas le faire. Il s'en approcha donc et le contempla un moment. Un des Hunter avait ravivé le feu et ajouté du bois. Il faisait chaud dans la pièce mais il ne le sentait pas.

— Il est mort, dit Rachel d'une voix atone.

— Oui.

Il ne savait pas trop ce qu'il était censé ressentir ni, à vrai dire, ce qu'il ressentait réellement. Il se détourna du cadavre avec un certain soulagement et s'approcha de la prisonnière.

— A-t-elle… ?

— Elle voulait égorger Denny mais elle m'a marché sur la main et m'a réveillée. Quand j'ai vu son couteau, j'ai crié. Il s'est jeté sur elle et…

Elle se passa une main dans les cheveux. Elle avait perdu son bonnet et sa chevelure libre était tout emmêlée.

— Je me suis assise sur elle et Denny l'a enroulée dans ce drap, expliqua-t-elle. Je ne crois pas qu'elle puisse parler ; elle a la langue fendue en deux.

A ces mots, Mme Johnson lui tira la langue avec hargne, les deux moitiés s'agitant indépendamment. Se souvenant des serpents de son cauchemar, William eut un mouvement de recul, révulsé. Puis il aperçut la lueur de satisfaction dans son regard.

— Si elle peut faire ça avec son horrible langue, elle peut parler, déclara-t-il avant de se pencher pour saisir la femme par le cou : Donnez-moi une bonne raison de ne pas vous tuer vous aussi !

— Sssse n'est pas ma faute ! Il m'oblisssse à le faire !

Son sifflement était si impressionnant que, choqué, il faillit la lâcher. Il lança un regard vers le mort et répondit :

— Plus maintenant.

Il resserra son emprise, sentant un pouls battre sous son pouce.

— Combien de voyageurs avez-vous trucidés ainsi ?

Lorsque pour toute réponse elle se lécha lascivement les lèvres avec sa langue bifide, il la lâcha et la gifla. Rachel se raidit derrière lui.

— Tu ne dois pas…

— Oh, que si !

Il frotta sa main contre ses culottes, dans le but de se débarrasser de l'horrible sensation de la sueur de cette femme, de sa peau grasse, de sa gorge noueuse. Son autre main commençait à l'élancer douloureusement. Tremblant de rage, il eut soudain envie de ramasser la hache et de l'abattre sur le visage de cette sorcière, encore et encore, de lui fracasser le crâne, de la découper en morceaux. Elle le lut dans son regard et le nargua de ses yeux noirs et brillants. Il se tourna vers Rachel, les oreilles bourdonnantes.

— Vous ne voulez vraiment pas que je la tue ?

— Tu ne dois pas, chuchota-t-elle.

Très lentement, elle tendit la main vers sa main brûlée et, constatant qu'il ne s'écartait pas, la saisit délicatement.

— Tu es blessé, dit-elle doucement. Viens dehors avec moi, je vais te soigner.

Elle l'entraîna à l'extérieur, à demi aveugle et mal assuré sur ses jambes. Elle le fit s'asseoir sur le billot puis alla remplir un seau d'eau à l'abreuvoir. La pluie avait cessé mais les arbres gouttaient encore.

Elle s'installa à côté de lui, lava sa main dans l'eau froide, ce qui apaisa un peu la sensation de brûlure. Elle toucha sa cuisse là où le sang séché avait laissé une traînée mais il fit non de la tête et elle n'insista pas.

— Je vais t'apporter du whisky. Il y en a dans la sacoche de Denny.

Elle se releva mais il la retint par le poignet.

— Rachel…

Sa voix lui paraissait étrange, comme si un autre parlait à sa place.

— … Je n'avais encore jamais tué personne. Je ne… je ne sais pas comment je dois réagir…

Il scruta son visage, cherchant une explication.

— Je… je pensais que… que cela m'arriverait à la guerre. Là… oui, je crois que j'aurais su. Je veux dire que j'aurais su quoi ressentir.

Elle le regarda dans les yeux, l'air songeuse et soucieuse. La lumière effleurait son visage, d'un rose plus doux que le lustre de la nacre. Au bout d'un long moment, elle caressa doucement sa joue et répondit :

— Non, tu n'aurais pas su non plus.

Découvrez en avant-première la suite de

L'Echo des cœurs lointains,

en librairie le 18 août 2011

1

La croisée des chemins

William prit congé des Hunter à un carrefour anonyme quelque part dans la colonie du New Jersey. Il était préférable de ne pas les accompagner au-delà. Leurs questions sur la position des forces continentales étaient accueillies avec de plus en plus d'hostilité, ce qui signifiait qu'ils n'en étaient plus très loin. Ni les sympathisants des rebelles ni les loyalistes craignant les représailles d'une armée à leur porte ne souhaitaient renseigner de mystérieux voyageurs qui pouvaient fort bien être des espions, si ce n'est pire.

Les quakers s'en sortiraient mieux sans lui. Ils étaient si exactement ce qu'ils paraissaient être et la détermination de Denzell à servir comme médecin était si simple et admirable à la fois que, s'ils étaient seuls, les gens les aideraient plus volontiers. Du moins, ils répondraient plus facilement à leurs questions. En revanche, avec William…

Les premiers jours, il lui avait suffi de déclarer qu'il était un ami des Hunter. Les gens étaient intrigués par le petit groupe mais pas soupçonneux. Cependant, à mesure qu'ils s'enfonçaient dans le New Jersey, l'agitation devenait tangible. Des fermes avaient été pillées par des expéditions de ravitaillement. Celles-ci pouvaient être organisées par des Hessiens de l'armée de Howe, désireux d'attirer Washington hors de sa cachette dans les montagnes de Watchung, comme par des troupes continentales cherchant désespérément de quoi se nourrir.

Les voyageurs, en temps normal chaleureusement accueillis en leur qualité de porteurs de nouvelles, étaient à présent repoussés à coups de mousquet et d'insultes. Il était de plus en plus difficile de s'approvisionner. La présence de Rachel leur permettait parfois d'approcher suffisamment les autochtones pour leur offrir de l'argent en échange de nourriture. La petite réserve de pièces d'or et d'argent de William leur fut fort utile. Denzell avait placé le gros du produit de la vente de leur maison dans une banque à Philadelphie afin d'assurer l'avenir de sa sœur. Quant aux billets émis par le Congrès américain, personne n'en voulait.

William pouvait difficilement se faire passer pour un quaker. Sa taille et son allure mettaient les gens mal à l'aise tout autant que son silence. En effet, gardant en mémoire le triste sort du capitaine Nathan Hale, William refusait de prétendre vouloir s'enrôler dans l'armée continentale ou de poser des questions qui pourraient plus tard permettre de l'accuser d'espionnage.

Il n'avait pas discuté de leur séparation avec les Hunter et ces derniers avaient soigneusement évité de l'interroger sur ses projets. Néanmoins, tous trois savaient que le moment était venu. Il le perçut dans l'air à son réveil. Quand Rachel lui tendit un morceau de pain pour le petit déjeuner, sa main effleura la sienne et il manqua la retenir. Elle le sentit et releva des yeux surpris vers lui. Ce matin-là, ils étaient plus verts que marron. Il aurait volontiers envoyé la sagesse au diable et l'aurait embrassée (il pensait qu'elle n'y verrait pas d'objection) si son frère n'avait surgi au même moment d'entre les buissons, reboutonnant sa braguette.

Il choisit le lieu, tout à coup. Repousser l'échéance ne servait à rien et mieux valait ne pas trop réfléchir. Il arrêta son cheval au milieu d'un carrefour, surprenant Denzell qui tira trop brusquement sur ses rênes et fit regimber sa jument.

— C'est ici que je vous abandonne, annonça William plus sèchement qu'il ne l'avait voulu. Je continue vers le nord alors que vous devriez vous diriger vers l'est où vous rencontrerez tôt ou tard des représentants de l'armée de Washington…

Il hésita mais une mise en garde était nécessaire. D'après ce que leur avaient dit des fermiers, Howe avait envoyé des troupes dans la région.

— … Si vous tombez sur des troupes britanniques ou des mercenaires hessiens… Vous parlez allemand ?

— Non, répondit Denzell. Juste un peu de français.

— C'est parfait. La plupart des officiers hessiens le parlent couramment. Si ce n'est pas le cas et que les Hessiens vous donnent du fil à retordre, dites-leur : *Ich verlange, Euren Vorgesetzten zu sehen ; ich bin mit seinem Freund bekannt.* Cela signifie : « Conduisez-moi à votre officier. Je connais son ami. » Dites la même chose si vous rencontrez des troupes britanniques.

Il ajouta un peu sottement :

— En anglais, bien sûr.

Cela fit sourire Denzell.

— Je te remercie, mais que faire une fois devant cet officier et qu'il nous demande le nom de ce soi-disant ami ?

— Cela n'aura plus guère d'importance. En présence d'un officier, vous serez en sécurité. Si cela peut vous rassurer, vous pouvez répondre qu'il s'agit de Harold Grey, duc de Pardloe, colonel du quarante-sixième régiment d'infanterie.

Contrairement à lord John, oncle Hal ne connaissait pas tout le monde mais tout le monde dans l'armée le connaissait, ne serait-ce que de réputation.

Il vit Denzell remuer les lèvres, mémorisant le nom.

Rachel, qui l'avait observé attentivement de sous son chapeau au bord affaissé, le souleva pour regarder William dans le blanc des yeux.

— Et qui est ce Harold pour toi, Ami William ?

Il hésita à nouveau mais, après tout, cela n'avait plus d'importance. Il ne reverrait jamais les Hunter. Bien que sachant que les quakers ne se laissaient pas impressionner par les rangs et les titres, il se redressa fièrement sur sa selle

— Un parent, répondit-il avant de fouiller dans sa poche pour en sortir la petite bourse que lui avait donnée Murray. Prenez ça, vous en aurez besoin.

Denzell la repoussa de la main.

— Nous avons ce qu'il faut.

— Moi aussi, insista William.

Il la lança à Rachel qui la saisit au vol par réflexe. Elle parut aussi surprise par sa propre réaction que par le geste de William. Il lui sourit, le cœur gros.

— Bonne chance, lança-t-il sur un ton bourru.

Il fit tourner son cheval et s'éloigna au petit trot sans un regard en arrière.

Denzell le regarda s'éloigner et glissa à sa sœur :

— Tu sais que c'est un soldat britannique ? Probablement un déserteur.

— Et alors ?

— La violence accompagne ce genre d'homme. Tu le sais. Rester trop longtemps en sa compagnie est dangereux, non seulement sur le plan physique mais également sur le plan spirituel.

Rachel resta silencieuse un long moment, contemplant la route déserte. Dans les arbres les insectes bourdonnaient. Puis elle fit faire demi-tour à sa mule et déclara avec flegme :

— Denzell Hunter, ne serais-tu pas un hypocrite ? Il a sauvé ma vie et la tienne. Tu aurais préféré lui tenir la main devant mon cadavre coupé en morceaux dans cet endroit affreux ?

— Non, répondit son frère tout aussi calmement. Je remercie Dieu qu'il ait été là pour te sauver. Je pèche peut-être en préférant ta vie au salut de l'âme de ce jeune homme mais je ne suis pas assez hypocrite pour ne pas le reconnaître.

Elle lui adressa une moue narquoise, ôta son chapeau et l'agita devant elle pour chasser un nuage d'insectes.

— Je suis honorée. Mais pour ce qui est du danger de fréquenter des hommes violents, n'es-tu pas en train de me conduire auprès d'une armée pour nous enrôler ?

Il eut un petit rire contrit.

— Bien vu. Tu as peut-être raison et je suis un hypocrite. Mais, Rachel… poursuivit-il en se penchant pour saisir la bride de sa mule, tu sais que je ferai tout pour qu'il ne t'arrive aucun mal, physiquement et moralement. Tu n'as qu'un mot à dire et je trouverai une famille d'Amis pour t'accueillir. Tu seras à l'abri. Je sais que le Seigneur m'a parlé et je dois obéir à ma conscience.

Elle le dévisagea longuement.

— Qui te dit que le Seigneur ne m'a pas parlé à moi aussi ?

Les yeux de Denzell s'illuminèrent derrière ses verres.

— Vraiment ? J'en suis très heureux pour toi. Que t'a-t-il dit ?

— Il m'a dit : « Empêche ta tête de lard de frère de commettre un suicide ou tu auras des comptes à me rendre. »

Elle lui tapa sur les doigts pour lui faire lâcher sa bride.

— Si nous devons rejoindre l'armée, Denny, ne perdons plus de temps. Allons-y, conclut-elle en talonnant sa mule.

William chevaucha quelques minutes le dos bien droit, exhibant l'élégance de sa monte. Une fois hors de vue, il ralentit et perdit de sa raideur. Il était navré de quitter les Hunter mais ses pensées le portaient déjà vers l'avenir.

Burgoyne. Il l'avait rencontré une fois, dans un théâtre, où il était venu voir une pièce écrite par le général en personne. Il ne se souvenait pas de la trame car il avait été trop occupé à flirter du regard avec une jeune fille occupant la loge voisine mais il était ensuite allé avec son père féliciter le fringant dramaturge grisé par le triomphe et le champagne.

A Londres, Burgoyne était surnommé « Gentleman Johnny ». La haute société londonienne se l'arrachait, en dépit du fait que sa femme ait dû fuir en France quelques années auparavant pour échapper à une arrestation pour dettes. Cela étant, c'était là un délit tellement courant que personne ne vous en tenait rigueur.

Que oncle Hal semble apprécier John Burgoyne, en revanche, le surprenait davantage. Oncle Hal n'avait guère de patience pour le théâtre et encore moins pour les dramaturges, même si, étrangement, il possédait dans sa bibliothèque les œuvres complètes d'Aphra Behn. Lord John lui avait confié un jour, sous le sceau du secret, que son frère Hal avait été autrefois passionnément attaché à Mme Behn. A l'époque, il était veuf et n'avait pas encore épousé Minnie.

Son père lui avait expliqué :

« C'est que, vois-tu, Mme Behn étant morte, il ne risquait rien. »

Désireux de ne pas montrer son incompréhension, William avait hoché la tête d'un air entendu même s'il ne voyait pas du tout ce que son père entendait par là.

Il avait depuis longtemps cessé de chercher à comprendre son oncle. Sa grand-mère Benedicta était sans doute la seule à pouvoir le faire. Penser à oncle Hal lui rappela soudain son cousin Henry et sa gorge se serra.

Adam avait dû apprendre la nouvelle, lui aussi, mais il ne pouvait rien faire pour son frère. Pas plus que lui, que le devoir appelait dans le Nord. Cependant, son père et oncle Hal avaient sûrement un plan...

Son cheval redressa brusquement la tête et s'ébroua. Un homme se tenait sur le bord de la route, un bras levé pour lui faire signe.

William retint sa monture et scruta le sous-bois au cas où des complices seraient tapis derrière les arbres, prêts à détrousser l'innocent voyageur. Le bas-côté était relativement dégagé et la première ligne de troncs était trop dense et touffue pour que quelqu'un s'y cache. Il s'arrêta à distance respectueuse de l'inconnu, un vieil homme au visage sillonné de rides et aux cheveux d'un blanc pur tressés dans la nuque. Il s'appuyait sur un grand bâton.

— Je vous souhaite le bonjour, monsieur, déclara William.

— Moi pareillement, jeune homme.

Ce devait être un gentleman car il avait fière allure, ses vêtements étaient de qualité et il avait un bon cheval que William apercevait entravé et paissant non loin de là. Il se détendit légèrement.

— Où allez-vous ainsi, monsieur ? demanda-t-il poliment.

Le vieillard, un Ecossais à en croire son accent, haussa les épaules :

— Cela dépend un peu de ce que vous m'apprendrez, jeune homme. Je suis à la recherche d'un homme nommé Ian Murray. Il me semble que vous le connaissez ?

Cette question déconcerta William. Comment le savait-il ? S'il connaissait Murray, peut-être ce dernier lui avait-il parlé de lui ? Il répondit prudemment :

— Je le connais en effet mais j'ignore où il se trouve.

— Ah non ?

L'homme le dévisageait avec une insistance déplacée. Ce vieux bouc le prenait-il pour un menteur ?

— Non, répéta-t-il d'un ton ferme. Je l'ai rencontré dans le Great Dismal il y a de cela quelques semaines, en compagnie de Mohawks. J'ignore où il est parti depuis.

— Des Mohawks… répéta l'homme, songeur.

William vit son regard s'arrêter sur la griffe d'ours accrochée à son cou.

— C'est un Mohawk qui vous a donné cette babiole ?

William se raidit, n'appréciant guère les connotations péjoratives du terme « babiole ».

— M. Murray me l'a apportée, de la part d'un ami.

— Un ami… reprit le vieil homme en scrutant attentivement William. Comment vous appelez-vous, jeune homme ?

— Je ne vois pas en quoi cela vous concerne, monsieur, répondit William que cet examen mettait mal à l'aise. Bonne journée !

Les traits de l'homme se durcirent et sa main se crispa sur le pommeau de sa canne quand William rassembla ses rênes. Juste avant de s'éloigner, il eut le temps de remarquer qu'il lui manquait deux doigts. Il crut un instant que le vieillard allait monter en selle à son tour et tenter de le rattraper mais, quand il se retourna, l'homme était toujours debout sur le bas-côté, à l'observer.

Cela ne changeait plus grand-chose mais, afin d'attirer le moins possible l'attention, William jugea préférable de glisser la griffe d'ours sous sa chemise où elle se balança à l'abri des regards aux côtés de son rosaire.

transcontinental
IMPRESSION
IMPRIMERIE GAGNÉ